Jean M. Auel

EL CLAN DEL OSO CAVERNARIO

MAEVA - LASSER

Primera edición 1985
Segunda edición 1987

Título original en inglés: The clan of the cave bear
Traductora: Leonor Tejada Conde-Pelayo
Copyright © 1980 Jean M. Auel
　　　　　　© 1981 Lengua española Lasser Press Mexicana, S. A.
　　　　　　© 1985 en España Ediciones Maeva, S. A.
　　　　　　　Benito Castro, 6
　　　　　　　28028 MADRID

Depósito legal: M. 40260-1987
ISBN: 84-86478-01-4

Portada: J. U. S.
Fotomecánica: Mancolor, S. A.

Imprime: Artes Gráficas EMA, S. A.
Miguel Yuste, 27. 28037 Madrid

A762905

Para RAY BOL

El peor de mis críticos
...mi mejor amigo

Agradecimiento

Cuando se publica un libro, no es obra exclusiva del autor. Este recibe ayuda de diversas fuentes de otras tantas maneras. Pero algunas contribuciones para mi obra han venido de gente a quien nunca he conocido y a la que probablemente nunca conoceré. A pesar de lo cual estoy agradecida a los habitantes de la ciudad de Portland y del condado de Multonomah, Oregón, cuyos impuestos sostienen la biblioteca del Multonomah County; sin los libros de consulta que encontré allí no podría haber escrito este libro.

También agradezco a los arqueólogos, antropólogos y demás especialistas que escribieron los libros en los que he recogido la mayor parte de la información para usarla como telón de fondo y antecedentes de esta novela.

Muchas personas me ayudaron más directamente; entre ellas, deseo agradecer especialmente a:

Gin DeCamp, la primera en escuchar la idea de mi historia, una amiga cuando más falta me hacía, que leyó un enorme manuscrito con entusiasmo y sin dejar pasar un error, y quien esculpió un símbolo para la serie. John DeCamp, amigo y colega escritor, que sabía de la agonía y el éxtasis, y que tenía el sentido de la oportunidad para llamar exactamente cuando yo necesitaba hablar con alguien. Karen Auel, que alentó a su madre más de lo que imaginaba, porque reía y lloraba cuando se suponía que debía hacerlo, aunque sólo se trataba de un primer esbozo.

Cathy Humble, a quien solicité el favor más grande que se le puede pedir a una amiga —una crítica sincera— porque valoraba su sentido de las palabras. Hizo lo imposible: su crítica fue a la vez amable y llena de discernimiento. Deanna Sterett, porque se

7

encontró presa de la historia, y sabía lo suficiente de cacerías para señalar algunos descuidos. Lana Elmer, que escuchó con una atención incansable horas enteras de disertación, y que aun así gustó de la historia. Anna Bacus, que brindó sus percepciones, únicas en su género, y su dominio de la ortografía.

No todas mis investigaciones se llevaron a cabo en bibliotecas. Mi esposo y yo hicimos muchas excursiones de campo para aprender directamente diversos aspectos de la vida junto a la naturaleza. En cuanto a la experiencia directa, hay que agradecer especialmente a Frank Heyl, experto de la supervivencia en el Artico del Museo de Ciencia e Industria de Oregón, quien me enseñó a hacerme la cama en una choza de nieve y ¡se aseguró que me acostara en ella! Sobreviví a aquella fría noche de enero sobre las faldas del Monte Hood, y aprendí muchísimo más acerca de la supervivencia con el señor Heyl, junto a quien declaro estar dispuesta a pasar la próxima Era Glacial.

Estoy en deuda con Andy Van't Hul por haber compartido conmigo sus conocimientos especiales en cuanto a vivir en el entorno natural. Me mostró cómo encender un fuego sin cerillos, hacer hachas de piedra, lograr el torcido de cuerdas y el trenzado de canastas, fibras y cueros, y cómo tallar mi propia hacha de piedra que corte el cuero como si fuera mantequilla.

Una gratitud inmensa siento por Jean Naggar, una agente literaria tan buena que convirtió mis fantasías increíbles en realidad, y las mejoró. Y por Carole Baron, mi aguda, sensible y astuta editora, que creyó en la realidad, se apoderó de mi mejor esfuerzo y lo perfeccionó.

Finalmente, hay dos individuos que no tenían la menor idea de que me estaban ayudando y, sin embargo, su ayuda fue inestimable. He llegado a conocer a uno de ellos, pero la primera vez que oí hablar al escritor y maestro Don James, acerca de cómo se escribe una novela él no sabía que se estaba dirigiendo a mí directamente: creía estar hablando a todo un grupo. Las palabras que decía eran precisamente las que yo necesitaba oír. Don James no lo sabía, pero tal vez nunca se habría terminado este libro de no ser por él.

El otro es un hombre al que sólo conozco por su libro: Ralph S. Solecki, autor de *Shanidar*. La historia de sus excavaciones en la Cueva Shanidar y su descubrimiento de varios esqueletos del hombre de Neanderthal, me conmovió profundamente. Me dio una perspectiva del hombre prehistórico de las cavernas que de otra manera tal vez nunca hubiera tenido, así como una mejor comprensión del significado de "humanidad". Pero aquí hago algo más que agradecer al profesor Solecki: debo pedirle perdón por un ejemplo de licencia literaria que me he tomado con los hechos, en beneficio de mi historia; en la vida real, fue una Neanderthal quien puso flores sobre la tumba.

1

La niña desnuda salió corriendo del cobertizo de cuero hacia la playa rocosa en el recodo del riachuelo. No se le ocurrió volver la mirada. Nada en su experiencia le daba razón alguna para poner en duda que el refugio y los que estaban dentro siguieran allí cuando regresara.

Se echó al río chapoteando y al alejarse de la orilla, que se hundía rápidamente, sintió cómo la arena y los guijarros se escapaban bajo sus pies. Se zambulló en el agua fría y salió nuevamente, escupiendo, antes de dar unas brazadas firmes para alcanzar la escarpada orilla opuesta. Había aprendido a nadar antes de andar, y a los cinco años de edad se encontraba a gusto en el agua. En muchas ocasiones, la única manera en que se podía cruzar un río era nadando.

La niña jugó un buen rato, nadando de un lado a otro, y después dejó que la corriente la arrastrara río abajo; cuando éste se ensanchó y empezó a hacer borbotones sobre las piedras, se puso en pie y regresó a la orilla, donde se dedicó a escoger piedrecillas. Acababa de poner una en la cima de un montoncillo de algunas especialmente bonitas, cuando la tierra comenzó a temblar.

La niña vio, sorprendida, que la piedrecita rodaba como por voluntad propia, y que las que formaban su pequeña pirámide se sacudían y volvían al suelo. Sólo entonces se dio cuenta de que también ella se sacudía, pero todavía experimentaba más sorpresa que aprensión. Echó una mirada en derredor tratando de comprender por qué su universo se había alterado de manera incomprensible. Se suponía que la tierra no debía moverse.

El riachuelo, que momentos antes corría suavemente, se había vuelto turbulento, con olas agitadas que salpicaban las orillas mientras su lecho se alzaba contra la corriente, sacando lodo del fondo. Los matorrales que crecían cerca de las orillas ría arriba se estremecían, animados por un movimiento invisible de sus raíces, y río abajo, las rocas oscilaban, presas de una agitación Insólita. Más allá, las majestuosas coníferas del bosque por el que pasaba el río se inclinaban de manera grotesca. Un pino gigantesco próximo a la orilla, con sus raíces al aire y debilitado por la corriente del arroyo, se inclinó hacia la orilla opuesta; con un crujido se desplomó, por encima de las aguas turbias, y se quedó temblando sobre la tierra inestable.

La niña dio un brinco al oír la caída del árbol; el estómago se le revolvió y se le hizo un nudo cuando el temor pasó por su mente. Trató de ponerse en pie, pero cayó de espaldas, al perder el equilibrio por el horrible balanceo. Lo intentó nuevamente, consiguió enderezarse y se quedó en pie, insegura, sin atreverse a dar un paso.

Al echar a andar hacia el cobertizo de cuero, un poco apartado del río, sintió un rumor sordo, que se convirtió en estrepitoso rugido aterrador; un olor repugnante a humedad surgió de una grieta que se abría en el suelo, como si fuera el aliento fétido que exhala por la mañana la tierra al bostezar. La niña miró sin comprender la tierra, las piedras y los arbolillos que caían en la brecha que seguía abriéndose mientras la corteza fría del planeta en fusión se resquebrajaba en sus convulsiones.

El cobertizo, encaramado en la orilla más lejana del abismo, se inclinó al retirarse la mitad de la tierra firme que tenía debajo; el esbelto poste se balanceó como indeciso antes de desplomarse y desaparecer en el profundo orificio, llevándose su cubierta de cuero y todo su contenido. La niña tembló, horrorizada y con los ojos desorbitados, mientras las apestosas fauces abiertas se tragaban todo lo que había dado significado y seguridad a los escasos cinco años de su vida.

—¡Madre! ¡Madre!— gritó cuando la abrumó el entendimiento. No sabía si el grito que resonaba en sus oídos era el suyo en medio del rugido atronador de las rocas hendidas. Se acercó gateando a la profunda grieta, pero la tierra se elevó y la derribó. Se aferró a la tierra, tratando de agarrarse a algo sobre el suelo que se alzaba y se escurría.

Entonces la brecha se cerró, el rugido cesó y la tierra agitada se calmó, pero no la niña. Tendida boca abajo sobre la tierra floja y húmeda, revuelta por el paroxismo que acababa de sacudirla, temblaba de miedo; y tenía sobradas razones para estar asustada.

La niña se encontraba sola en medio de un desierto de estepas herbosas y selvas dispersas.

Al norte, glaciares cubrían el continente, empujando su frío por delante. Números incalculables de animales herbívoros, y los carnívoros que de ellos se sustentaban, recorrían las vastas praderas, pero había poca gente. No tenía adónde ir ni nadie a quien acudir para ocuparse de ella. Estaba sola.

El suelo volvió a estremecerse, asentándose, y la niña oyó un gruñido de las profundidades, como si la tierra estuviera haciendo la digestión de una comida tragada sin masticar. Dio un salto, presa del pánico, aterrada a la idea de que pudiera abrirse de nuevo. Miró el lugar donde había estado el cobertizo: lo único que allí quedaba era tierra descubierta y arbustos desarraigados. Deshecha en llanto, la niña corrió otra vez hacia el riachuelo y se dejó caer hecha un ovillo sollozante junto a la fangosa corriente.

Pero las mojadas orillas del riachuelo no brindaban refugio alguno contra el agitado planeta. Otra sacudida, esta vez más grave, agitó el suelo. La niña se quedó mirando con asombro la salpicadura de agua fría sobre su cuerpecito desnudo. Nuevamente se apoderó de ella el pánico, haciéndola incorporarse. Tenía que apartarse de ese aterrador lugar de tierra sacudida, devoradora, pero ¿adónde podría dirigirse?

No había lugar de donde pudieran brotar semillas sobre la playa rocosa, y tampoco había matorrales, pero las riberas río arriba estaban cubiertas de maleza que comenzaba justo a retoñar hojas nuevas. Un instinto profundo le decía que debería permanecer cerca del agua, pero las enmarañadas zarzas parecían impenetrables. A través de sus ojos empañados por el llanto que le enturbiaba la visión, miró hacia el otro lado, hacia la selva de altas coníferas.

Delgados haces de rayos de sol se filtraban por entre las ramas tupidas de densos árboles perennes que se apretujaban cerca del río. La selva umbrosa carecía casi por completo de maleza, pero muchos de aquellos árboles no se erguían ya. Unos cuantos habían caído sobre la tierra, otros más se inclinaban en ángulos estrambóticos, sostenidos por vecinos que todavía estaban firmemente anclados. Más allá del revoltijo de árboles, la selva boreal era oscura y no resultaba más atractiva que la maleza río arriba. No sabía hacia dónde ir; miró primero a un lado y después a otro, indecisa.

Un temblor bajo sus pies mientras miraba río abajo la puso en movimiento. Dirigiendo una última mirada anhelante hacia el paisaje vacío, con la esperanza infantil de que el cobertizo siguiera allí, echó a correr hacia los bosques.

Estimulada por algún gruñido casual mientras la tierra se asentaba, la niña siguió el curso del agua corriente, deteniéndose sólo para beber en su prisa por alejarse. Las coníferas que habían sucumbido a las sacudidas telúricas yacían postradas sobre el suelo, y la niña evitaba cráteres abiertos por el enredo circular de raíces cortas que aún tenían tierra y grava pegadas a sus partes ocultas, ahora descubiertas.

No veía tantas evidencias de perturbación al atardecer, eran menos los árboles arrancados y las rocas desplazadas, y el agua estaba más clara. Se detuvo cuando ya no pudo ver por dónde andaba, y se dejó caer, agotada, sobre la tierra del bosque. El ejercicio le había ayudado a conservar el calor mientras estuvo en movimiento, pero se puso a tiritar bajo el aire frío de la noche, se sumió en la espesa alfombra de agujas caídas y se hizo un ovillo, cubriéndose a puñados.

Pero por cansada que estuviera, no logró conciliar el sueño la asustada criaturita. Mientras se ocupaba en rodear obstáculos para seguir el curso del río, había conseguido apartar de su mente el temor que ahora la abrumaba. Estaba tendida, perfectamente inmóvil, con los ojos muy abiertos, observando cómo la oscuridad se espesaba y congelaba a su alrededor. Temía moverse, casi temía respirar.

Nunca anteriormente se había encontrado sola de noche, y siempre había tenido cerca una hoguera para mantener a raya la oscuridad desconocida. Finalmente no pudo dominarse más y, con un sollozo convulsivo, lloró de angustia. Su cuerpecito se sacudía con sollozos y el hipo lo contraía, y ese desahogo sirvió para adormecerla. Un animalillo nocturno la olfateó con curiosidad amable sin que ella se diera cuenta.

¡Despertó gritando!

El planeta seguía inquieto, y rugidos lejanos que resonaban por dentro la devolvieron a su horror en una espantosa pesadilla. Se puso de pie, quiso echar a correr, pero sus ojos no podían ver más, abiertos, que con los párpados cerrados. Al principio no pudo recordar dónde se encontraba. Su corazón palpitaba fuertemente: ¿por qué no podía ver? ¿Dónde estaban los amorosos brazos que siempre habían estado allí para reconfortarla cuando despertaba de noche? Poco a poco el recuerdo consciente de su terrible situación se fue abriendo paso en su mente y, tiritando de frío y de miedo, volvió a hacerse un ovillo y a sumirse en el suelo cubierto de agujas. Los primeros pálidos rayos del alba la encontraron dormida.

La luz del día llegó lentamente a la profundidad de la selva. Cuando despertó la niña, había avanzado mucho la mañana, pero bajo aquella sombra espesa resultaba difícil de comprobar. Se había alejado del río la noche anterior cuando la luz empezó a menguar, y algo de pánico amenazó apoderarse de ella cuando miró en derredor y sólo vio árboles.

La sed le ayudó a reconocer el sonido de agua gorgoteante. Siguió el sonido y sintió un gran alivio al ver de nuevo el riachuelo. No estaba menos perdida junto al río que dentro de la selva, pero se sentía mejor al tener algo que seguir, y podría calmar su sed mientras estuviera cerca de él. Le había venido bien el día anterior tener agua corriente, pero no le servía de mucho para aplacar el hambre.

Sabía que podía comer raíces y vegetales, pero no sabía lo que era comestible. La primera hoja que probó era amarga y le lastimó la boca; la escupió y se enjuagó para quitar el mal sabor, pero eso la hizo vacilar en cuanto a probar otras. Bebió más agua porque le daba una sensación pasajera de estar ahíta, y volvió a seguir la orilla río abajo. Los profundos bosques la atemorizaban, y se mantuvo cerca del río mientras brilló el sol. Al caer la noche, abrió un hoyo en las agujas que cubrían el suelo y se acurrucó nuevamente entre ellas para dormir.

Su segunda noche de soledad no fue mejor que la primera. Al mismo tiempo que el hambre un terror helado le contraía el estómago; nunca había sentido semejante terror, ni tanta hambre: nunca había estado tan sola. Su sensación de pérdida era tan dolorosa que empezó a bloquear el recuerdo del terremoto y de su vida anterior a él; y pensar en el futuro la puso al borde del pánico, de manera que luchó por apartar también esos temores de su mente. No quería pensar en lo que pudiera suceder ni en quién pudiera encargarse de ella.

Vivía sólo para el momento presente, salvando el siguiente obstáculo, cruzando el siguiente afluente, trepando por encima del siguiente tronco caído. Seguir el río se convirtió en un fin en sí, no porque la fuera a llevar a parte alguna sino porque era lo único que le impartía alguna orientación, algún propósito, algún curso de acción. Era mejor que no hacer nada.

Al cabo de cierto tiempo el vacío de su estómago se convirtió en un dolor sordo que le apagaba la mente. Lloraba de vez en cuando mientras seguía avanzando penosamente, y sus lágrimas pintaban chorretes blancos por su rostro sucio. Su cuerpecito desnudo estaba cubierto de tierra, y los cabellos que habían sido anteriormente casi blancos y tan finos y suaves como la seda, estaban pegados a su cabeza en una maraña de agujas de pino, ramillas y barro.

El viaje se dificultó cuando la selva de árboles siempre verdes cambió por una vegetación más abierta, y cuando el suelo cubierto de agujas dejó el paso a matorrales, hierbas y herbajes que cubren generalmente el suelo debajo de árboles de hojas caducas y más pequeñas. Cuando llovía, se encogía bajo un tronco caído o una roca grande o ramas extendidas o simplemente se dejaba lavar por la lluvia sin dejar de avanzar pesadamente por el barro. De noche, amontonaba hojas secas caídas la temporada anterior, y se enterraba en ellas para dormir.

El abundante abastecimiento de agua para beber impidió que la deshidratación causara hipotermia, esa baja de la temperatura corporal que provoca la muerte por exposición, pero la niña se estaba debilitando. Estaba ya más allá del hambre; sólo sentía un dolor constante, sordo, y una sensación ocasional de mareo. Trataba de no pensar en ello ni en cosa alguna que no fuera el río, seguir el río.

La luz del sol, al penetrar en su nido, la despertó. Salió de la cómoda bolsa entibiada por el calor de su cuerpo y se dirigió al río para beber agua, con hojas secas todavía pegadas a su piel. El cielo azul y el sol brillante eran un consuelo después de la lluvia del día anterior. Poco después de que echara a andar, la orilla de su lado del río comenzó a subir. Para cuando decidió tomar otro trago, una pendiente abrupta la separaba del agua. Empezó a bajar cuidadosamente, pero perdió pie y cayó rodando hasta abajo.

Se quedó tendida, raspada y dolorida, en el barro junto al agua, demasiado cansada, demasiado débil y demasiado infeliz para moverse. Gruesos lagrimones se formaban en sus ojos y corrían por su rostro, y tristes lamentos rasgaban el aire. Nadie la oyó. Sus gritos se convirtieron en plañidos rogando que alguien fuera a ayudarla. Nadie fue. Sus hombros se sacudían con sollozos mientras lloraba su desesperanza. No quería ponerse en pie, no quería seguir adelante pero ¿qué más podría hacer? ¿Quedarse allí, llorando en el barro?

Cuándo dejó de llorar se quedó tendida junto al agua. Al sentir que una raíz se le incrustaba en el costado y que su boca sabía a lodo, se sentó. Entonces, cansadamente se puso en pie y fue a beber un poco de agua del río. Echó a andar de nuevo, retirando tercamente las ramas que obstruían su paso, trepando por troncos caídos y cubiertos de musgo, chapoteando a la orilla del río.

La corriente, que ya estaba alta debido a inundaciones de principios de la primavera, había aumentado hasta más del doble de su tamaño gracias a sus afluentes. La niña oyó un rugido a la distancia mucho antes de ver la cascada que caía desde la alta ribera en la confluencia de un río grande con el más pequeño, un río que iba a doblar nuevamente su volumen. Más allá de la cascada, las rápidas corrientes de los ríos unidos hervían sobre las piedras mientras corrían hacia las llanuras herbosas de la estepa.

La rugiente catarata saltaba desde el borde de la alta orilla formando una amplia capa de agua blanca. Caía salpicando una poza llena de espuma que había sido horadada en la base de la roca, creando una pulverización constante de rocío y torbellinos de corrientes contrarias allí donde se unían los ríos. En algún momento de un pasado lejano, el río había labrado más profundamente el farallón de piedra dura detrás de la cascada. El saliente por el que chorreaba el agua salía más allá del muro que había detrás de la cascada, formando un paso en medio.

La niña se acercó y miró cuidadosamente el túnel mojado, y después echó a andar detrás de la movediza cortina de agua. Se pegaba a la roca mojada para mantenerse firme, pues la caída continua del río fluyendo la aturdía. El rugido era ensordecedor, rebotando sobre la pared de piedra detrás del tumultuoso caudal. Alzó con temor la vista, consciente, llena de angustia, de que la corriente estaba más arriba de las rocas que chorreaban por encima de su cabeza, y avanzó cautelosa y lentamente.

Estaba casi en el otro lado cuando terminó el pasaje, estrechándose poco a poco hasta ser otra vez muralla abrupta. El corte del farallón no lo recorría por completo; la niña tuvo que dar media vuelta y volver sobre sus pasos. Cuando llegó a su punto de partida, miró el torrente que surgía por encima del borde y meneó la cabeza: no había otro camino.

El agua estaba fría cuando se puso a vadear por el río, y las corrientes, fuertes. Nadó hasta el medio, dejó que la fuerza del agua la llevara rodeando las cataratas, y después se volvió hacia la orilla del ancho río que se había formado más bajo. Se cansó de nadar, pero ahora estaba más limpia que desde algún tiempo a esta parte, excepto su cabello enredado y enmarañado. Volvió a sentirse fresca pero no por mucho tiempo.

El día era inusitadamente caluroso para fines de la primavera, y cuando los árboles y las malezas dejaron el paso a la pradera abierta, el cálido sol resultó agradable. Pero a medida que la ardiente bola ascendía, sus rayos calurosos se ensañaron en las pocas reservas que le quedaban a la niña. Por la tarde iba ya tambaleándose a lo largo de una estrecha faja de arena entre el río y un escarpado farallón. El agua chispeante reflejaba sobre ella el brillante sol, mientras la casi blanca arenisca devolvía luz y calor, sumándose al fulgor deslumbrante.

Del otro lado del río y más allá, se extendían hasta el horizonte pequeñas flores herbáceas blancas, amarillas y púrpuras, que se combinaban en el brillante y fresco verdor a medio crecer de la hierba, con una vida nueva. Pero la niña no se fijaba en la efímera belleza primaveral de la estepa: la debilidad y el hambre la hacían delirar, y empezó a tener alucinaciones.

"Dije que tendría cuidado, madre. Sólo nadé un poco, pero ¿adónde te has ido? —murmuraba.— ¡Madre! ¿cuándo vamos a comer? Tengo tanta hambre y hace tanto calor. ¿Por qué no viniste cuando te llamaba? Llamé y llamé y no viniste. ¿Dónde has estado? ¿Madre? ¡Madre! ¡No te vayas de nuevo! ¡Quédate aquí! ¡Madre, espérame! ¡No me dejes!"

Corrió hacia donde había visto el espejismo, y la visión se fue apagando, siguiendo la base del farallón, pero éste se alejaba de la orilla del agua, apartándose del río. La niña abandonaba su provisión de agua. Corriendo ciegamente, se golpeó el dedo gordo del pie con una piedra y cayó rudamente. Eso casi la devolvió a la realidad. Se sentó frotándose el dedo y tratando de ordenar sus pensamientos.

La muralla dentada de piedra arenisca estaba perforada de hoyos oscuros y partida por estrechas grietas y hendeduras. La dilatación y la contracción provocadas por cambios extremos en temperaturas desde un calor agobiante hasta un frío inferior a cero, habían quebrantado la roca blanda. La niña miró un orificio cerca del suelo, en el muro junto a ella, pero la insignificante gruta no le causó la menor impresión.

Mucho más impresionante era la manada de uros que se apacentaba pacíficamente en la lozana hierba nueva que crecía entre el farallón y el río. En su ciega precipitación por perseguir un espejismo, la niña no se había fijado en el enorme ganado salvaje, de un rojo moreno y seis pies de altura en la cruz con inmensos cuernos curvos. Cuando se dio cuenta, un temor repentino limpió las últimas telarañas de su cerebro. Retrocedió pegándose a la muralla rocosa, sin apartar la vista de un robustísimo toro que había dejado de pacer para observarla; entonces se dio vuelta y echó a correr.

Volvió la mirada por encima del hombro, contuvo la respiración al vislumbrar un súbito borrón en movimiento y se paró en seco. Una enorme leona, dos veces mayor que cualquier felino que hubiera de poblar las sabanas mucho más al sur en una era muy ulterior, había estado rondando la manada. La niña ahogó un grito al ver que la monstruosa gata se arrojaba sobre una vaca salvaje.

En un remolino de colmillos descubiertos y zarpas de acero la leona gigantesca derribó al enorme uro. Con un crujido de potentes quijadas, el mugido aterrado del bovino fue ahogado mientras el imponente carnívoro le abría la garganta. Un surtidor de sangre mojó el hocico de la cazadora cuadrúpeda y manchó de carmesí su piel atezada. Las patas del uro se agitaban espasmódicamente todavía, mientras la leona le abría el estómago y le arrancaba un bocado de carne roja y caliente.

Un terror absoluto se adueñó de la niña: echó a correr dominada por el pánico mientras otro de los grandes gatos la observaba atentamente. La niña había penetrado sin saberlo en el territorio de los leones cavernarios. Normalmente los grandes felinos habrían desdeñado una criatura tan pequeña como lo es un humano de cinco años, pues escogían sus presas entre los robustos uros, bisontes descomunales o gigantescos ciervos para satisfacer las necesidades de la flor y nata de los hambrientos leones cavernarios. Pero la niña que huía se estaba acercando demasiado a la cueva que alojaba a un par de cachorros recién nacidos y maullantes.

El león de melena desgreñada, que había quedado al cuidado de las crías mientras la leona cazaba, lanzó un rugido de advertencia. La niña levantó la cabeza y se quedó sin resuello al avistar al gigantesco gato agazapado sobre un saliente, preparándose para saltar. Gritó, se detuvo resbalando, cayéndose y arañándose la pierna con la grava suelta que había junto a la pared, y gateó para darse vuelta. Aguijoneada por un temor mayor aún, volvió corriendo por donde había venido.

El león cavernario brincó con una gracia lánguida, confiando en su habilidad para atrapar a la pequeña intrusa que se atrevía a profanar la santidad de la caverna infantil. No tenía prisa —ella se movía despacio en relación con la fluidez veloz del animal— y se sentía de humor para jugar como el gato con el ratón.

En su pánico, sólo su instinto guio a la niña hacia un pequeño orificio junto al suelo en la fachada del farallón. Le dolía el costado y apenas podía respirar, pero se escurrió por un agujero justo lo suficientemente grande para ella. Era una cueva minúscula, poco profunda, apenas una hendedura. Se revolvió en el reducido espacio hasta encontrarse de rodillas con la espalda pegada a la pared, tratando de fundirse con la roca sólida que tenía detrás.

El león cavernario rugió su frustración al llegar al agujero y no poder alcanzar su presa. La niña tembló al oír el rugido y se quedó mirando con horror hipnótico cómo la fiera tendía la pata estirando sus garras curvas dentro del orificio. Incapaz de alejarse, vio cómo se acercaban las garras y gritó de dolor al sentir que se le hundían en el muslo rayándolo con cuatro profundos arañazos paralelos.

La niña se revolvió para ponerse fuera de su alcance y encontró una ligera depresión en la oscura muralla a su izquierda. Recogió sus piernas, se aplastó como pudo y contuvo la respiración. La garra volvió a meterse lentamente en el pequeño orificio tapando casi por completo la escasa luz que penetraba en el nicho, pero esta vez no encontró nada. El león cavernario rugió y siguió rugiendo mientras iba y venía frente al orificio.

La niña pasó el día entero en su estrecha cueva, también la noche y la mayor parte del día siguiente. La pierna se le hinchó y la herida infectada era un dolor constante, además de que el reducido espacio de la cueva de paredes ásperas no le permitía volverse ni estirarse. Deliró de hambre y dolor la mayor parte del tiempo y soñó espantosas pesadillas de terremotos y garras agudas y un temor doloroso y solitario. Pero no fueron su herida ni el hambre ni siquiera su dolorosa insolación las que la sacaron finalmente de su refugio; fue la sed.

La niña miró temerosamente por el pequeño orificio. Magros bosquecillos de sauces y pinos castigados por el viento arrojaban largas sombras a principios de la tarde. La niña miró un buen rato el palmo de tierra cubierto de hierba y el agua chispeante más allá, antes de hacer acopio de suficiente valor para salir; se lamió los resquebrajados labios con su lengua seca mientras examinaba el terreno. La familia de leones se había marchado; la leona, preocupada por sus pequeños y molesta por el olor extraño de la criatura desconocida que tan cerca estaba de su cueva, decidió buscar otro cuarto para sus hijos.

La niña salió del agujero y se puso en pie. La cabeza le golpeteaba por dentro, y veía manchas bailando vertiginosamente frente a sus ojos. Oleadas de dolor la sumergían a cada paso, y sus heridas comenzaron a supurar un líquido verde-amarillo que chorreaba a lo largo de su pierna hinchada.

No estaba segura de poder llegar hasta el agua, pero su sed era irresistible. Cayó de rodillas y se arrastró los últimos pasos, gateando; después, se tendió boca abajo y bebió vorazmente grandes tragos de agua fría. Cuando calmó finalmente su sed, intentó incorporarse de nuevo, pero había llegado al límite de su resistencia. Con manchas pasando frente a sus ojos, la cabeza le dio vueltas y todo se oscureció mientras se desplomaba sobre el suelo.

Un ave de rapiña que hacía círculos perezosos allá arriba, espió la forma inmóvil y fue descendiendo para verla más de cerca.

2

El grupo de viajeros atravesó el río un poco más allá de la cascada, donde el río se ensanchaba y hacía espuma alrededor de las rocas, que salían del agua poco profunda. Eran veinte, jóvenes y viejos. El Clan había contado veintiséis miembros antes del terremoto que destruyó su cueva. Dos hombres abrían el paso, muy adelante de un núcleo de mujeres y niños flanqueados por un par de hombres mayores. Los varones jóvenes formaban la retaguardia.

Seguían el ancho río, que iniciaba su rumbo sinuoso, lleno de meandros, a través de la estepa, y observaron a las aves de rapiña volando en círculos. Si aún volaban, significaba que lo que había llamado su atención seguía con vida. Los hombres que iban delante apretaron el paso para investigar. Un animal herido era presa fácil para los cazadores, siempre que algún cuadrúpedo depredador no abrigara las mismas intenciones.

Una mujer, más o menos a mediados de su primer embarazo, avanzaba adelante de las demás mujeres. Vio a los dos hombres guía mirar al suelo y seguir su camino. "Debe de ser un carnívoro", pensó; el Clan no solía comer animales carnívoros.

Medía poco más de cuatro pies y medio de estatura; era de huesos fuertes, robusta y patizamba, pero caminaba erecta sobre fuertes piernas musculosas y pies planos descalzos. Sus brazos, largos en proporción con el resto del cuerpo, estaban encorvados como sus piernas. Tenía una ancha nariz en forma de pico, una mandíbula saliente que se proyectaba como un hocico, y carecía de barbilla. Su frente baja era estrecha e inclinada, y su cabeza, larga y grande, descansaba sobre un cuello corto y grueso. En la nuca tenía un nudo huesudo, un promontorio occipital que acentuaba su perfil posterior.

Un vello suave, corto y moreno, con tendencia a rizarse, cubría sus piernas y hombros y corría a lo largo de la parte superior de su espalda. Al llegar a la cabeza, se convertía en una cabellera pesada, larga y bastante tupida. La mujer estaba perdiendo ya su palidez invernal a cambio de un tostado veraniego. Sus ojos grandes, redondos y oscuros, profundamente sumidos bajo unas cejas prominentes, estaban llenos de curiosidad cuando aceleró el paso para ver lo que los hombres habían dejado atrás.

La mujer era mayor para ser su primer embarazo; tenía casi veinte años, y el Clan la había creído estéril, hasta que comenzó a verse la vida que se iniciaba dentro de ella. La carga que llevaba a cuestas no se había aligerado porque estuviera embarazada. Llevaba un gran canasto sujeto a sus espaldas como un cuévano, con bultos atados detrás, colgando y amontonados encima; varias bolsas cerradas con cuerdas colgaban de una correa, que atada alrededor de la piel flexible que llevaba como un manto alrededor de las caderas, de modo que formaba dobleces y bolsas para guardar objetos. Una bolsa se distinguía especialmente: estaba hecha con piel de nutria, lo que resultaba obvio porque se había curtido dejando intactas las patas, la cola y la cabeza.

En vez de abrir el vientre del animal, sólo se había cortado el cuello para poder sacar por ese orificio las vísceras, la carne y los huesos, dejando una bolsa entera. La cabeza, atada por una tira de piel a la espalda, era la tapadera; una cuerda de tendón teñido de rojo pasaba por los agujeros que rodeaban la abertura del cuello, y estaba apretada y atada a la correa que la mujer llevaba alrededor de la cintura.

Cuando la mujer vio a la criatura que los hombres habían dejado atrás, se quedó intrigada por lo que parecía un animal sin pelo. Pero al acercarse, se quedó boquiabierta y retrocedió, un paso, aferrando la pequeña bolsa de cuero que llevaba colgada del cuello en un gesto inconsciente para apartar los espíritus desconocidos. Tocó los pequeños objetos que llevaba en su amuleto, invocando protección, y se inclinó más cerca para ver, sin atreverse a dar un paso pero sin conseguir creer que estaba viendo lo que realmente creía ver.

Sus ojos no la habían engañado: no era un animal lo que había atraído a las aves de rapiña, era una niña ¡una niña flaca y de aspecto extraño!

La mujer echó una mirada en derredor, preguntándose qué otros temibles enigmas podrían hallarse cerca, y empezó a rodear a la niña inconsciente, pero oyó un gemido. La mujer se detuvo y, olvidando sus temores, se arrodilló junto a la niña y la sacudió suavemente. La curandera comenzó a desatar la cuerda que mantenía cerrada la bolsa de nutria tan pronto como vio la infección de los arañazos y la pierna hinchada al rodar la niña sobre sí misma.

El hombre que iba a la cabeza de la tribu miró hacia atrás y al ver a la mujer arrodillada junto a la niña, volvió sobre sus pasos.

—¡Iza! —ordenó—. ¡Ven! Hay huellas de león cavernario y de su huida más adelante.

—¡Es una niña, Brun! Está lastimada pero no muerta —replicó.

Brun miró a la niña flaca de frente alta, nariz pequeña y rostro curiosamente plano.

—No es del Clan —hizo el jefe con un ademán, y se volvió para reanudar su marcha.

—Brun, es una niña y está herida. Morirá si la dejamos aquí—. Los ojos de Iza rogaban mientras se expresaba con ademanes de sus manos.

El jefe del pequeño Clan se quedó mirando a la mujer que imploraba. Era mucho más alto que ella, medía más de cinco pies con músculos pesados y potentes, un pecho abultado y fuertes piernas arqueadas. El modelo de sus rasgos era similar aunque más pronunciado: nariz más grande y arco superciliar más abultado. Sus piernas, estómago y pecho así como la parte superior de su espalda estaban cubiertos de pelos morenos y ásperos que no constituían una pelambre pero casi, casi. Una barba tupida ocultaba su quijada sin barbilla. Su manto también se parecía al de ella pero no era tan completo sino más corto y atado de distinta manera, con menos dobleces y bolsas para guardar cosas.

No llevaba carga, sólo su manto exterior de pieles, colgado de su espalda por una ancha banda de cuero enrollada a su frente inclinada, y sus armas. Sobre su muslo derecho había una cicatriz, ennegrecida como un tatuaje más o menos en forma de U con las ramas superiores hacia fuera: era la marca del bisonte, su tótem. No necesitaba señal ni adorno alguno para identificar su liderazgo. Su porte y la deferencia que los demás le mostraban evidenciaban suficientemente su posición.

Retiró del hombro el garrote que llevaba y lo apoyó en el suelo —era una larga pata delantera de caballo— sosteniéndola contra su muslo, y comprendió Iza que estaba considerando seriamente la súplica que ella le hiciera. Esperó tranquilamente, disimulando su agitación, para dejarle pensar. Brun dejó en el suelo su pesada lanza de madera, apoyando el mango en su hombro con la afilada punta, endurecida al fuego, hacia arriba, y ajustó las boleadoras que llevaba colgadas del cuello junto con su amuleto, para que las tres bolas de piedra se equilibraran mejor. Entonces sacó un pedazo de gamuza flexible unido en ambos extremos y abultado en el medio para guardar las piedras destinadas a la honda, de la correa que rodeaba su cintura, y se puso a tirar de la suave piel con sus manos, reflexionando.

A Brun no le gustaba tomar decisiones apresuradas respecto a nada insólito que pudiera afectar a su clan, especialmente ahora que estaban sin hogar, y resistió al impulso de negarse de buenas a primeras. "Debería haber sabido que Iza querría ayudarla —pensó—, inclusive ha hecho uso de magia curativa algunas veces con animales, sobre todo con crías. Se va a perturbar si no le permito ayudar a esta niña. Que sea del Clan o de los Otros, no hay diferencia: lo único que ve es una criatura lastimada". Bueno, quizá eso haga de ella una curandera tan buena.

"Pero curandera o no, sólo es una mujer". ¿Qué importa que se perturbe? Iza se cuidará mucho de mostrarlo, y ya tenemos suficientes problemas sin una extraña enferma. Pero su tótem lo sabrá y todos los espíritus también. ¿Estarán más enojados si ella está perturbada? Si encontramos una cueva... no, cuando encontremos otra cueva, Iza tendrá que elaborar la bebida para la ceremonia de la cueva. ¿Y si comete un error por estar perturbada? Los espíritus enojados pueden hacer que todo salga mal... y ya están suficientemente enojados: Nada debe salir mal en la ceremonia de la nueva cueva.

"Pues que recoja a la niña —se dijo—. Pronto se cansará de llevar a cuestas esa carga adicional, y la niña se encuentra tan mal que ni siquiera la magia de mi hermana será lo suficientemente fuerte para salvarla". Brun volvió a meter la honda en la correa que le servía de cinturón, recogió sus armas y se encogió de hombros evadiendo la respuesta. A ella le correspondía tomar la decisión: Iza podría llevarse la niña con ellos o no, como quisiera. Brun se dio media vuelta y siguió su camino a grandes trancos.

Iza metió la mano en su canasta y sacó un manto de cuero; cubrió con él a la niña, la envolvió bien, la alzó en vilo y la aseguró a su cadera con la piel flexible, sorprendida al sentir qué poco pesaba para su estatura. La niña gimió al sentirse alzada, entonces Iza la acarició para tranquilizarla antes de echar a andar detrás de los dos hombres.

Las demás mujeres se habían detenido, manteniéndose alejadas de la conversación entre Iza y Brun. Cuando vieron que la curandera recogía algo y se lo llevaba, sus manos volaron en rápidos ademanes puntuados de vez en cuando por unos cuantos sonidos guturales, discutiendo el asunto con mucha curiosidad. Con excepción de la bolsa de nutria, el resto de su vestimenta era igual a la de Iza, y llevaban tanta carga como ella. Entre todas llevaban a cuestas todas las posesiones terrenales del Clan, lo que se había podido salvar de los escombros después del terremoto.

Dos de las siete mujeres llevaban niños de pecho entre los repliegues de sus cobijas, facilitando así el darles de mamar. Mientras estaban esperando, una de ellas sintió una gota de humedad caliente; sacó a su hijito desnudo del pliegue y lo sostuvo mientras terminaba de orinar. Cuando no viajaban, los nenitos solían estar envueltos en suaves mantillas de piel. Para absorber la humedad y las defecaciones lechosas, se acumulaban a su alrededor diversos materiales que podían ser vellón de ovejas silvestres atrapado en matorrales espinosos cuando los musmones estaban de muda, plumón del pecho de aves o borra de plantas fibrosas. Pero mientras viajaban, era más fácil y más sencillo llevar a los bebés desnudos y, sin dejar de andar, permitir que hicieran sus cosas sobre el suelo.

Cuando reanudaron la marcha, una tercera mujer recogió a un niño, sosteniéndolo contra su cadera con un manto de cuero para cargar; pero al cabo de un corto rato el chiquillo empezó a agitarse para bajar al suelo y andar solo. La madre lo dejó ir, pues bien sabía que regresaría con ella tan pronto como se sintiera cansado. Una muchacha mayor, que todavía no era mujer pero que llevaba la misma carga que las demás, caminaba detrás de la mujer que seguía a Iza, volviendo la mirada de vez en cuando hacia atrás, hacia un mozo que casi era un hombre y que avanzaba detrás de las mujeres. El se las arreglaba para dejar entre ellas y él una distancia suficiente de modo que pareciera que formaba parte del grupo de tres cazadores que constituían la retaguardia, y no que fuera un niño. Deseaba tener también alguna pieza de caza que llevar, e inclusive envidiaba al viejo, uno de los dos que flanqueaban a las mujeres, que llevaba una enorme liebre al hombro, derribada por su propia honda.

Los cazadores no eran el único recurso de que disponía el Clan para su alimento. Con frecuencia las mujeres aportaban la mayor parte, y ésta era la más segura. A pesar de sus cargas, iban merodeando mientras viajaban, y lo hacían con tanta eficiencia que apenas retrasaban su marcha. Una mancha de azucenas amarillas era prontamente desprovista de capullos y flores, y raíces nuevas y tiernas quedaban al punto expuestas con unos cuantos golpes de los palos para cavar. Las raíces de espadaña, arrancadas bajo la superficie de aguas pantanosas, eran todavía más fáciles de arrancar.

Si no hubieran estado de viaje, las mujeres habrían tenido buen cuidado de recordar la ubicación de las altas plantas talludas para volver, cuando la estación estuviera más avanzada, a recoger las colas tiernas de arriba, como verdura. Más adelante aún, el polen amarillo mezclado con almidón sacado a golpes de las fibras de raíces viejas, proporcionaría bizcochos pastosos sin levadura. Una vez secas las partes de arriba, se recogería la borra; y algunas de las canastas estaban hechas con tallos y hojas duras. Ahora sólo recogían lo que encontraban, pero no se pasaba mucho por alto.

Cortaban los brotes nuevos y las hojas tiernas del trébol, la alfalfa, el diente de león; arrancaban las púas del cardo antes de cortarlo y recogían unas pocas bayas y frutas precoces. Los agudos palos de cavar se veían constantemente ocupados, y nada estaba a salvo de su punta en las hábiles manos femeninas. Se empleaban como palanca para dar vuelta a troncos caidos en busca de tritoncillos y deliciosos gusanos gordos; moluscos de agua dulce eran pescados en los ríos y acercados a la ribera para facilitar su captura; y diversidad de bulbos, tubérculos y raíces eran sacados de la tierra.

Todo ello iba depositándose en los prácticos repliegues de los mantos de las mujeres o en algún rincón vacío de sus canastas. Las hojas verdes grandes servían para envolver; algunas de ellas, como las de bardana, se cocían como verduras. La leña seca, las ramillas y la hierba así como el excremento de los herbívoros también se recogían. Aun cuando la selección sería más variada una vez que el verano avanzara, había alimentos abundantes... para quien sabía dónde buscar.

Iza alzó la mirada cuando un anciano, de más de treinta años, llegó cojeando hasta ella una vez que hubieron reanudado la marcha. No llevaba arma ni carga, sólo un largo cayado para ayudarse a andar. Su pierna derecha estaba mutilada y era más corta que la izquierda, pero aun así se las arreglaba para moverse con una agilidad sorprendente.

Tenía atrofiados el hombro y el brazo derechos, y el brazo seco había sido amputado más abajo del codo. El fuerte hombro, el brazo y la pierna de su lado izquierdo, musculosos, y plenamente desarrollados, le daban el aspecto de estar torcido. Su enorme cráneo era todavía mayor que los del resto del Clan, y la dificultad de su nacimiento había sido causa del defecto que lo había dejado baldado de por vida.

Era también hermano de Iza y Brun, el mayor, y habría sido jefe de no haber nacido tullido. Llevaba un manto de cuero cortado como el de los demás hombres, con su piel peluda por fuera —la cual usaba también para dormir— sobre sus espaldas, como los demás hombres. Pero de la correa que le rodeaba la cintura llevaba colgadas varias bolsas, y un manto del mismo estilo que empleaban las mujeres envolvía un gran bulto que cargaba a la espalda.

El lado izquierdo de su rostro tenía horribles cicatrices y le faltaba el ojo, pero el derecho estaba bien y destellaba inteligencia junto con algo más. A pesar de su cojera, se movía con una gracia que provenía de su gran sabiduría y de la seguridad que tenía de su puesto dentro del clan. Era Mog-ur, el mago más potente, más imponente, y el hombre santo más reverenciado de todos los clanes. Estaba convencido de que su cuerpo arruinado le había sido dado para que pudiera ocupar el lugar de intermediario ante el mundo espiritual y no a la cabeza de su Clan. En muchos aspectos su poder era mayor que el de cualquier jefe, y él lo sabía. Sólo sus parientes próximos recordaban el nombre que le fue dado al nacer, y lo usaban al hablarle.

—Creb —dijo Iza saludándolo y reconociendo su llegada con un movimiento que significaba el agrado que le proporcionaba su presencia.

—¿Iza? —preguntó él con un gesto hacia la criatura que ella llevaba. La mujer abrió su manto y Creb miró detenidamente el rostro menudo y encendido. Su mirada llegó hasta la pierna hinchada y la herida que supuraba antes de volver hacia el rostro de la curandera y leer en sus ojos. La niña gimió y la expresión de Creb se ablandó. Afirmó con un gesto de la cabeza.

—Bueno —dijo. El sonido era ronco y gutural. Entonces hizo una señal como para indicar: "Ya han muerto muchos".

EL CLAN DEL OSO CAVERNARIO

Creb se quedó junto a Iza. No tenía que someterse a las reglas tácitas que definían la posición de cada persona y su situación; él podía caminar junto a cualquiera, incluyendo al jefe si así lo deseaba. Mog-ur estaba por encima y aparte de la estricta jerarquía del Clan.

Brun los condujo mucho más allá de las huellas de los leones cavernarios antes de detenerse para examinar el paisaje. Del otro lado del río, hasta donde alcanzaba la vista, la pradera se extendía en bajas colinas que ondulaban hasta un espacio plano y verde a lo lejos. Podía ver hasta allá sin obstáculos. Los pocos árboles atrofiados, deformados por el viento incesante en caricaturas de movimiento interrumpido, apenas prestaban perspectiva al campo abierto y destacaban su vacuidad.

Cerca del horizonte, una nube de polvo revelaba la presencia de una numerosa manada de animales ungulados, y Brun deseó vanamente poder señalarlos a sus cazadores y correr tras ellos. A sus espaldas sólo podían verse las copas de las coníferas detrás de los árboles deciduos, más bajos, de la selva que ya se veía empequeñecida por la vastedad de la estepa.

De este lado del río la pradera terminaba abruptamente, cortada por el farallón que estaba ya a cierta distancia y se apartaba más aún del río abajo. La cara rocosa de la abrupta muralla se fundía con los contrafuertes de montañas majestuosas cubiertas de nieves que se erguían cerca; sus picos helados vibrantes de vivos colores: rosa, púrpura, violáceo y rojo, reflejaban el sol poniente, gigantescas joyas rutilantes que coronaban las cimas soberanas. El propio jefe, sumido en sus prosaicas reflexiones, se sintió conmovido por el espectáculo.

Se apartó del río y condujo a su Clan hacia el farallón que brindaba la posibilidad de cuevas. Necesitaban un refugio; pero, lo que era casi más importante, sus espíritus totémicos protectores necesitaban un hogar, si es que no habían abandonado ya al Clan. Estaban iracundos, el terremoto lo demostraba, suficientemente iracundos como para causar la muerte de seis de sus miembros y destruir su hogar. Si no se encontraba un lugar permanente para los espíritus totémicos, dejarían el Clan a la merced de los perversos, que causaban enfermedad y alejaban la caza. Nadie sabía por qué estaban enojados los espíritus, ni siquiera Mog-ur, aun cuando todas las noches llevaba a cabo ritos con el fin de calmar su ira y contribuir a aliviar la ansiedad del Clan. Todos estaban preocupados pero ninguno de ellos lo estaba tanto como Brun.

El Clan era su responsabilidad, y él sentía la tensión a que estaba sometido. Los espíritus, esas fuerzas invisibles con deseos insondables, lo desconcertaban. Estaba más a gusto en el mundo físico de la cacería y del manejo de su Clan. Ninguna de las cuevas que había visitado hasta entonces era conveniente —cada una de ellas carecía de alguna condición esencial—, y empezaba a desesperar. Valiosos días cálidos durante los cuales deberían haber estado almacenando alimentos para el invierno siguiente se estaban perdiendo en la búsqueda de un nuevo hogar. Pronto se vería obligado a resguardar a su Clan en una cueva que distaría mucho de ser adecuada, y habría que reanudar la búsqueda al año siguiente. Eso sería perturbador, tanto emocional como físicamente, y Brun esperaba no tener que llegar a ese extremo.

Caminaron a lo largo de la base del farallón mientras se alargaban las sombras. Cuando llegaron cerca de una cascada que caía desde el risco, lanzando en su rocío un brillante arco iris a los largos rayos del sol, Brun mandó que se detuvieran. Cansadamente, las mujeres, dejaron su carga en el suelo y se desplegaron a la orilla de la poza que estaba debajo y de su arroyo angosto, en busca de leña.

Iza tendió su manto de piel y acostó a la niña encima, antes de apresurarse en ayudar a las demás. Estaba preocupada por la niña: tenía la respiración corta y aún no se había movido; inclusive su gemido era menos frecuente. Iza había estado pensando en la manera de ayudarla recordando las hierbas secas que llevaba en su bolsa de nutria, y mientras recogía leña examinaba las plantas que crecían por allí. Para ella, ya le fuera conocido o no, todo tenía algún valor, medicinal o alimenticio, pero era poco lo que no supiera identificar.

Cuando vio largos tallos de lirio a punto de florecer en la orilla fangosa del arroyuelo una pregunta quedó resuelta, y los arrancó desde la raíz. Las hojas trilobadas del lúpulo que trepaba alrededor de uno de los árboles le dio otra idea, pero decidió utilizar el lúpulo seco en polvo que llevaba consigo puesto que la fruta cónica no había madurado aún. Arrancó una suave corteza grisácea de un joven aliso que crecía junto a la poza y la olfateó: desprendía un fuerte aroma, y la curandera aprobó con un gesto de la cabeza mientras lo metía en un pliegue de su cobija. Antes de volver a toda prisa junto a las demás, arrancó varios puñados de hojas nuevas de trébol.

Cuando se reunió toda la leña y se preparó el sitio para encender el fuego, Grod, el hombre que caminaba delante al lado de

Brun, descubrió una ascua encendida envuelta en musgo y sumida en el extremo vacío de un asta de bisonte. Podían prender fuego, pero mientras viajaban por territorio desconocido era más fácil llevar un carbón desde un campamento y mantenerlo prendido para iniciar el siguiente en vez de dedicarse noche a noche a encender uno nuevo con materiales posiblemente inadecuados.

Grod había alimentado el ascua ardiendo con gran ansiedad mientras viajaban. El carbón encendido en el fuego de la noche anterior había sido prendido de un carbón encendido en el fuego de la noche anterior a la víspera, y podía seguírsele la pista hasta el fuego que habían atizado en la boca de la vieja caverna. Para que los ritos hicieran que una nueva cueva fuera conveniente residencia, tenían que iniciarse con el fuego de un carbón cuya lumbre original proviniera de su residencia anterior.

El mantenimiento del fuego sólo podía confiarse a un varón de alta posición. Si el carbón se apagara, sería una señal segura de que sus espíritus protectores los habían abandonado, y Grod sería degradado de segundo-al-mando hasta la posición varonil más baja del Clan; humillación que no podía siquiera imaginar. Gozaba de un honor muy grande que le imponía una pesada responsabilidad.

Mientras Grod colocaba cuidadosamente el trozo de carbón ardiente en un lecho de yesca seca y soplaba hasta sacar llamas, las mujeres se dedicaban a otras tareas. Con técnicas que les habían sido transmitidas desde generaciones atrás, desollaron rápidamente las piezas cazadas. Poco después de que el fuego ardiera alegremente, ya estaba asándose la carne atravesada por varas verdes afiladas colocadas sobre ramas bifurcadas. El calor era tan fuerte que la tostaba rápidamente por fuera dejando el jugo dentro, de modo que cuando el fuego convirtió la leña en carbón, poco quedaba que pudieran consumir las llamas.

Con los mismos afilados cuchillos de piedra que empleaban para despellejar y cortar la carne, las mujeres respaban y rebanaban raíces y tubérculos. Canastas tejidas apretadamente, que podían contener agua, y tazones de madera, fueron llenados de agua, y entonces se introdujeron dentro piedras calientes. Una vez frías, las piedras volvían a meterse en el fuego mientras otras, calientes, se agregaban al agua para hacerla hervir y cocer las verduras. Se tostaron gordos gusanos hasta que se tornaran quebradizos bajo los dientes, y se asaron lagartijas hasta que su ruda piel se ennegreció y estalló, exponiendo jugosas porciones de carne bien cocida.

Iza efectuó sus propios preparativos mientras ayudaba a hacer la comida. En un tazón de madera que había ahuecado en un trozo de tronco muchos años atrás, puso agua a hervir. Lavó las raíces de lirio y las masticó hasta hacer con ellas una pulpa que escupió dentro del agua hirviendo. En otro tazón —una parte de quijada inferior de gamo, en forma de taza— aplastó hojas de trébol, midió cierta cantidad de lúpulo en polvo en su mano, hizo tiritas la corteza de aliso y vertió encima agua hirviendo. Entonces molió carne seca y dura de sus raciones de conserva para emergencias hasta formar una tosca papilla entre dos piedras, mezclando después la proteína concentrada con agua que había servido para cocer las verduras, en un tercer tazón.

La mujer que había caminado detrás de Iza echaba de vez en cuando una mirada hacia ésta, con la esperanza de oírle hacer algún comentario. Todas las mujeres, y también los hombres aun cuando no lo demostraban, bullían de curiosidad reprimida. Habían visto a Iza recoger a la niña, y todos habían encontrado alguna buena razón para pasar al lado de la piel de Iza una vez establecido el campamento. Se especulaba mucho en cuanto a la razón de que la niña estuviera allí, al lugar donde estaría el resto de su gente y, sobre todo, por qué habría permitido Brun que Iza se llevara consigo una niña que, obviamente, era de los Otros.

Ebra sabía mejor que nadie lo presionado que se sentía Brun. Era ella quien intentaba aliviar la tensión de su cuello y sus hombros a fuerza de masajes, y era ella quien soportaba el peso de su humor nervioso, tan raro en el hombre que era su compañero. Brun era conocido por su dominio estoico de sí mismo, y ella sabía que lamentaba sus estallidos aun cuando no incrementaría su falta admitiéndolo. Pero Ebra misma se preguntaba por qué habría permitido que la criatura fuera con ellos, especialmente cuando cualquier desviación de la conducta normal podría exacerbar la ira de los espíritus.

Por mucha curiosidad que sintiera, Ebra no hizo preguntas a Iza, y ninguna de las demás mujeres gozaba de posición suficientemente alta para considerar siquiera la posibilidad de hacerlo. Nadie molestaba a una curandera cuando ésta se encontraba tan visiblemente ocupada en su magia, y por su parte Iza no estaba de humor para chismear ociosamente. Su concentración estaba destinada a la niña que necesitaba su ayuda. También Creb estaba interesado en la niña, pero Iza agradecía su presencia.

Lo observó con gratitud silenciosa cuando el mago se acercó a la niña inconsciente, la contempló reflexivamente un buen rato y después, apoyando su báculo contra una roca, se puso a hacer movimientos ondeantes por encima de ella, con su única mano: una solicitud a los espíritus benévolos, para que la ayudaran a restablecerse. La enfermedad y los accidentes eran manifestaciones misteriosas de la guerra entre los espíritus, que combatían en el campo de batalla que era el cuerpo. La magia de Iza procedía de espíritus protectores que actuaban por intermedio de ella, pero ninguna curación era completa sin el hombre santo. Una curandera era únicamente agente de los espíritus; un mago intercedía directamente ante ellos.

Iza no sabía por qué la preocupaba tanto una niña tan diferente del clan, pero deseaba que viviera. Una vez que Mog-ur hubo terminado, Iza alzó a la niña en sus brazos y la llevó hasta la poza que había al pie de la cascada. La sumergió toda, dejándole la cabeza fuera, y lavó la tierra y el lodo seco que cubría el delgado cuerpecillo. El agua fría despertó a la niña, pero delirando. Se agitaba, se retorcía, llamaba y emitía sonidos diferentes de todo lo que la mujer hubiera oído anteriormente. Iza estrechó a la niña contra su cuerpo mientras la llevaba de regreso, murmurando dulcemente para calmarla con sonidos que parecían suaves gruñidos.

Con suavidad a la vez que un cuidado experto, Iza lavó las heridas con un trozo de piel de conejo porosa, previamente empapada en el líquido caliente en que había hervido la raíz de lirio. Entonces quitó la pulpa roja, la puso directamente sobre las heridas, la cubrió con la piel de conejo y envolvió la pierna de la niña en tiras de gamuza suave para mantener la cataplasma en su sitio. Quitó del tazón de hueso el trébol molido, las tiras de corteza de aliso y las piedras con una ramita bifurcada, y lo puso a enfriar junto al tazón de caldo caliente.

Creb hizo un ademán interrogativo hacia los tazones. No era una pregunta directa —ni siquiera Mog-ur preguntaría directamente a una curandera acerca de su magia—, sólo revelaba interés. A Iza no le importaba que su hermano mostrara interés; él, mejor que ninguno, apreciaba su sabiduría. Empleaba algunas de las mismas hierbas que ella, pero para diferentes fines. Excepto en las Reuniones de Clanes, donde había otras curanderas, hablar con Creb era lo más parecido a una discusión con un colega profesional.

—Esto destruye los malos espíritus que causan infección —explicó Iza con gestos, señalando la solución antiséptica de raíz de lirio—. Una cataplasma de raíz extrae los venenos y ayuda a sanar la herida. —Recogió el tazón de hueso y metió dentro un dedo para comprobar la temperatura. —El trébol fortalece el corazón para combatir contra los malos espíritus ... lo estimula. —Iza empleaba pocas palabras para hablar, lo hacía sobre todo para prestar énfasis a lo que decía. La gente del Clan no podía articular suficientemente bien para tener un lenguaje verbal completo; se comunicaba más bien mediante gestos y movimientos, pero su lenguaje mímico era plenamente comprensible y abundaba en matices.

—El trébol es alimento. Anoche lo comimos —señaló Creb.

—Sí —asintió Iza— y también esta noche. La magia consiste en la manera de prepararlo. Un manojo hervido en poca agua extrae lo necesario, y se tiran las hojas—. Creb asintió, comprendiendo, y ella prosiguió—: La corteza de aliso limpia la sangre, la purifica, saca a los espíritus que la envenenan.

—También has empleado algo de tu bolsa de medicinas.

—Lúpulo pulverizado, los conos maduros con pelillos, para calmarla y hacerla dormir. Mientras pelean los espíritus, ella necesita descansar.

Creb asintió nuevamente con la cabeza; estaba familiarizado con las virtudes soporíficas del lúpulo, que inducía un estado de euforia leve en otro uso distinto. Aunque siempre le interesaban los tratamientos de Iza, pocas veces revelaba nada respecto a las maneras en que él mismo utilizaba la magia vegetal. Esos conocimientos esotéricos eran para los mog-ures y sus acólitos, no para las mujeres, aunque fueran curanderas. Iza sabía mucho más sobre las propiedades de las plantas que él, y Mog-ur tenía miedo de que dedujera demasiado. Sería muy poco propicio que adivinara mucha de su magia.

—¿Y el otro tazón? —preguntó.

—Es sólo caldo. La pobre criatura está medio muerta de hambre. ¿Qué crees tú que haya podido sucederle? ¿De dónde vendrá? ¿Dónde estará su gente? Seguramente anduvo vagando por ahí días enteros.

—Sólo los espíritus lo saben —replicó Mog-ur—. ¿Estás segura de que tu magia curativa obrará efecto en ella? No es del Clan.

—Debería obrar; también los Otros son humanos. ¿Recuerdas que nuestra madre nos contaba la historia de aquel hombre con el brazo roto, al que su madre ayudó? La magia del Clan surtió efecto en él, aun cuando decía nuestra madre que le tomó más tiempo despertar, después de la medicina para dormir, de lo que se esperaba.

—Es una lástima que nunca hayas conocido a la madre de nuestra madre. Era una curandera tan buena que venía gente de los demás clanes para consultarla. Lástima que se haya ido al mundo de los espíritus tan pronto después de tu nacimiento, Iza. Ella me contó lo del hombre, y también lo hizo el Mog-ur anterior a mí. El hombre se quedó algún tiempo después de restablecerse, y cazó con el Clan. Debe de haber sido buen cazador, pues se le permitió unirse a una ceremonia de caza. Es verdad, son humanos, pero también diferentes—. Mog-ur se interumpió; Iza era demasiado sagaz, no se le podía decir mucho so pena de que comenzara a sacar algunas conclusiones respecto a los ritos secretos de los hombres.

Iza volvió a examinar sus tazones, y entonces, colocando la cabeza de la niña sobre su regazo, se puso a alimentarla a pequeños sorbos con el contenido del tazón de hueso. Fue más fácil darle el caldo. La niña murmuró algo incoherente y trató de apartar la medicina amarga, pero inclusive en su delirio, su cuerpo hambriento anhelaba comer. Iza la sostuvo hasta que se sumió en un sueño tranquilo; luego comprobó los latidos de su corazón y su respiración. Había hecho todo lo que podía. Si la niña no estaba demasiado acabada, tenía una oportunidad. Ahora les correspondía a los espíritus y a la fuerza interior de la niña.

Iza vio a Brun que se acercaba a ella mirándola con disgusto. Se levantó rápidamente y corrió para ayudar a servir la cena. El jefe había apartado de su mente a la niña extraña, una vez pasada su reflexión inicial, pero ahora abrigaba ciertas reservas. Aun cuando era costumbre apartar la mirada para evitar quedarse mirando a la gente que hablaba entre sí, no pudo dejar de observar lo que estaba comentando su Clan. Al verlos intrigados porque él había permitido que la niña fuera con ellos, también él comenzó a hacerse preguntas. Comenzó a temer que la ira de los espíritus se acentuara más por la extraña que había entre ellos. Se desvió para interceptar a la curandera, pero Creb lo vio y se lo llevó aparte.

—¿Pasa algo malo, Brun? Pareces preocupado..

—Iza debe dejar aquí a la niña, Mog-ur: no es del Clan; los espíritus se van a disgustar si sigue con nosotros mientras buscamos una caverna nueva. No debería haber permitido yo que Iza la trajera.

—No, Brun —lo contradijo Mog-ur—, los espíritus protectores no están enojados por la bondad. Ya conoces a Iza: no puede soportar ver que algo sufre sin tratar de ayudar. ¿No crees que también los espíritus la conocen? Si no quisieran que Iza la ayudara, la niña no habría sido puesta en su camino. Tiene que haber alguna razón para ello. De todos modos la niña puede morir, Brun, pero si Ursus quiere llamarla al mundo de los espíritus, deja que él tome la decisión. Ahora no interfieras. Seguramente morirá si la dejamos aquí.

A Brun no le gustaba... había algo en la niña que lo molestaba, pero sometiéndose a la sabiduría de Mog-ur, mayor que la suya en lo referente al mundo de los espíritus, dio su aquiescencia.

Creb se quedó sentado, sumido en un silencio contemplativo, después de la cena, esperando que todos terminaran de comer para poder iniciar la ceremonia vespertina mientras Iza le arreglaba su lecho y hacía preparativos para la siguiente mañana. Mog-ur había prohibido que hombres y mujeres durmieran juntos antes de que se encontrara una cueva, para que los hombres pudieran concentrar sus energías en los rituales y que cada quien tuviera la impresión de estar esforzándose por lograr un nuevo hogar.

A Iza no le importaba; su compañero había sido uno de los que habían muerto en el derrumbe. Había llevado su luto con el pesar debido en su funeral —habría sido mala suerte no hacerlo— pero no se sentía desdichada por su pérdida. No era un secreto que había sido un hombre cruel y exigente. Nunca había existido calor entre ellos. Ella no sabía lo que decidiría hacer Brun con ella, ahora que estaba sola. Alguien tendría que sustentarla, a ella y a la criatura que llevaba en su seno; lo único que esperaba era poder seguir cocinando para Creb.

El había compartido su fuego desde el principio. Iza comprendía que a él tampoco le agradaba el compañero aun cuando nunca interfirió en los problemas internos de sus relaciones. Siempre había considerado Iza que era un honor cocinar para Mog-ur, pero más aún, había desarrollado un vínculo de afecto hacia su hermano semejante al que muchas mujeres llegan a experimentar por su compañero.

Iza sentía a veces lástima de Creb; podría haber tenido compañera propia si hubiera querido. Pero ella sabía que a pesar de su gran magia y su situación preponderante, ninguna mujer miraba jamás su cuerpo deforme y su rostro cubierto de cicatrices sin sentir asco, y estaba segura de que él lo sabía. Nunca tomó compañera y se mantuvo apartado. Eso incrementaba su estatura. Todos, incluyendo a los hombres y tal vez con excepción de Brun, temían a Mog-ur o lo miraban con un temor reverente. Todos menos Iza que había conocido su dulzura y sensibilidad desde que nació; era una parte de su naturaleza que Mog-ur revelaba muy pocas veces.

Y esa parte de su propia naturaleza era lo que ocupaba en ese momento los pensamientos del gran Mog-ur. En vez de meditar sobre la ceremonia de esa noche, estaba pensando en la niña. A menudo había sentido curiosidad sobre su especie, pero la gente del Clan evitaba a los Otros en lo posible, y él nunca había visto a una cría de ellos hasta ahora. Sospechaba que el terremoto tenía algo que ver con que anduviera sola, aun cuando le sorprendía que hubiera gente de aquélla tan cerca. Por lo general vivían mucho más al norte.

Observó que algunos hombres abandonaban el campamento, y entonces se levantó apoyándose en su báculo para vigilar los preparativos. El ritual era prerrogativa y deber masculinos. En muy raras ocasiones se permitía que las mujeres tomaran parte en la vida religiosa del Clan, y estaban proscritas totalmente de estas ceremonias. No podría haber desastre tan grande como que una mujer viera los ritos secretos de los hombres. No sólo traería mala suerte sino que alejaría a los espíritus protectores. El Clan entero moriría.

Pero no había mucho peligro de que eso sucediera. Nunca se le ocurriría a una mujer aventurarse por las cercanías de un ritual tan importante. Ellas esperaban esos momentos para descansar, aliviadas de las exigencias constantes de los hombres y de la necesidad de portarse con el decoro y respeto debidos. Era muy duro para las mujeres tener a su vera a los hombres todo el tiempo, especialmente cuando éstos se mostraban tan nerviosos y se desahogaban con sus compañeras. Por lo general ellos se iban de cacería durante prolongados lapsos. Las mujeres sentían la misma ansia por hallar un nuevo hogar, pero no podían hacer gran cosa. Brun escogía la dirección que habrían de seguir, y a ellas no se les pedía consejo, ni podrían haberlo dado.

Las mujeres confiaban en sus hombres para dirigir, asumir responsabilidades y tomar decisiones importantes. El Clan había cambiado tan poco en casi cien mil años que ahora todos se sentían incapaces de cambiar, y lo que otrora fueran adaptaciones convenientes se habían quedado fijadas genéticamente. Tanto hombres como mujeres aceptaban sus papeles sin discutir; eran inflexiblemente incapaces de asumir cualesquiera otros. No se les ocurriría tratar de cambiar sus relaciones como tampoco intentar tener un tercer brazo o cambiar la forma de su cerebro.

Una vez que los hombres se alejaron, las mujeres se reunieron alrededor de Ebra con la esperanza de que Iza se les uniera, para poder satisfacer su curiosidad; pero Iza estaba agotada y no quería dejar sola a la niña. Se tendió a su lado tan pronto como Creb se alejó, y envolvió su cuerpo y el de la niña con su cobija de piel. Observó un rato a la niña a la luz mortecina del fuego que se apagaba.

"Qué cosita tan peculiar —pensaba—, más bien fea. Tiene la cara tan plana con esa frente abombada y alta y una naricilla tan chiquita, y qué hueso saliente tan raro debajo de la boca. Me pregunto la edad que tendrá. Más joven de lo que pensé al principio; está tan alta, que resulta engañoso. Y tan flaca: siento todos sus huesos. Pobre nenita. ¿Cuánto llevará sin comer, vagando sola por ahí?" Iza rodeó con su brazo protector a la niñita. La mujer, que había ayudado inclusive a crías de animales, no podía hacer menos por la flacucha y desnutrida niña. El tierno corazón de la curandera se volcó sobre la vunerable criatura.

Mog-ur se mantuvo aparte mientras cada uno de los hombres llegaba y ocupaba su lugar detrás de las piedras que habían sido ordenadas en un pequeño círculo dentro de un círculo de antorchas más amplio. Estaban en la estepa abierta, lejos del campamento. El mago esperó a que todos los hombres hubieran tomado asiento y un poco más, y entonces avanzó al centro del círculo con una rama ardiente de madera aromática. Puso la pequeña antorcha en el piso delante del lugar vacío detrás del cual estaba su báculo.

Se quedó muy erguido sobre su pierna buena en medio del círculo y miró por encima de las cabezas de los hombres sentados, a lo lejos, con una mirada soñadora y desenfocada, como si estuviera viendo con su único ojo un mundo para el que los demás eran ciegos. Envuelto en su gruesa piel de oso cavernario que disimulaba los bultos torcidos de su cuerpo, constituía una presencia imponente aun cuando extrañamente irreal. Un hombre y, sin embargo, con su forma torcida, no del todo un hombre; no más o menos sino diferente. Sus deformidades mismas le prestaban una cualidad que nunca era tan aterradora como cuando Mog-ur llevaba a cabo una ceremonia.

De repente, con un gesto ceremonioso, presentó una calavera. La tuvo muy por encima de su cabeza con su fuerte brazo izquierdo y la hizo girar lentamente formando un círculo completo, para que cada uno de los hombres pudiera ver la forma grande, característica, abombada. Los hombres se quedaron mirando la calavera del oso cavernario que brillaba, blanca, a la luz vacilante de las antorchas. La puso enfrente de la pequeña antorcha que había en el suelo y se agachó detrás de ella, cerrando el círculo.

Un joven que se encontraba a su lado se puso en pie y tomó un tazón de madera. Tenía más de once años, y la ceremonia de su virilidad se había verificado poco antes del terremoto. Goov había sido escogido como acólito cuando era pequeño, y a menudo había auxiliado a Mog-ur en los preparativos, pero los acólitos no podían tomar parte en una ceremonia real mientras no fueran hombres. La primera vez que Goov funcionó en su nuevo papel fue después de iniciada la búsqueda, y todavía se sentía nervioso.

Para Goov, hallar una cueva tenía un significado especial. Era su oportunidad para aprender los detalles de la ceremonia, que pocas veces se celebraba y era difícil de describir, mediante la cual una caverna se volvía aceptable como residencia, y ello del propio gran Mog-ur. De niño temía al mago, aun cuando comprendía el honor que representaba haber sido elegido. Desde entonces, el joven había aprendido que el inválido no era solamente el más experto mog-ur de todos los clanes sino que además tenía un corazón dulce y amable debajo de su rostro austero. Goov respetaba a su mentor y lo amaba.

El acólito había comenzado a preparar la bebida que estaba en el tazón, tan pronto como Brun dio órdenes de detenerse. Comenzó machacando plantas enteras de datura entre dos piedras. La parte difícil consistía en calcular la cantidad y proporción de hojas, tallos y flores que habría de emplearse. Se echaba agua hirviendo sobre las plantas machacadas, y la mezcla se quedaba macerando hasta la ceremonia.

Goov había vertido el fuerte té de datura en el tazón especial de ceremonias, colándolo entre sus dedos, justo antes de que Mog-ur ingresara en el círculo, y esperaba ansiosamente ver que el hombre santo diera su aprobación con un movimiento de la cabeza. Mientras Goov lo sostenía, Mog-ur tomó un sorbo, aprobó con un gesto y después bebió, y Goov exhaló un suspiro inaudible de alivio. Entonces llevó el tazón a cada uno de los hombres, por orden jerárquico, comenzando por Brun. El lo sostenía mientras bebían, controlando la parte que cada uno bebía, y fue el último en beber.

Mog-ur esperó a que se sentara antes de hacer una seña. Los hombres comenzaron a golpear la tierra rítmicamente con el extremo romo de sus lanzas. El sordo golpeteo de las lanzas pareció intensificarse hasta que no se oyó ningún otro sonido. Todos se sintieron presa del redoble firme, después se pusieron en pie y comenzaron a avanzar siguiendo el compás. El hombre santo contemplaba la calavera, y su intensa mirada atrajo la atención de los hombres hacia la reliquia sagrada como si él los obligara. Lo importante era el momento oportuno, y él era maestro en oportunidad. Esperó justo lo suficiente para que la anticipación llegara al punto culminante —un poco más y la expectación se habría disipado— y entonces miró a su hermano, el hombre que encabezaba al Clan. Brun se encuclilló delante de la calavera.

—Espíritu del Bisonte, tótem de Brun —entonó Mog-ur. En realidad sólo pronunció una palabra: Brun. Lo demás se dijo en gestos de su única mano sin vocalizar más palabras. Los movimientos concretos, el viejo lenguaje mudo empleado para comunicarse con los espíritus y con otros clanes cuyas pocas palabras guturales y gestos de las manos eran distintos, fue lo que vino después. Con símbolos silenciosos, Mog-ur imploró al Espíritu del Bisonte que les perdonara cualesquiera culpas que tuvieran y que lo hubieran ofendido, y solicitaba su ayuda.

—Este hombre ha honrado siempre a los Espíritus, Gran Bisonte, siempre ha conservado las tradiciones del Clan. Este hombre es un jefe fuerte, un jefe sabio, un jefe justo, un buen cazador, buen proveedor y hombre que se controla, digno del Poderoso Bisonte. No abandones a ese hombre; orienta al jefe hacia un nuevo hogar, un lugar en que el Espíritu del Bisonte esté satisfecho. Este Clan implora la ayuda del tótem de este hombre —concluyó el hombre santo. Entonces miró al segundo-al-mando. Mientras retrocedía Brun, Grod se agachó delante de la calavera del oso cavernario.

Ninguna mujer podía ser autorizada a presenciar la ceremonia, a enterarse de que sus hombres, que mandaban con fuerza tan estoica, rogaban y suplicaban a los espíritus invisibles de la misma manera que las mujeres rogaban y suplicaban a los hombres.

—Espíritu del Oso moreno, tótem de Grod —comenzó una vez más Mog-ur, y procedió a una súplica formal similar dirigida al tótem de Grod; entonces hizo lo mismo con todos los demás hombres, uno por uno. Siguió contemplando la calavera cuando hubo terminado, mientras los hombres golpeaban la tierra con sus lanzas, dejando nuevamente que la anticipación se acumulara.

Todos sabían lo que vendría después, ya que la ceremonia no cambiaba nunca; era la misma, noche tras noche, pero aun así, se sentían a la expectativa. Esperaban que Mog-ur apelara al Espíritu de Ursus, el gran oso cavernario, su tótem personal y el más reverenciado entre los espíritus.

Ursus era algo más que el tótem de Mog-ur; era el tótem de todos y más que tótem. Era Ursus el que hacía de ellos un Clan. Era el espíritu supremo, el protector supremo. La veneración de que era objeto el Oso Cavernario era el factor común que los unía, la fuerza que soldaba a todos los clanes autónomos separados en un solo pueblo, el Clan del Oso Cavernario.

Cuando el mago tuerto juzgó el momento oportuno, hizo una seña. Los hombres dejaron de golpear y se sentaron detrás de sus piedras, pero el pesado ritmo del golpeteo anterior corría por su sangre y seguía retumbando en sus cabezas.

Mog-ur buscó en una pequeña bolsa y sacó una pulgarada de esporas secas de licopodio. Manteniendo su mano por encima de la antorcha pequeña, se inclinó hacia delante y sopló al tiempo que las dejaba caer sobre la llama. Las esporas se encendieron y cayeron, espectacularmente brrillantes, alrededor de la calavera en una brillantez de luz de magnesio, formando un agudo contraste con la oscura noche.

La calavera brilló, pareció cobrar vida y en verdad lo hizo para aquellos hombres cuyas percepciones estaban agudizadas por los efectos del datura. Una lechuza ululó en un árbol próximo, como a la orden, agregando su sonido inquietante al pavoroso esplendor.

—Gran Ursus, protector del Clan —dijo el mago con sus señas convenidas —muestra a este Clan un nuevo hogar como lo hizo otrora el Oso Cavernario al mostrar al Clan cómo vivir en cuevas y cubrirse con pieles. Protege a tu Clan contra la Montaña del Hielo y el Espíritu de la Nieve granulada que la creó y del Espíritu de las ventiscas, su compañero. Este Clan quiere suplicar al Gran Oso Cavernario que nada malo suceda mientras esté sin hogar. A ti, el más venerado de todos los Espíritus, tu Clan, tu pueblo pide al Espíritu del Poderoso Ursus unirse a él mientras realiza su viaje hacia el principio.

Y entonces Mog-ur utilizó el poder de su gran cerebro.

Todos esos seres primitivos, carentes casi de lóbulos frontales, con un lenguaje limitado por órganos vocales subdesarrollados, pero con cerebros grandes —más grandes que los de cualquier raza de hombres que vivieran entonces o de generaciones todavía por venir— eran únicos. Eran la culminación de una rama de la humanidad cuyo cerebro estaba desarrollado en la parte posterior de la cabeza, en las regiones occipital y parietal que controlan la visión y las sensaciones corporales y que almacenan memoria.

Y su memoria los hacía extraordinarios. En ellos, el conocimiento inconsciente del comportamiento ancestral llamado instinto, había evolucionado. Almacenados en la parte posterior de sus grandes cerebros no se encontraban únicamente sus recuerdos sino los recuerdos de sus antepasados. Podían recordar conocimientos logrados por sus antepasados y, en circunstancias especiales, podían dar un paso más allá. Podían recordar su memoria racial, su propia evolución. Y cuando llegaban suficientemente lejos en el pasado, podían fusionar esa memoria que era idéntica para todos, y unir telepáticamente sus mentes.

Pero sólo en el tremendo cerebro del inválido cubierto de cicatrices y deforme estaba plenamente desarrollado ese don. Creb, el amable y tímido Creb cuyo cerebro enorme provocaba su deformación, había aprendido, como Mog-ur, a utilizar el poder de ese cerebro para fundir las entidades separadas sentadas a su alrededor en una sola mente, y orientarla. Podía llevarlos a cualquier parte de su herencia racial, para convertirse, en la mente de todos ellos, en cualquiera de sus progenitores. Era El Mog-ur. El suyo era un poder verdadero, no estaba limitado a trucos de iluminación ni a la euforia provocada por las drogas. Esto sólo servía para preparar el escenario y ponerlos en condiciones de aceptar su dirección.

En aquella noche oscura y tranquila iluminada por antiguas estrellas, unos pocos hombres experimentaron visiones imposibles de describir. No las veían, eran ellas. Experimentaban las sensaciones, veían con los ojos y recordaban los comienzos pavorosos. Desde las profundidades de sus mentes encontraban los cerebros sin desarrollar de criaturas del mar flotando en su ámbito salino y caliente. Sobrevivieron al dolor de su primer aliento de aire y se volvieron anfibios compartiendo ambos elementos.

Porque reverenciaban al oso cavernario, Mog-ur evocó a un mamífero primordial —el antepasado que generó a ambas especies y a muchísimas más— y fusionó la unidad de sus mentes con el principio del oso. Entonces, recorriendo las eras, se convirtieron sucesivamente en cada uno de sus progenitores y sintieron a los que divergían hacia otras formas. Eso les dio conciencia de su relación con toda la vida que hay en la tierra, y la veneración que fomentaba inclusive respecto a los animales que mataban y consumían constituía la base del parentesco espiritual que los relacionaba con sus tótemes.

Todas sus mentes se movían como una sola, y sólo al aproximarse al presente se separaron en sus antepasados inmediatos y, finalmente, en ellos mismos. Pareció durar aquello por siempre. Y en cierto sentido así era, pero realmente transcurrió poco tiempo. A medida que cada uno de los hombres volvía a integrarse en sí mismo, se levantaba y se iba hacia el lugar donde habría de dormir y sumirse en un sueño profundo, sin soñar, puesto que sus sueños se habían gastado ya.

Mog-ur fue el último. A solas, meditó acerca de la experiencia, y al cabo de un rato sintió una incomodidad habitual. Podían conocer el pasado con la profundidad y la grandeza que exaltaban el alma, pero Creb experimentaba una limitación que nunca se les ocurría a los demás. No podían ver hacia delante. Ni siquiera podían pensar hacia delante. El era el único que tenía un ligero indicio respecto a la posibilidad.

El Clan era incapaz de concebir un futuro diferente del pasado, no podía idear alternativas innovadoras para mañana. Todo su saber, todo lo que hacían era una repetición de algo hecho anteriormente. Inclusive almacenar alimentos para los cambios de estación era el resultado de la experiencia pasada.

Hubo un tiempo, muchísimo antes, en que la innovación era más fácil, cuando una piedra rota con aristas agudas inspiraba en alguien la idea de romper una piedra a propósito para darle un canto afilado, cuando la punta caliente de un palo que giraba dio ganas a alguien de hacerlo girar más tiempo y más fuerte para ver lo caliente que pudiera ponerse. Pero a medida que los recuerdos se acumulaban y ensanchando la capacidad de almacenamiento de su cerebro, los cambios se volvieron más difíciles. No quedaba espacio para nuevas ideas que pudieran añadirse a su banco de memoria, sus cabezas eran ya demasiado grandes. Las mujeres sufría al dar a luz; no podían permitirse más conocimientos que ensancharan aún más sus cabezas.

El Clan vivía siguiendo una tradición sin cambios. Cada faceta de su vida, desde el momento en que venían al mundo hasta que eran llamados al mundo de los espíritus, estaba circunscrita en el pasado. Era un intento de supervivencia, inconsciente y sin premeditar salvo por la naturaleza, en un último esfuerzo por salvar a la raza de la extinción, y condenado al fracaso. No podían impedir el cambio, y su resistencia contra él era autodestructora, opuesta a la supervivencia.

Tardaban en adaptarse. Los inventos eran accidentales, y frecuentemente no se aprovechaban. Si algo nuevo les sucedía, podía agregarse a su acumulación de información; pero el cambio sólo se llevaba a cabo con gran esfuerzo, y una vez que se les imponía, se mostraban renuentes a seguir el nuevo rumbo. Se les hacía demasiado cuesta arriba alterarlo de nuevo. Pero una raza sin espacio para aprender, sin espacio para desarrollarse, no estaba ya equipada para un ámbito inherentemente cambiante, y ellos habían pasado el punto en que podrían haberse desarrollado de distinta manera. Eso quedaba para una forma nueva, un nuevo experimento de la naturaleza.

Mientras Mog-ur estaba sentado, solitario, en la llanura abierta viendo cómo las últimas antorchas chisporroteaban antes de apagarse, pensó en la extraña niña que Iza había hallado, y su incomodidad aumentó hasta convertirse en algo físico. Ya había visto anteriormente a gente de su especie, pero sólo recientemente en su concepto deductivo, y no muchos de los encuentros casuales habían sido agradables. De dónde provenían seguía siendo un misterio —esa gente era recién llegada a aquellas tierras—, pero desde que habían llegado, las cosas habían estado cambiando. Parecían traer el cambio consigo.

Creb se encogió de hombros como para sacudirse la incomodidad que lo había invadido, envolvió cuidadosamente la calavera del oso cavernario en su manto, tendió la mano hacia su báculo y llegó cojeando a su cama.

3

La niña se volvió y empezó a agitarse.

—¡Madre! —gimió. Sacudiendo alocadamente sus bracitos volvió a llamar, más fuerte esta vez—: ¡¡Madre!!

Iza la tomó en sus brazos murmurando suavemente. La cercanía cálida del cuerpo de la mujer y sus sonidos apaciguadores penetraron en el cerebro calenturiento de la niña y la calmaron. Había dormido de un tirón toda la noche, despertando de vez en cuando a la mujer con sus movimientos, sus gemidos y sus murmullos delirantes. Los sonidos eran extraños, diferentes de las palabras que hablaba la gente del Clan. Salían con facilidad, con fluidez, un sonido fundiéndose en el siguiente. Iza no podía siquiera empezar a reproducir muchos de ellos; su oído no estaba condicionado para distinguir las variaciones más sutiles. Pero esa serie particular de sonidos se repitió tantas veces que Iza adivinó que se trataría de un nombre para alguien próximo a la niña, y cuando vio que su presencia la reconfortaba, intuyó quién sería ese alguien.

"No puede ser muy mayor —pensaba Iza—, ni siquiera sabía cómo encontrar alimentos. Me pregunto cuánto tiempo habrá estado sola. ¿Qué le habrá pasado a su gente? ¿Habrá sido el terremoto? ¿Habrá vagado sola todo ese tiempo? ¿Y cómo consiguió salvarse de un león cavernario con sólo unos arañazos?" Iza había cuidado suficientes laceraciones para saber que las de la niña habían sido causadas por el enorme felino. "Debe de estar protegida por espíritus poderosos", pensó.

Era todavía de noche, aun cuando se aproximaba el alba, al resolverse finalmente la calentura de la niña en un sudor abundante. Iza la mecía contra su cuerpo, agregando su calor y asegurándose de que estuviera bien tapada. La niña despertó poco después y se preguntó dónde estaba, pero la oscuridad era demasiado profunda aún; sintió el cuerpo tranquilizador de la mujer junto al suyo y cerró nuevamente los ojos, cayendo en un sueño más sosegado.

Tan pronto como el cielo se aclaró, destacando las siluetas de los árboles sobre su pálido resplandor, Iza salió calladamente de debajo de su cobija caliente. Atizó el fuego, agregó más leña y después llegó hasta el arroyuelo para llenar su tazón y arrancar la corteza de un sauce. Se detuvo un momento, se aferró a su amuleto y dio gracias a los espíritus por el sauce. Siempre daba gracias a los espíritus por el sauce, por su presencia ubicua así como por su corteza que calmaba el dolor. No podía recordar cuántas veces habría arrancado corteza de sauce para hacer un té con el cual aliviar dolores y sufrimientos. Conocía calmantes más fuertes, pero que también embotaban los sentidos. Las propiedades analgésicas del sauce calmaban el dolor y rebajaban la fiebre.

Otras cuantas personas empezaban también a agitarse mientras Iza se encuclillaba junto al fuego, echando pequeñas piedras calientes al tazón de agua con corteza de sauce. Cuando todo estuvo listo, lo llevó hacia su cobija, depositó cuidadosamente el tazón en un pequeño hoyo del suelo y se deslizó entonces junto a la niña. Iza examinó a la pequeña, observando que su respiración era normal, pero intrigaba por su rostro poco común. La insolación se había apagado un poco, salvo algo de pellejo levantado a través del puente de su naricilla.

Iza había visto una vez a gente de su especie, pero sólo de lejos. Las mujeres del Clan siempre corrían y se escondían. Se habían relatado en las Reuniones del Clan encuentros casuales entre el Clan y los Otros, y la gente del Clan los evitaba. Se permitía menos aún el contacto a las mujeres. Pero la experiencia de su Clan no había sido mala. Iza recordaba haber hablado con Creb del hombre que cayó en su cueva mucho tiempo atrás, medio loco de dolor por un brazo roto.

Había aprendido algo de su lenguaje, pero sus modales eran extraños. Le gustaba hablar con las mujeres tanto como con los hombres, y trataba con mucho respeto a la curandera, casi con veneración, lo cual no había impedido que se hiciera acreedor al respeto de los hombres. Iza se preguntaba acerca de los Otros mientras, despierta, observaba a la niña a medida que el cielo se aclaraba.

Mientras Iza la miraba, un rayo de sol cayó sobre el rostro de la niña desde la brillante bola de llamas que surgía tras el horizonte. Los párpados de la niña temblaron; abrió los ojos y se quedó mirando un par de ojos morenos, muy sumidos bajo un arco superciliar protuberante en un rostro que avanzaba como un hocico.

La niña chilló y cerró nuevamente los ojos. Iza la acercó a su cuerpo, sintiendo que su flaco cuerpecillo se sacudía de espanto, y murmuró apaciguadoramente. Los sonidos le resultaron algo familiares a la niña, pero más familiar aún era el cuerpo caliente y confortable. Poco a poco dejó de temblar convulsivamente. Abrió los ojos un poquito y volvió a mirar a Iza. Esta vez no gritó. Finalmente abrió muy grandes los ojos y se quedó mirando el rostro espantoso, totalmente desconocido de la mujer.

Iza también la miraba, pasmada. Nunca había visto ojos del color del cielo anteriormente; durante un instante se preguntó si la niña sería ciega; a veces los ojos de los ancianos del Clan se cubrían de una película que aclaraba los ojos más claros y oscurecía la vista. Pero las pupilas de la niña se dilataban normalmente, y no cabía la menor duda de que había visto a Iza. "Aquel color gris-azulado debía de ser normal para ella", pensó Iza.

La niña estaba tendida, absolutamente quieta, temerosa de mover un músculo, con los ojos muy abiertos. Cuando la niña se incorporó con ayuda de Iza, hizo una mueca de dolor y su recuerdo le volvió de repente. Recordó el monstruoso león con un estremecimiento, viendo la garra afilada que arañaba su pierna. Recordó haber luchado para llegar al río, pues la sed se había sobrepuesto a su temor y al dolor de su pierna, pero no podía recordar nada anterior a aquello: su mente había bloqueado todo recuerdo de sus penalidades mientras vagó sola, hambrienta y asustada, el horrible terremoto y los seres amados que había perdido.

Iza sostuvo el tazón de líquido junto a la boca de la niña; ésta tenía sed y tomó un sorbo, haciendo después un gesto por lo amargo del sabor. Pero cuando la mujer acercó nuevamente la taza a sus labios, volvió a beber, demasiado asustada para resistirse. Iza aprobó con un gesto de la cabeza, y después se alejó para ayudar a las mujeres a preparar el desayuno. Los ojos de la niña siguieron a Iza, y los abrió más aún cuando vio por vez primera un campamento lleno de personas parecidas a la mujer.

El olor de alimentos que se cocían le provocó espasmos de hambre, y cuando la mujer regresó con una taza de caldo sustancioso, espesado con grano para convertirlo en papilla, se lo tragó con voracidad. La curandera no creía que estuviera aún preparada para ingerir alimentos sólidos. No hacía falta mucho para llenar su estómago contraído; entonces Iza puso lo que sobraba en un pellejo para que la niña bebiera durante el viaje. Cuando la niña hubo terminado, Iza la acostó y le quitó la cataplasma. Las heridas estaban dejando salir el pus y la hinchazón había disminuido.

—Bien —dijo Iza en voz alta.

La niña dio un brinco al oír el rudo sonido gutural de la palabra, la primera que oía en voz de la mujer. No parecía palabra, más bien un gruñido o un ronquido de algún animal, para los oídos de la niña. Pero las acciones de Iza no eran bestiales sino humanas y llenas de humanitarismo. La curandera tenía preparada otra raíz machacada y mientras aplicaba el nuevo vendaje, un hombre deforme, torcido, llegó a ellas cojeando.

Era el hombre más espantosamente repulsivo que hubiera visto la niña. Tenía lleno de cicatrices un lado de la cara, y un trozo de piel cubría el lugar en que debería haber estado uno de sus ojos. Pero todas aquellas personas le eran tan extrañas y feas, que la desfiguración horrenda de este hombre sólo era cuestión de grado. No sabía quiénes eran ni cómo se encontraba con ellos, pero sabía que la mujer estaba cuidándola. Le habían dado alimentos, el vendaje refrescaba y aliviaba su pierna y, sobre todo, desde lo más profundo de su inconsciente, sentía un alivio a la ansiedad que la había llenado de un pavor doloroso. Por extraña que fuera aquella gente, por lo menos con todos ellos había dejado de estar sola.

El hombre tullido se sentó y observó a la niña. Esta le devolvió la mirada con una curiosidad sincera que lo sorprendió; los niños de su Clan siempre le tenían algo de miedo. Aprendían muy pronto que inclusive sus mayores lo miraban con temor, y sus modales distantes no fomentaban la familiaridad. La brecha se ensanchaba cuando las madres amenazaban con llamar a Mog-ur si se portaban mal. Para cuando los niños eran casi adultos, la mayoría, sobre todo las niñas, lo temían de verdad. Sólo al alcanzar la madurez los miembros del Clan mitigaban su temor con respeto. El ojo derecho de Creb centelleaba de interés ante la manera en que aquella niña lo examinaba sin temerlo.

—La niña está mejor, Iza —indicó. Su voz era más baja que la de la mujer, pero los sonidos que hacía le parecían a la niña más gruñidos que palabras. Ella no se había fijado en los ademanes que acompañaban a los sonidos. El lenguaje le era totalmente extraño; sólo sabía que el hombre le había dicho algo a la mujer.

—Todavía está débil por el hambre —dijo Iza—, pero la herida está mejor. Los cortes son profundos, pero no lo suficiente para poner su pierna en peligro, y la infección empieza a retroceder. Ha sido arañada por un león cavernario, Creb. ¿Has sabido de algún león cavernario que se conforme con dar unos cuantos arañazos, una vez que decide atacar? La niña debe de tener un espíritu fuerte que la protege. Pero —agregó Iza— ¿qué sé yo de los espíritus?

Desde luego, no era el lugar de una mujer, ni siquiera de su hermana, hablarle a Mog-ur de espíritus. Ella hizo un gesto despreciativo que pedía perdón también por su presunción. El fingió no enterarse —como tampoco ella lo esperaba— pero miró a la niña con mayor interés después de oír el comentario sobre un fuerte espíritu protector. Había estado pensando él también lo mismo, y aun cuando nunca lo admitiría, la opinión de su hermana tenía mucho peso para él y confirmaba sus propias ideas.

Levantaron rápidamente el campamento. Iza, cargada con su cuévano y sus paquetes, se agachó para alzar a la niña hasta su cadera antes de echar a andar detrás de Brun y Grod. Cabalgando sobre la cadera de la mujer, la niña miraba a su alrededor con curiosidad mientras avanzaban, observando todo lo que hacían Iza y las demás mujeres. Estaba particularmente interesada cuando se detenían para recoger alimentos. Iza solía tenderle un bocadito de capullo o un brote tierno, y eso le producía un vago recuerdo de otra mujer que había hecho lo mismo. Pero ahora la niña prestaba mayor atención a las plantas y comenzó a observar características distintivas. Sus días de hambre despertaban en la chiquilla un fuerte deseo de aprender a encontrar comida. Señaló una planta y se alegró al ver que la mujer se inclinaba y desenterraba su raíz. También Iza estuvo contenta: la niña es ágil, pensó. No la conocía anteriormente, pues entonces habría tenido qué comer.

Se detuvieron para descansar casi a mediodía, mientras Brun miraba un lugar donde pudiera haber cuevas; después de dar a la niña lo último que quedaba del caldo, Iza le tendió una tira de carne dura, para que la masticara. La cueva no satisfacía sus necesidades. Más tarde aquel mismo día, la pierna de la niña comenzó a palpitar en cuanto pasaron los efectos de la corteza de sauce, y empezó a agitarse. Iza la acarició y cambió a una postura más cómoda. La niña se entregó por completo al cuidado de la mujer: con una confianza absoluta, rodeó con sus brazos flacuchos el cuello de Iza y dejó reposar su cabeza sobre el amplio hombro de la mujer. La curandera, que había vivido tanto tiempo sin hijos, sintió que en ella despertaba un calor afectuoso hacia la huerfanita. Estaba todavía cansada y enferma, y mecida por el movimiento rítmico de la mujer que caminaba, se quedó dormida.

Al atardecer ya sentía Iza el cansancio de la carga adicional que llevaba, y se alegró de poder dejar a la niña en el suelo cuando Brun dio orden de terminar la jornada. La niña tenía calentura, sus mejillas estaban rojas y ardientes, sus ojos, vidriosos, y mientras la mujer iba en busca de leña también buscó plantas para volver a administrárselas a la niña. Iza no sabía qué causaba la infección, pero sabía cómo tratarla, y lo mismo pasaba con muchos padecimientos más.

Aun cuando el curar era magia y se desempeñaba en términos de los espíritus, eso no hacía que la medicina de Iza resultara menos eficaz. El antiguo Clan había vivido siempre recogiendo y cazando, y generaciones de uso de plantas silvestres habían acumulado, por experiencia o casualidad, un caudal de información al respecto. Los animales eran desollados y cortados, y sus órganos se examinaban y comparaban. Las mujeres disecaban mientras preparaban la cena, y aplicaban esos conocimientos a sí mismas.

Su madre había mostrado a Iza las diversas partes internas, y explicado las funciones que cumplían como parte de su adiestramiento, pero sólo para recordarle algo que ya sabía. Iza había nacido de un linaje de curanderas altamente respetado, y por un medio más misterioso que el adiestramiento, el saber curar era transmitido a las hijas de una curandera. Una curandera en ciernes, procedente de un linaje ilustre, gozaba de una posición más alta que una curandera experta de antecesoras mediocres... y con razón.

Al nacer, tenía almacenado en su cerebro el conocimiento adquirido por sus antepasadas, el antiguo linaje de curanderas del que descendía directamente Iza. Podía recordar lo que ellas sabían. No era muy diferente de recordar su propia experiencia, y una vez estimulado, el proceso se llevaba a cabo automáticamente. Conocía sus propios recuerdos, para empezar porque podía recordar también las circunstancias que los rodeaban —nada olvidaba— y sólo podía recordar los conocimientos de su banco de memoria, nunca cómo fueron adquiridos. Y aun cuando Iza y sus hermanos tenían los mismos padres, ni Creb ni Brun gozaban de sus conocimientos medicales.

Los recuerdos de la gente del Clan estaban diferenciados por el sexo. Las mujeres no necesitaban erudición en cuanto a la cacería, como tampoco los hombres la necesitaban en cuanto a las plantas. La diferencia en el cerebro del hombre y de la mujer estaba impuesta por la naturaleza y sólo confirmada por la cultura. Era otro de los intentos de la naturaleza por limitar el tamaño de su cerebro, en un esfuerzo por prolongar la raza. Cualquier niño con un saber que correspondiera con todo derecho al sexo opuesto, al nacer, lo perdía por falta de estímulos para cuando llegaba a la posición de adulto.

Pero el intento de la naturaleza por salvar la raza de la extinción llevaba consigo los elementos para derrotar a sus propios fines. No sólo eran esenciales ambos sexos para la procreación, sino para la vida cotidiana; uno no podía sobrevivir mucho sin el otro. Y no podía uno aprender las habilidades del otro, pues no tenía la memoria correspondiente.

Pero los ojos y los cerebros de la gente del Clan también habían dotado a sus miembros de una visión aguda y perceptiva, aun cuando la usaran de maneras distintas. El terreno había cambiado progresivamente a medida que viajaban, e inconscientemente Iza recordaba cada detalle del paisaje que cruzaban, fijándose especialmente en la vegetación. Podía discernir variaciones secundarias en la forma de una hoja o la altura de un tallo desde gran distancia, y aun cuando había algunas plantas, unas pocas flores, un árbol o arbusto eventual que no hubiera conocido anteriormente, no le resultaban extraños. De algún lugar recóndito de la parte posterior de su gran cerebro le llegaba el recuerdo de ellos, un recuerdo que no era suyo propio. Pero inclusive con el enorme depósito de información que tenía a su disposición, había visto recientemente alguna vegetación que le resultaba totalmente desconocida, tan desconocida como el paisaje. Habría querido poder examinarla más de cerca. Todas las mujeres sentían curiosidad respecto a la vida vegetal desconocida; aunque significara conocimientos nuevos, resultaba esencial para la supervivencia inmediata.

Parte de la herencia de cada una de las mujeres era el saber cómo probar plantas desconocidas, y como las demás, Iza las experimentaba personalmente. Similitudes con plantas conocidas situaba a las nuevas en categorías emparentadas, pero ella sabía el peligro que implica suponer que características similares implican propiedades similares. El procedimiento experimental era simple: daba un mordisco; si el sabor era desagradable, lo escupía inmediatamente. Si era agradable, conservaba el pequeño fragmento en la boca, observando cuidadosamente cualquier picor o ardor que produjera o cualesquiera cambios de sabor. Si no había, tragaba y esperaba para ver si podía reconocer algunos efectos. Al día siguiente daba un mordisco más grande y seguía el mismo procedimiento. Si no se observaban efectos perniciosos después de la tercera prueba, el nuevo alimento se consideraba comestible, al principio en pequeñas porciones.

Pero Iza solía interesarse más cuando podían observarse efectos, pues eso indicaba la posibilidad de un uso medicinal. Las demás mujeres le llevaban cualquier cosa insólita cuando aplicaban la misma prueba o cualquier cosa que tuviera características similares a plantas de las que se sabía que eran venenosas o tóxicas. Procediendo con cautela, ella experimentaba también con éstas siguiendo sus propios métodos. Pero esa experimentación llevaba tiempo, y mientras viajaban se limitaba a las plantas que conocía.

Cerca de ese campamento, Iza encontró varias plantas altas de malvarrosa como varitas y de tallo delgado con grandes flores luminosas. Las raíces de las plantas en flor de varios colores podían ponerse en una cataplasma parecida a las de raíz de lirio para acelerar la curación y reducir hinchazón e inflamación. Una maceración de las flores embotaría el dolor de la niña y le daría sueño; de modo que las recogió junto con la leña.

Después de cenar, la niña estuvo sentada contra una roca, observando las actividades de las personas que la rodeaban. La comida y un vendaje fresco la habían mejorado, y hablaba a Iza sin parar, aun a sabiendas de que ésta no la comprendía. Otros miembros del Clan miraban en su dirección con expresión de censura, pero la niña no tenía conciencia del significado de las miradas. Sus órganos vocales subdesarrollados imposibilitaban a la gente del Clan una articulación precisa. Los pocos sonidos que utilizaban para dar énfasis habían evolucionado desde gritos de advertencia o la necesidad de que les prestara atención, y la importancia concedida a la expresión verbal formaba parte de sus

EL CLAN DEL OSO CAVERNARIO

tradiciones. Sus medios básicos de comunicación —señas con las manos, gestos, posturas; y una intuición procedente del contacto íntimo, las costumbres establecidas y el discernimiento perceptivo de expresiones y posturas— eran expresivos pero limitados. Objetivos específicos vistos por uno de ellos resultaban muy difíciles de describir a los demás, y los conceptos abstractos, todavía más. La volubilidad de la niña intrigaba al Clan y le inspiraba desconfianza.

Apreciaban amorosamente a los niños, los criaban con un afecto y una disciplina cariñosos que se iban haciendo más severos a medida que crecían. Los nenitos eran mimados por hombres y mujeres por igual, los niños eran castigados simplemente mediante indiferencia. Cuando los niños se percataban de la posición más alta que tenían los niños mayores y los adultos, emulaban a sus mayores y se oponían a ser mimados, dejando ese trato sólo para los bebés. Los jóvenes aprendían muy pronto a comportarse dentro de los estrictos límites de la costumbre establecida, y una de esas costumbres consistía en que los sonidos superfluos no eran propios. Debido a su estatura, la niña parecía mayor que su edad, y el Clan la consideraba indisciplinada, malcriada.

Iza, que había estado en un contacto mucho más estrecho con ella, adivinó que era más joven de lo que parecía. Estaba acercándose al cálculo de la edad verdadera de la niña, y respondía a su desamparo con mayor indulgencia. También sentía, por lo que la niña murmuraba cuando estaba delirando, que su especie hablaba verbalmente con mayor fluidez y frecuencia. Iza se sentía atraida por la niña cuya vida dependía de ella y que había rodeado con sus flacos bracitos su cuello en una confianza absoluta. "Ya llegará el momento —pensaba Iza— de enseñarle mejores modales"; ya empezaba a considerar a la niña como suya.

Creb llegó hasta donde se encontraba Iza vertiendo agua hirviendo sobre las flores de malvarrosa, y se sentó junto a la niña. Le interesaba la extraña, y puesto que los preparativos para la ceremonia vespertina no se habían terminado aún, fue a ver cómo se estaba restableciendo. Se miraron de hito en hito, la niña y el tullido anciano lleno de cicatrices, estudiándose mutuamente con una intensidad similar. El nunca se había encontrado tan cerca de alguien de su especie y nunca había visto una sola cría de los Otros. Ella ni siquiera sabía de la existencia de la gente del Clan hasta que despertó y se encontró entre ellos, pero más que sus características raciales, sentía curiosidad por el cutis rugoso del rostro de él. En su corta experiencia, nunca había visto un rostro tan espantosamente cubierto de cicatrices. Impetuosamente, con las reacciones desinhibidas de los niños, tendió la mano hacia su rostro para ver si el tacto de la cicatriz era distinto.

Creb se sintió desconcertado mientras la niña pasaba suavemente la mano por su rostro. Ninguno de los niños del Clan lo había tocado de esa manera; y tampoco los adultos lo hacían. Evitaban el contacto con él, como si en cierto modo pudieran adquirir su deformidad al tocarlo. Sólo Iza, que lo cuidaba durante las crisis de artritis que lo atacaban con mayor gravedad a cada invierno, no parecía sentir el menor escrúpulo. No sentía repugnancia por su cuerpo deforme y sus feas cicatrices ni pavor frente a su situación y poderío. El suave contacto de la mano de la niña hizo vibrar una cuerda interior en su viejo corazón solitario. Quiso comunicarse con ella y por un instante se preguntó cómo empezar.

—Creb —dijo, señalándose con el dedo. Iza observaba calladamente, esperando que las flores terminaran de macerar. Se alegraba de ver a Creb interesarse por la niña, y el empleo que hizo de su nombre personal no le pasó inadvertido.

—Creb —repitió, golpeándose el pecho.

La niña inclinó la cabeza, tratando de comprender; él quería que ella hiciera algo. Creb repitió su nombre una vez más. De repente a la niña se le iluminó el rostro: se sentó muy derecha y sonrió.

—¿Grub? —respondió, pronunciando la r en imitación del sonido.

El viejo asintió con la cabeza: la pronunciación era parecida. Entonces la señaló a ella. Ella arrugó levemente el entrecejo, no muy segura de lo que él pretendía ahora. Se golpeó Mog-ur el pecho, repitió su nombre y después golpeó levemente el pecho de ella. A él, la amplia sonrisa que ella le dirigió se le antojó una mueca, y la palabra polisílaba que salió de su boca no sólo era impronunciable sino también incomprensible. Creb hizo los mismos movimientos inclinándose hacia ella para oír mejor. La niña dijo su nombre.

—Aay-rr —pronunció el hombre, vacilando, meneó la cabeza y volvió a intentarlo: —¿Aay-lla, Ayla? —Era lo más aproximado que podía lograr; no eran muchos los del Clan que hubieran podido decirlo tan bien. Ella sonrió ampliamente y meneó vigorosamente su cabecita de arriba abajo. No era exactamente lo que ella había dicho, pero lo aceptó, dándose cuenta en su joven mente de que él no podría pronunciar mejor la palabra que era su nombre.

—Ayla —repitió Creb, acostumbrándose al sonido.

—¿Creb? —dijo la niña, sacudiéndole el brazo para lograr su atención, y después señaló a la mujer.

—Iza —dijo Creb—, Iza.

—Iiizsa —repitió la niña. Le encantaba el juego de las palabras.
—Iza, Iza —repitió, mirando a la mujer.

Iza asintió con un movimiento solemne de la cabeza; los sonidos de los nombres eran importantísimos. Se inclinó hacia delante y golpeó el pecho de la niña del mismo modo que lo había hecho Creb, para que repitiera otra vez la palabra de su nombre. La niña repitió su nombre completo, pero Iza meneó negativamente la cabeza: no podía comenzar a decir aquella combinación de sonidos que la niña expresaba con tanta facilidad. La niña se sintió desalentada, entonces, mirando a Creb repitió su propio nombre como él lo había dicho.

—¿Eye-ghha? —intentó la mujer. La niña meneó la cabeza y lo repitió bien dicho. —¿Eye-ya? —repitió la mujer.

—Aay, Aay, no Eye —dijo Creb—. Aaay-llla —pronunció lentamente, para que Iza pudiera distinguir la extraña combinación de sonidos.

—Aay-lla —dijo cuidadosamente la mujer, esforzándose por emitir la palabra como lo había hecho Creb.

La niña sonrió: no importaba que el nombre no fuera exactamente eso; Iza se había esforzado tanto por decir el nombre que Creb le había dado, que lo aceptó como propio. Para ellos, sería Ayla. Espontáneamente, tendió los brazos y estrechó entre ellos a la mujer.

Iza la abrazó cariñosamente y después se retiró. Tendría que enseñar a la niña que las exhibiciones de afecto eran incorrectas en público, aunque a pesar de todo se sentía complacida.

Ayla estaba fuera de sí de gozo. Se había sentido tan perdida, tan aislada entre aquella gente extraña. Se había esforzado tanto por comunicarse con la mujer que la estaba atendiendo, y se había sentido tan desilusionada al ver fracasar todos sus intentos. Esto sólo era un comienzo, pero por lo menos tenía un nombre para llamar a la mujer y un nombre para que la llamaran. Se volvió hacia el hombre que había iniciado la comunicación; ya no le parecía tan feo. Estaba llena de gozo, experimentó hacia él un sentimiento cálido y, como lo había hecho muchas otras veces con un hombre al que sólo recordaba vagamente, la niña rodeó el cuello del tullido con sus brazos, atrajo su cabeza y apoyó su mejilla en la de él.

Ese gesto de afecto lo trastornó. Dominó el anhelo de devolver la caricia. Sería muy impropio que lo vieran abrazando a aquella criatura extraña fuera de los límites de un hogar familiar. Pero le permitió que apretara su mejilla dulce y firme contra su rostro barbudo un momento más, antes de desprender sus bracitos de su cuello.

Creb tomó su cayado y se aferró a él para incorporarse. Mientras se alejaba cojeando, pensaba en la niña. "Tengo que enseñarle a hablar, ella aprenderá a comunicarse debidamente —se dijo—. Al fin y al cabo, no puedo confiar toda su instrucción a una mujer". Pero bien sabía él que su verdadero deseo era pasar más tiempo con ella. Sin percatarse de ello, estaba pensando en ella como en una parte permanente del Clan.

Brun no había considerado las implicaciones que representaba el permitir que Iza recogiera a una niña extraña en el camino. No era una falla suya como jefe, sino una falla de su raza. No podía haber previsto la posibilidad de encontrar a una niña herida que no fuera del Clan, y tampoco las consecuencias lógicas de su rescate. Se le había salvado la vida; la única alternativa, de no dejarla permanecer con ellos, era mandarla a vagar sola de nuevo. No podría sobrevivir sola: para eso no hacía falta ser adivino, era un hecho. Después de salvarle la vida, para exponerla de nuevo a la muerte tendría que oponerse a Iza quien, aun cuando no tenía poder personalmente, disponía de una colección formidable de espíritus que estaban de su parte... y ahora Creb, el Mog-ur que tenía la habilidad de llamar a todos y cualquiera de los espíritus. Los espíritus, para Brun, representaban una poderosísima fuerza; no tenía el menor deseo de ponerse a mal con ellos. A decir verdad, era sólo esta eventualidad la que lo molestaba al pensar en la niña. No había sido capaz de expresárselo a sí mismo, pero el pensamiento lo había estado rondando. No lo sabía aún, pero el Clan de Brun había aumentado su número en un miembro: ahora eran veintiuno.

Cuando la curandera examinó la pierna de Ayla a la mañana siguiente pudo comprobar la mejoría. Bajo sus expertos cuidados, la infección había desaparecido casi por completo, y los cuatro arañazos paralelos estaban cerrados y en vías de sanar aun cuando siempre ostentaría esas cicatrices. Iza decidió que ya no hacía falta ponerle más cataplasmas, pero hizo un té ligero de corteza de sauce para la niña. Cuando la sacó de las pieles donde dormían, Ayla trató de ponerse en pie. Iza la ayudó y la sostuvo mientras la niña trataba torpemente de reposar su peso sobre la pierna. Dolía, pero después de dar unos cuantos pasos prudentes, se sentía mejor.

De pie y erguida, la niña era todavía más alta de lo que había pensado Iza. Tenía piernas largas, flacas y con rodillas nudosas ... y eran rectas; Iza se preguntó si estarían deformes. Las piernas de la gente del Clan estaban arqueadas hacia fuera; pero, excepto una leve cojera, la niña no encontraba dificultad alguna en caminar. "También deben de ser cosa normal para ella, las piernas rectas —penso Iza— al igual que los ojos azules".

La curandera envolvió a la niña en el manto y la levantó sobre su cadera mientras el Clan se ponía en marcha; su piernecita no estaba todavía suficientemente curada para que pudiera caminar a gran distancia. A intervalos durante la marcha del día, Iza la bajó para que anduviera un poco. La niña había estado comiendo vorazmente, compensando su hambre prolongada, y ya creía Iza notar que aumentaba algo de peso. La alegraba el alivio eventual que le proporcionaba dejar a la niña en el suelo, sobre todo porque el viaje se estaba haciendo más difícil.

El Clan dejó atrás la vasta estepa y durante los siguientes días recorrió colinas ondulantes que poco a poco se hicieron más abruptas. Estaban en las estribaciones de los montes cuyas brillantes cimas heladas se acercaban más cada día. Las colinas estaban cubiertas de bosques frondosos, no con los árboles perennes de la selva boreal, sino con las ricas hojas verdes y los troncos gruesos y nudosos de árboles deciduos de hoja ancha. La temperatura había subido mucho más rápidamente de lo que solía ocurrir durante la estación, lo cual intrigaba a Brun. Los hombres habían sustituido sus capas con una piel corta, sin pelo, y llevaban el torso desnudo. Las mujeres no adoptaron su ropa de verano, pues resultaba más cómodo llevar la carga puesta en sus mantos, lo cual les evitaba excoriaciones.

El terreno perdió toda semejanza con la fría pradera que había rodeado a su antigua caverna. Iza tuvo que depender cada vez más de los conocimientos que poseían memorias más antiguas que la suya, mientras el Clan atravesaba estrechos valles sombreados y lomas herbosas de un selva templada. Las rudas cortezas del roble, la haya, el nogal, el manzano y el arce alternaban con árboles más flexibles y rectos, de corteza delgada, como el sauce, el abedul, el álamo, el ojaranzo y los altos arbustos del arraclán y el avellano. El aire estaba impregnado de un saborcillo que Iza no podía identificar y que parecía llegar con la suave brisa del sur. Todavía colgaban candelillas de los álamos, cubiertos de hojas; caían delicados pétalos blancos y rosados, flores abiertas de los frutales y nogales, brindando una promesa de abundancia para el otoño.

Cruzaron con dificultad matorrales y trepadoras de la selva densa, y escalaron pendientes escarpadas. Mientras subían por riscos, las faldas de las colinas que los rodeaban resplandecían con verdes de todos los matices. Los tonos oscuros del pino reaparecieron mientras escalaban, así como el abeto. Más arriba, las piceas aparecían ocasionalmente. Los colores más oscuros de las coníferas se mezclaban con los verdes primarios de los árboles de hojas anchas y los verdes amarillos y pálidos de las variedades de hoja más corta. Musgos y hierbas agregaban sus matices al mosaico de fresco verdor de la vegetación lujuriante y las pequeñas plantas, desde la acederilla, la acedera del bosque parecida al trébol, hasta las diminutas y suculentas que crecían pegadas a los riscos. Flores silvestres crecían por todo el bosque: trilios blancos, violetas amarillas, espinos rosados, mientras junquillos amarillos y gencianas blancas y azules dominaban algunas de las praderas más altas. En algunos de los lugares sombreados, los últimos azafranes amarillos, blancos y púrpura, surgiendo de nuevo, alzaban valerosamente sus cabezas.

El Clan se detuvo a descansar después de alcanzar la cumbre de una escarpada pendiente. Más abajo terminaba abruptamente el panorama de colinas boscosas ante la estepa que se extendía hasta el horizonte. Desde su posición elevada podían divisar varias manadas pastando las altas hierbas que ya ostentaban el oro estival. Cazadores rápidos, viajando con poco equipo y sin mujeres agobiadas por pesadas cargas, podrían escoger entre las diversas variedades de presas y alcanzar fácilmente la estepa en menos de media mañana. Hacia el este, por encima de la inmensa pradera, el cielo era claro, pero se estaban formando nubes de tormenta impulsadas velozmente desde el sur. De seguir así, la alta sierra del norte haría que las nubes arrojaran su carga de agua sobre el Clan.

Brun y los hombres estaban celebrando una reunión fuera del alcance de las mujeres y los niños, pero las miradas preocupadas y los ademanes que hacían no dejaban la menor duda en cuanto al tema de la discusión. Estaban tratando de decidir si deberían dar media vuelta. El terreno era desconocido, pero lo más importante era que se estaban alejando demasiado de las estepas. Aun cuando habían divisado muchos animales en las estribaciones boscosas, no era lo mismo que las enormes manadas alimentadas por el abundante forraje de las praderas que había allá abajo. Era más fácil cazar animales en campo descubierto, más fácil ver sin la sombra del bosque para ocultarlos, sombra que también abrigaba a sus cazadores de cuatro patas. Los animales del llano eran más sociables, tendían a reunirse en manadas y no a vivir aisladamente o por pequeños grupos familiares como las presas de la selva.

Iza adivinaba que probablemente darían media vuelta, lo cual significaría que el esfuerzo de escalar las colinas habría sido vano. Las nubes que se acumulaban y la lluvia amenazadora arrojaron un manto de melancolía sobre los viajeros desanimados. Mientras esperaban, Iza dejó a Ayla en el suelo y se alivió de su pesada carga. La niña, disfrutando de la libertad de movimientos que le permitía su pierna en vías de sanar después de haberse visto inmovilizada contra la cadera de la mujer, se puso a vagabundear. Iza la vio perderse de vista bajo un saliente que había más adelante; no quería que la niña se alejara demasiado. La reunión podría interrumpirse en cualquier momento, y Brun no vería con buenos ojos a la niña si retrasaba la partida. Echó a andar tras ella y, rodeando el saliente, Iza la vio, pero lo que vio más allá puso a palpitar fuertemente su corazón.

Echó a correr volviendo sobre sus pasos y echando rápidas miradas por encima del hombro. No se atrevía a interrumpir a Brun y los hombres, y esperaba con impaciencia que se disolviera la reunión. Brun la vio, y aun cuando no dio señales de percatarse de ello, comprendió que algo la preocupaba. Tan pronto como se separaron los hombres, Iza corrió hacia Brun, se sentó delante de él y miró al suelo —posición que significaba su deseo de hablar con él—. El podía conceder audiencia o no, como quisiera. Si la ignoraba, Iza no podría decirle lo que estaba pensando.

Brun se preguntaba lo que querría; había observado que la niña exploraba más adelante —eran pocas las cosas de su Clan que le pasaran inadvertidas— pero tenía problemas más apremiantes. Tenía que ser algo sobre esa niña, pensó despectivamente, y estuvo a punto de pasar por alto la solicitud de Iza. No importaba lo que dijera Mog-ur, no le agradaba que la niña viajara con ellos. Echando una mirada hacia él, Brun vio que el mago estaba mirándolo y trató de adivinar lo que el tuerto estaría pensando, pero le resultó imposible leer en aquel rostro impasible.

El jefe volvió a mirar a la mujer sentada a sus pies; su postura delataba una tensa agitación. "Está realmente alborotada", pensó. Brun no era hombre insensible y tenía en alta estimación a su hermana. A pesar de los problemas que había tenido con su compañero, siempre se había portado bien; era un ejemplo para las demás mujeres, y pocas veces lo molestaba con solicitudes insignificantes. Tal vez debiera dejarla hablar; eso no implicaba que hubiera de actuar de acuerdo con su solicitud. Se inclinó y le tocó el hombro.

El aliento de Iza estalló al sentir el contacto: no se había dado cuenta de que estaba aguantando la respiración. ¡La dejaría hablar! Había tardado tanto en decidirse que estaba segura de que habría de ignorarla. Iza se puso de pie y señalando hacia el saliente, dijo una sola palabra: "Cueva".

4

Brun giró sobre sus talones y echó a andar a grandes trancos hacia el saliente. Al rodearlo se detuvo, impresionado por la vista que se extendía más allá; la excitación hirvió en sus venas. ¡Una cueva! ¡Y qué cueva! Desde el instante en que la vio supo que era la cueva que estaba buscando, pero luchó por dominar sus emociones, por controlar sus esperanzas incipientes. Con un esfuerzo consciente se fijó en los detalles de la cueva y su situación. Era tan intensa su concentración que apenas se fijó en la niña.

Inclusive desde su posición favorable, a unos cientos de yardas, la boca más o menos triangular, abierta en la roca de un gris moreno del monte, era suficientemente ancha para brindar en el interior un espacio más que adecuado en el cual alojar a su Clan. La abertura daba al sur, expuesta a la luz del sol la mayor parte del día. Como para confirmar el hecho, un rayo de luz, abriéndose paso entre las nubes, iluminó el suelo rojizo de la ancha terraza que se extendía delante de la cueva. Brun recorrió el área con la mirada, efectuando un rápido examen. Un ancho risco al norte y otro similar al sureste ofrecían protección contra los vientos. "Había agua cerca", pensó, agregando una característica positiva más a su lista mental que se alargaba, al ver el río que corría al pie de una leve pendiente al oeste de la cueva. Era, con mucho, el lugar más prometedor que había visto. Hizo señas a Grod y Creb, reprimiendo su entusiasmo mientras esperaba que se acercaran a él para examinar más de cerca la cueva.

Los dos hombres se apresuraron en acercarse a su jefe, seguidos por Iza que iba a buscar a Ayla. También ella echó una mirada escrutadora a la cueva, y asintió satisfecha con la cabeza antes de regresar con la niña al núcleo de gente que se agitaba excitadamente. La emoción reprimida de Brun se estaba comunicando. Todos sabían que se había encontrado una cueva y sabían que Brun consideraba que tenía buenas posibilidades. Perforando la oscuridad amenazadora del cielo encapotado, brillantes rayos de sol parecían cargar la atmósfera de esperanzas, a juego del humor del Clan que aguardaba lleno de ansiedad.

Brun y Grod agarraron sus lanzas mientras los tres hombres se acercaban a la cueva. No vieron señales de habitación humana, pero eso no garantizaba que la cueva estuviera inhabitada. Había pájaros entrando y saliendo por la enorme abertura, gorjeando y trinando mientras se cernían y giraban. "Los pájaros son un buen augurio", pensó Mog-ur. Mientras se acercaban caminando con precaución, apartándose de la boca; Brun y Grod examinaban cuidadosamente señales frescas y excrementos. Los más recientes tenían varios días. Los rastros y las anchas señales de dientes en pesados huesos quebrados por potentes quijadas contaban su historia: una manada de hienas había utilizado la cueva como refugio provisional. Los devoradores de carroña habían atacado a un viejo ciervo inútil y arrastrado su cadáver hasta la cueva para terminar de comerlo tranquilos, en una seguridad relativa.

Fuera y a un lado, cerca del extremo occidental de la abertura, alojada en un enredo de trepadoras y matorrales, había una poza alimentada por un manantial que desaguaba en un arroyuelo que desembocaba en el río. Mientras los demás esperaban, Brun siguió la corriente manantial arriba y vio que salía de la roca, un poco del lado abrupto, áspero y cubierto de vegetación, de la cueva. El agua que saltaba justo fuera de la boca de la cueva era fresca y pura. Brun sumó la poza a las ventajas de la ubicación y se reunió con los demás. El sitio era bueno, pero la decisión residía en la cueva misma. Los dos cazadores y el mago tullido se prepararon para entrar por la ancha y oscura abertura.

Volviendo al extremo oriental, los hombres miraron hacia el vértice de la entrada triangular, muy por encima de sus cabezas, al pasar al agujero en la montaña. Con todos los sentidos en estado de alerta, avanzaron cautelosamente por el interior de la cueva, pegándose a la pared. Cuando sus ojos se acostumbraron a la oscuridad interior, miraron asombrados a su alrededor. Un alto techo abovedado dominaba un salón inmenso, suficientemente amplio para muchas veces el número de miembros del Clan. Avanzaron paso a paso a lo largo de la áspera roca en busca de orificios que pudieran conducir a profundidades mayores. Cerca del fondo surgía otro manantial de la pared, formando una poza pequeña y oscura que se desvanecía en el suelo terroso y seco poco más allá. Pasando la poza, la muralla de la caverna formaba un ángulo hacia la entrada. Siguiendo la muralla oeste de regreso hacia la entrada vieron gracias a la luz que aumentaba progresivamente, una oscura grieta abierta en la muralla gris oscuro. A una señal de Brun, Creb interrumpió su avance arrastrado mientras Grod y el jefe se aproximaban a la fisura y miraban adentro.

—¡Grod! —ordenó Brun, agregando un ademán que indicaba su necesidad.

El segundo al mando echó a correr hacia fuera mientras Brun y Creb esperaban, tensos. Grod examinó la vegetación que crecía fuera y después se dirigió a un bosquecillo de pino plateado. Puñados de dura resina filtrada a través de la corteza formaban parches brillantes sobre los troncos. Grod arrancó la corteza, y una savia fresca, pegajosa, empezó a manar de la herida del árbol. Grod rompió ramas secas que seguían colgando por debajo de las vivientes cubiertas de agujas verdes, y sacando un hacha de un pliegue de su capa, machacó una rama verde y la despojó. Envolvió la corteza resinosa y las ramitas secas con hierbas duras y las sujetó al extremo de la rama verde; entonces, retirando con cuidado el carbón vivo del cuerno de bisonte que llevaba en la cintura, lo acercó a la resina y comenzó a soplar. Pronto pudo regresar corriendo a la cueva llevando en la mano una antorcha encendida.

Grod sostenía la luz muy por encima de su cabeza, y Brun lo seguía con el mazo dispuesto: así entraron los dos en la negra fisura. Avanzaron lentamente por un corredor angosto que formaba ángulo abrupto al cabo de unos cuantos pasos, hacia el fondo de la cueva y, justo después del ángulo, se abría en una segunda cueva. La pieza, mucho más pequeña que la principal, era casi circular; amontonados contra la muralla del fondo, un montón de huesos brillaba, blanco, a la luz vacilante de la antorcha. Brun se acercó para ver mejor y sus ojos se abrieron muy grandes; esforzándose por controlar su emoción, hizo una señal y ambos se retiraron rápidamente.

Mog-ur estaba esperando con ansiedad, apoyado pesadamente en su báculo. Al ver salir a Brun y Grod de la oscuridad el mago se sorprendió: no era habitual en Brun mostrarse tan agitado. Ante un gesto, Mog-ur siguió a ambos hombres por el oscuro corredor; cuando llegaron a la sala pequeña, Grod alzó la antorcha. Los ojos de Mog-ur se entrecerraron al ver el montón de huesos. Avanzó rápidamente, y su cayado rebotó ruidosamente en el suelo mientras él se dejaba caer de rodillas. Buscando entre el montón, vio un objeto largo y oblongo; haciendo a un lado los demás huesos, tomó en sus manos una calavera.

No cabía el menor lugar a dudas. El arco frontal abombado de la calavera hacía juego con la que llevaba Mog-ur en su manto. Se sentó, levantó el enorme cráneo hasta su ojo y miró los oscuros orificios de los ojos con incredulidad y veneración. Ursus había utilizado esta cueva. Dada la enorme cantidad de huesos, habían hibernado allí osos cavernarios durante muchos inviernos. Ahora Mog-ur comprendía la excitación de Brun. Era la mejor señal posible. Esta cueva había sido la morada del Gran Oso Cavernario. La esencia de la maciza criatura a la que el Clan reverenciaba por encima de todas las demás, honraba por encima de todas las demás, impregnaba la roca misma de las murallas de la cueva. La suerte y la buena fortuna eran seguras para el Clan que viviera allí. Por la edad de los huesos, resultaba evidente que la caverna había quedado deshabitada por años, esperando a que ellos la encontraran.

Era una cueva perfecta, bien situada, espaciosa, con un anexo para los rituales secretos, que podría ser usado en invierno y en verano; un anexo que respiraba el misterio sobrenatural de la vida espiritual del Clan. Mog-ur estaba ya imaginando las ceremonias. Aquella pequeña cueva habría de ser su dominio. Su búsqueda había concluido, el Clan había hallado un hogar... siempre que la primera cacería fuera afortunada.

Al salir los tres hombres de la cueva, el sol brillaba, las nubes se retiraban rápidamente impulsadas por un aire cortante que venía del este; Brun lo tomó como buen augurio. No habría importado que las nubes se hubieran abierto dejando caer un diluvio acompañado de rayos y truenos; lo habría considerado como buena señal. Nada podría haber empañado su exaltación ni disipado su sentimiento de satisfacción. Estaba en pie en la terraza que había delante de la cueva y miraba el paisaje que se divisaba desde allí. Más adelante, por una brecha abierta entre dos colinas, podía ver una enorme extensión centelleante de agua. No se había percatado de que estaban cerca, y eso le trajo a la mente un recuerdo que resolvió el enigma de la temperatura que subía rápidamente y de la insólita vegetación.

La cueva se encontraba en los contrafuertes de una cadena de montañas en el extremo sur de una península que avanzaba en medio de un mar interior. La península estaba unida en dos lugares a la tierra firme. El istmo principal era un ancho cuello hacia el norte, pero una faja estrecha de pantanos salados formaba un nexo con las altas tierras montañosas del este. El pantano salado era también un canal de desagüe en plena marisma para un pequeño mar interior situado en el ángulo noreste de la península.

Las montañas que tenían detrás protegían a la franja costera del helado frío invernal y de los terribles vientos procedentes del glaciar continental situado al norte. Los vientos marítimos, moderados por las aguas del mar, que nunca se congelaban, creaban una angosta faja templada en el extremo sur protegido, y proporcionaban suficiente humedad y calor para la densa selva de árboles de madera dura y anchas hojas deciduas comunes a las regiones frías templadas.

La cueva tenía una ubicación ideal; disponía de lo mejor de dos mundos. Las temperaturas eran más altas que las que prevalecían en las áreas circundantes, y había madera abundante para abastecer de combustible durante los meses helados del invierno. Un amplio mar estaba al alcance de la mano, lleno de pesca y mariscos, y los riscos que bordeaban el ribazo servían de hogar a una colonia de aves marinas y sus huevos en nidos asequibles. La selva templada era un paraíso para quienes fueran en busca de frutas, nueces, bayas, semillas, verduras y hortalizas. Tenían acceso al agua dulce de arroyos y ríos. Pero, lo más importante, estaban cerca de las estepas cuyas extensas praderas sustentaban a las abundantes manadas de grandes animales herbívoros que no sólo proporcionaban carne sino también pieles para vestirse y útiles para la vida cotidiana. El pequeño Clan de cazadores-merodeadores vivía de la tierra, y esa tierra brindaba una abundancia abrumadora.

Apenas sentía Brun la tierra bajo sus pies mientras regresaba junto al Clan que lo aguardaba. No podía imaginar una cueva más perfecta. "Los espíritus han regresado —pensaba—. Quizá nunca nos hayan abandonado, tal vez lo único que deseaban era que nos mudáramos a esta cueva más amplia y más bella. ¡Claro que sí! ¡Tenía que ser eso! Se habían cansado de la vieja cueva, querían un nuevo hogar, de modo que provocaron un terremoto para obligarnos a abandonarla. Quizá la gente que fue muerta era necesaria en el mundo de los espíritus; y para compensar, nos condujeron a esta nueva cueva. Tienen que haber estado sometiéndome a prueba, viendo cómo dirigía a mi Clan. Por eso no podía yo decidir si habríamos de volver". Brun estaba satisfecho de ver que sus cualidades de jefe no habían fallado. Si no hubiera sido una falta de decoro, habría echado a correr para contárselo a los demás.

Al aparecer los tres hombres, no fue necesario decirle a nadie que el viaje había terminado. Lo sabían todos. Entre los que esperaban, sólo Iza y Ayla habían visto la cueva, y sólo Iza podía apreciarla; había estado segura de que Brun la reclamaría. "Ahora no puede obligar a marcharse a Ayla —pensaba Iza— de no haber sido por ella, Brun habría dado media vuelta antes de que la encontráramos; debe de tener un poderoso tótem, y además afortunado". Iza miró a la niña que estaba a su lado, ignorante de la excitación que había causado. "Pero de tener tanta suerte ¿por qué perdió a su gente? —Iza meneó la cabeza—: nunca comprenderé los caminos de los espíritus".

Brun también estaba mirando a la niña. Tan pronto como vio a la mujer y la niña, recordó que había sido Iza quien le habló de la cueva, y nunca habría sabido de ella de no haber ido en busca de Ayla. El jefe se había molestado al ver que la niña echaba a andar por su cuenta; había dicho a todos que esperaran. Pero si ella no se hubiera mostrado indisciplinada, la cueva habría pasado inadvertida. ¿Por qué la habrían llevado los espíritus hacia la cueva antes que a nadie? Mog-ur tenía razón, siempre tiene razón: los espíritus no estaban enojados por la compasión de Iza, no estaban perturbados por la presencia de Ayla entre ellos. Más bien parecía que la favorecieran.

Brun miró al hombre deforme que debería haber sido jefe en su lugar. "Tenemos suerte de que mi hermano sea nuestro mog-ur. Curioso —pensó—, no he pensado en él como mi hermano por mucho tiempo... desde que éramos niños". Brun solía pensar siempre en Creb como su hermano cuando era joven y luchaba por adquirir el control de sí mismo esencial para los hombres del Clan, en especial para el que habría de ser jefe. Su hermano mayor había librado su propia batalla contra el dolor y el ridículo porque no podía cazar, y parecía saber cuándo estaba Brun al borde del llanto. La mirada dulce del hombre tullido tenía un efecto calmante ya por aquel entonces, y Brun siempre se sentía mejor cuando Creb estaba sentado a su lado, brindando el consuelo de su comprensión silenciosa.

Todos los niños nacidos de la misma mujer eran hermanos, pero sólo los hermanos de un mismo sexo se hablaban empleando ese término íntimo de hermano o hermana, y sólo de jóvenes o en momentos poco frecuentes de intimidad especial. Los varones no tenían hermanas ni las mujeres hermanos; Creb era hermano de Brun; Iza no tenía hermanas y era sólo familiar de ellos dos.

Hubo un tiempo en que Brun sintió lástima de Creb, pero hacía mucho que se olvidó de sus achaques en vista de su saber y su poder. Casi había dejado de considerarlo como un hombre sino sólo como el gran mago cuyo sabio consejo había solicitado con frecuencia. Brun no creía siquiera que su hermano lamentara no ser jefe, pero había veces en que se preguntaba si el tullido habría lamentado no tener una compañera y los hijos de ésta. A veces las mujeres podían ser exasperantes, pero a menudo proporcionaban calor y placer al hogar de un hombre. Creb nunca tuvo compañera, nunca aprendió a cazar, nunca conoció los gozos ni las responsabilidades de los hombres, pero era Mog-ur, El Mog-ur.

Nada sabía Brun acerca de la magia y muy poco de los espíritus, pero era jefe y su compañera había dado a luz un hermoso hijo. El se hinchaba de orgullo al pensar en Broud, el muchacho al que estaba adiestrando para que ocupara su puesto algún día. "Lo llevaré a la próxima cacería —decidió repentinamente Brun—, la cacería para la fiesta de la cueva; puede ser la cacería de su virilidad. Si mata él primero, podemos incluir los ritos de su virilidad en la ceremonia de la cueva. Eso sí que enorgullecería a Ebra. Broud es suficientemente adulto, y además fuerte y valiente. Un poco obstinado a veces, pero está aprendiendo a dominar su genio". Brun necesitaba un cazador más. Ahora que el Clan tenía una cueva, les esperaba mucho trabajo para preparar el invierno siguiente. El muchacho contaba casi doce años, casi suficientemente mayor para la virilidad. "Broud puede compartir los recuerdos por vez primera en la nueva cueva —pensó Brun—. Eso será especialmente bueno; Iza hará la bebida".

"¡Iza! ¿Qué voy a hacer con Iza? ¿Y esa niña? Iza se ha encariñado ya con ella, por extraña que sea. Debe de ser porque ha vivido tantos años sin tener hijos. Pero pronto tendrá uno propio, y ahora no tiene compañero que la mantenga. Con la niña, serán dos criaturas por quienes preocuparse. Iza no es ya joven, pero está embarazada y tiene su magia y su posición, lo cual traería honor a cualquier hombre. Quizá uno de los cazadores la tomara por segunda esposa de no ser por la extraña niña. La extraña favorecida por los espíritus. Realmente yo podría causar su descontento si la despachara ahora; podrían hacer nuevamente temblar la tierra..." y Brun se estremeció.

"Sé que Iza quiere quedarse con ella, y me habló de la cueva. Merece honores por ello, pero que no resulte obvio. Si la dejo quedarse con la niña, eso será honrarla pero la niña no pertenece al Clan. ¿La querrán los espíritus del Clan? Ni siquiera tiene un tótem; ¿cómo se le puede permitir quedarse si no tiene tótem? ¡Los espíritus! ¡Yo no entiendo a los espíritus!"

—¡Creb! —llamó Brun. El mago se volvió al oírlo, sorprendido de que Brun lo llamaba por su nombre personal, y fue cojeando hacia el jefe cuando éste hizo señas de que deseaba hablar en privado.

—Esa niña, la que ha recogido Iza ya sabes que no pertenece al Clan, Mog-ur —comenzó Brun, no muy seguro de cómo empezar. Creb espero—. Tú has sido el que dijo que debería dejar que Ursus decida si ha de vivir. Bueno, parece que lo ha decidido, pero ahora ¿qué hacemos con ella? No pertenece al Clan; no tiene tótem. Nuestros tótemes no van a permitir siquiera que alguien de otro Clan se encuentre en la ceremonia para prepararles una cueva; sólo están permitidos aquellos cuyos espíritus han de vivir en ella. Es tan joven que nunca podrá sobrevivir si la dejamos sola, y ya sabes que Iza desea quedarse con ella pero ¿qué pasará con la ceremonia de la cueva?

Creb había tenido la esperanza de que algo así se presentara, ya estaba preparado.

—La niña tiene un tótem, Brun, un fuerte tótem. Lo único es que no sabemos cuál es. Ha sido atacada por un león cavernario y sin embargo, lo único que le ha quedado ha sido unos cuantos arañazos.

—¡Un león cavernario! Pocos cazadores saldrían tan bien librados.

—Sí; y además vagó sola mucho tiempo, estuvo a punto de morir de hambre pero no murió, y fue puesta en nuestro camino para que la encontrara Iza. Y no lo olvides, tú no lo impediste, Brun. Es joven para una prueba tan penosa —prosiguió Mog-ur—, pero creo que estaba siendo puesta a prueba por su tótem para ver si era merecedora. Su tótem no sólo es fuerte, es afortunado. Todos podríamos compartir su buena fortuna, tal vez la estemos compartiendo ya.

—¿Quieres decir... la cueva?

—Le fue mostrada a ella antes que a nadie. Estábamos preparados para regresar; nos trajiste tan cerca, Brun...

—Los espíritus me guiaron, Mog-ur. Querían un nuevo hogar.

—Sí, desde luego que te guiaron, pero a pesar de todo, mostraron la cueva primero a la niña. He estado pensando, Brun. Hay dos niños que no saben cuáles son sus tótems. No he tenido tiempo; hallar una nueva cueva era más importante. Creo que debería incluir una ceremonia de tótem para esos niños cuando santifiquemos la cueva. Les traería suerte y complacería a sus madres.

—¿Qué tiene que ver eso con la niña?

—Cuando yo interceda para los tótems de los dos nenitos, pediré también el de ella. Si su tótem se revela a mí, puede ser incluida en la ceremonia. No sería pedir mucho de ella, y al mismo tiempo podemos aceptarla dentro del Clan. No habrá problema, entonces, para que se quede.

—¡Aceptarla dentro del Clan! No pertenece al Clan, ha nacido de los Otros. ¿Quién ha hablado de aceptarla dentro del Clan? Eso no nos será permitido. A Ursus no le gustará. Nunca se ha hecho antes de ahora —protestó Brun—. No estaba pensando en hacerla una de nosotros, sólo me preguntaba si los espíritus le permitirían vivir entre nosotros hasta que sea mayor.

—Iza salvó su vida, Brun, y lleva ahora parte del espíritu de la niña; eso la hace del Clan en parte. Estuvo a punto de pasar al otro mundo, pero ahora vive. Es casi lo mismo que haber nacido de nuevo, nacido en el Clan—. Creb podía ver cómo el jefe apretaba las mandíbulas en señal de disgusto por la idea, y prosiguió apresuradamente antes de que Brun pudiera decir nada:

—La gente de un clan se une a otros clanes, Brun; eso nada tiene de insólito. Hubo una época en que los jóvenes de muchos clanes se reunían para formar nuevos clanes. Recuerda en la última Reunión del Clan: ¿no decidieron dos pequeños clanes unirse para formar uno solo? Ambos estaban mermando, no nacían suficientes niños, y entre los que nacían no vivían los suficientes más de un año. Introducir a alguien en un clan no es cosa nueva —razonó Creb.

—Es cierto, a veces la gente de un clan se une con otro, pero la niña no pertenece al Clan. Ni siquiera sabes si el espíritu de su tótem hablará contigo, Mog-ur; y si lo hace ¿cómo estarás seguro de que lo comprendes? ¡Yo no puedo siquiera comprenderla a ella! ¿Crees realmente que podrás hacerlo? ¿Descubrir su tótem?

—Sólo puedo intentarlo. Pediré a Ursus que me ayude. Los espíritus tienen su propio lenguaje, Brun. Si está destinada a unirse a nosotros, el tótem que la protege se hará comprender.

Brun reflexionó un momento.

—Pero aun cuando puedas descubrir su tótem ¿qué cazador la aceptará? Iza y su bebé serán carga suficiente, y no disponemos de tantos cazadores. Hemos perdido algo más que el compañero de Iza en el terremoto. El hijo de la compañera de Grod murió, y era un cazador joven y fuerte. El compañero de Aga ha desaparecido, y ella tiene dos hijos y su madre, compartiendo el fuego de aquél. —Una sombra de dolor pasó por los ojos del jefe al pensar en los muertos de su Clan.

—Y Oga —prosiguió Brun—. Primero fue corneado el compañero de su madre, y justo después ésta murió en el derrumbe. He dicho a Ebra que nos quedamos con la niña; Oga es casi una mujer. Cuando sea suficientemente grande, creo que se la daré a Broud; eso lo complacerá. —Brun se quedó pensando, distraido por un momento al pensar en las demás responsabilidades que le incumbían—. Hay suficientes obligaciones para los hombres que quedan, sin agregar a la niña, Mog-ur. Si la acepto en el Clan ¿a quién podré destinar a Iza?

—¿A quién pensabas dársela hasta que la niña fuera suficientemente mayor para dejarnos, Brun? —preguntó el tuerto. Brun se mostró incómodo pero Creb prosiguió antes de que pudiera responderla—: No es necesario agobiar a un cazador con Iza o la niña, Brun, yo proveeré por ellas.

—¡Tú!

—¿Y por qué no? Son hembras. No hay varones que adiestrar, por lo menos no los hay de momento. ¿Acaso no tengo derecho a la parte del Mog-ur sobre cada cacería? Nunca la he reclamado completa, no la necesitaba, pero puedo. ¿No sería más fácil que todos los cazadores me entregaran la parte completa asignada a Mog-ur para que pueda yo mantener a Iza y la niña, en vez de agobiar a un cazador con ellas dos? Había pensado en hablarte de establecer mi propio hogar en cuanto encontráramos una cueva, de todos modos, para sustentar a Iza a menos que otro hombre la quiera. He compartido un fuego con mi hermana por muchos años; sería difícil para mí cambiar, al cabo de tanto tiempo. Además, Iza alivia mi artritis. Si su hijo es niña, también me quedaré con ella. De ser niño... bueno, podemos preocuparnos de eso entonces.

Brun dio vueltas a la idea en la cabeza. Sí ¿por qué no? Sería más cómodo para todos. Pero ¿por qué querrá hacerlo Creb? Iza le cuidaría su artritis sin importar qué fuego compartiera. ¿Por qué un hombre de su edad quiere súbitamente preocuparse por niños pequeños? ¿Por qué había de asumir la responsabilidad de adiestrar y disciplinar a una niña ajena? Tal vez sea eso: que se siente responsable. A Brun no le complacía la idea de introducir a la niña en su Clan —deseaba que el problema no se hubiera presentado nunca— pero le molestaba más aún la idea de tener viviendo con ellos a una intrusa, además, fuera de su control. Quizá fuera mejor aceptarla y adiestrarla debidamente, como debe hacerse con una mujer. Podría ser más fácil para el resto del Clan también. Y si Creb estaba dispuesto a tomarlas, a Brun no se le ocurría razón alguna para no permitirlo.

Brun hizo un ademán de aquiescencia.

—Está bien: si puedes descubrir su tótem, la aceptaremos en el Clan, Mog-ur, y pueden vivir junto a tu fuego, por lo menos hasta que Iza dé a luz—. Por primera vez en su vida, Brun estaba abrigando la esperanza de que la criatura por nacer fuera una niña y no un niño.

Una vez tomada la decisión, el jefe experimentó una sensación de alivio. El problema de lo que se podría hacer con Iza había estado preocupándolo, pero lo había hecho a un lado; tenía problemas más importantes de que ocuparse. La sugerencia de Creb no brindaba solamente una solución a una decisión compleja que debía tomar como jefe del Clan, sino que resolvía un problema mucho más personal también. Por mucho que se esforzara, desde que el terremoto había matado a su compañera, no podía pensar en otra alternativa más que en adoptarla a ella y a su hijo, y probablemente también a Creb, e incluirlos en su hogar. Ya tenía la responsabilidad de Broud y Ebra, y ahora la de Oga. Más gente provocaría fricciones en el único lugar donde podía descansar y bajar algo la guardia. Además, también era posible que su compañera no se hubiera sentido muy feliz.

Ebra se llevaba bastante bien con su hermana, pero ¿junto al mismo fuego? Aun cuando nunca se había dicho nada abiertamente, Brun sabía que Ebra envidiaba la posición de Iza. Ebra estaba apareada con el jefe; en la mayoría de los clanes, ella habría sido la mujer de más alta posición. Pero Iza era una curandera cuya estirpe podía ser rastreada, en línea ininterrumpida, entre las curanderas más respetadas y prestigiosas del Clan. Tenía posición por derecho propio, no por su compañero.

Cuando Iza recogió a la niña, Brun pensó que debería adoptarla también. No se le había ocurrido que Mog-ur pudiera asumir la responsabilidad, no sólo de sí mismo sino de Iza y sus hijos también. Creb no podía cazar, pero Mog-ur contaba con otros recursos.

Una vez resuelto el problema, Brun se acercó rápidamente a su Clan que estaba esperando ansiosamente que su jefe confirmara lo que ya se había adivinado. El dio la señal:

—No viajaremos más; se ha hallado una cueva.

—Iza —dijo Creb mientras la mujer preparaba un té de sauce para Ayla—. Esta noche no voy a cenar.

Iza inclinó la cabeza por toda respuesta. Sabía que iba a meditar preparándose para la ceremonia. Nunca comía cuando iba a meditar.

El Clan había acampado junto al río al pie de la suave pendiente que subía hasta la cueva. Sólo cuando ésta fuera consagrada por el ritual correspondiente pasarían a vivir en ella. Aun cuando no sería propicio mostrarse demasiado ansioso, cada uno de los miembros del Clan encontró algún pretexto para acercarse lo suficiente y mirar hacia dentro. Las mujeres que recogían leña y hierbas lo hicieron junto a la abertura, y los hombres siguieron a las mujeres, ostensiblemente para vigilarlas. El Clan estaba tenso pero de ánimo excelente. La ansiedad que habían experimentado desde el terremoto se había desvanecido. Les agradaba el aspecto que tenía la gran caverna nueva; aun cuando resultaba difícil ver muy adentro de la cueva oscura y sin alumbrar, podían divisar lo suficiente para reconocer que era espaciosa, mucho más amplia que su cueva anterior. Las mujeres señalaban con deleite la poza de agua de manantial justo fuera. No tendrían que ir hasta el río en busca de agua. Estaban deseando que se efectuara la ceremonia de la cueva, uno de los pocos ritos en que tomaban parte las mujeres, y todos anhelaban ir a vivir allí dentro.

Mog-ur se alejó del atareado campamento. Quería hallar un lugar tranquilo para pensar sin que lo molestaran. Mientras seguía el curso del río que corría veloz a reunirse con el mar interior, una suave brisa volvió a soplar desde el sur, agitando su barba. Sólo unas pocas nubes lejanas empañaban la claridad cristalina del cielo crepuscular. La maleza era densa y lujuriante; Mog-ur tuvo que buscar su camino rodeando los obstáculos, pero apenas se daba cuenta pues tenía la mente sumida en una profunda concentración. Un ruido procedente del matorral cercano lo hizo pararse en seco. Era un país desconocido y su única defensa era el fuerte cayado que le ayudaba a caminar, pero en una mano vigorosa podía resultar un arma defensiva formidable. Lo sostuvo preparado para cualquier cosa, escuchando los gruñidos y ronquidos que venían de la espesa maleza y los ruidos de ramas quebradas desde aquella misma dirección.

De repente, un animal salió disparado a través de la pantalla de espesa vegetación, con un cuerpo grande y potente sostenido por patas cortas y robustas. Caninas inferiores agudas y amenazadoras salían como colmillos a ambos lados de su hocico. El nombre del animal se le representó aun cuando nunca anteriormente había visto un jabalí. El cerdo salvaje lo miró belicosamente, arrastró las pezuñas sin saber qué hacer y acabó por ignorar al hombre: sumiendo su hocico en la tierra blanda, volvió a penetrar en el matorral. Creb dio un suspiro de alivio y prosiguió su camino río abajo. Se detuvo en una estrecha playa arenosa, tendió su manto, puso encima la calavera del oso cavernario y se sentó frente a ella. Hizo los ademanes ceremoniosos para pedir ayuda a Ursus y después apartó su mente de cualquier pensamiento que no fuera el de los nenitos que necesitaban saber cuáles eran sus tótems.

Los niños habían intrigado siempre a Creb. Con frecuencia, mientras estaba sentado en medio del Clan, aparentemente perdido en sus pensamientos, observaba a los niños sin que nadie se percatara de ello. Uno de los más jóvenes era un niño robusto y fornido de más o menos medio año, quien había lanzado alaridos belicosos al nacer y muchas veces más después, principalmente cuando deseaba que lo alimentaran. Desde que nació, Borg estaba arrimándose al suave pecho de su madre, hasta encontrar el pezón y dando gruñiditos de placer al mamar. Le recordaba, pensó Creb con sentido humorístico, al jabalí que había visto gruñir mientras sumía el hocico en la tierra blanca. El jabalí era un animal digno de respeto. Era inteligente, sus feroces colmillos podían causar graves daños en cuanto el animal fuera azuzado, y las cortas patas podían moverse con una velocidad pasmosa si decidía lanzarse a la carga. Ningún cazador desdeñaría semejante tótem. "Y será adecuado para el nuevo lugar; su espíritu reposará a gusto en la nueva caverna. Es un jabalí —decidió convencido de que el tótem del niño se había mostrado para que el mago se acordara de él".

Mog-ur se sintió satisfecho con su elección y volvió su atención hacia el otro bebé. Ona, cuya madre había perdido a su compañero durante el terremoto, había nacido poco antes del cataclismo. Ahora, junto al fuego, el único varón era su hermano Vorn, de cuatro años de edad. Pronto necesitaría Aga otro compañero, meditaba el mago, uno que se encargue también de Aba, su anciana madre. "Pero ese es problema de Brun; en quien debo pensar es en Ona, no en su madre".

Las nenas necesitaban tótemes más amables; no podía ser más fuertes que un tótem de hombre pues entonces combatirían la esencia fecundadora y la mujer no podría tener hijos. Pensó en Iza; su saiga, el antílope de las estepas, había sido demasiado para que el tótem de su compañero pudiera superarla durante muchos años... ¿sería realmente eso? A menudo se preguntaba Mog-ur al respecto. Iza conocía mucha más magia de lo que mucha gente creía, y no era feliz con el hombre al que había sido entregada. No que él la censurara por ello: siempre se había portado debidamente, pero la tensión que había entre ellos era visible. "Bien, ahora ya no está el hombre —pensó Creb—, y será Mog-ur su proveedor ya que no su compañero".

Como hermano suyo, Creb nunca podría aparearse con Iza, eso iría en contra de toda la tradición, pero hacía ya tiempo que él había perdido el deseo de tener compañera. Iza era buena compañía, había cocinado para él y lo había cuidado durante muchos años, y ahora sería mucho más agradable estar juntos alrededor del fuego sin aquella animosidad latente y continua. Ayla podría hacerlo mucho más agradable aún. Y Creb experimentó una bocanada de agradable calor al recordar los bracitos que se tendieron para abrazarlo. "Más adelante —se dijo—: primero, Ona".

Era una bebita tranquila y contenta que a menudo lo miraba solemnemente con sus grandes ojos redondos. Ella lo observaba todo con un interés silencioso, sin pasar nada por alto, o por lo menos eso parecía. La imagen de una lechuza le pasó por la mente. "¿Demasiado fuerte? La lechuza es un ave cazadora —pensó— pero sólo caza animales pequeños. Cuando una mujer tiene un tótem fuerte, a su marido le hace falta otro mucho más fuerte. Ningún hombre cuya protección sea débil puede aparearse con una mujer que tenga una lechuza por tótem, pero quizá ella necesite un hombre con fuerte protección". Una lechuza, pues, fue su decisión. "Todas las mujeres necesitan compañeros con tótemes fuertes. ¿Será por eso que nunca he tomado yo compañera? —pensó Creb—. ¿Cuánta protección puede proporcionar un corzo? El tótem natal de Iza es más fuerte". Hacía muchos años que Creb no recordaba al amable y tímido corzo como su tótem. El también habitaba estas densas selvas, como el jabalí, recordó súbitamente. El mago era de los pocos que tenían dos tótemes: el de Creb era el corzo, el de Mog-ur, Ursus.

Ursus Spelaeus, el oso cavernario, vegetariano macizo mucho más alto que sus primos omnívoros, con casi el doble de estatura, con un volumen velludo gigantesco de tres veces el peso de aquéllos, el oso más grande que se haya conocido, tardaba normalmente en enojarse. Pero una osa nerviosa atacó a un niño indefenso y tullido que vagaba, sumido en sus reflexiones, demasiado cerca de un osezno. Fue la madre del niño quien lo encontró, desgarrado y sangrante, con el ojo arrancado junto con la mitad del rostro, y ella fue quien lo cuidó hasta devolverle la salud. Amputó su brazo inútil, paralizado, debajo del codo, aplastado por la enorme fuerza de la voluminosa criatura. Poco después, el Mog-ur-anterior a él escogió por acólito al niño deformado y cubierto de cicatrices, y dijo al niño que Ursus lo había escogido, sometido a prueba y hallado digno, y que le había quitado el ojo como señal de que Creb estaba bajo su protección. Sus cicatrices, debería llevarlas con orgullo, le dijeron, eran la señal de su nuevo tótem.

Ursus no permitió nunca que su espíritu fuera tragado por una mujer para producir un hijo; el Oso Cavernario brindaba su protección sólo después de una prueba. Pocos eran los elegidos; menos aún los que sobrevivían. Su ojo fue un precio muy alto, pero Creb no lo lamentaba. Era El Mog-ur; ningún otro mago tenía tan gran poder, y ese poder —Creb estaba seguro de ello— le era transmitido por Ursus. Y ahora, Mog-ur estaba pidiendo ayuda a su tótem.

Empuñando su amuleto, imploró al espíritu del Gran Oso para que hiciera presente al espíritu del tótem que protegía a la niña nacida de los Otros. Era una verdadera prueba para su habilidad, y no estaba muy seguro de que el mensaje pudiera llegar hasta él. Se concentró en la niña y en lo poco que de ella sabía. "No teme a nada", pensaba; se había encariñado abiertamente con él, y no había mostrado temor ante él ni ante la censura del Clan. Cosa rara en una niña; por lo general las niñas se escondían detrás de la madre en cuanto él estaba cerca. Ella era curiosa y aprendía de prisa. Un cuadro comenzó a formarse en su mente, pero lo rechazó. "No, eso no está bien, es una hembra... eso no es un tótem femenino". Aclaró su mente y volvió a intentarlo, pero el cuadro volvió a presentársele. Decidió dejar que las cosas siguieran su curso; tal vez eso condujera a algo distinto.

Imaginaba lo más granado de los leones cavernarios calentándose perezosamente al cálido sol estival de las estepas. Había dos cachorros. Uno brincaba gozosamente entre las altas hierbas agostadas, sumiendo curiosamente el hocico en los hoyos de los pequeños roedores y gruñendo como si fuera a atacar; era la hembra, la que habría de llevar el producto de su caza al compañero. La cachorra brincó hasta un macho de soberbia melena y trató de provocarlo para que jugara con ella; sin temor, tendió una zarpa y golpeó el enorme hocico del felino adulto. Era un toque suave, casi una caricia. El enorme león la tiró y apoyó en ella su pesada zarpa, para comenzar a lamer a la cachorrita con su lengua larga y áspera. "Los leones cavernarios crían a sus cachorros con afecto y disciplina también —pensó Creb, preguntándose por qué acudía a su mente esa escena de dicha felina".

Mog-ur trató de apartar su mente del cuadro y se esforzó por volver a concentrarse en la niña, pero la escena seguía presente.

—Ursus —preguntó por gestos— ¿un león cavernario? No puede ser. Una hembra no puede tener un tótem tan poderoso. ¿Con qué hombre podría aparearse?

Ningún hombre de su Clan tenía un tótem de león cavernario, no había muchos hombres que lo tuvieran en todos los clanes. Imaginó a la alta y flacucha niña, con brazos y piernas rectos, rostro plano con una frente amplia y saliente, pálida y deslavada; inclusive sus ojos eran demasiado claros. "Va a ser una mujer fea —pensó sinceramente Mog-ur—. De todos modos ¿qué hombre la va a querer?" El pensamiento de la repulsión que él mismo inspiraba pasó por su mente, y la manera en que las mujeres lo habían evitado, especialmente cuando era más joven. "Quizá nunca se aparee; si va a tener que vivir su vida sin hombre que la proteja, necesitará la protección de un tótem fuerte. Pero ¿un león cavernario?" Trató de recordar si hubo alguna vez una mujer del Clan que tuviera por tótem al enorme felino.

"No es realmente del Clan" —recordó, y no cabía duda de que su protección era fuerte, ya que de lo contrario no seguiría con vida. Habría sido muerta por aquel león cavernario. El pensamiento cuajó en su mente. ¡El león cavernario! La había atacado, pero sin matarla... ¿la habría atacado realmente? ¿No la estaría sometiendo a prueba? Entonces otro pensamiento acudió a su mente y un escalofrío le recorrió la espalda. Desaparecieron las dudas; ahora estaba seguro; ni el propio Brun podría ponerlo en duda, pensó. Las cicatrices, las llevaría el resto de sus días. En una ceremonia, cuando Mog-ur grabó la marca del tótem de un joven en su cuerpo, *¡la señal de un león cavernario consistía en cuatro líneas paralelas grabadas en el muslo!*

"En un varón, se graban en el muslo derecho; pero ella es hembra, y las marcas son las mismas. ¡Naturalmente! ¿Cómo no me había percatado de ello antes? El león sabía que le resultaría difícil al Clan aceptarla, de manera que él mismo la señaló pero tan claramente que nadie pudiera confundirse. Y la señaló con marcas de tótem del Clan. El León Cavernario quería que el Clan lo supiera; quiere que viva con nosotros. Se llevó a su gente para que ella tuviera que vivir con nosotros. ¿Por qué?" El mago se sentía agitado por una sensación de incomodidad, la misma incomodidad que experimentó después de la ceremonia de la noche en que la encontraron. Si hubiera sido capaz de elaborar un concepto que lo tradujera, habría dicho que era una premonición pero matizada con una curiosa esperanza desconcertante.

Mog-ur se la sacudió. Nunca se le había presentado tan fuertemente un tótem antes de ahora; eso era lo que lo desconcertaba, pensó. "El León Cavernario es su tótem; él la escogió así como Ursus me escogió a mí". Mog-ur miró las cuencas oscuras y vacías de los ojos de la calavera que tenía enfrente. Con una aceptación profunda, se maravilló ante los caminos de los espíritus, una vez que se comprendían. Ahora estaba todo tan claro. Se sentía aliviado. . . y abrumado. ¿Por qué esa niñita necesitaría una protección tan poderosa?

5

Arboles de hojas negras temblaban y se agitaban con la brisa crepuscular, siluetas danzantes contra un cielo que se oscurecía. El campamento estaba silencioso, preparándose para la noche. Al leve resplandor del carbón encendido, Iza comprobó el contenido de varias bolsas pequeñas ordenadas en hileras sobre su manto, alzando de vez en cuando la mirada en la dirección en que había visto alejarse a Creb. Le preocupaba saber que estaba solo en bosques desconocidos, sin armas para defenderse. La niña dormía ya, y la mujer sintió que su preocupación aumentaba a medida que oscurecía.

Anteriormente había examinado la vegetación que crecía alrededor de la cueva, deseando saber qué plantas había disponibles para reponer y enriquecer su farmacopea. Siempre llevaba consigo algunas cosas en la bolsa de piel de nutria, pero para ella, las bolsitas de hojas, flores, raíces, semillas y cortezas secas dentro de su bolsa de medicinas constituían únicamente primeros auxilios. En la nueva caverna tendría espacio para mayor cantidad y una diversidad más grande. Pero nunca iba muy lejos sin su bolsa de medicinas; constituía parte de su manto. Más aún: se habría sentido desnuda sin sus medicinas, no sin su manto.

Finalmente vio Iza que el viejo mago volvía cojeando; aliviada, dio un brinco para calentar la comida que había guardado para él, y puso a hervir el agua para su té de hierbas predilecto. El llegó arrastrando los pies y se sentó al lado de ella, viéndola poner las bolsas pequeñas dentro de la grande.

—¿Cómo está hoy la niña? —preguntó con un ademán.

—Descansa mejor. Ya casi no le duele. Ha preguntado por ti —respondió Iza.

Creb gruñó, secretamente complacido.

—Haz un amuleto para ella por la mañana, Iza.

La mujer inclinó la cabeza a modo de asentimiento, y después brincó de nuevo para comprobar cómo estaban el agua y la comida. Tenía que moverse. Se sentía tan feliz que no podía quedarse tranquilamente sentada. "Ayla va a quedarse. Creb ha tenido que hablar con su tótem" —pensaba Iza, con el corazón palpitante de excitación. Las madres de los dos nenitos habían hecho amuletos ese mismo día. Lo habían hecho muy abiertamente, para que todos supieran que sus hijos habrían de conocer sus tótems en la ceremonia de la cueva. Vaticinaba buena suerte para ellos, y las dos mujeres casi se hinchaban de orgullo. "¿Sería por eso que Creb estuvo ausente tan largo rato? Tiene que haber sido difícil para él". —Iza se preguntaba cuál sería el tótem de Ayla, pero se contuvo y no preguntó nada: de todos modos se lo diría, y ella se enteraría harto pronto.

Llevó su comida a su hermano, y el té para ambos. Se quedaron tranquilamente sentados juntos, con un afecto cálido y confortable entre ambos. Una vez que terminó Creb, eran ya los últimos que quedaban despiertos.

—Los cazadores saldrán por la mañana —dijo Creb—. Si tienen buena caza, la ceremonia será al siguiente día. ¿Estarás preparada?

—He examinado la bolsa, hay suficientes raíces. Estaré preparada. —Iza mostró una bolsa pequeña en su mano: era diferente de las demás. El cuero había sido teñido de un rojo moreno fuerte, con ocre rojo finamente pulverizado mezclado con la grasa de oso que se había empleado para curtir la piel de oso cavernario con que estaba hecha. Ninguna otra mujer tenía nada teñido del rojo sagrado, aun cuando todos los del Clan llevaban algo de ocre rojo en sus amuletos. Era la reliquia más sagrada que Iza poseyera—. Me purificaré por la mañana.

Nuevamente gruñó Creb: era el comentario indiferente que empleaban los hombres al responder a una mujer. Sólo contenía significado suficiente para indicar que la mujer había sido comprendida, sin prestar gran importancia a lo dicho. Permanecieron tranquilos un rato, y finalmente Creb, después de dejar su pequeña taza de té, miró a su hermana.

—Mog-ur proveerá para ti y la niña, y si tienes una hija, también para ella. Compartirán mi fuego en la nueva cueva, Iza —dijo, y después tendió la mano hacia su báculo para enderezarse y se alejó cojeando hasta su sitio de dormir.

Iza había empezado a incorporarse pero volvió a sentarse, fulminada por el anuncio. Era lo último que hubiera esperado. Con su compañero desaparecido, sabía que algún otro hombre tendría que proveer para ella. Había tratado de no pensar en su sino —poco importaba lo que ella opinara, Brun no habría de consultarla— pero no podía evitar pensar en ello de vez en cuando. Entre todas las opciones posibles, algunas no le agradaban y las demás, las consideraba improbables.

Estaba Droog; desde que había muerto la madre de Goov en el terremoto, estaba solo. Iza respetaba a Droog. Era el mejor tallador de herramientas del Clan. Cualquiera podía sacar copos de una roca de pedernal para hacer un hacha tosca o un raspador, pero Droog tenía talento para hacerlo. Era capaz de formar previamente la piedra de tal manera que los copos que desprendiera tuvieran el tamaño y la forma que deseaba. Sus cuchillos, raspadores, todas sus herramientas eran altamente valoradas. Si pudiera escoger entre todos los hombres del Clan, Iza preferiría a Droog. Había sido bueno con la madre del acólito; había existido un cariño verdadero en su relación.

Sin embargo, era más probable —y bien lo sabía Iza— que dieran Aga a Droog. Aga era más joven y ya tenía dos hijos. Vorn, su hijo, necesitaría pronto de un cazador que se responsabilizara de su adiestramiento, y la bebita, Ona, necesitaba un hombre capaz de proveer para ella hasta que creciera y se apareara. El tallador de herramientas estaría probablemente dispuesto a encargarse también de la madre de Aga, Aba; esta anciana necesitaba un lugar tanto como su hija. Asumir todas esas responsabilidades significaría un gran cambio en la vida del tranquilo y ordenado tallador de herramientas. Aga se mostraba algo insoportable a veces, y no tenía la comprensión que había tenido la madre de Goov, pero Goov pronto establecería su propio fuego, y Droog necesitaba mujer.

Goov como compañero para ella estaba fuera de orden: era demasiado joven, apenas un hombre, y ni siquiera se había apareado por primera vez. Brun no le daría nunca una mujer vieja, además de que Iza lo consideraría más como un hijo que como un compañero.

EL CLAN DEL OSO CAVERNARIO

A Iza se le había ocurrido vivir con Grod y Uka, y el hombre que se había apareado con la madre de Grod, Zoug. Grod era un hombre rígido y lacónico, pero nunca cruel, y su lealtad hacia Brun estaba fuera de discusión. No le habría importado vivir con Grod, aun siendo segunda esposa. Pero Uka era hermana de Ebra, y nunca había perdonado del todo a Iza su posición, por haber usurpado el lugar de su hermana. Y desde la muerte de su hijo —antes de que se fuera a vivir a su propio fuego— Uka estaba triste y retraída. Ni siquiera Ovra, su hija, era capaz de aplacar algo el dolor de la mujer. "Hay demasiada desdicha en ese hogar", había pensado Iza.

Nunca había considerado seriamente el fuego de Crug. Ika, la compañera de éste y madre de Borg, era una mujer joven, sincera y amistosa. Ahí estaba el mal: ambas eran tan jóvenes, y nunca se había llevado muy bien Iza con Dorv, el anciano que había sido compañero de la madre de Ika y que compartía su fuego.

Quedaba Brun, y ella no podía ser siquiera segunda mujer en su hogar por ser su hermana. No importaba mucho, pues ella tenía su propia posición. Por lo menos no era como aquella pobre anciana que finalmente halló el camino del mundo de los espíritus durante el terremoto; procedía de otro Clan, su compañero había fallecido hacía tiempo, nunca había tenido hijos y fue pasada de un hogar a otro, siempre como una carga; había sido una mujer sin posición, sin valor alguno.

Pero la posibilidad de compartir un hogar con Creb, de que él proveyera para ella no le había pasado siquiera por las mientes. No había nadie en el Clan a quien ella tuviera más afecto, ni hombre ni mujer. "Si quiere inclusive a Ayla, estoy segura. Es un arreglo perfecto, a menos que tenga yo un hijo varón. Un muchacho necesita vivir con un hombre que lo pueda adiestrar para convertirlo en cazador, y Creb no puede cazar".

"Podría tomar la medicina que me hiciera perderlo —pensó por un instante—. Entonces sí que estaría segura de no tener un varón". Se palpó el estómago y meneó la cabeza: "no, es demasiado tarde y podría haber problemas". Se dio cuenta de que deseaba tener su bebé, y a pesar de su edad, el embarazo había transcurrido sin dificultad. Había buenas probabilidades de que la criatura fuera normal y saludable, y los niños eran demasiado valiosos para renunciar a ellos a la ligera. "Pediré nuevamente a mi tótem que el bebé sea niña; sabe que siempre he querido tener una niña. He prometido cuidarme para que el bebé sea saludable, con tal de que lo haga ser niña".

JEAN M. AUEL

Iza sabía que las mujeres de su edad podían tener problemas, y comía alimentos y medicinas que eran buenos para las mujeres embarazadas. Aun cuando nunca había procreado, la curandera sabía más acerca del embarazo, el parto y la lactancia que la mayoría de las mujeres. Había ayudado a venir al mundo a todos los niños del Clan, y compartía sus conocimientos y su medicación liberalmente con las mujeres. Pero había cierta magia, transmitida de madres a hijas, tan secreta, que Iza habría preferido morir que revelarla, especialmente a algún hombre. Cualquier hombre que se enterara nunca permitiría que la usaran.

El secreto se había mantenido sólo porque nadie, hombre ni mujer, preguntó sobre su magia a alguna curandera. La costumbre de no preguntar directamente estaba tan arraigada que se había convertido en tradición, casi en ley. Iza podría compartir sus conocimientos si alguien indicara interés, pero Iza nunca hablaba de su magia especial porque si a un hombre se le hubiera ocurrido preguntar, ella no habría podido negarse a contestar —ninguna mujer podía negarse a contestar a un hombre— y al pueblo del Clan le era imposible mentir. Su manera de comunicación, que dependía del matiz sutil de cambios apenas perceptibles en la expresión, el ademán y la postura, permitía que cualquier intento se reconociera al instante. Ni siquiera tenían un concepto para mencionar la mentira; lo más próximo a la falta de verdad era callarse, y eso se reconocía generalmente aun cuando solía permitirse.

Iza nunca mencionó la magia que había aprendido de su madre, pero la había estado usando. Esa magia impedía la concepción, impedía que el espíritu del tótem de un hombre entrara en la boca de la mujer para dar inicio a un niño. Nunca se le ocurrió al hombre que había sido su compañero preguntarle por qué no había concebido un hijo. Suponía que el tótem de ella era demasiado fuerte para una mujer. A menudo se lo decía y se quejaba ante los demás hombres diciéndoles que era esa la razón por la que la esencia de su tótem no era capaz de sobreponerse a la de ella. Iza empleaba las plantas que impiden la concepción porque deseaba avergonzar a su compañero. Quería que el Clan y él mismo pensaran que el elemento fecundante del tótem de él era demasiado débil para derribar las defensas del suyo propio, a pesar de que la golpeaba.

Las palizas eran dadas, supuestamente, para obligar a someterse al tótem de ella, pero Iza sabía que él disfrutaba dándoselas. Al principio Iza tuvo la esperanza de que su compañero la cediera a otro hombre cualquiera si no le daba hijos. Odiaba al inflado fanfarrón aun antes de serle entregada, y cuando descubrió quién habría de ser su compañero no pudo hacer nada más que aferrarse desesperadamente a su madre. Esta sólo podía brindar consuelo; no tenía más voz en el asunto que la hija. Pero el compañero no renunció a ella; Iza era curandera, la mujer de más alto rango en el Clan, y dominarla le proporcionaba un sentimiento de virilidad. Cuando estuvieron en tela de juicio la fuerza de su tótem y su virilidad, porque su compañera no tenía prole, el poder físico que podía ejercer sobre ella le servía de compensación.

Aun cuando las palizas estaban permitidas con la esperanza de que tuvieran por resultado algún hijo, Iza sentía que Brun no las aprobaba. Estaba segura de que si Brun hubiera sido jefe por entonces, no la habría entregado a aquel hombre en particular. Brun opinaba que un hombre no demostraba su virilidad superando a una mujer; las mujeres no tenían más alternativa que someterse. Era indigno de un hombre pelear contra un adversario inferior o permitir que sus emociones fueran provocadas por una mujer. Era deber del hombre mandar en las mujeres, mantener la disciplina, cazar y proveer, controlar sus emociones y no mostrar la menor señal de dolor cuando sufría. Una mujer podía recibir un manotazo si era haragana o irrespetuosa, pero no con ira ni con goce, sólo como disciplina. Aunque algunos hombres golpeaban a las mujeres con mayor frecuencia que otros, pocos eran los que lo tenían por costumbre. Sólo el compañero de Iza había hecho de las palizas una práctica regular.

Una vez que Creb se unió a su hogar, su compañero se mostró más renuente aún a devolverla: Iza no era sólo curandera, era la mujer que cocinaba para Mog-ur. Si abandonara Iza su hogar, Mog-ur también lo haría. Su compañero había imaginado que el resto del Clan pensaba que él estaba aprendiendo secretos del gran mago. En realidad, Creb nunca fue nada más que lo debidamente cortés mientras compartieron el mismo fuego, y en muchas ocasiones apenas se dignaba siquiera fijarse en el hombre. Especialmente, Iza estaba segura de ello, cuando Creb observaba una magulladura particularmente subida de color.

A pesar de todas las palizas, Iza seguía haciendo uso de su magia botánica. Pero al sentirse embarazada, se resignó a su suerte. Algún espíritu había acabado por superar tanto a su tótem como a su magia. Quizá fuera el de él; pero Iza pensaba que si el principio vital del tótem de su compañero había prevalecido finalmente ¿por qué lo habría abandonado ese espíritu cuando se derrumbó la cueva? Le quedaba una última esperanza. Deseaba tener una hija, una niña que le hiciera perder algo de su estimación recién lograda, y además, una niña que transmitiera su linaje de curanderas, aun cuando había estado dispuesta a terminar su estirpe consigo antes de tener un hijo mientras viviera con su compañero. Si daba nacimiento a un hijo, su compañero se vería plenamente justificado; una niña dejaría todavía algo que desear. Ahora Iza deseaba una hija más que nunca. . . no ya para negarle un prestigio póstumo a su compañero, sino para poder vivir con Creb.

Iza puso a un lado su bolsa de medicinas y se metió en sus pieles al lado de la nenita que dormía apaciblemente. "Ayla debe de ser afortunada —pensó Iza—: tenemos la caverna nueva, le va a ser permitido vivir conmigo, y hemos de compartir el hogar de Creb. Tal vez su suerte me traiga también una hija". Iza rodeó a Ayla con su brazo y se pegó a su cuerpecito caliente.

Después del desayuno, a la mañana siguiente, Iza hizo señas a la niña y echó a andar río arriba. Mientras caminaban junto al agua, la curandera buscaba con la mirada ciertas plantas. Al cabo de un rato, Iza vio un calvero al otro lado del río y cruzó éste. Crecían al descubierto varias plantas, de más o menos un pie de alto con hojas de un verde mate pegadas a largos tallos que tenían en su extremo espigas de flores verdes, pequeñas y muy apretadas. Iza arrancó la raíz roja de la cenicilla y se dirigió a una zona fangosa junto a aguas estancadas donde encontró helechos esquiseáceos con fibras colgando, y más arriba, jaboneras. Ayla la seguía, observándola con interés y deseando poder comunicarse con la mujer: tenía la cabeza llena de preguntas sin respuesta.

Regresaron al campamento, y Ayla observó a Iza mientras llenaba de agua una canasta apretadamente tejida, y añadía los helechos tallosos y las piedras calientes del fuego. Encuclillada al lado de la mujer, Ayla la miró cortar un trozo circular del manto en que la había llevado mientras estuvo enferma, con un agudo copo de piedra. Aun cuando el cuero era suave y flexible, todavía estaba un poco duro, pero el cuchillo de piedra lo cortó fácilmente. Con otra herramienta de piedra, afilada en punta, Iza abrió varios orificios alrededor del interior del círculo. Entonces, retorció una larga corteza fibrosa de un matorral bajo, convirtiéndola en cordel, y metió éste por los orificios; después tiró del cordel para formar una bolsa. Con un gesto rápido de su cuchillo, hecho por Droog y altamente preciado por Iza, cortó un fragmento de la larga correa que mantenía cerrado su manto después de haber medido con él el contorno del cuello de Ayla. Todo el proceso duró sólo unos cuantos minutos.

Cuando empezó a hervir el agua de la canasta, Iza reunió las demás plantas que había recogido junto con el tazón de canasta, y regresó al río. Ambas caminaron por la orilla hasta llegar a un lugar en que ésta bajaba suavemente por el agua. Buscando una piedra redonda que pudiera sostener fácilmente en la mano, Iza golpeó la raíz de jabonera en una depresión redonda de una roca plana junto al río. La raíz produjo una rica espuma jabonosa. Tomando de los repliegues de su manto herramientas de piedra y demás objetos pequeños, Iza soltó su correa y se quitó el manto; deslizó el cordel que rodeaba su cuello sosteniendo su amuleto, y dejó éste encima de todo.

Ayla se alegró mucho cuando Iza la tomó de la mano y la condujo al río. Amaba el agua. Pero después de que estuvo bien remojada, la mujer la tomó en brazos, la sentó en la roca y la enjabonó de pies a cabeza, incluyendo sus cabellos finos y enredados. Después de sumirla en el agua fría, la mujer hizo un movimiento y cerró fuertemente los ojos. Ayla no entendió el movimiento, pero cuando imitó a la mujer, Iza asintió: entonces comprendió que la mujer quería que cerrara los ojos. La niña sintió que le llevaban la cabeza hacia delante y, después, que el líquido caliente del tazón de helechos se volcaba sobre ella; le había picado la cabeza, y la mujer había visto que tenía piojillos. Iza dio masaje con el líquido insecticida sacado del helecho a la cabeza de la niña. Después de volver a meterla en el agua fría, Iza aplastó la cenicilla, raíz y hojas, y enjabonó con ella el cabello de la niña; tras enjuagarla por tercera vez, Iza llevó a cabo las mismas abluciones para su propio cuerpo mientras la niña jugaba en el agua.

Mientras estaban sentadas en la orilla para que el sol las secara, Iza arrancó con los dientes la corteza de una rama y la usó para desenmarañar el cabello de ambas mientras se secaba. La asombró la suavidad sedosa y fina del cabello casi blanco de Ayla. Desde luego, era curioso pero bastante bonito; indudablemente, era lo mejor que tenía. Contempló a la niña sin que pareciera demasiado evidente: aunque tenía la piel tostada por el sol, la niña seguía siendo más clara que ella misma, y a Iza le pareció de una fealdad asombrosa, la niña flaca y pálida con sus ojos claros. "Gente de aspecto raro; no cabe duda de que son humanos, pero feos. Pobre criatura. ¿Cómo podrá llegar a encontrar un compañero?"

"Y si no se acopla ¿cómo conseguirá tener posición? Podría sucederle lo que a la anciana que pereció en el terremoto —pensaba Iza—. Si fuera mi verdadera hija tendría también su posición. Me pregunto si le podría enseñar algo de magia curativa. Eso le daría cierto valor. Si tuviera una hija, podría adiestrar a ambas; y si tengo un hijo, no habrá mujer que continúe mi linaje. El Clan necesitará otra curandera algún día. Si Ayla conociera la magia, podrían aceptarla... inclusive algún hombre estaría dispuesto a acoplarse con ella. Va a ser aceptada en el Clan; ¿por qué no puede ser hija mía?" Iza pensaba ya en la niña como suya, y sus reflexiones plantaron el germen de una idea.

Alzó la mirada, vio que el sol estaba muy alto y se dio cuenta de que se estaba haciendo tarde. "Tengo que terminar su amuleto y prepararme a hacer la bebida con la raíz", se dijo Iza, recordando súbitamente sus responsabilidades.

—¡Ayla! —llamó a la niña que había vuelto al río y que volvió corriendo. Mirándole la piel, Iza comprobó que el agua había ablandado las costras pero que estaba sanando. Metiéndose rápidamente en su manto, Iza condujo a la niña hacia la parte alta del ribazo después de detenerse para recoger su palo de cavar y la bolsita que había hecho. Había visto una mancha de tierra roja justo del otro lado, junto al lugar en que se habían detenido anteriormente, antes de que Ayla les mostrara la cueva. Cuando llegaron allá, hurgó con el palo hasta que varios terrones pequeños de ocre rojo se desprendieron. Tomando unos cuantos trozos, se los tendió a Ayla; la niña los miró sin saber lo que se esperaba de ella, y entonces, vacilando, tocó uno de ellos. Iza tomó el trocito, lo metió en la bolsita y recogió ésta en un pliegue. Antes de dar la vuelta para regresar, Iza miró el paisaje y divisó diminutos personajes avanzando por la llanura que había allá abajo. Los cazadores habían salido temprano aquella mañana.

Muchas eras antes, hombres y mujeres mucho más primitivos que Brun y sus cinco cazadores, aprendieron a competir con los depredadores de cuatro patas para apoderarse de sus presas, observando sus métodos y copiándolos. Veían, por ejemplo, cómo los lobos, trabajando juntos, podían abatir presas mucho más grandes y poderosas que ellos. Con el tiempo, utilizando herramientas y armas en vez de zarpas y colmillos, los hombres aprendieron que ellos también, si cooperaban, podrían cazar a las enormes bestias que compartían su entorno. Eso los hizo avanzar rápidamente en su viaje por la evolución.

Como el silencio era necesario para no advertir a la presa que iban acosando, desarrollaron señales de caza que evolucionaron en las señales y gestos de la mano, más complicados, empleados para comunicar otros deseos y necesidades. Los gritos de advertencia cambiaron en cuanto a tono y volumen para encerrar un mayor contenido informativo. Aun cuando la rama del árbol genealógico desembocaba en el Clan, no comprendía mecanismos vocales suficientemente desarrollados para llegar a constituir un lenguaje plenamente verbal, eso no menguaba su capacidad para cazar.

Los seis hombres partieron al primer resplandor del alba. Desde su punto dominante cerca de la cresta montañosa, observaron cómo el sol enviaba sus rayos como exploradores, trepaba lentamente sobre el ángulo de la tierra y después ostentaba toda su gloria en plena posesión del día. Hacia el noreste, una enorme nube de suaves loes velaba una masa ondulante de movimiento oscuro y áspero acentuado por negras púas corvas. Una ancha pista de tierra pisoteada, totalmente desprovista de vegetación, seguía a la lenta manada de bisontes que desfiguraba las llanuras verdes y doradas. Como ya no los detenían mujeres ni niños, los cazadores cubrieron rápidamente la distancia hasta la estepa.

Dejando atrás los contrafuertes montañosos, adoptaron un trote lento que devoraba las distancias, acercándose a la manada bajo el viento. Al acercarse, se agacharon en las altas hierbas para observar a las enormes bestias. Gigantescos lomos gibosos que iban estrechándose hacia los flancos, sostenían cabezotas lanudas portadoras de enormes cuernos negros que medían más de una yarda de envergadura en los animales maduros. El olor a sudor de la multitud apretada se extendía a lo lejos y atacaba sus narices mientras la tierra vibraba bajo el movimiento de miles de pezuñas.

Brun, con la mano alzada para proteger sus ojos, estudió a cada una de las criaturas que pasaban, esperando hallar al animal conveniente en las circunstancias más propicias. Mirando al hombre, resultaba imposible adivinar la tensión insoportable que el jefe mantenía firmemente bajo control. Sólo sus sienes palpitantes por encima de quijadas apretadas revelaban su corazón que latía nerviosamente y sus nervios de punta. Era la cacería más importante de su vida. Ni siquiera el primer animal que derribó, elevándose así al rango de hombre, había sido tan importante como esta cacería, pues en ella reposaba la condición final de residencia en la nueva cueva. Una cacería bien lograda no sólo proporcionaría carne para la fiesta que sería parte de la ceremonia de la cueva, sino que aseguraría al Clan que sus tótems favorecían realmente su nuevo hogar. Si los cazadores volvieran con las manos vacías de su primera cacería, el Clan tendría que seguir buscando más allá una cueva más aceptable para sus espíritus protectores. Era la manera que tenían sus tótems de advertirles que aquella cueva era infortunada. Cuando Brun vio la enorme manada de bisontes, se sintió animado: eran la personificación de su propio tótem.

Brun echó una mirada a sus cazadores, que esperaban ansiosamente la señal. Esperar era siempre la peor parte, pero un movimiento prematuro podría tener resultados desastrosos, y si fuera humanamente posible, Brun quería asegurarse de que no saliera nada mal en la cacería. Vio la expresión preocupada del rostro de Broud y casi lamentó, durante un momento fugaz, haber permitido que el hijo de su compañera llevara a cabo la matanza. Entonces recordó los brillantes ojos del muchacho, llenos de orgullo, cuando el jefe le dijo que se preparara para la cacería de su virilidad. "Es normal que el muchacho esté nervioso —pensó Brun—. No es sólo la cacería de su virilidad sino que el nuevo hogar del Clan puede depender de la fuerza de su brazo derecho".

Broud observó la mirada de Brun y rápidamente dominó la expresión que revelaba su tumulto interior. No se había percatado de lo enorme que era un bisonte vivo —de pie, erguido, la joroba entre los hombros del pesado animal estaba a un pie o más por encima de su propia cabeza— ni lo impresionante que podía ser toda una manada. Tendría que lograr por lo menos infligir la primera herida importante para que le acreditaran la matanza. "¿Y si yerro? ¿Si doy mal el golpe y se escapa?" Las ideas de Broud estaban alborotadas.

Se había esfumado el sentimiento de superioridad que hacía hincharse al mozo delante de Oga, cuando efectuaba lanzamientos de práctica y ella lo contemplaba con adoración. El fingía no darse cuenta: era sólo una criatura, y además hembra. Pero no tardaría mucho en convertirse en mujer. "Oga pudiera no ser tan mala compañera cuando crezca —pensó Broud—. Necesitará un fuerte cazador que la proteja, ahora que han desaparecido su madre y el compañero de ésta". A Broud le gustaba la forma en que ella se esforzaba por atenderlo desde que vivía con ellos, corriendo anhelosamente para obedecer a sus menores deseos, a pesar de que no era hombre todavía. "Pero ¿qué pensará de mí si no consigo matar? ¿Y si no puedo hacerme hombre en la ceremonia de la cueva? ¿Qué pensaría Brun? ¿Qué pensaría todo el Clan? ¿Y si tuviéramos que abandonar la hermosa cueva nueva que ya ha sido bendecida por Ursus?" Broud aferró más fuertemente su lanza y tendió la mano hacia su amuleto en un gesto de súplica hacia el Rinoceronte Lanudo, para que le diera valor y un brazo fuerte.

No habría mucha oportunidad de que el animal se escapara si todo dependiera de Brun. Dejó que el joven pensara que el destino de la nueva cueva del Clan reposaba en él. Para ser jefe algún día, sería bueno que aprendiera el peso de la responsabilidad que el cargo implicaba, y desde ahora. Daría su oportunidad al muchacho, pero Brun proyectaba hallarse cerca para matar él mismo, de ser necesario. Por el joven, tenía la esperanza de no llegar a eso. El mozo era orgulloso, su humillación sería grande, pero el jefe no tenía la intención de sacrificar la cueva al orgullo de Broud.

Brun se volvió para observar la manada. Pronto vio un toro joven que luchaba por salirse del tropel. El animal estaba casi en la plenitud pero era aún joven e inexperto. Brun esperó hasta que el bisonte se hubo desviado más lejos de los demás, hasta que fuera una criatura solitaria alejada de la seguridad de la manada. Entonces dio la señal.

Los hombres se abalanzaron al instante, dispersándose en abanico, con Broud a la cabeza. Brun observó cómo se apartaban a intervalos regulares, manteniendo ansiosamente la vista fija en el joven bisonte descarriado. Hizo otra señal y los hombres brincaron hacia la manada, ladrando, gritando y agitando los brazos. Los animales sorprendidos en la parte de fuera empezaron a correr hacia el centro, cerrando las brechas y empujando con el hocico hacia el centro a los que estaban más cerca. Al mismo tiempo, Brun se abalanzó entre ellos y el joven toro, desviándolos.

Mientras las bestias asustadas de la periferia se metían a la fuerza entre el tropel arremolinado, Brun se lanzó hacia el que había escogido. Puso hasta el último adarme de energías en la caza, haciendo correr al toro con toda la prisa que podían moverse sus gruesas patas musculosas. La tierra seca de la estepa llanaba el aire de polvo fino y limoso, levantado por la multitud de bisontes de duras pezuñas, mientras el movimiento de las alas se transmitía por toda la manada. Brun entrecerró los ojos y tosió, cegado por el remolino de polvo que se pegaba a los orificios de su nariz y su garganta. Jadeando, casi agotado, vio que Grod proseguía la persecución.

El toro cambió de dirección ante la incitación renovada de Grod. Los hombres estaban avanzando, formando un amplio círculo que llevaría a la bestia de nuevo hacia Brun que se esforzaba, sin aliento, por cerrar el círculo. Toda la manada estaba en estampida, lanzada a través de la pradera... con su miedo irracional multiplicado por el movimiento mismo. Sólo quedaba el toro joven, huyendo presa de pánico ante una criatura que sólo poseía una fracción de su fuerza pero suficiente inteligencia y determinación para compensar la diferencia. Grod galopaba tras él, negándose a ceder aunque su corazón palpitaba como si fuera a estallar. El sudor formaba arroyuelos sobre la película de polvo que cubría su cuerpo y daba a su barba un aspecto pardo. Grod finalmente se detuvo justo cuando Droog tomaba su lugar.

La resistencia de los cazadores era grande, pero el fuerte bisonte joven seguía adelante con energía incansable. Droog era el hombre más alto del Clan y tenía las piernas un poco más largas que los demás. Incitando al animal hacia delante, Droog se lanzó tras él con un nuevo impulso veloz, desviándolo en cuanto intentaba seguir la pista de la manada en fuga. Para cuando Crug sustituyó al agotado Droog, el joven animal estaba visiblemente sin resuello. Crug estaba fresco y empujaba a la bestia hacia delante, obligándola a hacer acopio de energía con una punzada de su lanza en los flancos.

Cuando Goov tomó el relevo, la enorme criatura hirsuta empezaba a perder velocidad. El toro corría a ciegas, tercamente, seguido de cerca por Goov que lo pinchaba sin cesar para acabar con la última gota de fuerza que le quedara al joven animal. Broud vio que Brun avanzaba lanzando un ladrido y tomaba nuevamente su lugar en persecución de la enorme bestia. Su carrera fue corta; el bisonte había llegado a su límite: fue corriendo menos, se detuvo en seco y se negó a moverse, con la piel cubierta de espuma, la cabeza baja y la boca chorreante de espumarajos. Con la lanza en ristre, el joven se acercó al agotado toro.

Con un juicio que era fruto de la experiencia, Brun calculó rápidamente: ¿estaría el joven demasiado nervioso para su primera muerte o exageradamente ansioso? ¿estaba la bestia agotada por completo? A veces, un perverso bisonte viejo se detenía antes del agotamiento completo y una carga del último minuto podía matar o dañar gravemente a un cazador, especialmente si era inexperto. ¿Debería usar sus boleadoras para detener al animal y derribarlo? La cabeza del bruto casi tocaba al suelo, sus flancos jadeantes no dejaban lugar a dudas: el bisonte estaba acabado. Si empleara sus boleadoras, la primera matanza del muchacho tendría una distinción menor. Brun decidió dejar que Broud se llevara los honores.

Rápidamente, antes de que el bisonte recobrara el aliento, Broud avanzó hacia el enorme animal velludo y alzó su lanza. Con un pensamiento de último minuto para su tótem, se echó hacia atrás tomando impulso y se abalanzó: la pesada y larga lanza mordió profundamente el flanco del joven toro, su punta endurecida al fuego perforó el fuerte cuero y rompió una costilla en la lanzada rápida y fatal. El bisonte mugió de dolor, volviéndose para acornear a su atacante mientras se le doblaban las patas. Brun vio el movimiento y brincó junto al joven, y con toda la fuerza de sus potentes músculos, golpeó con su garrote la cabezota. Su golpe añadió ímpetu a la caída del animal: el bisonte cayó de lado, sus fuertes pezuñas golpearon el aire en los estertores de la muerte, y finalmente quedó inmóvil.

Broud se quedó asombrado al principio y algo abrumado, pero de repente lanzó un grito agudo que era su explosión de triunfo. ¡Lo logró! ¡había efectuado su primera matanza! ¡Era un hombre!

Broud estaba rebosante de júbilo. Tendió la mano para arrancar su lanza profundamente sumida en el costado del animal y que se alzaba, muy derecha. Liberándola, sintió que su rostro se cubría de la sangre que brotó como un surtidor, y saboreó su gusto salado. Brun golpeó a Broud en el hombro, con la mirada llena de orgullo.

"Bien hecho" indicaba elocuentemente el gesto. Brun estaba contento al agregar otro fuerte cazador a sus filas, un fuerte cazador que era su orgullo y su dicha, el hijo de su compañera, el hijo de su corazón.

La cueva era suya. La ceremonia ritual lo sellaría, pero la matanza de Broud lo había asegurado. Los tótemes estaban complacidos. Broud alzó la punta sangrienta de su lanza mientras los otros cazadores corrían hacia ellos, con gozo en sus pasos al ver al animal derribado. El cuchillo de Brun estaba en su mano, dispuesto a abrir la barriga y destripar al bisonte antes de llevarlo a la cueva. Retiró el hígado, lo cortó en rebanadas y dio una de ellas a cada cazador. Era el bocado selecto, reservado exclusivamente a los hombres, que impartía fuerza a los músculos y los ojos, necesaria para cazar. Brun cortó el corazón de la enorme criatura velluda también, y lo enterró cerca del animal, obsequio que había prometido a su tótem.

Broud masticaba el hígado crudo y caliente, su primer bocado de virilidad, y creía que el corazón le iba a estallar de felicidad. Se convertiría en hombre en la ceremonia para santificar la nueva caverna, conduciría la danza de la cacería, se uniría a los hombres en los ritos secretos que habrían de celebrarse en la pequeña cueva, y habría dado alegremente su vida por ver aquella mirada de orgullo en los ojos de Brun. Era el momento supremo de Broud. Gozaba anticipadamente de la atención que habrían de prestarle después de los ritos de su virilidad en la ceremonia de la cueva. Tendría la admiración de todo el Clan, todo su respeto. Sólo hablarían de él y de su gran hazaña de cazador. Sería su noche, y los ojos de Oga brillarían con una devoción indecible y un homenaje de adoración.

Los hombres ataron las patas del bisonte más arriba de las articulaciones de la rodilla. Grod y Droog ataron sus lanzas, Crug y Goov hicieron lo mismo, formando dos postes reforzados con las cuatro lanzas. Una fue metida entre las patas delanteras, la otra entre las patas traseras, horizontalmente, a través de la enorme bestia. Brun y Broud se pusieron a ambos lados de la cabeza velluda y agarraron un cuerno quedando su otra mano libre para sostener la lanza. Grod y Droog agarraron cada uno un extremo del poste a cada lado de las patas delanteras, mientras Crug iba a la izquierda y Goov a la derecha de las patas traseras. A una señal de su jefe, los seis hombres echaron a andar, medio alzando y medio arrastrando al enorme animal por los llanos cubiertos de hierba. El viaje de regreso a la cueva llevó mucho más tiempo que la ida. Los hombres, a pesar de su fuerza, se agotaban bajo el peso mientras cargaban con el bisonte a través de la estepa y contrafuertes arriba.

Oga estaba a la mira y vio que regresaban los cazadores muy lejos, abajo, en las llanuras. Cuando se acercaron a la cresta, el Clan los esperaba y se unió a ellos en tropel para acompañarlos durante el último trecho hasta la cueva, caminando junto a ellos en una aclamación silenciosa. La posición de Broud al frente de los hombres victoriosos anunciaba que él había matado. Inclusive Ayla, que no podía comprender lo que estaba pasando, se sentía presa de la excitación que impregnaba el aire.

durante las fuertes nevadas del invierno, había ocasiones en que se conseguía más fácilmente carne fresca con ayuda de una honda. Proporcionaba un cambio agradable en su dieta invernal de carne seca en conserva, especialmente al final de la temporada, cuando las provisiones heladas procedentes de las últimas cacerías del otoño llegaban a su fin.

—No hemos conseguido nada comparable a ese joven bisonte, pero sí unos cuantos conejos y un castor muy gordo. La comida está dispuesta, sólo estábamos esperando su regreso —expresó Zoug con un gesto—. He visto cerca de aquí un calvero llano que podría servir como campo de prácticas.

Zoug, que había estado viviendo con Grod desde que murió su compañera, había estado perfeccionando su habilidad con la honda desde que abandonó las filas de los cazadores de Brun. Eso y las boleadoras eran las armas que más les costaban dominar a los hombres del Clan. Aunque sus brazos musculosos, de fuerte osamenta y ligeramente encorvados, tenían un tremendo poder, podían llevar a cabo tareas tan delicadas y precisas como chasquear el pedernal. El desarrollo de sus articulaciones, en especial la manera en que músculos y tendones estaban unidos a los huesos, les proporcionaban una destreza manual precisa unida a una fuerza increíble. Pero había un inconveniente; el desarrollo mismo de las articulaciones restringía el movimiento del brazo; no podían formar un arco completo, de oscilación libre, lo cual limitaba su capacidad para lanzar objetos. Lo que debían pagar a cambio de su fuerza no era un buen control sino el apalancamiento.

Su lanza no era una jabalina lanzada a distancia, sino una lanza que se plantaba desde cerca con gran fuerza. El entrenamiento con la lanza o el garrote era poco más que desarrollar músculos poderosos, pero aprender a emplear la honda o las boleadoras llevaba años de práctica y concentración. La honda, una tira de cuero flexible unida en los dos extremos y hecha girar alrededor de la cabeza para darle impulso antes de soltar el canto redondo sostenido en el recipiente abultado del medio, exigía un gran esfuerzo, y Zoug se enorgullecía de su habilidad para lanzar el canto con precisión. También lo enorgullecía que Brun contara con él para adiestrar a los jóvenes cazadores en el uso del arma.

Mientras Zoug y Dorv recorrían las laderas cazando con honda, las mujeres estuvieron merodeando por el mismo terreno, y el apetitoso aroma de los alimentos guisándose hacían agua la boca de los cazadores. Eso les hacía comprender que la cacería era trabajo que abría el apetito. No tuvieron que esperar mucho.

Los hombres descansaron después de la comida, satisfechos y relatando una y otra vez los incidentes de la palpitante cacería, tanto por su propio placer como para que se enteraran Zoug y Dorv. Broud, resplandeciente, disfrutando de su nuevo prestigio y de las sinceras felicitaciones de sus nuevos pares, observó que Vorn lo miraba con una admiración ostensible. Hasta aquella mañana, Vorn y Broud habían sido iguales, y Vorn había sido su único compañero varón entre los niños del Clan, desde que Goov se hizo hombre.

Broud recordaba haber merodeado alrededor de los cazadores cuando volvían de la cacería, exactamente como lo hacía Vorn ahora. No tendría nunca más que permanecer fuera del círculo, ignorado por los hombres y escuchando ávidamente sus historias; ya no estaría sometido a las órdenes de su madre ni de las demás mujeres mandándole ayudar en las tareas. Ahora era un cazador, un hombre. Sólo le faltaba a su posición masculina la ceremonia final, y ésta formaría parte de la ceremonia de la cueva, lo cual la haría particularmente memorable y afortunada.

Cuando eso sucediera, sería el varón de menor rango, pero no le importaba mucho. Cambiaría, pues su lugar estaba ya predeterminado. Era el hijo de la compañera del jefe; algún día el manto de la jefatura recaería en él. Vorn había sido insoportable a veces, pero ahora Broud podía permitirse mostrarse magnánimo. Fue hacia el niño de cuatro años, sin dejar de percatarse cómo los ojos de Vorn se encendían con un anhelo expectante al ver aproximarse al nuevo cazador.

—Vorn, creo que ya eres bastante grande —expresó Broud con un ademán algo pomposo, tratando de parecer más viril—. Voy a hacerte una lanza. Es hora de que empieces a entrenarte para ser cazador.

Vorn se retorció de gusto, y una adulación pura brillaba en sus ojos al contemplar al joven que tan recientemente había obtenido el codiciado título de cazador.

—Sí —asintió vigorosamente mostrando su acuerdo—. Ya soy bastante grande, Broud —expresó tímidamente el mocito, y señalando la fuerte lanza con la punta manchada de sangre oscura—: ¿Puedo tocarla?

Broud tendió la punta de su lanza hacia el suelo delante del niño. Vorn acercó poco a poco su mano y tocó la sangre seca del enorme bisonte que ahora yacía sobre el suelo delante de la cueva.

—¿Tuviste miedo, Broud? —preguntó.

—Brun dice que todos los cazadores se sienten nerviosos en su primera cacería —respondió Broud, reacio a confesar sus temores.

—¡Ahí estás tu, Vorn! ¡debí imaginármelo! Se supone que ayudarías a Oga a recoger leña —dijo Aga, al ver a su hijo que se había escurrido lejos de mujeres y niños. Vorn fue caminando detrás de su madre, echando miradas por encima del hombro a su nuevo ídolo. Brun había estado observando al hijo de su compañera con aprobación: es señal de un buen jefe, pensaba, no olvidarse del muchacho sólo porque todavía es niño. Algún día Vorn será cazador, y cuando Broud sea jefe, recordará una amabilidad que tuvo con él de niño.

Broud observó a Vorn mientras éste iba a la zaga de su madre arrastrando los pies. Apenas el día anterior Ebra había ido a buscarlo a él para que ayudara en las tareas, recordó. Echó una mirada a las mujeres que estaban cavando un hoyo, y sintió el deseo de alejarse para que su madre no lo viera, pero entonces vio que Oga estaba mirándolo: "mi madre no puede seguir diciéndome lo que debo hacer; no soy un niño, soy un hombre. Ella me tiene que obedecer ahora —pensaba Broud hinchando algo el pecho—. Me obedece ¿no es cierto?. . y Oga está mirando".

—¡Ebra! ¡Tráeme agua para beber! —ordenó imperiosamente, fanfarroneando delante de las mujeres. Casi esperaba que su madre lo mandara a él por leña. Técnicamente no sería hombre hasta después de la ceremonia de su virilidad.

Ebra alzó la mirada hacia él y sus ojos se llenaron de orgullo. Ese era su nenito que tan eficazmente había cumplido su misión, su hijo, que había alcanzado la prestigiada posición de hombre. Brincó, fue a la poza junto a la cueva y volvió rápidamente trayendo agua, mirando altaneramente a las demás mujeres como diciendo: "¡Miren a mi hijo! ¿No es un hombre hermoso? ¿No es un valiente cazador?"

La presteza de su madre y su mirada orgullosa le hicieron perder su ánimo defensivo y lo predispusieron en su favor, demostrándoselo con un gruñido de reconocimiento. La respuesta de Ebra le proporcionó casi tanto placer como la cabeza modestamente inclinada de Oga y la mirada de adoración que sorprendió en sus ojos que lo seguían mientras se alejaba.

Oga había sufrido gran tristeza por el deceso de su madre, tan pronto después de la muerte del compañero de ésta. Por ser hija única de la pareja y a pesar de ser niña, había sido muy amada por ambos. La compañera de Brun fue buena con ella cuando se trasladó para vivir con la familia del jefe, sentándose con ellos y caminando tras Ebra mientras buscaban una cueva. Pero Brun la asustaba. Era más serio que el compañero de su madre; su responsabilidad arrojaba una pesada carga sobre sus hombros. La preocupación principal de Ebra era Brun, y nadie disponía de mucho tiempo que conceder a la huérfana mientras viajaban. Pero Broud la había visto sentada sola y contemplando tristemente las llamas una noche. Oga se sintió abrumada de gratitud cuando el orgulloso muchacho, casi un hombre, que raras veces le había prestado atención anteriormente, fue a sentarse a su lado y le rodeó los hombros con su brazo mientras ella desahogaba su pena. Desde aquel momento Oga vivió con un sólo deseo: cuando se convirtiera en mujer, deseaba ser entregada a Broud como su compañera.

El sol del atardecer era cálido en el aire inmóvil. Ni una leve brisa agitaba una sola hoja. El silencio expectante estaba perturbado únicamente por el zumbido de las moscas, que se saciaban con los restos de la comida, y el ruido de las mujeres que cavaban una fosa para asar. Ayla estaba sentada junto a Iza mientras la curandera buscaba la bolsa roja en su bolsa de piel de nutria. La niña había andado tras ella el día entero, pero ahora Iza tenía que efectuar con Mog-ur ciertos ritos destinados a la preparación del importante papel que debería desempeñar al día siguiente en la ceremonia de la cueva, puesto que ya estaban seguros de que habría una. Condujo a la niña que la seguía hacia el grupo de mujeres que excavaban un profundo hoyo no lejos de la boca de la cueva. Se forraría con piedras y se encendería dentro un gran fuego que habría de arder toda la noche. Por la mañana, el bisonte desollado y descuartizado, envuelto en hojas, sería bajado a la fosa, lo cubrirían con más hojas y una capa de tierra, y se quedaría cociéndose en el horno de piedras hasta el crepúsculo.

La excavación era un trabajo lento y fastidioso. Se usaban palos agudos de cavar para romper la tierra que se vaciaba a puñados lanzados a un manto de cuero que después se sacaba del foso y se vaciaba. Pero una vez cavado el foso podría servir muchas veces; lo único que necesitaría sería que le quitaran las cenizas de vez en cuando. Mientras las mujeres cavaban, Oga y Vorn, bajo la mirada vigilante de Ovra, la hija soltera de Uka, recogían leña y llevaban piedras desde el río.

Al acercarse Iza llevando a la niña de la mano, las mujeres interrumpieron su trabajo.

—Tengo que ver a Mog-ur —explicó Iza con un ademán. Entonces dio un empujoncito a Ayla hacia el grupo. La niña se disponía a seguir a Iza cuando ésta se volvió para alejarse, pero la mujer meneó la cabeza y la empujó de nuevo hacia las mujeres antes de alejarse rápidamente.

Era el primer contacto de Ayla con cualquiera del Clan que no fuera Iza o Creb, y se sintió perdida y tímida lejos de la presencia reconfortante de Iza. Se quedó plantada en el lugar, mirando sus pies con nerviosismo y alzando de vez en cuando una mirada llena de aprensión. Contra todos los principios de cortesía, todo el mundo estaba mirando a la delgada niña de piernas largas con aquella cara plana tan peculiar y una frente tan abombada. Todos habían sentido curiosidad por la niña pero ésta era la primera oportunidad que se les brindaba de verla de cerca.

Finalmente Ebra rompió el hechizo:

—Puede recoger leña —indicó la mujer del jefe con un movimiento silencioso hacia Ovra, y después se puso otra vez a cavar.

La joven se dirigió a un grupo de árboles y troncos caídos. Oga y Vorn apenas podían alejarse. Ovra hizo una señal impaciente a los dos niños y después también a Ayla. Esta creyó comprender el gesto, pero no estaba segura de lo que se esperaba de ella. Ovra volvió a hacerle seña y después se volvió para dirigirse a los árboles. Los dos miembros del Clan que más se aproximaban a la edad de Ayla siguieron renuentemente a Ovra. La niña los miró alejarse y después dio un par de pasos vacilantes en su dirección.

Cuando llegó a los árboles, Ayla se quedó un rato observando cómo Oga y Vorn recogían ramas secas mientras Ovra daba hachazos a un tronco caído de buenas dimensiones con su hacha de piedra. Oga, que volvía para depositar una carga de leña junto al foso, empezó a arrastrar hacia el montón de leña una parte del tronco que Ovra había desprendido. Ayla la vio esforzarse y acudió en su ayuda. Se inclinó para levantar el extremo opuesto del tronco y mientras ambas se enderezaban miró a los oscuros ojos de Oga. Se detuvieron y se quedaron mirándose un momento.

Las dos niñas eran tan diferentes y sin embargo ¡tan llamativamente parecidas! Surgida de la misma semilla antigua, la progenie de su antepasado común tomó caminos alternos, conduciendo ambos a una inteligencia ricamente desarrollada pero diferente. Ambas sapientes, la brecha que las separaba no era grande, pero la sutil diferencia creaba un destino muy diferenciado.

Sosteniendo cada una de ellas un extremo del leño, Ayla y Oga lo llevaron hasta el montón de leña. Mientras regresaban, una junto a otra, las mujeres detuvieron nuevamente su trabajo y las miraron alejarse. Las dos niñas tenían casi la misma estatura, aun cuando la más alta doblaba casi la edad de la otra. Una era esbelta, de extremidades rectas y cabellos claros; la otra, regordeta, de piernas arqueadas, más morena. Las mujeres las compararon, pero las niñas, como pasa en todas partes con los niños, olvidaron pronto sus diferencias. Compartir facilitaba la tarea, y antes de terminar el día, habían hallado la manera de comunicarse y de agregar un elemento de juego al trabajo.

Aquella noche se buscaron y se sentaron juntas para cenar, disfrutando el placer de una compañía más próxima a su estatura. Iza se alegró al ver que Oga aceptaba a Ayla y esperó hasta que hubiera oscurecido para llevarse a la niña a la cama. Se siguieron con la mirada al separarse, después Oga se volvió y llegó hasta sus pieles junto a Ebra. Hombres y mujeres seguían durmiendo separados; la prohibición de Mog-ur no se retiraría antes de que se mudaran a la cueva.

Iza abrió los ojos al sentir el primer destello del alba. Se quedó quieta, escuchando la melodiosa cacofonía de los trinos, los gorjeos, gorgoritos y silbidos de las avecillas al saludar el nuevo día. Muy pronto, se decía, abriría los ojos entre murallas de piedra. No le importaba dormir fuera mientras el clima fuera clemente, pero anhelaba la seguridad de los muros. Sus pensamientos le hicieron recordar todo lo que tendría que hacer ese día, y pensando en la ceremonia de la cueva con excitación creciente, se levantó rápidamente.

Creb estaba ya despierto. Se preguntó si habría dormido; seguía sentado en el mismo lugar en que lo dejó la noche anterior, contemplando el fuego en un silencio meditativo. Empezó a calentar agua y para cuando le llevó su té matutino a base de menta, alfalfa y hojas de ortiga, ya estaba Ayla sentada junto al hombre tullido. Iza dio a la niña un desayuno de restos de la cena de la noche anterior. Los hombres y mujeres no probarían bocado ese día hasta el banquete ritual.

Al terminar la tarde, deliciosos aromas se desprendían de los diversos fuegos en que se guisaban los alimentos e impregnaban el área próxima a la cueva. Utensilios y demás trastos para cocinar que se habían recuperado de su antigua cueva y habían sido transportados en los paquetes por las mujeres, se encontraban dispuestos. Hechos con arte, canastos tupidamente trenzados a prueba de agua, de textura y diseño sutiles, creados mediante leves cambios en el tejido, se usaban para sacar agua de la poza y como ollas y recipientes para cocer. Los tazones de madera se empleaban de manera similar. Huesos de costilla servían para revolver, anchos huesos pélvicos eran platos y platones, junto con delgadas secciones de troncos. Los huesos de la quijada y de la cabeza servían de cucharas, tazas y tazones. Corteza de abedul pegada con goma balsámica, en algunos puntos reforzada con un nudo bien colocado de tripa, eran doblados de distintas formas para muchos usos.

En una piel de animal colgada de un marco unido por correas encima de un fuego hervía un sabroso caldo. Se vigilaba constantemente para que el líquido no mermara demasiado. Mientras el nivel del caldo estuviera por encima del nivel que alcanzaban las llamas, mantenía la temperatura de la olla de cuero demasiado baja para quemarse. Ayla miraba cómo Uka revolvía trozos de carne y hueso del cuello del bisonte que estaban cociéndose con cebolla silvestre, fárfara salada y otras hierbas. Uka lo probó, y después agregó tallos de cardo, hongos, capullos y raíces de lirio, berros, capullos de asclepiadea, pequeños ñames verdes, arándanos traidos de la otra cueva y flores marchitas de los lirios del día anterior, para espesarlo.

Las duras y fibrosas raíces viejas de la espadaña habían sido machacadas para quitarles las fibras. Arándanos secos que habían llevado consigo y granos resecos y molidos fueron añadidos al almidón resultante que se asentó en el fondo de las canastas de agua fría. Mendrugos del pan oscuro y plano, sin levadura, cocían sobre piedras calientes cerca del fuego. Hojas verdes de cenicilla, quenopodio, clavo fresco y hojas de amargón sazonadas con fárfara cocían en otra olla, y una salsa de manzanas secas y ácidas mezcladas con pétalos de rosa silvestre y un afortunado hallazgo de miel, humeaban junto al otro fuego.

Iza se había sentido particularmente complacida al ver regresar a Zoug de una excursión por la estepa con un manojo de perdices blancas. Esas aves pesadas, que volaban bajo y eran fáciles de cazar a pedradas de la honda del tirador, eran las predilectas de Creb. Rellenas de hierbas aromáticas y de verduras comestibles que envolvían sus huevos enteros, rodeadas de hojas de vid, las sabrosas aves estaban cocinándose en un foso más pequeño forrado con piedras. Liebres y gigantescas marmotas, desolladas y atravesadas por brochetas, se asaban sobre carbones ardientes, y montones de diminutas fresas del bosque brillaban, muy rojos, al sol.

Era un banquete digno de la ocasión.

Ayla estaba impaciente; había vagado sin rumbo todo el día alrededor del área de la cocina. Iza y Creb estaban casi todo el tiempo por un lado y por otro, y cuando Iza estaba cerca, tenía que hacer. También Oga estaba trabajando afanosamente con las mujeres, preparando el festín, y nadie tenía tiempo ni deseos de tomarse molestias por la niña. Después de unas cuantas palabras ásperas y empujones no muy amables de las atareadas mujeres, trató de mantenerse fuera del ajetreo.

Cuando las largas sombras del sol crepuscular se extendieron sobre la tierra roja delante de la boca de la cueva, una quietud expectante se apoderó del Clan. Todos se reunieron alrededor del ancho foso en el que se estaban asando los cuartos traseros del bisonte. Ebra y Uka comenzaron a retirar la tierra caliente que los cubría. Sacaron hojas blandas y quemadas, y expusieron al animal sacrificatorio en una nube de vapor que ponía agua en la boca. Tan tierna que casi se desprendía de los huesos, la carne fue sacada con precaución. Sobre Ebra, la compañera del jefe, recaía el deber de cortar y servir, y su orgullo resultaba evidente cuando entregó el primer trozo a su hijo.

Broud no mostró falsa modestia al adelantarse para recibir lo que le correspondía. Una vez que todos los hombres estuvieron servidos, las mujeres recibieron su parte, y después los niños. Ayla fue la última, pero había más que suficiente para todos, y todavía sobraría. El siguiente silencio que imperó era el resultado de tener a todo el Clan devorando afanosamente su cena.

Fue un banquete prolongado, y unos y otros volvían para servirse un poco más de bisonte o algo de su platillo predilecto. Las mujeres habían trabajado mucho, pero su recompensa no era solamente recibir las felicitaciones del Clan satisfecho; no iban a tener que guisar durante unos cuantos días. Todos descansaron después de la cena, preparándose para una velada prolongada.

Las sombras seguían alargándose, y cuando se fundieron en la media luz grisácea que anuncia la proximidad de la noche, el humor del perezoso atardecer se alteró sutilmente, se cargó de expectativa. Ante una mirada de Brun, las mujeres limpiaron rápidamente los residuos del banquete y ocuparon sus lugares alrededor de una hoguera sin encender en la boca de la cueva. El aspecto desigual del grupo contradecía la formalidad de las posiciones que ocupaban. Las mujeres se encontraban situadas, unas respecto a otras, en relación con su posición dentro del Clan. Los hombres reunidos al otro lado constituían un patrón de acuerdo con su lugar jerárquico dentro del Clan, pero Mog-ur no estaba visible.

Brun, más cerca del frente, hizo una seña a Grod, quien avanzó con digna lentitud y de su cuerno de bisonte sacó un carbón encendido. Era el carbón más importante de todo el linaje de carbones iniciados con el fuego prendido en los escombros de la vieja cueva. Una continuación de aquel fuego simbolizaba la continuación de la vida del Clan. Encender ese fuego en la entrada significaba la reclamación de la cueva, su establecimiento como lugar de residencia del Clan.

El fuego controlado era un artificio creado por el hombre, esencial para la vida en un clima frío. Inclusive el humo poseía propiedades benéficas; su mero olor evocaba una sensación de hogar y seguridad. El humo del fuego de la cueva, filtrándose por la caverna hasta el alto techo abovedado, encontraría su camino por grietas y resquicios para salir. Se llevaría consigo cualesquiera fuerzas invisibles que pudieran serles nefastas, purgaría la cueva y la impregnaría con su esencia, la esencia del humano.

Encender el fuego era un rito suficiente para purificar la cueva y reclamarla, pero había tantos otros ritos que se celebraban al mismo tiempo que habían llegado casi a ser considerados como parte de la ceremonia de la cueva. Uno de ellos era familiarizar a los espíritus de sus tótemes protectores con su nuevo hogar, cosa que solía llevar a cabo el Mog-ur acompañado exclusivamente de miembros varones. A las mujeres se les autorizaba su propia celebración, lo cual era la causa de que Iza hiciera una bebida especial para los hombres.

La cecería bien lograda demostró ya que sus tótemes aprobaban el lugar, y el banquete confirmaba su intención de convertirlo en hogar permanente, aun cuando en ocasiones el Clan podría ausentarse durante largos periodos en ciertas épocas. También los espíritus totémicos viajaban, pero mientras los miembros del Clan tuvieran sus amuletos, sus tótemes podrían seguirles la pista desde la cueva y acudir adonde fueran necesarios.

Puesto que de todas maneras los espíritus estarían presentes en la ceremonia de la cueva, se podía incluir otras ceremonias, y a menudo así se hacía. Cualquier ceremonia se veía ensalzada por la asociación con el establecimiento de un nuevo hogar y, a su vez, incrementaba el nexo territorial del Clan. Aun cuando cada clase de ceremonia tenía su propio ritual que no cambiaba nunca, las ocasiones ceremoniales tenían caracteres distintos, según los ritos que se llevaran a cabo.

Mog-ur, generalmente después de haber consultado con Brun, decidía cómo se desarrollarían las diferentes partes para constituir la celebración total, pero era cosa orgánica que dependía de cómo se sintieran. La ceremonia presente comprendería la ceremonia de la virilidad de Broud, además de una para nombrar los tótemes de ciertos niños, puesto que había que hacerlo y todos deseaban complacer a los espíritus. El tiempo no era factor de importancia —tardarían lo que fuera necesario— pero si se hubieran visto apremiados o en peligro, con encender un fuego habría bastado para que la cueva fuera suya.

Con una gravedad justificada por la importancia de la tarea, Grod se arrodilló, puso la brasa ardiente sobre la leña seca y empezó a soplar. El Clan se inclinó hacia adelante, ansiosamente, y contribuyó a lanzar su aliento en un suspiro común al ver lenguas llameantes lamer los palitos secos en su primer saboreo fatal. El fuego prendió y, súbitamente, surgiendo de ninguna parte, una espantosa figura se vio parada junto al fuego, sus llamaradas parecieron envolverla en su centro. Tenía el rostro colorado y coronado por una espantosa calavera blanca que parecía colgar dentro del fuego mismo, sin que la energía radiante transmitida por los zarcillos ascendentes la alterara.

Ayla no vio la flameante aparición al principio y se quedó boquiabierta al percatarse de su presencia. Sintió que la mano de Iza estrechaba la suya para tranquilizarla. La niña sentía las vibraciones del golpetear sordo de los palos de las lanzas sobre el suelo y se echó hacia atrás cuando el nuevo cazador brincó frente a las llamas en el momento en que Dorv redoblaba un contrapunto rítmico y agudo en un instrumento de madera, como un enorme tazón apoyado con la abertura hacia abajo contra un leño.

Broud se agazapó y miró a lo lejos, con la mano cubriéndole los ojos ante un sol inexistente, mientras otros cazadores brincaban para unírsele en una representación de la cacería del bisonte. Su habilidad en la pantomima era tan evocadora, refinada durante generaciones de comunicarse mediante gestos y señales, que se recreaba la intensa emoción de la caza. Inclusive la extraña de cinco años de edad se sentía cautivada por el impacto del drama. Las mujeres del Clan, que percibían los más finos matices, se sintieron transportadas a las calurosas llanuras polvorientas. Percibían el tronar de las pezuñas, que hacían vibrar la tierra; sentían en la boca el polvo sofocante; compartían la excitación gloriosa de la matanza. Era un privilegio poco frecuente para ellas, ser autorizadas a echar esa mirada hacia la sacrosanta vida de los cazadores .

Desde el principio, Broud se encargó de dirigir la danza. Había sido su matanza y ahora era su noche. Experimentaba las emociones de los demás, sentía cómo las mujeres se estremecían de temor, y él respondía con una actuación más apasionadamente intensa. Broud era un actor consumado y nunca estaba más en su elemento que cuando constituía el centro de la atención. Jugaba con las emociones de su auditorio, y el temblor extático que pasó entre las mujeres cuando repitió su lanzada final, encerraba una calidad erótica. Mog-ur, observando desde el otro lado de la hoguera, no se sintió menos impresionado: a menudo veía cuando los hombres hablaban de la cacería, pero sólo durante estas ceremonias, poco frecuentes, podía compartir la experiencia en algo que se aproximara a la profundidad de su excitación. "El muchacho lo hizo bien", pensó el mago, dando vuelta alrededor del fuego, "se ha ganado la marca de su tótem. Quizá merezca que se le deje presumir un poco".

El salto final del joven lo puso directamente frente al poderoso hombrre de la magia, mientras el sordo ritmo golpeado y el contrapunto entrecortado y lleno de excitación terminaban con un floreo. El viejo mago y el joven cazador estaban frente a frente. También Mog-ur sabía desempeñar su papel. El maestro del momento esperaba, dejando que la excitación de la danza de los cazadores fuera calmándose y que surgiera un sentimiento de expectación. Su figura voluminosa y torcida, cubierta de una piel de oso, se recortaba sobre el fuego llameante. Su rostro, pintado de ocre, estaba sombreada por su propia estructura, haciendo que sus rasgos constituyeran un borrón indefinible con el ojo asimétrico y ominoso de un demonio sobrenatural.

La quietud de la noche sólo era perturbada por el fuego que restallaba, una leve brisa que susurraba entre los árboles, y la carcajada aullante de una hiena a la distancia. Broud jadeaba con los ojos muy brillantes, en parte por el cansancio de la danza y parte por la excitación y el orgullo, pero más aún por un temor creciente, inquietante.

Sabía lo que vendría después, y cuanto más tardara más tendría que esforzarse por dominar un escalofrío que era como un temblor. Era hora de que Mog-ur le labrara la marca de su tótem en la carne. No había querido pensar en ello, pero ahora que había llegado el momento, Broud sentía que su temor era de algo más que el dolor; el mago proyectaba un aura que llenaba al joven de un temor mucho más grande.

Estaba avanzando por la orilla del mundo de los espíritus; el lugar contenía seres muchísimo más aterradores que el gigantesco bisonte. A pesar de su fuerza y su volumen, el bisonte era sólido, al menos, se trataba de una criatura de sustancia del mundo físico, criatura con la que el hombre podía vérselas. Pero las fuerzas invisibles, y sin embargo, más poderosas, que podrían hacer temblar la tierra eran algo totalmente distinto. Broud no era el único de los presentes que trataba de disimular un escalofrío cuando el recuerdo del terremoto recientemente sufrido se apoderaba de su mente. Sólo los hombres santos, los mog-ures, se atrevían a enfrentarse a ese plano insustancial, y el joven supersticioso deseaba que éste, el más grande entre todos los mog-ures, se apresurara y terminara pronto su prueba.

Como en respuesta a la silenciosa súplica de Broud, el mago alzó el brazo y fijó la mirada en la luna creciente. Entonces, con movimientos suaves, comenzó una invocación apasionada; pero su auditorio no era el Clan hipnótico que lo observaba: su elocuencia se dirigía al mundo etéreo, aun cuando no menos real, de los espíritus; y sus movimientos eran elocuentes. Empleando todos los expedientes sutiles de la postura, todos los matices del gesto, el hombre manco había superado su deficiencia para el lenguaje. Resultaba más expresivo con su único brazo que la mayoría de los hombres con dos. Para cuando terminó, los miembros del Clan estaban enterados de que se encontraban rodeados por la esencia de sus tótemes protectores y un sinnúmero de espíritus desconocidos, y el escalofrío de Broud se convirtió en un tiritar irreflenable.

Entonces veloz, tan instantáneamente que unas cuantas gargantas se quedaron sin resuello, el mago hizo surgir bruscamente un afilado cuchillo de piedra de uno de los pliegues de su manto, y lo sostuvo muy por encima de su cabeza. Bajó rápidamente el agudo instrumento, sumiéndolo casi en el pecho de Broud: pero en un movimiento perfectamente controlado, Mog-ur se retuvo de una penetración fatal; en cambio, con rápidos trazos, labró dos líneas en la carne del joven, ambas curvas y en la misma dirección, uniéndolas en un punto que parecía el extremo del cuerno de un rinoceronte.

Broud cerró los ojos pero no se arredró mientras el cuchillo le partía la piel. La sangre surgió y empezó a correr, bajándole por el pecho en rojos chorritos. Goov se presentó junto al mago, sosteniendo un tazón con bálsamo hecho con la grasa derretida del bisonte y mezclada con cenizas antisépticas de la madera de un fresno. Mog-ur embarró la herida con la grasa negra, deteniendo la hemorragia y asegurándose de que se formaría una cicatriz negra. La marca anunciaba a todos los que la vieran que Broud era un hombre; un hombre que estaría por siempre bajo la protección del Espíritu del formidable, impredecible Rinoceronte Lanudo.

El joven regresó a su lugar, claramente consciente de la atención que se concentraba en él y disfrutando de ella a fondo, ahora que lo había pasado. Estaba seguro de que su valentía y su habilidad en la caza, su interpretación evocativa durante la danza, su aceptación sin vacilaciones de la marca de su tótem, serían tema de animadas comidillas tanto de hombres como de mujeres y por mucho tiempo. Pensaba que podría convertirse en leyenda, en una historia que se repetiría muchas veces durante los largos inviernos que confinaban el Clan a la caverna y se relataría en las Reuniones del Clan. "De no ser por mí —se decía—, no tendríamos esta cueva. De no haber matado yo al bisonte, no tendríamos ceremonia, seguiríamos buscando una cueva". Broud había empezado a creer que la nueva cueva y toda la ocasión de la celebración se debían exclusivamente a él.

Ayla observaba el ritual fascinada y llena de temor, incapaz de reprimir un estremecimiento ante el temible y voluminoso hombre que apuñaló a Broud y le sacó sangre. Retrocedió cuando Iza la condujo hacia el mago aterrador y vestido de oso, preguntándose lo que le haría a ella. Aga, con Ona en sus brazos, Ika sosteniendo a Borg, también se acercaban a Mog-ur. Ayla se alegró de que ambas mujeres se alinearan junto a Iza y ella.

Ahora Goov tenía en sus manos una canasta cerradamente tejida y pintada de rojo por las muchas veces que se había usado para contener el ocre rojo sagrado molido en polvo fino y calentado con grasa de animal para formar una pasta de fuerte color. Mog-ur miró por encima de las cabezas de las mujeres que tenía por delante, hacia el trozo de luna en el cielo. Hizo gestos en el lenguaje oficial sin palabras, pidiendo a los espíritus que se acercaran y observaran a los niños cuyos tótemes protectores iban a ser revelados. Entonces, metiendo un dedo en la pasta roja, formó una espiral en la cadera del niño, parecida a la colita en tirabuzón del cerdo silvestre. Un murmullo bajo y áspero surgió del Clan, mientras todos hacían gestos comentando lo apropiado del tótem.

—Espíritu del Jabalí: el niño Borg queda bajo tu protección —manifestaron los signos hechos por la mano del mago mientras pasaba una bolsita colgada de una correa por la cabeza del niño.

Ika inclinó la cabeza asintiendo, y el movimiento implicaba la sugestión de que estaba complacida. Era un espíritu fuerte y respetable, y la mujer sentía la corrección inherente al tótem para su hijo. Entonces se hizo a un lado.

El mago volvió a invocar a los espíritus y metiendo la mano en la canasta roja que sostenía Goov, trazó un círculo sobre el brazo de Ona con la pasta.

—Espíritu de la Lechuza —proclamaron sus ademanes—, la niña Ona está colocada bajo tu protección. —Entonces Mog-ur pasó al cuello de la niña el amuleto hecho por su madre. Una vez más hubo una sub-corriente de gruñidos mientras las manos se agitaban comentando el fuerte tótem que protegía a la niña. Aga se sentía feliz. Su hija estaba bien protegida, y además eso quería decir que el hombre con quien se acoplara no podría tener un tótem débil. Sólo esperaba que no le dificultara demasiado el tener hijos.

El grupo se inclinó hacia delante con interés al ver apartarse a Aga y a Iza tomar a Ayla en brazos. La niña había perdido el miedo. Ahora que estaba más cerca, se daba cuenta de que la imponente figura de rostro rojo no era sino Creb. Y en los ojos de éste había un destello cálido cuando la miró.

Con asombro del Clan, los gestos del mago fueron diferentes cuando invocó a los espíritus para que asistieran al ritual. Eran los gestos que hacía cuando nombraba a un recién nacido a los siete días de su vida. La niña extraña no sólo iba a saber cuál era su tótem: ¡iba a ser adoptada por el Clan! Metiendo el dedo en la pasta, Mog-ur trazó una línea desde el medio de la frente, el lugar donde la gente del Clan tenía la unión de los arcos óseos de las cejas, hasta la punta de su naricilla.

—La niña se llama Ayla —dijo, pronunciando lentamente el nombre, con mucho cuidado, para que el Clan y los espíritus lo comprendieran.

Iza se volvió frente a la gente que presenciaba la ceremonia. La adopción de Ayla había resultado una sorpresa tan grande para ella como para el resto del Clan, y la niña podía sentir cómo le palpitaba rápidamente el corazón. "Eso tiene que significar que es mi hija, mi primera hija —pensó—. Sólo una madre sostiene a la criatura cuando le ponen nombre y la reconocen como miembro del Clan. ¿Hace siete días que me la encontré? Tendré que preguntárselo a Creb, pero creo que sí. Tiene que ser mi hija ¿quién más podría ser su madre ahora?"

Todas las personas pasaron, una por una, delante de Iza que sostenía en brazos a la niña de cinco años, como si fuera un bebé, y cada una de ellas repitió su nombre con diversos grados de exactitud. Entonces Iza se volvió de frente al mago. Este alzó la mirada y llamó a los espíritus para que se reunieran una vez más. El Clan aguardaba, a la expectativa. Mog-ur se percataba de su atención anhelante y la aprovechaba. Con movimientos lentos y deliberados, estirando el momento para que durara el suspenso, tomó un trocito de la pasta roja y aceitosa y pintó una línea directamente sobre uno de los arañazos casi curados que tenía Ayla en la pierna.

"¿Qué significa eso? ¿Qué tótem es ése?" El Clan expectante estaba intrigado. El hombre santo volvió a meter el dedo en la canasta roja y pintó una segunda línea en el arañazo siguiente. La niña sintió que Iza empezaba a temblar. Nadie más se movía, no se oía respirar a nadie. Con la tercera línea Brun, con un ceño iracundo, intentó cruzar la mirada con el Mog-ur, pero el mago evadió el encuentro. Cuando se trazó la cuarta línea, todo el Clan lo sabía pero no quería creerlo. Al fin y al cabo, no era esa la pierna. Mog-ur volvió la cabeza y miró directamente a Brun al hacer el gesto final.

—Espíritu del León Cavernario, la niña Ayla queda bajo tu protección.

El movimiento oficial de la mano apartó la última duda. Cuando Mog-ur pasó el amuleto por la cabeza de la niña, las manos de los miembros del Clan se agitaban revelando una sorpresa escandalizada. "¿Era posible? ¿Podía corresponder a una niña uno de los tótemes masculinos más fuertes? ¿El León Cavernario?

La mirada de Creb se sumió en los ojos iracundos de su hermano con firmeza e indiferencia. Por un instante las dos voluntades libraron una silenciosa batalla. Pero Mog-ur sabía que la lógica de un tótem de León Cavernario para la niña era implacable, por ilógico que pareciera en una mujer la protección de un espíritu tan fuerte. Mog-ur sólo había subrayado lo que el propio León Cavernario había hecho. Brun no había puesto nunca anteriormente en tela de juicio las revelaciones de su hermano tullido, pero por alguna razón se sintió engañado por el mago. No le gustaba, pero tenía que admitir que nunca había visto que un tótem estuviera tan obviamente corroborado. Fue el primero en apartar la mirada, pero no se sentía feliz.

La idea de recibir dentro del Clan a la niña extraña le había costado bastante, pero este tótem suyo era demasiado. Era irregular, no se sometía a las convenciones. A Brun no le agradaban las anomalías en su bien organizado Clan. Apretó con determinación sus fuertes quijadas. "No habría más desviaciones. Si la niña iba a ser miembro del Clan, tendría que someterse, con León Cavernario o sin él".

Iza había quedado pasmada. Sosteniendo aún en brazos a la niña, inclinó la cabeza en señal de aceptación. Si así lo había decretado Mog-ur, así sería. Sabía que el tótem de Ayla era fuerte... pero un ¿león cavernario? De sólo pensarlo sintió aprensión... ¿una hembra, con el más fuerte de los felinos por tótem? Ahora sí que estaba segura de que Ayla nunca se acoplaría. Eso fortalecía su decisión de enseñar a la pequeña la magia médica, con el fin de que tuviera posición por sí misma. Creb la había nombrado, la había reconocido y había revelado su tótem mientras la curandera la sostenía en sus brazos. Si eso no hacía de la niña una hija suya ¿qué? El nacimiento mismo no era garantía de aceptación. Iza recordó repentinamente que si todo seguía bien, ella se encontraría en pie frente al mago antes de poco, con un bebé en brazos. Ella, que había carecido de hijos por tanto tiempo, pronto se encontraría con dos.

El Clan estaba alborotado, y el asombro se revelaba en gestos y rostros. Algo cohibida, Iza retornó a su lugar en medio de las miradas sorprendidas de hombres y mujeres. Todos se esforzaban por no quedarse mirándolas, a ella y la niña —era una falta de cortesía mirar directamente—, pero había un hombre que hacía algo más que mirar.

La expresión de odio en los ojos de Broud mientras miraba a la niña espantó a Iza. Trató de colocarse entre ambos, de proteger a Ayla de la mirada malévola del orgulloso joven. Broud podía comprobar que no era él el centro de la atención; ya nadie hablaba de él. Se había olvidado su potente hazaña que aseguraba la cueva como hogar aceptable, se había olvidado su maravillosa danza así como su valor estoico cuando Mog-ur labró el tótem sobre su pecho. El bálsamo astringente y antiséptico dolía más que el corte —todavía punzaba— pero ¿se fijaba alguien en lo valerosamente que aguantaba el dolor?

Nadie se estaba fijando en él. Los ritos del paso de la vida de los muchachos a la de los hombres se producía con regularidad ordinaria, inclusive para el muchacho que habría de ser jefe. No se comparaban con el pasmo y lo inesperado de la revelación sin precedentes que hizo Mog-ur acerca de la niña extraña. Estaban diciendo que la niña fea había hallado el nuevo hogar... "¡Y qué, que su tótem sea el León Cavernario! —pensaba Broud con petulancia—. ¿Fue ella quien mató al bisonte?" Se suponía que esa noche sería de él, que sería el centro de la atención, se suponía que él sería objeto de la admiración y el pavor del Clan, pero Ayla le había robado su noche.

Miraba a la niña extraña, pero al ver que Iza corría hacia el campamento junto al río, su atención volvió a Mog-ur. Pronto, muy pronto le sería permitido tomar parte en los rituales secretos con los hombres. No sabía qué esperar; lo único que le habían dicho era que aprendería, por vez primera, lo que eran realmente los recuerdos. Era el paso final para convertirlo en hombre.

Junto al fuego que había cerca del río, Iza retiró rápidamente su manto y recogió un tazón de madera y una bolsa roja llena de raíces secas que había preparado. Deteniéndose primero para llenar de agua el tazón, regresó a la enorme hoguera cuyas llamas alcanzaban grandes alturas con la leña suplementaria que Grod le añadió.

El manto de Iza había cubierto en parte la razón de sus prolongadas ausencias de aquel día. Cuando la curandera se puso nuevamente en pie frente al mago, estaba completamente desnuda; sólo llevaba su amuleto y pintura roja sobre su cuerpo. Un enorme círculo subrayaba su vientre hinchado. También sus dos senos estaban subrayados con una línea que partía desde los hombros y se reunía en una V bajo sus riñones. Círculos rojos rodeaban sus dos nalgas. Los símbolos enigmáticos, cuyo significado sólo el Mog-ur conocía, estaban ahí para protegerla a ella y proteger también a los hombres. Era peligroso que una mujer estuviera implicada en rituales religiosos, pero también era necesaria para éstos.

Iza estaba de pie junto a Mog-ur, lo suficientemente cerca para ver gotas de sudor sobre su rostro, debido a su posición junto al fuego envuelto en su pesada piel de oso. Tras una señal imperceptible del mago, Iza alzó el tazón y se volvió frente al Clan. Era un tazón antiguo, conservado durante generaciones para ser usado exclusivamente en estas ocasiones especiales. Alguna curandera ancestral había vaciado cuidadosa y prolongadamente el interior y formado el exterior de una sección de tronco de árbol, y después, por más tiempo y amorosamente había frotado el tazón con arena y una piedra redonda. Un pulido final con los tallos abrasivos del helecho fibroso lo había dejado suave y brillante como la seda. Una pátina blancuzca cubría el interior del tazón, debido al uso repetido que se hacía de él como recipiente para la bebida ceremonial.

Iza se metió en la boca las raíces secas y las masticó lentamente, con mucho cuidado para no tragar saliva cuando sus anchos dientes y fuertes mandíbulas comenzaron a romper las rudas fibras. Finalmente escupió la pulpa masticada en el tazón de agua y revolvió el fluido hasta que se volvió de un blanco lechoso. Sólo las curanderas de la estirpe de Iza conocían el secreto de la potente raíz. La planta era relativamente rara aun cuando no desconocida, pero la raíz fresca no mostraba evidencias de su calidad narcótica. La raíz había sido secada y añejada durante por lo menos dos años; y cuando estaba colgada para secarse, era con las puntas de la raíz hacia abajo, no hacia arriba como era costumbre para la mayoría de las plantas medicinales. Aun cuando sólo una curandera podía elaborar la bebida, la tradición establecida por mucho tiempo estipulaba que sólo los hombres podían beberla.

Una antigua leyenda, transmitida de madres a hijas junto con instrucciones esotéricas para concentrar el componente eficaz de la planta en la raíz, relataba que en tiempos muy remotos sólo las mujeres usaban la potente droga. La ceremonia y los ritos asociados a su uso fueron robados por los hombres, y se prohibió a las mujeres utilizarlos, pero los hombres no pudieron robar el secreto de su preparación. Las curanderas que la conocían se mostraban tan renuentes a compartir el secreto con quien no fuera descendiente de ellas, que el secreto se había perdido para las mujeres que no pudieran pretender a un linaje directo e ininterrumpido desde la más lejana antigüedad. Inclusive ahora, la bebida no se daba sin recibir algo a cambio que tuviera el mismo valor y fuera de importancia similar.

Cuando la bebida estuvo preparada, Iza asintió con la cabeza y Goov avanzó con un tazón de infusión de datura preparado de la manera que solía prepararlo para los hombres, aun cuando ahora estaba destinado a las mujeres. Con una dignidad formal, se intercambiaron los tazones; entonces Mog-ur abrió la marcha mientras los hombres penetraban en la caverna pequeña.

Una vez que se fueron, Iza repartió el té de datura entre las mujeres, una por una. Era frecuente que la curandera empleara la misma droga como anestésico, analgésico o soporífico, y tenía una preparación diferente de la planta de datura siemprre preparada como sedante para los niños. Las mujeres sólo podían descansar tranquilas si sabían que sus hijos no irían a buscarlas y estarían plenamente seguros. En las pocas ocasiones en que las mujeres se permitían el lujo de una ceremonia, Iza se aseguraba de que los niños estarían seguros en brazos del sueño.

Al cabo de un corto rato las mujeres comenzaron a acostar a sus niños adormilados, y regresaron junto al fuego. Después de acostar a Ayla en sus pieles, Iza se acercó al tazón boca abajo que Dorv había utilizado durante la danza de la cacería, y comenzó a tamborilear un ritmo lento y régular, alterando el tono al golpear la parte superior con el palo, más cerca del borde.

Al principio las mujeres se quedaron inmóviles. Estaban demasiado acostumbradas a cuidar de sus movimientos en presencia de los hombres, pero poco a poco, a medida que se dejaban sentir los efectos de la droga, y con la seguridad de que los hombres estaban donde no pudieran verlas, algunas de las mujeres comenzaron a moverse siguiendo el ritmo ceremonioso. Ebra fue la primera en brincar. Bailaba con pasos complicados formando un círculo alrededor de Iza, y a medida que la curandera aceleró el ritmo, se excitaron los sentidos de otras mujeres. Pronto se unieron todas a la compañera del jefe.

A medida que el ritmo se volvía más rápido y complejo, las mujeres, normalmente dóciles, retiraron sus mantos y bailaron con movimientos que carecían de toda restricción y resultaban abiertamente eróticos. No se dieron cuenta de cuándo Iza dejó de tocar y se reunió con ellas; estaban demasiado sumidas en la danza con sus propios ritmos internos. Sus emociones exacerbadas, tan reprimidas en la vida cotidiana, se soltaban en el movimiento desprovisto de inhibiciones. Las tensiones se drenaban en una catarsis de libertad, una catarsis que les permitía aceptar su cohibida existencia. En un torbellino de frenesí, brincando y pateando, las mujeres bailaron hasta que, poco antes de la aurora, se dejaron caer, agotadas, y se quedaron dormidas en el lugar de su caída.

Con la primera luz del nuevo día, los hombres comenzaron a abandonar la cueva. Pasando por encima de los cuerpos de las mujeres tendidas, encontraron sus lugares para dormir y poco después quedaron sumidos en un sopor sin sueños. La catarsis de los hombres provenía de la tensión emocional de la cacería. Su ceremonia tenía una dimensión distinta: más restringida, vuelta hacia dentro, mucho más antigua pero no menos excitante.

Al salir el sol por encima de la sierra al este, Creb salió cojeando de la cueva y examinó el escenario cubierto de cuerpos. En una única ocasión había podido observar la celebración de las mujeres, por curiosidad pura. Con un profundo sentimiento interior, el sabio y viejo mago comprendió que necesitaban relajarse. Sabía que los hombres se preguntaban siempre lo que hacían para quedar después en tal estado de agotamiento, pero Mog-ur nunco se los dijo. Los hombres se habrían sentido tan escandalizados por el abandono irrestricto de las mujeres como ellas, de haber oído las súplicas fervientes de sus estoicos compañeros dirigidas a los espíritus invisibles que compartían su existencia.

Ocasionalmente Mog-ur se había preguntado si podría dirigir las mentes de las mujeres de regreso a los comienzos. Sus recuerdos eran distintos aunque tenían la misma capacidad para recordar conocimientos antiguos. ¿Tendrían memorias raciales? ¿Podrían reunirse con los hombres en alguna ceremonia? Mog-ur se preguntaba, pero nunca se arriesgaría a incurrir en la ira de los espíritus intentando descubrirlo. Que una mujer fuera incluida en ceremonias tan sagradas, destruiría al Clan.

Creb se fue arrastrando los pies hasta el campamento, y se dejó caer en sus pieles. Vio los cabellos rubios enredados entre las pieles de Iza, y eso le hizo pensar en los sucesos que habían ocurrido desde que salió trastabillando justo a tiempo antes de que se derrumbara la vieja cueva. ¿Cómo había sabido la niña extraña abrir tan fácilmente las puertas de su corazón? Estaba perturbado por la corriente subterránea de malos sentimientos que Brun experimentaba hacia ella, y no había pasado por alto las malévolas miradas de Broud en su dirección.

La disensión entre el grupo estrechamente unido había estropeado la ceremonia, dejándolo a él un poco incómodo.

"Broud no va a dejar así las cosas —pensaba Creb—. El Rinoceronte Lanudo es un tótem adecuado para nuestro futuro jefe. Broud puede ser valiente, pero es empecinado y exageradamente orgulloso. Se muestra tranquilo y racional, inclusive dulce y amable; y de repente, por una razón insignificante cualquiera, puede lanzarse a la carga con furor presa de ira ciega. Espero que no se vuelva contra la niña".

7

Un silencio reverencial se apoderó del Clan cuando sus miembros penetraron por vez primera en la cueva y advirtieron la amplitud de sus nuevos alojamientos, pero muy pronto se acostumbraron a ella. Rápidamente dejaron de pensar en la vieja cueva y su anhelante búsqueda de un nuevo hogar, y cuanto más iban descubriendo acerca del entorno de su nuevo hogar, más les complacía éste. Se establecieron en la rutina acostumbrada de los breves y calurosos veranos: cazar, recoger y almacenar alimentos que les ayudaran a sobrevivir del prolongado frío helado que, por experiencia, sabían que les esperaba. Y había gran diversidad de comestibles entre los cuales escoger.

Truchas plateadas relampagueaban entre el rocío blanco del torrente, y se podían atrapar con la mano y con una paciencia infinita mientras los imprudentes peces reposaban bajo raíces y rocas medio sumidas en el agua. Salmones y sollos gigantescos, llenos a veces de caviar negro o hueva de color rosa claro, acechaban cerca de la desembocadura de la corriente, mientras enormes siluros y bacalaos negros barrían el fondo del mar interior. Redes barredoras, hechas con los pelos largos de animales, retorcidos a mano para formar cuerdas, extraían del agua los enormes pescados que huían velozmente de los vadeadores que los perseguían empujándolos hacia la barrera de mallas anudadas. A menudo caminaban las diez millas que los separaban de la costa del mar, y no tardaban en disponer de una reserva de pescado salado, que habían secado sobre hogueras humeantes. Recogían moluscos y crustáceos, útiles para hacer cucharones, cucharas, tazones y tazas, y también por su sabor suculento. Los miembros del Clan trepaban por riscos escarpados para recoger huevos en los incontables nidos de aves marinas que anidaban en los promontorios rocosos frente al agua, y de vez en cuando una piedra bien lanzada proporcionaba el deleite adicional de un alcatraz; una gaviota o un alca grande.

Raíces, hojas y tallos carnosos, calabazas, verduras, bayas, frutas, nueces y granos eran recogidos, en la temporada debida cada uno de ellos a medida que avanzaba el verano. Hojas, flores y hierbas se ponían a secar para hacer infusiones y aromatizar, y terrones de sal arenosa, que habían quedado arriba, muy secos cuando el gran glaciar septentrional quitaba humedad y hacía retroceder las costas, eran llevados a la cueva para sazonar las comidas invernales.

Los cazadores salían con frecuencia. Las estepas próximas, ricas en hierbas y forrajes y totalmente descubiertas con excepción de algunos bosquetes de árboles atrofiados, abundaban en rebaños de animales herbívoros. Gigantescos venados recorrían las llanuras herbosas, con sus enormes cornamentas alzándose hasta once pies en los animales más grandes, junto a bisontes descomunales con astas de dimensiones similares. Pocas veces llegaban tan al sur los caballos esteparios, pero burros y onagros —la raza de burros intermedia entre caballos y asnos— recorrían las llanuras abiertas de la península mientras su robusto y macizo primo, el caballo selvático, vivía aislado o en grupos familiares poco numerosos, más cerca de la cueva. Las estepas alojaban también grupos más pequeños y poco frecuentes de ese pariente de la cabra, que habita las tierras bajas: el antílope de las estepas o saiga.

El valle llano entre la pradera y los contrafuertes montañosos era el hogar de los bisontes grandes, los aurochs, ganado oscuro o negro totalmente salvaje, antepasado de razas domésticas más apacibles. El rinoceronte selvático —emparentado con especies tropicales ulteriores que pacen en las llanuras, pero adaptado a las selvas templadas frías— sólo se adentraba un poco en el territorio de otra variedad de rinocerontes que preferían la hierba del valle llano. Ambos, con sus cuernos más cortos sobre el hocico y su cabeza horizontal, diferían del rinoceronte lanudo que, junto con los mamuts lanudos, eran sólo visitantes temporales. Tenían un largo cuerno anterior plantado en ángulo inclinado hacia delante y llevaban la cabeza hacia abajo, lo cual les facilitaba apartar la nieve de los pastizales de invierno. Su gruesa capa de grasa subcutánea y su sobrepelliz de pelos largos y un rojo oscuro, así como su suave capa interior de lana, eran adaptaciones que los confinaban a climas fríos. Su hábitat natural era la estepa septentrional secada por el hielo, la estepa del loes.

Sólo cuando había glaciares sobre la tierra podía haber estepas de loes. La presión baja y constante sobre las vastas capas de hielo chupaban la humedad del aire y permitían que cayera sólo poca nieve en regiones periglaciales y creaban un viento constante. Un fino polvo calcáreo, el loes, era levantado de la roca pulverizada en las orillas de los glaciares y depositado a cientos de millas de distancia. Una corta primavera mezclaba la escasa nieve con la capa superior del permagel lo suficiente para que brotaran hierbas y pastos de fácil arraigo. Crecían rápidamente convirtiéndose en heno vivo, miles y miles de acres de forraje para los millones de animales que se habían adaptado al frío helado del continente.

Las estepas continentales de la península sólo atraían a las bestias lanudas durante el otoño. Los veranos eran demasiado calientes, y las pesadas nieves del invierno demasiado profundas para que pudieran apartarlas con facilidad. Muchos animales más eran atraídos hacia el norte en invierno, hasta los confines del loes más frío pero también más seco. En su mayoría, regresaban en verano. Los animales selváticos que podían alimentarse con breñales, cortezas o líquenes, permanecían en las pendientes boscosas que brindaban aislamiento y excluían la existencia de grandes manadas.

Además de los caballos y rinocerontes selváticos, cerdos salvajes y diversas variedades de venados encontraban su hogar en el paisaje arbolado: venado rojo que se llamaría más adelante alce ·en otras tierras, en manadas poco numerosas; individualmente o en cortos grupos, tímidos corzos de cornamenta simple con tres puntas; los gamos, algo más grandes, moteados en rojizo y blanco; y unos pocos alces llamados antas por los que llaman alce al venado rojo; todos ellos compartían el entorno boscoso.

Más arriba en el monte, carneros de anchos cuernos, muflones, se pegaban a salientes y riscos, alimentándose con pastos alpinos; y más alto aún, la cabra montés salvaje, el íbice, y la gamuza brincaban de un precipicio a otro. Aves de vuelo rápido prestaban color y canto a la selva, aun cuando no mucha comida. Su lugar en el menú se llenaba más satisfactoriamente con la perdiz blanca de vuelo lento y el urogallo blanco y azul de la estepa, que se derribaban a pedradas, así como las visitas otoñales de gansos y patos de flojel atraídos hacia las redes cuando aterrizaban en pozas fangosas de la montaña. Las aves de presa y demás rapaces se cernían perezosamente sobre corrientes de aire caliente, recorriendo con la mirada las llanuras generosas y las tierras boscosas que tenían debajo.

Cantidad de animales pequeños llenaban montañas y estepas cerca de la cueva, proporcionando alimento y pieles: cazadores —visones, nutrias, glotones, armiños, martas y cibelinas, zorros, mapaches, tejones y los pequeños gatos silvestres que dieron más adelante nacimiento a los cazadores domésticos de ratones—, y presas —ardillas voladoras, puercoespines, liebres, conejos, topos, ratas almizcleras, coipos, castores, mofetas, ratones, ratones de aguas, lemmings, ardillas de tierra, grandes jerbos, marmotas gigantescas, lagomorfos y unos cuantos que nunca han recibido nombre por haberse extinguido.

Los carnívoros más grandes eran esenciales para reducir las filas de las abundantes presas. Había lobos y sus parientes más feroces, los perros salvajes. Y había felinos: linces, tigres, chitas y leopardos, leopardos de la nieve que habitaban las montañas y, los más grandes de todos, el doble de cualquier otro, los leones cavernarios. Osos morenos omnívoros cazaban junto a la cueva, pero sus descomunales primos, los osos cavernarios vegetarianos, no aparecían ya. Y la hiena cavernaria ubicua completaba la lista de la fauna salvaje.

La tierra era de una riqueza increíble, y el hombre sólo una fracción de la vida múltiple que vivía y moría en aquel Eden frío y antiguo. Nacido demasiado desnudo y sin dotes naturales superiores para compensar —excepto una: su enorme cerebro—, era el más débil de todos los cazadores. Pero a pesar de su vulnerabilidad aparente, carente de colmillo, garra, pierna rápida o fuerza brincadora, el cazador de dos pies había conseguido que lo respetaran sus competidores cuadrúpedos. Su olor era suficiente para apartar a una criatura mucho más poderosa de una senda escogida, siempre que los dos vivían mucho tiempo en próxima vecindad. Los cazadores capaces y experimentados del Clan eran tan hábiles para la defensa como para el ataque, y cuando se veían amenazadas la seguridad o estabilidad del Clan, o si codiciaban un abrigo caliente para el invierno, decorado por la naturaleza, acechaban al confiado cazador.

Era un día soleado, calentado por la plenitud inicial del verano. Los árboles estaban cubiertos de hojas pero todavía de un verde más claro de lo que habría de ser más adelante. Moscas perezosas zumbaban alrededor de huesos sobrantes de comidas anteriores. Una fresca brisa marina llevaba en sí un indicio de vida, y el follaje que se agitaba suavemente lanzaba sombras sobre la cuesta soleada delante de la cueva.

Una vez terminada la crisis del nuevo hogar, las tareas de Mog-ur eran llevaderas. Lo único que se le pedía era una ceremonia de caza eventual o un rito para apartar los espíritus nefastos, o si había alguien herido o enfermo, que pidiera ayuda a los benéficos para respaldar la magia de Iza. Los cazadores habían salido, junto con algunas mujeres; tardarían varios días en regresar. Las mujeres iban con ellos para evitar que se echara a perder la carne de lo que cazaran: era más fácil traerla a casa cuando se había secado previamente para el invierno. El cálido sol y el viento siempre presente en las estepas, secaba rápidamente la carne destazada en tiras delgadas. Fuegos humeantes de hierba y bosta secas eran útiles, sobre todo para apartar los moscones y evitar que pusieran sus huevos en la carne fresca, lo cual la echaba a perder. Las mujeres transportarían además la mayor cantidad de carga, en el viaje de regreso.

Creb había pasado el tiempo con Ayla casi diariamente desde que se trasladaron a la cueva, tratando de enseñarle el idioma. Las palabras rudimentarias —que por lo general constituían la parte más difícil para los niños del Clan— las aprendía fácilmente, pero su sistema complicado de gestos y señales se le escapaba. Creb había tratado de hacerle comprender el significado de los gestos, pero ni uno ni otra disponían de una base para sus respectivos métodos de comunicación, y no había tampoco quien pudiera explicar ni interpretar. El viejo había intentado todos los medios que se le ocurrían sin poder hallar la manera de que los significados fueran entendidos. Ayla se sentía igualmente frustrada.

Sabía que estaba pasando algo por alto y anhelaba poder comunicarse algo más que las pocas palabras que sabía. Le resultaba evidente que la gente del Clan se entendía con algo más que las simples palabras, pero no lograba entender cómo. El problema estaba en que no *veía* las señales que se hacían con las manos. Para ella eran movimientos al azar, no movimientos con un propósito: no había podido captar el concepto de hablar con ademanes. Que fuera siquiera posible que no se le había ocurrido; estaba totalmente fuera del campo de su experiencia.

Creb había empezado a presentir su problema, aunque apenas podía creerlo. "Tiene que ser, no sabe que los movimientos encierran un significado", pensó.

—¡Ayla! —llamó Creb, haciendo una seña a la niña. —"Ese debe de ser el problema —pensaba, mientras ambos seguían un sendero junto al río brillante. —O eso o que carece de la inteligencia suficiente para comprender un lenguaje". Pero por lo que había observado, no podía creer que la niña careciera de inteligencia, aunque fuera diferente. "Pero comprende los gestos simples. Había pensado que sólo se trataba de extenderlos".

Muchos pies que se dirigían a cazar, recoger o pescar, en su dirección, habían aplastado la hierba y los matorrales formando un camino en la línea de menor resistencia. Los dos paseantes llegaron a un lugar que agradaba mucho al viejo, un tramo abierto cerca de un enorme roble cubierto de hojas, cuyas raíces salientes brindaban un asiento alto y umbroso en el que podía descansar más fácilmente que agachándose hasta el suelo. Iniciando la lección, señaló el árbol con su cayado:

—Roble —contestó Ayla rápidamente. Creb asintió, aprobando con un movimiento de la cabeza; entonces dirigió su cayado hacia el río.

—Agua —dijo la niña.

El viejo asintió de nuevo, y entonces hizo un ademán con la mano y repitió la palabra. "Agua que corre, río" indicaba el ademán.

—¿Agua? —dijo la niña, vacilando, intrigada porque había indicado que la palabra era correcta, pero la había preguntado de nuevo. Empezaba a experimentar una sensación de pánico en el fondo de su estómago. Era igual que siempre: sabía que él deseaba algo más, pero no comprendía qué.

Creb meneó la cabeza: no. Había practicado ese tipo de ejercicios muchas veces con la niña. Lo intentó de nuevo, señalando sus pies.

—Pies —dijo Ayla.

—Sí —asintió el mago con un movimiento. "De alguna manera tengo que hacerle ver y no sólo oír —pensó—. Se puso en pie, la tomó de la mano y avanzó con ella unos cuantos pasos, dejando atrás su cayado. Hizo un gesto y dijo la palabra "pies". "Pies en movimiento, andando", era el sentido que trataba de comunicar. Ella se esforzaba por escuchar, esforzándose por oír si algo se le había escapado en el tono de su voz.

—¿Pies? —preguntó la niña con voz trémula, segura de que no era ésa la respuesta que él deseaba.

—¡No, no, no! ¡Andando! ¡Pies moviéndose! —repitió otra vez, mirándola directamente, exagerando el gesto. La hizo avanzar de nuevo, mostrándole sus pies, desesperado de que llegara a aprender algún día.

Ayla sentía que los ojos se le llenaban de lágrimas. ¡Pies! ¡pies! Sabía que era la palabra correcta ¿pero por qué meneaba negativamente la cabeza? "Ojalá dejara de mover su mano delante de mi cara de ese modo. ¿Qué estoy haciendo mal?"

El viejo la hizo avanzar de nuevo, señalándole sus pies; hizo el movimiento con la mano y dijo la palabra. La niña se detuvo, observándolo. El hizo nuevamente el gesto, exagerándolo tanto que casi significaba otra cosa, y nuevamente dijo la palabra. Estaba inclinado, mirándola a la cara, haciendo el movimiento justo delante de ella. Gesto, palabra, gesto, palabra.

—"¿Qué querrá? ¿Qué se supone que debo hacer?" Ella quería comprenderlo. Sabía que estaba intentando decirle algo. "¿Por qué sigue moviendo la mano?" pensaba.

Entonces, un levísimo vislumbre de idea se le ocurrió: ¡su mano! Sigue moviendo la mano. Alzó la mano, vacilante.

—¡Sí, sí! ¡Eso es! —el asentimiento vigoroso que le daba Creb con la cabeza era casi un grito—. ¡Haz la señal! ¡moviéndose! ¡pies moviéndose! —repetía.

Empezando a comprender, la niña observó su movimiento y trató de imitarlo. "¡Creb estaba diciendo sí! ¡Eso es lo que quiere! ¡El movimiento. Quiere que yo haga el movimiento!"

Volvió a hacer el gesto repitiendo la palabra, sin comprender lo que significaba, pero por lo menos entendiendo que el gesto era lo que él quería que hiciera al decir la palabra. Creb la hizo dar media vuelta y regresar al roble, mientras él cojeaba mucho. Señalando nuevamente los pies de la niña que avanzaba, repitió la combinación de palabra y gesto una vez más.

De repente, como una explosión en su cerebro, la niña estableció la relación. "¡Moviéndose con los pies! ¡Andando! ¡Eso quiere decir! No solamente pies. El movimiento de la mano con la palabra "pies" significa ¡andar!" La mente de la niña se puso a trabajar a toda prisa. Recordaba haber visto siempre que la gente del Clan movía las manos. Podía ver con la imaginación a Iza y Creb, en pie, mirándose, moviendo las manos, diciendo pocas palabras pero moviendo las manos. "¿Estarían hablando? ¿Es así como hablan entre sí? ¿Por eso hablan tan poco? ¿Hablan con las manos?"

Creb se sentó. Ayla se quedó frente a él, tratando de calmar su excitación.

—Pies —dijo, señalando los suyos.

—Sí —asintió Creb, intrigado.

Ella se dio media vuelta y echó a andar, y al acercarse nuevamente a él, hizo el gesto y dijo la palabra "pies".

—¡Sí, sí! ¡Eso es! ¡Esa es la idea! —dijo Creb. "¡Ya entendió! Creo que comprende".

La niña se detuvo un instante, entonces se dio media vuelta y echó a correr alejándose de él. Después de regresar corriendo por el pequeño calvero, esperó anhelante frente a él, casi sin aliento.

—Corriendo —señaló él mientras ella lo observaba con cuidado. Era un movimiento distinto; como el primero, pero diferente.

—Corriendo —expresó con un movimiento vacilante.

"¡Ya entendió!"

Creb estaba excitado: el movimiento era basto, carecía de la fineza que le impartían inclusive los niños pequeños del Clan, pero la idea estaba ahí. Asintió vigorosamente con la cabeza y por poco se cae de su asiento cuando Ayla se arrojó contra él, abrazándolo llena de una comprensión gozosa.

El viejo mago miró a su alrededor; era casi instintivo. Los gestos afectuosos estaban limitados a los confines del fuego hogareño. Pero sabía que estaban solos. El tullido respondió con un abrazo cariñoso y experimentó un sentimiento cálido y satisfecho que nunca anteriormente había experimentado.

Un mundo de comprensión totalmente nuevo se abría para Ayla. Tenía un instinto teatral innato y el talento de la mímica, y los aprovechó con una seriedad increíble imitando los movimientos de Creb. Pero los gestos de Creb, que sólo tenía un brazo, eran forzosamente adaptaciones de las señas normales de las manos, y a Iza le correspondió enseñarle los detalles más finos. Aprendió como lo habría hecho un bebé, comenzando con expresiones de las necesidades más simples, pero aprendió con una rapidez mucho mayor. Habíase sentido frustrada por muy largo tiempo en sus intentos comunicativos, y estaba decidida a compensar su falta cuanto antes.

Tan pronto como comenzó a entender mejor, la vida del Clan adquirió un vívido relieve. Observaba a la gente que la rodeaba mientras se comunicaban unos con otros, mirando fijamente, con atención apasionada, tratando de captar lo que se decían. Al principio el Clan se mostró tolerante en cuanto a su entremetimiento visual, tratándola como si fuera un bebé. Pero a medida que pasaba el tiempo, miradas de reprobación evidenciaron que un comportamiento tan incorrecto no seguiría siendo aceptado. Observar así como escuchar furtivamente era descortés; las costumbres dictaban que se apartara la mirada cuando otras personas hablaban en privado. El problema hizo crisis un atardecer de mediados del verano.

El Clan se encontraba dentro de la cueva, cada familia reunida alrededor de su fuego después de haber cenado. El sol se había puesto detrás del horizante y el último resplandor opaco destacaba las siluetas de hojas oscuras que susurraban al movimiento de la suave brisa vespertina. El fuego que había a la entrada de la cueva, prendido para alejar a los malos espíritus, los depredadores curiosos y la humedad del aire nocturno, lanzaba jirones de humo y oleadas trémulas de calor, haciendo ondular los árboles y los matorrales sumidos en sombras oscuras ondular al ritmo silencioso de las llamas parpadeantes. Su luz danzaba con las sombras sobre la piedra áspera de la cueva.

Ayla estaba sentada dentro del círculo de piedras que limitaba el territorio de Creb, y observaba el hogar de Brun. Broud estaba de mal humor y lo desahogaba con su madre y Oga, ejerciendo sus prerrogativas de varón adulto. El día había comenzado mal para Broud y fue empeorando. Después de pasarse horas acechando una zorra roja cuya piel había prometido a Oga, el animal desapareció entre los densos matorrales, advertido por la piedra lanzada con presteza, habiéndole hecho perder el tiempo a Broud. Las miradas que le lanzaba Oga, llenas de comprensión y perdón, sólo servían para lastimar aún más su orgullo herido: él era quien debería perdonarle a ella sus defectos, no ella a él.

Las mujeres, cansadas de un día pesado, estaban intentando terminar sus últimas tareas, y Ebra, exasperada por las constantes interrupciones de su hijo, hizo una leve seña a Brun. El jefe no había dejado de observar el comportamiento imperioso y exigente del joven. Tenía derecho a portarse así, pero a Brun le parecía que debería ser más tolerante con ellas. No era necesario hacerlas correr para cualquier cosa, ya que estaban suficientemente atareadas y cansadas.

—Broud, deja tranquilas a las mujeres. Tienen suficiente quehacer —expresó Brun con una reprimenda silenciosa.

El reproche fue demasiado, especialmente delante de Oga y procediendo de Brun. Broud se fue al extremo más apartado del territorio del fuego de Brun, junto a las piedras limítrofes, muy enfurruñado cuando vio que Ayla estaba mirándolo fijamente. No importaba que Ayla hubiera percibido sólo vagamente el sutil altercado doméstico que se había desarrollado dentro de los límites del hogar colindante; en lo concerniente a Broud, la feúcha intrusa había visto cómo lo regañaban como si fuera un chiquillo: fue el golpe final a su sensible ego. "Ni siquiera tiene la corrección de mirar a otro lado, pensó. Bueno, pues ella no es la única que puede ignorar la cortesía más elemental". Todas las frustraciones de la jornada desbordaron y, lanzando por la borda los convencionalismos, Broud lanzó una mirada malévola más allá de los límites, hacia la niña a quien odiaba.

Creb se había percatado de la ligera discusión en el hogar de Brun, pues siempre estaba al tanto de todas las personas que vivían en la cueva. La mayor parte del tiempo, como si se tratara de un ruido de fondo, permanecía fuera de su conciencia, pero cualquier cosa que implicara a Ayla despertaba su atención. Sabía que había sido necesario un esfuerzo deliberado a la vez que maligno de parte de Broud, para ayudarle a superar lo que le había sido inculcado durante toda la vida, para hacerle mirar dentro de los límites del hogar de otro hombre". Broud siente demasiada animosidad hacia la niña —pensó Creb—, por el bien de ella, es hora de enseñarle buenos modales".

—¡Ayla!— ordenó severamente. Ella dio un brinco al percatarse del tono de su voz. —¡No mires a la gente! —expresó con una seña. La niña se sintió intrigada.

—¿Por qué no mirar?— preguntó.

—No mirar, no observar: a la gente no le gusta —trató de explicar, consciente de que Broud estaba observando con el rabillo del ojo, sin molestarse siquiera en disimular el deleite que le causaba el fuerte regaño que Mog-ur estaba propinando a la niña. "De todos modos, el mago la consciente demasiado —pensaba Broud—. Si viviera aquí, ya le iba a enseñar yo cómo se supone que debe comportarse una hembra".

—Quiero aprender a hablar— señaló Ayla, todavía intrigada y algo dolida.

Creb comprendía perfectamente por qué había estado mirando, pero llegaría el momento en que tuviera que aprender. Quizá se aplacara un poco el odio que Broud le tenía, si veía que la reñían por mirarlo.

—Ayla no observará —señaló Creb con una mirada severa—. Está mal. Ayla no responde a hombre cuando éste habla. Malo. Ayla no mirará a la gente dentro de su hogar. Malo. Malo. ¿Comprendes?

Creb se mostró duro; quería ser comprendido. Vio que Broud se ponía en pie y regresaba junto a la lumbre cuando Brun lo llamó, y se veía a las claras que su humor había mejorado.

Ayla estaba deshecha: nunca se había mostrado Creb duro con ella. Había creído que se alegraría de que aprendiera su idioma; y ahora le decía que era mala porque miraba a la gente y trataba de aprender más. Confundida y dolida, se le saltaron las lágrimas y corrieron por sus mejillas.

—¡Iza! —llamó Creb, preocupado—. ¡Ven acá! Ayla tiene algo en los ojos.

Los ojos de la gente del Clan sólo se llenaban de lágrimas cuando algo se les metía dentro o si tenían catarro o padecían alguna enfermedad de los ojos. El nunca había visto que de los ojos brotaran lágrimas de infelicidad. Iza llegó corriendo.

—¡Mira eso! Le chorrean los ojos. Quizá le haya entrado una chispa. Será mejor que los mires —insistió.

También Iza estaba preocupada. Alzando los párpados de Ayla miró de cerca los ojos de la niña.

—¿Te duele el ojo? —preguntó.

La curandera no podía ver la menor señal de inflamación. No parecía que tuviera nada malo en los ojos: sólo chorreaban.

—No, no duele— lloriqueó Ayla. No podía comprender su preocupación por sus ojos, pero gracias a eso comprendió que se preocupaban por ella, aunque Creb dijera que era mala. —¿Por qué se enfada Creb, Iza? —preguntó, sollozando.

—Tienes que aprender, Ayla —explicó Iza, mirando a la niña con expresión seria.— No es correcto mirar fijamente. No es correcto mirar el fuego de otro hombre, ver lo que dicen otras personas junto al fuego. Ayla debe aprender, que cuando habla el hombre, la mujer mira hacia abajo, así —demostró Iza—. Cuando el hombre habla, la mujer baja la cabeza; no pregunta. Sólo los chiquitines miran fijamente. Los bebés. Ayla es mayor. Entonces la gente se enoja con Ayla.

—¿Creb enfadado? ¿No le importo? —preguntó, deshaciéndose nuevamente en llanto.

Iza seguía sin comprender que los ojos de la niña se llenaran de agua, pero comprendió la confusión en que se encontraba.

—A Creb le importa Ayla, también a Iza. Creb le enseña a Ayla. Hay que aprender algo más que hablar. Hay que aprender las costumbres del Clan— dijo la mujer, tomando en sus brazos a la niña. La sostuvo cariñosamente mientras Ayla se desahogaba llorando, y después secó los ojos húmedos e hinchados de la niña con una piel suave y volvió a mirarlos para asegurarse de que estaban bien.

¿Qué pasa con sus ojos? —preguntó Creb—. ¿Está enferma?

—Ha creído que no la quieres. Pensaba que te habías enfurecido contra ella. Sin duda eso la ha puesto enferma. Quizá los ojos tan claros como los que ella tiene sean débiles, pero no puedo encontrarles nada malo y dice que no le duelen. Creo que sus ojos han chorreado de tristeza, Creb —explicó Iza.

—¿Tristeza? ¿Se puso triste porque pensó que yo no la quería, y eso la puso enferma? ¿Hizo chorrear sus ojos?

El sorprendido mago apenas podía creerlo, y se sintió lleno de emociones complejas. ¿Sería enfermiza? Parecía saludable, pero nadie se enfermaba de pensar que no lo quisieran. Nadie, excepto Iza, se había preocupado por él de esa manera. La gente lo temía, sentía pavor ante él, lo respetaba, pero nadie había deseado tanto que él lo quisiera como para que le chorrearan los ojos. "Quizá tenga razón Iza, quizá tenga los ojos débiles, pero su vista es buena. De alguna manera tengo que mostrarle que debe aprender a portarse convenientemente, por su propio bien. Si no aprende los modales del Clan, Brun la expulsará; puede hacerlo. Pero eso no significa que yo no la quiera. La quiero —admitió para sí—; por curiosa que sea, la quiero mucho".

Ayla avanzó hacia el anciano tullido, arrastrando los pies, y mirándoselos con nerviosismo. Se quedó frente a él y después alzó la mirada, todavía empañada por el llanto.

—Ya no miro fijamente —dijo por señas—. ¿Creb no enfadado?

—No —respondió, también por señas—. No estoy enfadado, Ayla. Pero ahora perteneces al Clan, me perteneces a mí. Debes aprender el lenguaje pero también debes aprender las costumbres del Clan. ¿Comprendes?

—¿Yo pertenezco a Creb? ¿Creb se preocupa por mí? —preguntó.

—Sí, yo te quiero, Ayla.

La niña sonrió ampliamente, se acercó a él y lo abrazó, y después se sentó en el regazo del hombre deforme y desfigurado, y se pegó cariñosamente a él.

A Creb siempre le habían interesado los niños. Cuando se desempeñaba como Mog-ur, pocas veces reveló el tótem de un niño sin que la madre lo reconociera inmediatamente como apropiado. El Clan atribuía la habilidad de Mog-ur a sus poderes mágicos, pero su verdadera habilidad estaba en sus poderes de observación perceptiva. Se fijaba en los niños desde el día en que nacían, y a menudo veía cómo hombres y mujeres por igual los mimaban y consolaban. Pero el viejo lisiado no había conocido el gozo de mecer a un niño en sus brazos.

Agotada por sus emociones, la niña se había quedado dormida; se sentía segura con el pavoroso mago: había sustituido en su corazón a un hombre que ya no recordaba como no fuera en algún punto inconsciente. Mientras Creb miraba el rostro apacible y confiado de la niña en su regazo, sintió que un amor profundo se abría paso en su alma hacia ella. No podía haberla amado más si hubiera sido su propia hija.

—Iza —llamó en voz baja el hombre. La mujer tomó a la niña dormida de los brazos de Creb, pero no antes de que él la tuviera apretada contra sí un momento.

—Su enfermedad la ha fatigado —dijo, una vez que la mujer la hubo acostado—. Asegúrate de que descanse mañana, y será bueno que le vuelvas a examinar los ojos de día.

—Sí, Creb —asintió; Iza amaba a su hermano lisiado; sabía mejor que nadie que un alma buena y amable vivía bajo aquel exterior repulsivo. Se sentía feliz de que hubiera hallado a quien querer, alguien que también lo amaba, y eso fortalecía aún más sus sentimientos hacia la niña.

Iza no recordaba haber sido tan feliz desde que era niña. Sólo su temor de que la criatura que llevaba en su seno fuera niño, empañaba su dicha. Un hijo de ella tendría que ser criado por un cazador. Era hermana de Brun; su madre había sido la compañera del que fue jefe antes que él. Si algo le sucediera a Broud o si la mujer con quien se acoplara no produjera un hijo varón, la jefatura del Clan recaería en el hijo de ella, en el caso de que tuviera uno. Brun se vería obligado a entregarla, a ella y al niño, a uno de los cazadores, o a quedarse con ella. Todos los días rogaba a su tótem que hiciera de la criatura que no había nacido aún, una hija, pero no podía deshacerse de su aprensión.

A medida que avanzaba el verano, con la amable paciencia de Creb y el deseo anhelante de Ayla, la niña comenzó a comprender no sólo el lenguaje sino también las costumbres de la gente que la había adoptado. Aprender a apartar la mirada para permitir a la gente del Clan la única intimidad posible, era sólo la primera de muchas duras lecciones. Mucho más difícil resultaba aprender a refrenar su curiosidad natural y su entusiasmo impetuoso para adoptar la docilidad habitual de las hembras.

También Iza y Creb estaban aprendiendo. Descubrieron que cuando Ayla hacía cierta mueca, separando los labios y mostrando los dientes, lo que solía ir acompañado de sonidos aspirantes peculiares, eso significaba que se sentía feliz, no hostil. Nunca consiguieron superar del todo su ansiedad ante la extraña debilidad de los ojos de la niña que se llenaban de agua cuando estaba triste. Iza decidió que esa debilidad era particular de los ojos claros, y se preguntaba si sería un rasgo común en los Otros o si sólo ocurría con los ojos de Ayla. Para estar tranquila, Iza le lavaba los ojos con el fluido cristalino de la planta de color azul blancuzco que crecía muy profunda en la sombra. Aquella planta, parecida a un cadáver, sacaba su alimento de la madera y materia vegetal en putrefacción, y su superficie cerúlea se volvía negra al tocarla. Pero Iza no conocía mejor remedio contra el dolor o la inflamación de los ojos, que el líquido fresco que manaba de su tallo roto, y aplicaba el tratamiento tan pronto como la niña lloraba.

No lloraba con frecuencia. Aun cuando las lágrimas servían para llamar la atención, Ayla se esforzaba mucho por dominarlas. No sólo resultaban perturbadoras para las dos personas a quienes amaba, sino que los demás del Clan lo consideraban como señal de su diferencia, y ella quería encajar y ser aceptada. El Clan estaba aprendiendo a aceptarla, pero todavía se mostraban todos cautelosos y suspicaces en cuanto a sus peculiaridades.

Ayla también estaba aprendiendo a conocer a la gente del Clan y a aceptarla. Aun cuando los hombres sentían curiosidad hacia ella, era indigno que mostraran demasiado interés en una niña, por insólita que fuera, y ella los ignoraba tanto a ellos como la ignoraban a ella. Brun demostraba mayor interés que los demás, pero la asustaba. Era serio y no se mostraba abierto a las efusiones lo mismo que Creb. No podía saber que a la gente del Clan, Mog-ur le parecía mucho más distante e imponente que Brun, y que estaba pasmada ante la intimidad que se creó entre el pavoroso mago y la extraña niñita. El que más le desagradaba de todos era el joven que compartía el hogar de Brun. Broud siempre tenía una expresión mezquina cuando la miraba.

Con las mujeres fue con quienes se familiarizó primero. Pasaba más tiempo con ellas. Excepto cuando se encontraba dentro de los límites de las piedras del hogar de Creb o cuando la curandera se la llevaba, al salir en busca de plantas exclusivas para su uso, Iza y ella estaban generalmente con los miembros femeninos del Clan. Al principio Ayla sólo seguía a Iza por donde iba y observaba cuando desollaban animales, curtían pieles, trenzaban canastos, estiraban correas sacadas en espiral de un solo pellejo, recogían alimentos silvestres, preparaban comidas, hacían conservas de carne y plantas para el invierno, y respondían a los deseos de cualquier hombre que las llamara para ordenarles algún servicio. Pero cuando vieron la buena voluntad de la niña para aprender, no sólo la ayudaron con el idioma sino que comenzaron a enseñarle aquellas habilidades tan útiles.

Ella no era tan fuerte como las mujeres o los niños del Clan —su estructura más delgada no podía soportar la poderosa musculatura de la gente del Clan, de huesos más pesados— pero era asombrosamente diestra y flexible. Las tareas pesadas le resultaban difíciles, pero para ser sólo una niña, era hábil trenzando canastos o cortando correas de un ancho uniforme. Muy pronto estableció una relación cordial con Ika, cuya naturaleza amigable la hacía simpática. La mujer dejó que Ayla llevara en brazos a Borg en cuanto comprobó el interés que Ayla sentía por el bebé. Ovra se mostraba reservada, pero Uka y ella eran especialmente amables con la niña. La pena que sentían al haber perdido al joven en el derrumbe de la cueva, sensibilizaba a la madre y la hermana respecto a la niña que había perdido a su familia. Pero Ayla no tenía compañeros de juego.

Su primer impulso de amistad con Oga se había enfriado después de la ceremonia. Oga se sentía dividida entre Ayla y Broud. La recién llegada, aunque más joven, era alguien con quien le habría sido posible compartir sus pensamientos infantiles, y se sentía compenetrada con la joven huérfana dado que compartía su mismo sino, pero los sentimientos de Broud hacia ella resultaban obvios. Oga decidió, renuentemente, evitar a Ayla, por deferencia hacia el hombre con quien esperaba acoplarse. Menos cuando trabajaban juntas, pocas veces se reunían, y después de que los intentos de Ayla por hacer amistad se vieron rechazados varias veces, la niña se retrajo y no intentó más mostrarse sociable.

No le gustaba a Ayla jugar con Vorn. Aun cuando tenía un año menos que ella, su idea del juego consistía generalmente en darle órdenes, en una imitación consciente del comportamiento viril adulto hacia las hembras adultas, cosa que todavía le costaba mucho aceptar a Ayla. Cuando ésta se rebelaba, provocaba la ira de hombres y mujeres, especialmente la de Aga, madre de Vorn, quien estaba orgullosa de que su hijo aprendiera a portarse "como un hombre", y no se le pasaba por alto, al igual que todos los demás, el resentimiento que Broud le mostraba. Algún día Broud sería jefe, y si su hijo seguía disfrutando de su valimiento, podría ser escogido como segundo al mando. Aga aprovechaba cualquier oportunidad por elevar la estatura de su hijo, hasta el punto de atormentar a Ayla cuando Broud andaba cerca. Si veía juntos a Vorn y Ayla cuando Broud andaba por ahí, apartaba rápidamente a su hijo.

La capacidad de Ayla en cuanto a comunicarse mejoraba rápidamente, especialmente con ayuda de las mujeres. Pero un símbolo en particular, lo aprendió por su propia observación. Seguía observando a los demás —no había aprendido todavía a cerrar su mente a los que la rodeaban— aun cuando no lo mostraba tan obviamente.

Una tarde estaba mirando a Ika jugar con Borg. Ika hizo una señal a su hijo y la repitió varias veces. Cuando los movimientos que el nenito hacía al azar parecieron imitar el gesto, la madre llamó la atención de las otras mujeres y alabó a su hijo. Más tarde vio Ayla que Vorn corría hacia Aga y la saludaba con el mismo gesto. Inclusive Ovra hacía aquel gesto al iniciar una conversación con Uka.

Aquella noche se acercó tímidamente a Iza, y cuando la mujer alzó la mirada, Ayla hizo la señal con la mano. Iza abrió muy grandes los ojos.

—Creb —dijo—, ¿cuándo le has enseñado a llamarme madre?

—No se lo he enseñado, Iza —respondió Creb— lo habrá aprendido sola.

Iza se volvió hacia la niña:

—¿Lo has aprendido tú sola? —preguntó.

—Sí, madre —expresó Ayla con el mismo símbolo. No estaba muy segura de lo que significaba la seña, pero tenía una idea. Sabía que lo usaban los niños con las mujeres que los atendían. Aun cuando su memoria había bloqueado el recuerdo de su propia madre, su corazón no la había olvidado. Iza había sustituido a aquella mujer que Ayla amó y perdió.

La mujer que había vivido sin hijos por tanto tiempo sintió una profunda emoción.

—Mi hija —expresó con uno de sus pocos abrazos espontáneos.— Mi hija. Desde el principio supe que era mi hija. ¿No te lo dije? Me fue dada; los espíritus querían que fuera mía, estoy segura.

Creb no discutió con ella; tal vez tuviera razón.

Después de aquella noche las pesadillas de la niña disminuyeron, aun cuando tenía alguna de vez en cuando. Dos sueños se repetían con mayor frecuencia. Uno era que estaba escondiéndose en una cueva muy pequeña, tratando de alejarse de una garra enorme y afilada. El otro era más vago y perturbador. Tenía la sensación de que se movía la tierra, de un profundo retumbar y de una sensación infinitamente dolorosa de pérdida. Gritaba en su extraño lenguaje, que usaba menos cada día, al despertar aferrándose a Iza. Cuando llegó con ellos, al principio, se ponía a hablar en su idioma a veces, sin darse cuenta, pero a medida que aprendió a comunicarse más a la manera del Clan, sólo hablaba ya en sueños. Al cabo de algún tiempo, ni siquiera en sueños, pero nunca despertó de la tremenda pesadilla, cuando se movía la tierra, sin una sensación de desolación.

El corto y cálido verano transcurrió, y las ligeras heladas matutinas del otoño enfriaban el aire y agregaban un destello escarlata y ambarino muy vivo al verdor de la selva. Unas cuantas nieves prematuras, derretidas por fuertes lluvias de temporada que arrebataban sus mantos llenos de colorido a los árboles, anunciaban el frío por venir. Más adelante, cuando sólo unas cuantas hojas tenaces se aferraban a las ramas peladas de árboles y arbustos, un breve interludio de brillante sol recordó finalmente el calor estival antes de que los rudos vientos y el frío intenso cerraran la posibilidad de llevar a cabo muchas actividades al aire libre.

El Clan estaba fuera, disfrutando del sol. Sobre la ancha terraza que constituía la entrada a la cueva, las mujeres estaban procediendo al bieldo de granos cosechados en las estepas herbosas que se extendían más abajo. Un viento mordaz abatía muchísimas hojas secas, prestando una apariencia de vida a los vestigios alborotados de la plenitud estival. Aprovechando el aire agitado, las mujeres aventaban el grano de amplios y profundos canastos, dejando que el viento se llevara la cascarilla antes de volver a recuperar las semillas.

Iza estaba inclinada detrás de Ayla, con sus manos sobre las de la niña mientras sostenía el canasto, mostrándole cómo aventar muy alto el grano sin que se cayera junto con paja y cascarillas.

Ayla sentía el estómago duro y abultado de Iza contra su espalda, y sintió la fuerte contracción que obligó a la mujer a detenerse súbitamente. Poco después, Iza dejó el grupo y entró en la cueva, seguida por Ebra y Uka. La niña echó una mirada de aprensión al grupo de hombres que habían interrumpido la conversación y seguían con la mirada a las mujeres, y esperó que las regañaran por alejarse cuando quedaba aún trabajo por hacer. Pero los hombres se mostraron inexplicablemente tolerantes. Ayla decidió arriesgarse y provocar su disgusto, y siguió a las mujeres.

En la cueva, Iza estaba descansando sobre las pieles en que dormía, con Ebra y Uka a ambos lados. "¿Por qué se ha acostado Iza cuando sólo es la mitad del día? —pensaba Ayla—. ¿Estará enferma?" Iza vio la mirada preocupada de la niña y le hizo una seña para tranquilizarla, pero eso no calmó la inquietud de Ayla, que aumentó al ver la expresión tensa de su madre adoptiva al experimentar la siguiente contracción.

Ebra y Uka charlaban con Iza de cosas corrientes, de los alimentos que estaban almacenados y del cambio de temperatura. Pero Ayla había aprendido lo suficiente para captar su preocupación por la postura y las expresiones de las mujeres. Algo andaba mal, estaba segura de eso. Ayla decidió que nada la apartaría de Iza mientras no supiera lo que estaba pasando, y se sentó junto a sus pies para esperar.

Al anochecer, Ika se fue con Borg apoyado en su cadera, y entonces Aga trajo a su hija, Ona, y ambas mujeres se quedaron sentadas, de visita, mientras alimentaban a los bebés, brindando su apoyo moral. Ovra y Oga estaban preocupadas y llenas de curiosidad cuando se acercaron a la cama de Iza. Aun cuando la hija de Uka no estaba aún apareada, era una mujer, y Ovra ya sabía que de ahora en adelante podría dar vida. Oga no tardaría en hacerse mujer, y las dos estaban intensamente interesadas en el proceso por el que estaba pasando Iza.

Cuando Vorn vio que Aba se alejaba y se sentaba junto a su hija, quiso saber por qué estaban todas las mujeres junto al fuego de Mog-ur. Se acercó y se subió al regazo de Aga junto a su hermana, para ver lo que estaba ocurriendo, pero Ona estaba lactando aún, de modo que la mujer mayor tomó al niño y lo retuvo sobre su regazo. Allí no pudo ver nada interesante, sólo la curandera que descansaba, de modo que volvió a alejarse.

Las mujeres no tardaron en separarse para comenzar a preparar las cenas. Uka permaneció con Iza, aunque Ebra y Oga siguieron echando miradas discretas mientras cocinaban. Ebra sirvió a Creb así como a Brun, después llevó comida para Uka, Iza y Ayla. Ovra cocinó para el compañero de su madre, pero Oga y ella regresaron rápidamente cuando Grod se acercó al hogar de Brun para reunirse con el jefe y Creb. No querían perderse nada, y se sentaron junto a Ayla que no se había apartado de su lugar.

Iza sólo bebió un poco de té, y tampoco Ayla tenía mucha hambre. Picó un poco de su comida, incapaz de comer con el apretado nudo que le oprimía el estómago. "¿Qué le pasa a Iza? ¿Por qué no se levanta para prepararle la cena a Creb? ¿Por qué no pide Creb a los espíritus que la pongan buena? ¿Por qué se queda con los demás hombres junto al fuego de Brun?"

Iza estaba esforzándose más. Cada pocos momentos respiraba varias veces rápidamente, y entonces empujaba sujetándose con las manos de las dos mujeres. Todos los miembros del Clan se mantuvieron en vela a medida que avanzaba la noche. Los hombres estaban agrupados alrededor del fuego del jefe, visiblemente dedicados a alguna discusión profunda. Pero las miradas ocasionales que lanzaban subrepticiamente delataban su verdadero interés. Las mujeres hacían visitas periódicas comprobando el progreso de Iza, y a veces se quedaban un rato. Todos estaban esperando, unidos para dar alientos y esperando lo que llegara mientras su curandera sufría los dolores del parto.

Había anochecido desde hacía mucho, ya. De repente hubo un revuelo de actividad. Ebra tendió una piel mientras Uka ayudaba a Iza a encuclillarse. Estaba respirando fuerte, esforzándose mucho, llorando de dolor. Ayla temblaba, sentada entre Ovra y Oga que gemían, simpatizando con Iza. La mujer respiró profundamente y, empujando prolongadamente, rechinando los dientes y tensando los músculos, la corona redonda de la cabeza del bebé apareció entre chorros de agua. Otro tremendo esfuerzo permitió que la cabeza saliera; lo demás resultó más fácil, mientras Iza traía al mundo el cuerpecito mojado y agitado de un diminuto bebé.

Un empujón final sacó afuera una masa de tejidos sanguinolentos. Iza se volvió a tender, agotada por su esfuerzo, mientras Ebra se apoderaba del bebé, sacaba de su boca una gota de moco con el dedo, y tendía al recién nacido sobre el estómago de Iza. Al golpear los pies del bebé, éste abrió la boca y un vagido anunció el primer hálito de vida del primer hijo de Iza. Ebra sujetó un trozo de tendón teñido de rojo alrededor del cordón umbilical y cortó con los dientes la parte que aún permanecía sujeta a la masa placentaria; finalmente, alzó la criatura para que Iza la viera. Después se puso en pie y regresó a su propio hogar para informar del parto feliz de la curandera y del sexo de la criatura, a su compañero. Se sentó frente a Brun, inclinó la cabeza y volvió a alzarla al sentir un golpecito sobre el hombro.

—Siento mucho informar —dijo Ebra, haciendo el ademán usual para expresar pena— que la criatura de Iza es una niña.

Pero la noticia no fue recibida con pena. Brun se sintió aliviado aun cuando nunca lo admitiría. El arreglo propuesto por el mago, de que proveería para su hermana, especialmente con el agregado de Ayla al Clan, estaba saliendo bien, y el jefe no tenía ganas de cambiarlo. Mog-ur estaba realizando un excelente trabajo al adiestrar a la recién llegada, mucho mejor de lo que había esperado. Ayla estaba aprendiendo a comunicarse y comportarse de acuerdo con las costumbres del Clan. Creb no sólo estaba aliviado: desbordaba de júbilo. A su avanzada edad y por primera vez en su vida había logrado disfrutar los placeres de una familia cálida y amante, y el nacimiento de una hija de Iza le aseguraba que así seguiría.

Y por vez primera desde que se había mudado a la caverna nueva, Iza pudo respirar libre de toda angustia. Estaba contenta de que el parto hubiera sido tan bueno, a pesar de su avanzada edad. Había ayudado a muchas mujeres que habían dado a luz con mayores dificultades que ella. Algunas estuvieron a punto de morir, unas pocas murieron y también más de un niño. Le parecía que las cabezas de los bebés eran demasiado voluminosas para poder pasar por el orificio del cuerpo de las mujeres. Su desasosiego por este parto no había sido tan grande como su preocupación por el sexo de la criatura. Tanta inseguridad respecto al futuro resultaba casi inaguantable para la gente del Clan.

Iza se tendió de nuevo sobre sus pieles, descansando. Uka envolvió a la nenita en un manto de suave piel de conejo y la tendió entre los brazos de la madre. Ayla no se había movido. Estaba mirando con una curiosidad anhelante a Iza; la mujer la vio y le hizo seña de que se acercara.

—Ven aquí, Ayla. ¿Te gustaría ver al bebé?

Ayla se acercó tímidamente.

—Sí —asintió con un movimiento de la cabeza. Iza retiró la cubierta para que la niña pudiera ver al bebé.

La diminuta réplica de Iza tenía una pelusilla suave y morena en la cabeza, y la protuberancia occipital en la parte posterior se veía muy bien sin la espesa mata de pelo que pronto habría de tener. La cabeza de la nenita era algo más redonda que la de los adultos, pero aun así, larga, y su frente huía hacia atrás desde su arco superciliar no totalmente desarrollado aún. Ayla tendió la mano para tocar la suave mejilla de la recién nacida, y ésta se volvió instintivamente hacia el contacto, haciendo ruiditos con la boca, como chupando.

—Es preciosa —expresó Ayla con un gesto, llenos sus ojos de una dulce maravilla ante el milagro que había presenciado—. ¿Está tratando de hablar, Iza? —preguntó la niña, al ver que la recién nacida alzaba sus puñitos cerrados.

—Todavía no, pero pronto lo hará, y tendrás que ayudar a enseñarle —replicó Iza.

—¡Oh, lo haré, lo haré! Lo mismo que me enseñaron Creb y tú.

—Sé que lo harás, Ayla —dijo la nueva mamá, cubriendo nuevamente a su hijita.

La niña se quedó muy cerca, como protegiendo a Iza mientras ésta descansaba. Ebra había envuelto los tejidos de la placenta en la piel que se había preparado justo antes del parto, y los había escondido en un rincón discreto hasta que Iza pudiera llevárselos fuera y enterrarlos en un lugar que sólo ella conociera. Si el bebé hubiera nacido muerto habría sido enterrado al mismo tiempo, y nadie habría vuelto a mencionar el parto; como tampoco habría mostrado la madre su pena, aun cuando una simpatía y una amabilidad sutiles se hubieran demostrado.

De haber nacido la criatura viva pero deforme, o si el jefe del Clan hubiera decidido que el recién nacido era inaceptable por cualquier otra razón, la tarea de la madre habría sido más penosa. Entonces se la habría obligado a llevarse al bebé y enterrarlo o dejarlo expuesto a los elementos y los carnívoros. Pocas veces se permitía vivir a un niño deforme; y si era hembra, casi nunca. De ser varón un niño, sobre todo de ser el primero, y si el compañero de la mujer deseara a la criatura, podía permitírsele, a discreción del jefe, permanecer con la madre durante los siete primeros días de su vida, como prueba de su capacidad para sobrevivir. Cualquier niño que sobreviviera siete días, por tradición del Clan, que tenía fuerza de ley, debía ser nombrado y aceptado en el Clan.

Los primeros días de la vida de Creb habían estado así pendientes de la balanza. Su madre sobrevivió con dificultades al parto; el compañero de ésta era también el jefe, y la decisión de si el recién nacido varón podría seguir viviendo reposaba exclusivamente en él. Pero su decisión fue tomada más por la mujer que por el niño, cuya cabeza deforme y miembros inmóviles indicaban ya el daño que el parto difícil le había causado. Ella estaba demasiado débil, había perdido demasiada sangre y vacilaba a las puertas de la muerte. Su compañero no podía exigirle que dispusiera del niño: estaba demasiado débil para hacerlo. Si la madre no podía hacerlo o si falleciera, la tarea incumbiría a la curandera, pero la madre de Creb era la curandera del Clan. De modo que el niño quedó con su madre, aun cuando nadie tenía esperanzas de verlo sobrevivir.

La leche de su madre tardaba en aparecer. Cuando se aferró el bebé a la vida contra todas las probabilidades, otra madre que estaba criando se apiadó del pobre bebé y le dio su primer alimento. En tales circunstancias, la vida comenzó para Mog-ur, el más santo de los hombres santos, el más hábil y poderoso mago de todo el Clan.

Ahora el hombre lisiado y su hermano se acercaron a Iza y a la nenita. Ante una señal perentoria de Brun, Ayla se puso en pie y se apartó, pero sin dejar de observar a distancia con el rabillo del ojo. Iza se incorporó, descubrió a su nenita y la sostuvo enseñándosela a Brun, teniendo buen cuidado de no mirar a ninguno de los dos hombres. Ambos examinaron al bebé que se quejaba al ser apartado del calor de su madre y expuesto al aire frío de la cueva. Los dos tuvieron el mismo cuidado en no mirar a Iza.

—La criatura es normal —anunció gravemente Brun con un gesto—. Puede quedarse con su madre. Si vive hasta el día del nombramiento, será aceptada.

Iza no temía realmente que Brun rechazara a su hijita, pero aun así se sintió aliviada ante la declaración oficial del jefe. Sólo seguía en pie una última inquietud: esperaba que su hijita no tuviera mala suerte porque su madre vivía sin compañero.

El había estado con vida, al fin y al cabo, cuando ella adquirió la certeza de que estaba embarazada, razonaba Iza, y Creb era como un compañero, al menos proveía para ellas. Iza apartó esa idea de su mente.

Durante los siguientes días Iza quedaría aislada, confinada a los límites del hogar de Creb, excepto para las salidas necesarias para aliviar sus necesidades y enterrar la placenta. Ninguno en el Clan reconoció oficialmente la existencia del bebé de Iza mientras ésta se encontró aislada, salvo los que compartían el mismo hogar, pero otras mujeres llevaban comida para que Iza pudiera descansar. Eso permitía una visita breve y una rápida ojeada a la recién nacida. Después de los siete días y hasta que dejara de sangrar, estaría bajo una maldición femenina modificada. Sus contactos se limitarían a las mujeres, igual que durante su menstruación.

Iza se pasaba el tiempo lactando a su bebé y cuidándolo, y cuando se sintió reposada, reorganizó las áreas de los alimentos, de la cocina y de dormir además del área en que almacenaba sus medicinas, dentro de las piedras limítrofes que definían el hogar de Creb, su territorio dentro de la cueva, compartido ahora por tres hembras.

Debido a la singular posición de Mog-ur en la jerarquía del Clan, le correspondía un lugar muy favorable en la cueva: lo suficientemente cerca de la entrada para aprovechar la luz del día y el sol veraniego, pero no tan cerca como para estar sometido a lo peor de los vientos invernales. Su hogar tenía una característica adicional, que Iza apreciaba particularmente, pensando en Creb: un saliente de piedra que surgía de la pared lateral proporcionaba una protección más contra los vientos. Inclusive con la barrera contra el viento y un fuego constante junto a la entrada, los vientos fríos solían barrer lugares más expuestos. La artritis y el reuma del viejo siempre empeoraban mucho en invierno, por la fría humedad de la cueva. Iza se había asegurado de que las pieles de Creb, reposando sobre una suave capa de paja y hierba apretada dentro de una trinchera poco profunda, se encontraran en el rincón abrigado.

Una de las pocas tareas que se había exigido de los hombres, además de cazar, era la construcción de la barrera contra el viento: pieles de animales tendidas a través de la entrada, sostenidas por postes enterrados en el suelo. Otra era pavimentar el área alrededor de la entrada con piedras lisas traídas del río, para evitar que las lluvias y la nieve fundida convirtieran la entrada de la cueva en un lodazal. El piso de los hogares individuales era de tierra, con esteras tejidas dispersas alrededor del fuego para sentarse o servir comidas.

Otras dos trincheras poco profundas, llenas de paja y cubiertas de pieles, se encontraban junto a la de Creb, y la piel que las cubría por encima era la que usaba también como manta la persona que allí dormía. Además de la piel de oso de Creb, estaba la piel de saiga de Iza y una nueva piel blanca de un leopardo de las nieves. El animal había estado husmeando cerca de la cueva, muy por debajo de sus lugares predilectos en las partes más elevadas del monte. Goov se acreditó el haberlo cazado, y obsequió la piel a Creb.

Muchos de los del Clan llevaban pieles o conservaban un trozo de cuerno o un diente del animal que simbolizaba a su tótem protector. Creb consideraba que el leopardo de las nieves era una piel adecuada para Ayla. Aunque no era su tótem, era una criatura similar y bien sabía que era muy poco probable que los cazadores acecharan a un león cavernario. El enorme felino pocas veces se alejaba de la estepa y no constituía una amenaza para el Clan, dentro de su cueva sobre las faldas boscosas. No estaban dispuestos a cazar al enorme carnívoro sin tener buenas razones para ello. Iza había terminado de curtir la piel y de preparar nuevo calzado para la niña cuando empezó a dar a luz. La pequeña estaba encantada con su piel y aprovechaba cualquier pretexto para salir y poder ponérsela.

Iza estaba preparándose una infusión de pazote para fomentar el flujo de leche y aliviar los dolorosos calambres de su útero al recuperar poco a poco su forma normal. Había recogido y secado las largas hojas estrechas y las pequeñas flores verduzcas anteriormente, pensando en el nacimiento de su hijo. Miró hacia la entrada de la cueva, buscando a Ayla. La mujer acababa de cambiar la tira de cuero absorbente que llevaba durante sus reglas y desde su alumbramiento, y había querido salir al bosque circundante para enterrar la que estaba sucia. Buscaba a la niña para que cuidara de la recién nacida que dormía, durante los cortos momentos en que se ausentara.

Pero Ayla no aparecía en ningún lugar cerca de la cueva. Estaba buscando cantos rodados a lo largo del río. Iza había comentado que necesitaba más piedras para cocer, antes de que se congelara el río, y Ayla creía complacerla llevándole unas cuantas. La niña estaba de rodillas sobre un tramo rocoso cerca de la orilla del agua, buscando piedras del tamaño exacto. Alzó la mirada y observó un montoncito de piel blanca debajo de un matorral. Apartando las hojas, vio un conejo medio adulto tendido de costado: tenía la patita rota y cubierta de sangre seca.

El animalito herido, muriéndose de sed, no podía moverse. Miraba a la niña con ojos nerviosos cuando ésta tendió la mano y sintió la piel suave y cálida. Un lobezno, que estaba aprendiendo a cazar, había atrapado al conejito que consiguió liberarse. Antes de que el joven carnívoro pudiera volver a perseguir a su presa, su madre lanzó un aullido para llamarlo, y como el lobezno no tenía mucha hambre, se volvió para responder a la llamada de urgencia. El conejo se había lanzado hacia el matorral donde se quedó inmóvil, esperando no ser visto. Pero cuando se sintió suficientemente seguro para alejarse no pudo hacerlo, y se había quedado tendido junto al agua que corría, muerto de sed. Casi no le quedaba vida.

Ayla levantó al animalito cálido y peludo y lo meció en sus brazos. Había tenido al bebé de Iza, envuelto en suave piel de conejo, y el conejillo le daba la misma sensación. Se sentó en el piso meciéndolo, y entonces se dio cuenta de la sangre y de la patita doblada en un ángulo insólito. "Pobre bebé, tienes la pata herida —pensó la niña—. Tal vez Iza pueda arreglarla, una vez curó la mía. "Olvidándose de buscar piedras para cocer, se puso en pie y se llevó al animalito herido hasta la cueva.

Iza estaba dormitando cuando llegó Ayla, pero al oír sus pasos se despertó. La niña tendió el conejito a la curandera, mostrándole sus heridas. En ocasiones Iza se había apiadado de pequeños animales, y les había dado los primeros auxilios, pero nunca había llevado uno a la cueva.

—Ayla, la cueva no es para animales —dijo Iza con un gesto.

Las esperanzas de Ayla se derrumbaron, abrazó al conejito, inclinó tristemente la cabeza y se dispuso a salir, con los ojos llenos de lágrimas.

Al darse cuenta de la desilusión de la niña, Iza le dijo:

—Bueno, ya que lo has traído, voy a echarle una mirada.

El semblante de la niña se iluminó al tenderle a Iza el animalito herido.

—Este animalito está sediento, ve a buscarle un poco de agua —indicó Iza con un gesto. Ayla echó rápidamente agua clara de una amplia bolsa de agua y llevó una taza, llena hasta el borde. Iza estaba haciendo astillas para entablillar la patita; había tiras de cuero recién cortadas para sujetar el entablillado.

—Toma la bolsa de agua y ve por más, Ayla, casi no nos queda. Entonces empieza a calentar un poco; la necesito para limpiar la herida —ordenó la mujer mientras atizaba el fuego y le ponía varias piedras. Ayla agarró la bolsa y echó a correr hacia la poza. El agua había revivido al animalito, que estaba mordisqueando semillas y granos que Iza le había dado, cuando volvió Ayla.

Creb se sorprendió mucho a su regreso, más tarde, viendo que Ayla mecía al conejo mientras Iza daba de mamar a su hijita. Vio el entablillado de la pata y comprendió la mirada que Iza le echaba como diciendo: "¿Qué otra cosa podía hacer?" Mientras la niña estaba ocupada con su muñeca viviente, Iza y Creb hablaron mediante silenciosas señas.

—¿Por qué ha traído un conejo a la cueva? —preguntó Creb.

—Estaba herido. Me lo trajo para que yo lo curara. No sabía que no traemos animales al hogar. Pero sus sentimientos no estaban equivocados, Creb, creo que tiene instintos de curandera. —Y haciendo una pausa, Iza prosiguió: —Quería hablarte de ella. No es una niña bonita, ya lo sabes.

Creb echó una mirada hacia Ayla.

—Es conmovedora, pero tienes razón, no es atrayente —admitió—. Pero ¿qué tiene que ver eso con el conejo?

—¿Qué posibilidad va a tener de llegar a aparearse? Cualquier hombre que tenga un tótem suficientemente fuerte para ella, no la querrá; podrá escoger la mujer que quiera. ¿Qué va a ser de ella cuando se convierta en mujer? Si no se aparea, no tendrá posición.

—Ya he pensado en eso pero ¿qué se puede hacer?

—Si fuese curandera, tendría su propia posición —sugirió Iza— y para mí, es como una hija.

—Pero no es de tu estirpe, Iza. No ha nacido de ti. Tu hija prolongará tu linaje.

—Ya lo sé: ahora tengo una hija, pero ¿por qué no puedo adiestrar a Ayla también? ¿No le pusiste nombre mientras yo la sostenía en mis brazos? ¿Acaso no anunciaste su tótem al mismo tiempo? Eso hace de ella mi hija, ¿no es verdad? Ha sido aceptada, ahora forma parte del Clan ¿no es así? —preguntó Iza con fervor, y luego prosiguió rápidamente por miedo a que Creb pudiera darle una respuesta negativa—: Creo que tiene el talento natural que se requiere, Creb. Muestra interés, siempre está haciéndome preguntas cuando trabajo con la magia curativa.

—Hace más preguntas que nadie que yo haya conocido —interpuso Creb— acerca de todo. Tiene que aprender que es mala educación hacer tantas preguntas —agregó.

—Pero mírala, Creb. Ve un animal herido y quiere curarlo. Esa es la señal de la curandera, si no me equivoco.

Creb se quedó silencioso, pensativo.

—La aceptación del Clan no cambia lo que es, Iza. Ha nacido de los Otros ¿cómo puede aprender todo lo que tú sabes? No ignoras que carece de los recuerdos.

—Pero aprende rápidamente. Ya lo has visto. Mira lo pronto que ha aprendido a hablar. Te sorprendería saber todo lo que ya ha aprendido. Y tiene buenas manos para ello, el toque suave. Sostenía el conejo mientras yo le entablillaba la pata; parecía que confiaba en ella. —Iza se inclinó hacia delante—. Ya no somos jóvenes ninguno de los dos, Creb. ¿Qué será de ella cuando nos hayamos ido al mundo de los espíritus? ¿Quieres que se la pasen de un hogar a otro, siempre una carga para todos, siempre la mujer de más baja categoría?

Creb se había preocupado por eso también, pero como no había sido capaz de encontrar una solución, había descartado las preguntas.

—¿Crees realmente que podrás adiestrarla, Iza? —preguntó, incierto aún.

—Puedo comenzar con el conejo. Puedo dejar que ella lo cuide, y enseñarle a hacerlo. Estoy segura de que puede aprender, Creb, inclusive sin los recuerdos. No hay tantas heridas y enfermedades distintas; ella es suficientemente joven para aprendérselas, no hace falta recordarlas.

—Tengo que pensar en ello, Iza —dijo Creb.

La niña estaba meciendo y cantándole al conejo. Vio que Iza y Creb estaban hablando y recordó que había visto a menudo a Creb hacer gestos para llamar a los espíritus y que ayudaran al trabajo de magia curativa de Iza. Llevó el animalito peludo al mago.

—Creb, por favor ¿quieres pedirles a los espíritus que sanen al conejo? —expresó por señas después de haberlo puesto a los pies del mago.

Mog-ur miró su rostro serio. Nunca había pedido ayuda a los espíritus para curar a un animal, y se sintió un poco tonto, pero no tuvo valor para negárselo. Echó una mirada en derredor, y después hizo unos cuantos ademanes.

—Ahora es seguro que sanará —señaló Ayla con decisión, y viendo que Iza había terminado de alimentar a su hijita, preguntó—: ¿Puedo tomar en brazos a la nena, madre? —El conejito era un sustituto cálido y acariciable, pero no cuando podía tener un bebé de veras en brazos

—Está bien —dijo Iza—. Ten cuidado con ella, como te enseñé.

Ayla meció a la niña y le cantó como había hecho con el conejo.

—¿Qué nombre le pondrás, Creb? —preguntó.

También Iza sentía curiosidad, pero jamás le habría preguntado. Vivían en el hogar de Creb, él las mantenía, y tenía derecho a nombrar a los niños que nacieran en su hogar.

—Todavía no lo he decidido. Y debes aprender a no hacer tantas preguntas, Ayla —reprendió Creb, pero estaba complacido al ver la confianza que tenía en su habilidad mágica, aunque fuera con un conejo. Se volvió hacia Iza, agregando: Supongo que no hará daño a nadie que el animalito siga aquí hasta que se le cure la pata: es una criatura inofensiva.

Iza expresó su conformidad con un gesto, y sintió un calor de satisfacción. Estaba segura de que Creb no se opondría a que empezara a adiestrar a Ayla, aun cuando nunca diera su consentimiento explícito. Lo único que Iza necesitaba saber era que no la detendría.

—¿Cómo saca ese sonido de su garganta? No me lo explico —preguntó Iza para cambiar de tema, escuchando el tarareo de Ayla—. No es desagradable, pero sí inusitado.

—Es otra diferencia entre el Clan y los Otros —indicó Creb con un ademán y la actitud de quien imparte un hecho de gran sabiduría a un estudiante admirado— como no tener recuerdos, y los extraños sonidos que solía hacer. Ya no hace tantos desde que ha aprendido a hablar convenientemente.

Ovra llegó al hogar de Creb con la cena para los tres. Su pasmo al ver al conejo no fue menor que el que había sentido Creb. Aumentó al ver que Iza dejaba a la joven sostener su bebé, y que Ayla tomaba el conejo en brazos para arrullarlo como si fuera también un bebé. Ovra echó una mirada de soslayo a Creb para ver su reacción, pero él no parecía haberse dado cuenta. No aguantaba la impaciencia por ir a contárselo a su madre: imagina, cuidar un conejo como si fuera un bebé. Tal vez la niña no estuviera bien de la cabeza. ¿Creería que el animal era humano?

Poco después Brun se acercó para hacerle señas a Creb de que deseaba hablar con él. Creb se lo esperaba. Se fueron juntos hacia el fuego de la entrada, lejos de ambos hogares.

—Mog-ur —comenzó a decir el jefe, vacilando.

—¿Sí?

—He estado pensando, Mog-ur. Ha llegado el momento de efectuar una ceremonia de apareamiento. He decidido dar Ovra a Goov, y Droog ha aceptado tomar a Aga y sus niños, y permitirá que Aba también viva con él —dijo Brun, sin saber cómo abordar el tema del conejo en el hogar de Creb.

—Me preguntaba cuándo ibas a decidir aparearlos —respondió Creb, sin brindar comentario alguno acerca del tema que, bien lo sabía él, deseaba tratar Brun.

—Había querido esperar. No podía permitirme tener dos cazadores bajo restricciones mientras la cacería era buena. ¿Cuándo crees que sea el mejor momento? —A Brun le costaba mucho no volver la mirada hacia el territorio de Creb, delimitado por piedras, y Creb estaba divirtiéndose bastante con el desconcierto del jefe.

—Pronto voy a ponerle nombre a la hija de Iza; podríamos celebrar las uniones al mismo tiempo —propuso Creb.

—Se lo voy a decir —dijo Brun. Se quedó apoyándose primero en un solo pie, luego en el otro, y mirando el alto techo abovedado, y el piso, el fondo de la cueva y después, hacia fuera: cualquier cosa que no fuera directamente Ayla sosteniendo el conejo. La cortesía exigía que no mirara el hogar de otro hombre, pero para enterarse de lo del conejo, tenía forzosamente que verlo. Estaba tratando de pensar una manera aceptable de abordar el tema. Creb seguía esperando.

—¿Por qué hay un conejo en tu hogar? —indicó rápidamente Brun con un gesto. Se encontraba desaventajado y lo sabía. Creb se volvió deliberadamente y miró a las personas que se encontraban dentro de los límites de sus dominios. Iza sabía perfectamente lo que estaba pasando. Se ocupaba intensamente de la bebita con la esperanza de no tener que intervenir. Ayla, causa del problema, estaba ajena a la situación.

—Brun, es un animalito inofensivo —fue la evasiva de Creb.

—Pero ¿por qué hay un animal dentro de la cueva? —replicó el jefe.

—Ayla lo trajo. Tiene la pata rota y quería que Iza lo curara —dijo Creb como si fuera la cosa más natural del mundo.

—Nunca ha traído nadie un animal dentro de la cueva —dijo Brun, frustrado al no poder encontrar una objeción más fuerte.

—Pero ¿dónde está el mal? No se quedará mucho tiempo, justo hasta que se le cure la pata —repuso Creb, razonable y calmado.

A Brun no se le ocurría ninguna buena razón para insistir en que Creb se deshiciera del animal, mientras éste estuviera dispuesto a quedarse con él; estaba dentro de su hogar. No había costumbre que prohibiera la presencia de animales dentro de las cuevas; pero nunca anteriormente los hubo. Aunque no era tal la verdadera causa de su apuro. Se daba cuenta de que el verdadero problema era Ayla. Desde que Iza había recogido a la niña, había habido demasiados incidentes insólitos asociados con ella. Todo lo que la rodeaba era sin precedentes, y todavía era una niña. ¿A qué tendría él que enfrentarse cuando creciera? Brun no tenía experiencia ni una serie de reglas para tratar con ella. Pero tampoco sabía cómo decirle a Creb las dudas que tenía. Creb sentía la incomodidad que experimentaba su hermano, y trató de darle otra buena razón para que permitiera al conejo permanecer en su hogar.

—Brun, el Clan que es anfitrión de la Reunión tiene un osezno en su cueva —le recordó el mago.

—Pero eso es distinto: se trata de Ursus. Es para el Festival del Oso. Los osos cavernarios han vivido en cuevas inclusive antes que la gente, pero los conejos no viven en cuevas.

—Sin embargo, el osezno es un animal que se ha llevado a una cueva.

Brun no tenía respuesta, y el razonamiento de Creb parecía brindar algunos lineamientos, pero ¿por qué tenía que llevar la niña un conejo a la cueva, en primer lugar? De no ser por ella, nunca habría surgido el problema. Brun sentía que la firme base de sus objeciones se sumía bajo sus pies como arena movediza, y no volvió a tratar el asunto.

La víspera de la ceremonia del nombre fue un día frío pero soleado. Se habían producido unas cuantas neviscas, y los huesos de Creb le habían estado doliendo últimamente. Estaba seguro de que una tormenta se avecinaba. Quería aprovechar los últimos y escasos días de buen tiempo antes de que las nieves comenzaran en serio, y avanzaba caminando por la senda junto al río. Ayla estaba con él, probando su nuevo calzado. Iza se lo había hecho cortando trozos más o menos redondos de cuero de auroch, curtido con la suave pelusa que le dejaban y frotado con más grasa para impermeabilizarlo. Había hecho orificios formando un círculo interior como para una bolsa, y los había unido alrededor de los tobillos de la niña, con la piel para dentro dándole calor.

Ayla estaba encantada y alzaba mucho los pies mientras correteaba junto al hombre. Su manto de piel de leopardo de las nieves cubría su prenda interior, y una suave piel peluda de conejo estaba moldeada sobre su cabeza, con el pelo hacia dentro, tapándole las orejas y sujeta bajo la barbilla con las partes que habían servido anteriormente para cubrir las patas del animal. Ella echaba a correr por delante, luego volvía atrás y caminaba junto al viejo, abandonando su paso exuberante para seguir el paso arrastrado que le era habitual a él. Llevaban agradablemente callados un rato, cada uno sumido en sus pensamientos.

"Me pregunto qué nombre darle a la nena de Iza", pensaba Creb. Amaba a su hermana y quería escoger un nombre que le agradara. "No uno del lado de su compañero", pensaba. Pensar en el hombre que había sido el compañero de Iza le dejaba mal sabor de boca. El cruel castigo que había infligido a Iza enfurecía a Creb, pero sus sentimientos iban mucho más atrás en el tiempo. Recordaba cómo lo había provocado el hombre cuando era muchacho, llamándolo *mujer* porque nunca podría cazar. Creb adivinaba que sólo fue el temor al poder de Mog-ur lo que interrumpió el ridículo. "Me alegro de que Iza haya tenido una hija —pensó—; un hijo le habría proporcionado demasiado honor a aquel hombre".

Ahora que el hombre había dejado de ser una espina para él, Creb disfrutaba los placeres de su hogar mucho más de lo que habría creído posible. Ser el patriarca de su propia familia, tener la responsabilidad, mantenerla, todo ello le daba una sensación de virilidad que nunca anteriormente había experimentado. Adivinaba una especie diferente de respeto de parte de los demás hombres, y descubrió que se interesaba mucho más por sus cacerías, ahora que una porción le correspondía a él. Anteriormente se había interesado más por las ceremonias de la caza; ahora tenía más bocas que alimentar.

"Estoy seguro de que también Iza se siente más feliz" —se dijo, pensando en las atenciones y el afecto que le prodigaba, cocinando para él, cuidándolo, adelantándose a sus necesidades. En todo, menos en una sola cosa, era su compañera, lo más próximo que había estado nunca a tener una. Ayla era una dicha constante. Las diferencias inherentes que descubría lo interesaban; adiestrarla era un reto como el que todo maestro natural siente con un alumno brillante y lleno de buena voluntad pero insólito. La nueva nenita también lo intrigaba. Después de las primeras veces, superó el nerviosismo que experimentaba cuando Iza ponía la niña en su regazo, y observaba sus movimientos desordenados y sus ojos sin enfocar con una atención cautivada, contemplando maravillado cómo algo tan pequeño y subdesarrollado podría crecer y convertirse en mujer adulta.

"Asegura la continuación de la estirpe de Iza —pensaba—, y es un linaje que bien merece su posición. Su madre había sido una de las más renombradas curanderas de Clan". Personas de otros clanes habían ido a ella en ocasiones, llevando a sus enfermos cuando podían, o llevándose medicinas para ellos. La propia Iza era de una estatura similar, y su hija podía contar con todas las probabilidades de alcanzar esas mismas alturas. Merecía un nombre que estuviera de acuerdo con su antigua y distinguida herencia.

Creb pensaba en el linaje de Iza y recordaba a la mujer que fue madre de su madre. Siempre había sido buena y amable con él, lo cuidó más que su propia madre, después del nacimiento de Brun. También ella fue famosa por su habilidad curativa, inclusive había curado a aquel hombre nacido de los Otros, de la misma manera que Iza curó a Ayla. "Es una lástima que Iza no llegara a conocerla", pensaba Creb. Entonces se detuvo.

"¡Eso es! Daré su nombre a la nenita", pensó, contento de su inspiración.

Una vez decidido el nombre para la nena, volvió sus pensamientos hacia las ceremonias del apareamiento. Pensó en el joven que era su abnegado acólito. Goov era tranquilo, serio, y Creb le tenía afecto. Su tótem de Auroch debería ser suficientemente fuerte para el tótem de Ovra, la Nutria. Ovra trabajaba duro y pocas veces merecía que la reprendieran. Sería una buena compañera para él. No hay razón para que no le dé hijos; y Goov es buen cazador, proveerá bien para ella. Cuando se convierta en Mog-ur, su parte compensará lo que sus deberes no le permitan cazar.

Creb se preguntaba: ¿llegará a ser un poderoso mog-ur? Meneó la cabeza. Por mucho que quisiera a su acólito, bien se daba cuenta de que Goov no tendría nunca la habilidad que Creb sabía poseer. El cuerpo tullido que impedía actividades normales como la caza y el apareamiento, le había dado tiempo para concentrar todas sus pasmosas dotes mentales y desarrollar su renombrado poder. Por eso era El Mog-ur. Era el que dirigía las mentes de todos los demás mog-ures en la Reunión del Clan, durante la ceremonia que era la más santa entre todas las santas. Aun cuando conseguía hacer la simbiosis de las mentes con los hombres de su Clan, no se comportaba con la fusión de almas que se producía con las mentes adiestradas de los demás magos. Pensó en la siguiente Reunión del Clan, aun cuando faltaban todavía muchos años. Las Reuniones del Clan se celebraban una vez cada siete años, y la última había sido el verano anterior al derrumbe de la cueva. "Si vivo hasta la siguiente, será la última para mí", comprendió súbitamente.

Creb volvió de nuevo su atención hacia la ceremonia del apareamiento, que uniría también a Droog con Aga. Droog era un cazador experimentado que había demostrado su habilidad desde hacía mucho. Su pericia para fabricar herramientas era mayor aún. Era tan tranquilo y serio como el hijo de su difunta compañera, y él y Goov compartían el mismo tótem. Se parecían también en muchas otras cosas, y Creb estaba seguro de que era el espíritu del tótem de Droog el que creó a Goov. "Era una lástima que la compañera de Droog hubiera sido llamada al otro mundo", pensó. Hubo en aquella pareja un afecto que probablemente nunca llegaría a desarrollarse con Aga. Pero ambos necesitaban compañero, y Aga se había revelado ya como más prolífica que la primera compañera de Droog. Era una unión lógica.

Creb y Ayla fueron interrumpidos en sus pensamientos por un conejo que cruzó su camino. Eso recordó a la niña el conejo que tenía en la cueva, y volvió sus pensamientos hacia lo que la tenía preocupada todo el tiempo: la nenita de Iza.

—Creb ¿cómo entró la nenita dentro del cuerpo de Iza? —preguntó.

—Una mujer traga el espíritu del tótem de un hombre —señaló Creb de manera muy natural, aún perdido en sus pensamientos—. Lucha contra el espíritu del tótem de ella. Si el tótem del hombre vence al de la mujer, deja parte de sí mismo para iniciar una nueva vida.

Ayla miró a su alrededor, preguntándose acerca de la omnipresencia de los espíritus; no podía ver a ninguno, pero si Creb decía que ahí estaban, lo creía.

—¿Puede el espíritu de cualquier hombre meterse dentro de la mujer? —fue su siguiente pregunta.

—Sí, pero sólo un espíritu más fuerte puede derrotar al de ella. A menudo el tótem del compañero de una mujer pide ayuda a otro espíritu. Entonces el otro espíritu puede ser autorizado a dejar su esencia. Por lo general el espíritu del compañero de una mujer es el que más se esfuerza; es el que está más cerca, pero a menudo necesita ayuda. Si un muchacho tiene el mismo tótem que el compañero de su madre, eso significa que tendrá suerte —explicó cuidadosamente Creb.

—¿Sólo las mujeres pueden tener bebés? —preguntó, interesadísima por su tema.

—Sí —asintió Creb.

—¿Tiene que estar apareada una mujer, para poder tener un bebé?

—No, a veces traga un espíritu antes de estar apareada. Pero si no tiene compañero cuando nace el bebé, este podría tener mala suerte.

—¿Puedo yo tener un bebé? —fue la siguiente pregunta llena de esperanza.

Creb pensó en el poderoso tótem de la niña: su principio vital era demasiado fuerte. Inclusive con ayuda de otro espíritu, era poco probable que llegara a ser derrotado. "Pero eso, ya lo sabrá harto pronto", pensó.

—Eres demasiado joven aún —fue su evasiva respuesta.

—¿Cuándo seré suficientemente vieja?

—Cuando seas mujer.

—¿Cuándo voy a ser mujer?

Creb empezaba a pensar que nunca se acabarían sus preguntas.

—La primera vez que el espíritu de tu tótem batalle contra otro espíritu, sangrarás. Es la señal de que ha sido herido. Algo de la esencia del espíritu que combatió contra él quedará, para que tu cuerpo esté dispuesto. Tus senos crecerán, y habrá otros cuantos cambios. Después de eso, el espíritu de tu tótem peleará con regularidad contra otros espíritus. Cuando llegue el momento en que debas sangrar, y no sangres, significará que el espíritu que te hayas tragado ha derrotado al tuyo y que se ha iniciado una nueva vida.

—Pero ¿*cuándo* voy a ser mujer?

—Quizá cuando hayas vivido el ciclo de todas las estaciones ocho o nueve veces. Es entonces cuando la mayoría de las niñas se convierten en mujeres, algunas antes, sólo siete años —respondió.

—Pero ¿cuánto va a tardar eso? —insistió Ayla.

El viejo y paciente mago exhaló un suspiro.

—Ven acá, voy a ver si puedo explicarlo —dijo, tomando un palito y sacando un cuchillo de sílex de su bolsa. Dudaba mucho de que pudiera comprender, pero con eso se acabarían las preguntas.

Los números constituían una difícil abstracción para que los entienda la gente del Clan. La mayoría no podía pensar más allá de tres: tú, yo y otro. No era cuestión de inteligencia; por ejemplo, Brun sabía inmediatamente cuándo faltaba uno de los veintidós miembros de su Clan. Sólo tenía que pensar en cada individuo, y lo podía hacer rápidamente sin tener conciencia de ello. Pero trasladar a ese individuo a un concepto llamado "uno" exigía un esfuerzo que muy pocos podían lograr: "¿Cómo puede esa persona ser *una* y otra vez ser también *una* esa persona... acaso son personas distintas?" era la primera pregunta que solía hacerse.

La incapacidad del Clan para sintetizar y abstraer se extendía a otras áreas de su vida. Tenían un nombre para cada cosa. Conocían·el roble, el sauce y el pino, pero no tenían concepto genérico para todos ellos; no tenían una palabra que significara árbol. Cada clase de suelo, cada clase de roca, inclusive las diferentes clases de nieve tenían un nombre. El Clan dependía de la abundancia de sus recuerdos y de su capacidad para incrementarlos; casi no se les olvidaba nada. El lenguaje estaba lleno de color y descripción, pero casi totalmente desprovisto de abstracciones. Las ideas eran ajenas a su naturaleza, a sus costumbres, y a la manera en que se habían desarrollado. Contaban con Mog-ur para que se mantuviera informado de las pocas cosas que debían ser contadas: el tiempo entre las Reuniones del Clan, la edad de los miembros, la duración del aislamiento después de una ceremonia de apareamiento, y los siete primeros días de la vida de una criatura. El que pudiera hacerlo era uno de sus poderes más mágicos.

Creb se sentó, sostuvo el palito firmemente entre su pie y una piedra.

—Iza dice que cree que eres un poco mayor que Vorn —comenzó a explicar Creb—. Vorn ha vivido su año de nacer, su año de andar, su año de mamar y su año del destete —dijo, cortando una muesca en el palo por cada año que indicaba—. Voy a hacer una marca más para ti. Esto es lo vieja que .eres ahora. Si pongo mi mano en cada marca, cubriré todos estos años con una mano ¿ves?

Ayla miró con concentración las muescas, extendiendo los dedos de su mano. De repente, su rostro se iluminó.

—¡Tengo tantos años como esto! —dijo, mostrándole su mano con todos los dedos extendidos—. Pero ¿cuánto falta para que pueda tener un bebé? —preguntó, mucho más interesada en la reproducción que en los cálculos.

149

Creb se quedó de una pieza: ¿cómo había podido captar tan rápidamente la idea esa niña? Ni siquiera había preguntado lo que tenían que ver las muescas con los dedos ni con los años. Para que Goov comprendiera, había hecho falta repetirlo muchas veces. Creb hizo tres muescas más y puso tres dedos encima de ellas. Con sólo una mano, le había resultado especialmente difícil mientras estuvo estudiando. Ayla miró su otra mano e inmediatamente alzó tres dedos, encogiendo el índice y el pulgar.

—¿Cuándo tenga todos éstos? —preguntó, mostrando sus ocho dedos otra vez. Creb asintió con la cabeza. Lo que hizo después la niña lo tomó completamente por sorpresa: era un concepto que le había costado años dominar a él. Ella bajó la primera mano y sostuvo solamente los tres dedos.

—Seré bastante grande para tener un bebé dentro de estos años —hizo los ademanes con seguridad, positiva en cuanto a su deducción. El viejo mago se sintió abrumado: no podía creerse que una criatura, y además hembra, pudiera razonar tan fácilmente hasta esa conclusión. Estaba casi demasiado abrumado para recordar que debía dar una respuesta.

—Es probablemente el menor tiempo; pudiera ser más, éstos más o éstos más —dijo, haciendo dos muescas más en el palo. —O tal vez más aún. No hay modo de estar seguro.

Ayla arrugó levemente el entrecejo, alzó su dedo índice y después el pulgar.

—¿Y cómo puedo saber más años? —preguntó.

Creb se quedó mirándola con suspicacia. Estaban llegando a un terreno en el que él mismo encontraba dificultades. Empezaba a lamentar haber comenzado. A Brun no le gustaría si supiera que esta niña era capaz de una magia tan fuerte, magia reservada únicamente a los mog-ures. Pero había picado su curiosidad... ¿sería capaz de abarcar unos conocimientos tan avanzados?

—Toma tus dos manos y cubre todas las marcas —indicó. Después de que ella hubo ajustado cuidadosamente sus dedos en todas las muescas, Creb hizo una más y puso su dedo meñique encima:

—La siguiente marca está cubierta por el meñique de mi mano. Después de la primera serie, debes pensar en el primer dedo de la mano de otra persona, y después el siguiente dedo de la mano de otra persona. ¿Comprendes? —preguntó por señas, observándola detenidamente.

La niña apenas parpadeó. Miró sus manos, luego la mano de Creb, e hizo después la mueca que daba a entender a Creb que estaba contenta. Asintió vigorosamente con la cabeza para indicar que comprendía. Entonces hizo una deducción inmensa, una deducción que estaba casi más allá de los poderes de entendimiento de Creb.

—Y después de eso, las manos de otra persona, y los de otra, ¿no es así? —preguntó.

El impacto fue demasiado. La mente de Creb experimentó un vértigo. Con dificultad, podía contar hasta veinte. Los números más allá de 20 se perdían en cierta infinidad indistinta llamada *muchos*. En pocas oportunidades, después de una profunda meditación, apenas había podido captar una visión vaga del concepto que Ayla entendía con tanta facilidad. Su asentimiento fue casi retardado. Acababa de comprender la brecha entre la mente de esa niña y la suya propia, y la idea lo sacudió. Se esforzó por recobrar la compostura.

—Dime ¿cómo se llama esto? —preguntó para cambiar de tema, sosteniendo el palito que había estado empleando para las muescas. Ayla se quedó mirándolo, tratando de recordar.

—Sauce —dijo— . . . creo.

—Está bien —contestó Creb. Puso la mano sobre el hombro de ella y la miró a los ojos—. Ayla, es mejor que evites hablar de todo esto con nadie —dijo, tocando las muescas de la ramita.

—Sí, Creb —contestó, dándose cuenta de lo importante que era para él. Había aprendido a comprender sus acciones y sus expresiones mejor que las de nadie, excepto las de Iza.

—Ya es hora de emprender el camino de regreso —dijo. Deseaba estar solo para pensar.

—¿Tenemos que volver ya? —rogó—. Todavía hace buen tiempo.

—Sí, tenemos que volver —dijo Creb, poniéndose en pie con ayuda de su cayado—. Y no se debe alegar con un hombre una vez que ha tomado una decisión —regañó dulcemente.

—Sí, Creb —contestó, inclinando la cabeza para asentir, como le habían enseñado. Caminó silenciosamente a su lado mientras regresaban a la cueva, pero pronto su exuberancia juvenil pudo más, y echó a correr por delante de nuevo. Corría hacia atrás llevando ramitas y piedras, diciéndole a Creb sus nombres o preguntándole, si se le habían olvidado. El contestaba pensando en otra cosa, pues le costaba mucho prestar atención debido al tumulto que se había armado en su cabeza.

La primera luz del alba disipó la oscuridad que envolvía la cueva, y el frescor picante del aire olía a nieve próxima. Iza estaba tendida en su cama observando los contornos familiares de la cueva que iban cobrando forma y nitidez con la luz que aumentaba progresivamente. Era el día en que sería nombrada su hija, y aceptada como miembro del Clan, el día en que sería reconocida como un ser viviente y viable. Anhelaba ver reducido su confinamiento obligatorio, aun cuando su asociación con los demás miembros del Clan seguiría limitándose a las mujeres mientras no dejara de sangrar.

Al iniciarse la menarca, las niñas estaban obligadas a pasar la duración de su primer periodo apartados del Clan. Si se producía en invierno, la joven permanecía sola en un área delimitada en la parte posterior de la cueva, pero se le exigía que pasara sola un periodo más en primavera. Vivir sola era a la vez peligroso y temible para una joven desarmada, acostumbrada a la protección y la compañía de todo el clan. Era una prueba que marcaba el paso de las niñas al estado de mujeres adultas, similar a la prueba del hombre al matar por vez primera, pero ninguna ceremonia señalaba su retorno al redil. Y aun cuando la joven mujer disponía de fuego para protegerse contra los animales carnívoros, no era insólito que una mujer nunca regresara ... y sus restos solían ser hallados después por alguna banda de cazadores o de recolectoras. La madre de la joven tenía permiso para visitarla una vez al día y llevarle alimentos y confianza; pero si la joven desaparecía o era muerta, se prohibía a su madre mencionarlo antes de que hubiera transcurrido cierto número de días.

Las batallas que libraban los espíritus dentro del cuerpo de las mujeres en la contienda elemental para producir vida, constituían profundos misterios para los hombres. Mientras sangraba una mujer, la esencia de su tótem era potente: estaba triunfando de algún principio esencial masculino, derrotándolo, echando afuera su esencia fecundante. Si una mujer miraba a un hombre en esos momentos, el espíritu de él podría ser atraído hacia la batalla perdida. Tal era la razón de que los tótemes de las mujeres debieran ser menos potentes que los de varones, porque inclusive un tótem débil cobraba fuerzas de la fuerza vital que residía en las hembras; las mujeres aprovechaban la fuerza vital, ellas eran quienes producían nueva vida.

En el mundo físico el hombre era más grande, más fuerte y mucho más potente que una mujer, pero en el pavoroso mundo de las fuerzas invisibles, la mujer estaba dotada de mayor poder potencial. Los hombres creían que la forma física de la mujer, más pequeña y débil, que les permitía dominarlas, era un equilibrio compensador, y que no se debía permitir a ninguna mujer percatarse de su propio potencial, porque entonces el equilibrio se trastornaría. Ella era apartada de una plena participación en la vida espiritual del Clan, para que siguiera ignorando la potencia que la fuerza vital le otorgaba.

Los hombres jóvenes eran advertidos desde su primera ceremonia de la virilidad, de las funestas consecuencias que pudiera tener el que una mujer vislumbrara siquiera los ritos esotéricos de los hombres, y se contaban leyendas de un tiempo en que las mujeres eran quienes controlaban la magia para interceder ante el mundo de los espíritus. Los hombres les habían quitado la magia, pero no su potencial. Muchos jóvenes miraban a las mujeres con un nuevo entendimiento tan pronto como se enteraban de tales posibilidades; asumían sus responsabilidades masculinas con gran seriedad. Una mujer debía ser protegida, mantenida y dominada por completo, pues de lo contrario el delicado equilibrio entre fuerzas físicas y espirituales se quebrantaría, y la existencia continuada del Clan quedaría destruida.

Debido a que sus fuerzas espirituales eran mucho más potentes durante las reglas, la mujer era aislada. Tenía que permanecer con las mujeres, no se le permitía tocar alimentos que pudieran ser consumidos por un hombre, y pasaban el tiempo llevando a cabo tareas insignificantes tales como recoger leña o curtir pieles que sólo mujeres pudieran ponerse. Los hombres no reconocían su existencia, la ignoraban por completo, ni siquiera la reprendían. Si por casualidad la mirada de un hombre se fijaba en ella, era como si fuera invisible: miraba a través de ella.

Parecía un castigo cruel. La maldición de la mujer parecía una maldición mortal, el castigo supremo que era infligido a los miembros del Clan que hubieran cometido un delito grave. Sólo el jefe podía ordenar a un mog-ur que invocara a los espíritus malignos y pronunciara una maldición mortal. El mog-ur no podía negarse, aun cuando era peligroso para el mago y para el Clan. Una vez maldito, el delincuente no volvía a ser visto por ningún miembro del Clan, y ninguno de ellos le hablaba más. Era ignorado, condenado al ostracismo; había dejado de existir, exactamente como si hubiera muerto. Su compañera y sus parientes lloraban su muerte, no se compartían alimentos con él. Unos cuantos abandonaban el Clan y no volvía a vérseles más. La mayoría dejaba simplemente de comer, de beber y cumplía la maldición en la que también creía.

De vez en cuando se podía imponer una maldición mortal durante un periodo limitado de tiempo, pero inclusive eso resultaba fatal con frecuencia, puesto que un delincuente renunciaba a vivir mientras durara la maldición. Pero si sobrevivía a una maldición limitada de muerte, era admitido de nuevo en el Clan como miembro con todos sus derechos, e inclusive con su posición anterior. Había pagado su deuda a la sociedad, y su delito había sido olvidado. Pero los delitos no eran frecuentes, y semejante castigo se imponía raras veces. Aun cuando la maldición femenina la condenaba al ostracismo parcial y temporalmente, la mayoría de las mujeres agradecían el respiro periódico que significaba alejarse de las exigencias constantes y las miradas observadoras de los hombres.

Iza esperaba con ansia el mayor contacto que habría de tener después de la ceremonia del nombre. Se aburría dentro de los límites de piedras del hogar de Creb, y anhelaba salir al brillante sol que penetraba por la abertura de la cueva durante los últimos días antes de las nieves invernales. Esperaba ansiosamente la señal de Creb, anunciando que estaba dispuesto, y el Clan, reunido. Los nombres se ponían frecuentemente antes del desayuno, poco después de salir el sol, cuando los tótemes se encontraban cerca aún después de haber protegido al Clan durante la noche. Cuando le hizo seña, se apresuró en reunirse con ellos y se quedó frente a Mog-ur, mirando hacia el suelo mientras descubría a su hijita. Sostuvo a la bebita mientras el mago miraba por encima de su cabeza haciendo los gestos que invitaban a los espíritus a asistir a la ceremonia. Entonces, con una caravana, comenzó.

Metiendo el dedo en el tazón que sostenía Goov, trazó una línea desde el punto en que se unían las cejas de la nenita hasta la punta de su nariz, con la pasta de ocre rojo.

—Uba, el nombre de la niña es Uba —anunció Mog-ur. La nena desnuda, atacada por el viento frío que pasaba más allá de la soleada fachada de la cueva, lanzó un aullido saludable que fue apagado por el murmullo aprobatorio del Clan.

—Uba —repitió Iza, abrazando a su tiritante hijita. "Es un nombre perfecto", pensó, deseando haber conocido a la Uba cuyo nombre llevaba su niña. Los miembros del Clan desfilaron frente a ella, repitiendo cada uno el nombre para familiarizarse, ellos y sus tótemes, con ese suplemento de vida. Iza mantenía cuidadosamente baja la cabeza, para no mirar inadvertidamente a ninguno de los hombres que avanzaban para reconocer a su hijita. Después envolvió a la nenita en pieles calientes de conejo y la metió dentro de su manto, contra su piel. Los gritos de la nenita se interrumpieron de repente en cuanto empezó a mamar. Iza regresó a su lugar entre las mujeres, dejando paso al ritual del apareamiento.

Para esta ceremonia, y sólo ésta, se empleaba ocre amarillo en la sagrada unción. Goov tendió el tazón del ungüento amarillo a Mog-ur, quien lo sostuvo con firmeza entre el muñón de su brazo y su cintura. Goov no podía servir de acólito en su propio apareamiento. Tomó posición frente al hombre santo y esperó que Grod presentara a la hija de su compañera. Uka miraba con una emoción compleja: orgullo de que su hija hubiera conseguido un buen compañero, y pena porque abandonaba su hogar. Ovra, con un manto nuevo, miraba sus pies mientras caminaba detrás de Grod, pero emanaba una radiación de su rostro modestamente bajo. Era obvio que la elección que habían hecho para ella no le disgustaba. Se sentó con las piernas cruzadas delante de Goov, con la mirada hacia abajo.

Con gestos ceremoniosos, silenciosos, Mog-ur volvió a dirigirse a los espíritus; entonces mojó su dedo cordial en el tazón de pasta amarilla algo parda, y trazó la señal del tótem de Ovra sobre la cicatriz de la marca del tótem de Goov, simbolizando la unión de los espíritus de ambos. Metiendo nuevamente el dedo en el ungüento, pintó la marca de Goov sobre la de ella, siguiendo el trazo de la cicatriz y borrando la marca de ella, para mostrar la dominación de él.

—Espíritu del Auroch, tótem de Goov, tu signo ha dominado el Espíritu del Castor, tótem de Ovra —expresó Mog-ur con gestos—. Que Ursus permita que así sea siempre. Goov: ¿aceptas a esta mujer?

Goov respondió dando un golpecito sobre el hombro de Ovra y haciéndole señas de que lo siguiera dentro de la cueva, al lugar recientemente delineado con piedras que ahora sería el hogar de Goov. Ovra dio un brinco y siguió a su nuevo compañero. No había tenido que opinar en el asunto, ni le habían preguntado si lo aceptaba. La pareja permanecería aislada, confinada al hogar durante catorce días, durante los cuales dormiría separada. Al final del aislamiento, una ceremonia se celebraría en la pequeña cueva entre los hombres, para consolidar la unión.

En el Clan, el apareamiento de dos personas era exclusivamente asunto espiritual, iniciado con una declaración ante el Clan entero pero consumado por el rito secreto que sólo atañía a los hombres. En aquella sociedad primitiva, el sexo era una cosa tan natural y poco restringida como dormir o comer. Los niños aprendían, al igual que otras habilidades y costumbres, observando a los adultos, y jugaban a acoplarse de la misma manera que imitaban otras actividades desde edad temprana. A menudo el joven que había llegado a la pubertad pero sin haber matado a su primer animal, y que existía en una especie de limbo entre niños y adultos, penetraba en una niña aun antes de que ésta hubiera tenido su primera menstruación. Los hímenes eran rotos desde muy pequeñas, aun cuando los varones se asustaban un poco cuando manaba sangre y se apresuraban en ignorar a la muchacha cuando sucedía.

Cualquier hombre podía tomar a cualquier mujer cuando lo deseaba para desahogarse, con excepción, por una tradición muy lejana, de sus hermanas. Por lo general, una vez que se había apareado una pareja, ambos se mantenían más o menos fieles por cortesía hacia la propiedad del prójimo, pero se consideraba peor que un hombre se dominara y no que tomara la mujer que tenía más cerca. Y la mujer no tenía empacho en hacer gestos tímidos y sutiles que se comprendían como sugerencias, cuando un hombre la atraía, y de ese modo provocaba sus avances. Para el Clan, una nueva vida se formaba mediante las esencias ubicuas de los tótemes, y cualquier relación entre la actividad sexual y el nacimiento estaba fuera de su entendimiento.

. Otra ceremonia se celebró para unir a Droog con Aga. Aun cuando la pareja estaría aislada del Clan, salvo para los demás miembros de su hogar, los que ahora compartían el hogar de Droog estaban en libertad de ir y venir como quisieran. Una vez que la segunda pareja entró en la cueva, las mujeres se agruparon alrededor de Iza y su hijita.

—Iza, es perfecta —expresó Ebra entusiasmada—. Tengo que admitir que me había preocupado un poco al enterarme de que habías quedado embarazada al cabo de tanto tiempo.

—Los espíritus me cuidaban —señaló Iza—. Un fuerte tótem ayuda a que una criatura sea saludable, una vez que ha sucumbido.

—Temía que el tótem de la niña pudiera tener malos efectos. Parece tan diferente, y su tótem es tan poderoso, que podría haber deformado al bebé —comentó Aba.

—Ayla tiene suerte y me ha traído suerte —repuso rápidamente Iza, mirando a Ayla para ver si se había enterado. La nena estaba mirando a Oga que sostenía al bebé, y estaba cerca de Uba, sonriendo como si fuera suya. No se había enterado del comentario de Aba, pero como a Iza no le gustaban esas ideas abiertamente expresadas, preguntó: —¿Acaso no nos ha traído suerte a todos?

—Pero no tuviste suerte suficiente para que fuera niño —replicó Aba, insistiendo.

—Yo quería una niña —dijo Iza.

—¡Iza! ¡Cómo puedes decir semejante cosa! —Las mujeres estaban escandalizadas. Pocas veces admitían preferir una niña.

—No la censuro —dijo Uka, saliendo en defensa de Iza—. Tienes un hijo, lo cuidas, lo alimentas, lo crías y entonces, tan pronto como es adulto, se va. Si no lo matan cazando lo matan de otra manera. La mitad de los varones son muertos mientras todavía son jóvenes. Por lo menos Ovra puede vivir unos cuantos años más.

Todas sentían pena por la madre que había perdido a su hijo en el derrumbe. Todas sabían cuánto luto había llevado. Ebra cambió de tema con tacto.

—Me pregunto cómo van a ser los inviernos en la nueva caverna.

—La caza ha sido buena, y hemos cosechado tanto y almacenado tanto que hay muchísimos alimentos en conserva. Los cazadores saldrán hoy, sin duda por última vez. Espero que haya suficiente espacio en la reserva para que podamos congelar todo lo que traigan —dijo Ika—. Y parece que se están impacientando. Será mejor que les preparemos algo de comer.

Las mujeres dejaron de mala gana a Iza y su hijita y se aprestaron a hacer los desayunos. Ayla se sentó junto a Iza y la mujer rodeó a la niña con su brazo, sosteniendo a la bebita con el otro. Iza se sentía a gusto: contenta de encontrarse fuera en aquel día de principios del invierno, frío, soleado y vigorizante; contenta de la caverna y contenta de que Creb hubiera tomado la decisión de mantenerla; y contenta con la niña rubia, delgada y extraña que estaba junto a ella. Miró a Uba y después a Ayla: "Mis hijas —pensó la mujer—, y ambas *son* mis hijas. Todos saben que Uba será curandera, pero también Ayla lo será; me aseguraré de ello. Quién sabe, tal vez algún día llegue a ser una gran curandera".

9

"El Espíritu de la Nieve Seca Ligera tomó por compañero al Espíritu de la Nieve Granular y al cabo de algún tiempo dio nacimiento a una Montaña de Hielo allá lejos, al norte. El Espíritu del Sol odiaba al niño brillante que se extendía por encima de la tierra al crecer, apartando su calor para que no creciera la hierba. El Sol decidió destruir la Montaña de Hielo, pero el Espíritu de la Nube de las Tormentas, hermana de la Nieve Granular, descubrió que el Sol quería matar a su hijo. En verano, cuando el Sol era más poderoso, el Espíritu de la Nube de las Tormentas combatió contra él para salvar la vida de la Montaña de Hielo".

Ayla estaba sentada con Uba en su regazo observando a Dorv mientras contaba la leyenda conocida. Estaba cautivada, aunque sabía el cuento de memoria. Era su predilecto, nunca se cansaba de oírlo. Pero la inquieta nenita de año y medio que tenía en brazos estaba mucho más interesada en los largos cabellos rubios de Ayla, y los agarraba por mechones. Ayla desprendió sus cabellos de los puños apretados de Uba sin apartar la mirada del viejo que estaba en pie junto al fuego, repitiendo el cuento con una pantomima teatral mientras el Clan lo contemplaba, arrobado.

"Algunos días, el Sol ganaba la batalla y derrotaba al hielo duro y frío convirtiéndolo en agua y drenando la vida del Monte de Hielo. Pero muchos días ganaba la Nube de las Tormentas, cubriendo el rostro del Sol, impidiendo que su calor derritiera demasiado al Monte de Hielo. Aun cuando el Monte de Hielo pasaba hambre y se encogía durante el verano, en invierno su madre recibía el alimento que le traía su compañero y devolvía la vida a su hijo, dándoselo. Todos los veranos el Sol luchaba por destruir el Monte de Hielo, pero la Nube de las Tormentas impedía que el Sol derritiera todo lo que la madre había dado a su hijo el invierno anterior. A principios de cada invierno, el Monte de Hielo estaba un poco más grande que el invierno anterior; crecía, se extendía y cubría más tierra de año en año.

"Y mientras crecía, un gran frío avanzaba delante de él. Los vientos aullaban, la nieve se arremolinaba, y el Monte de Hielo se extendía, acercándose más al lugar donde vivía el Pueblo. El Clan tiritaba, apretujándose contra el fuego mientras la nieve caía sobre él".

El viento que silbaba a través de las ramas deshojadas de los árboles fuera de la cueva agregaba efectos de sonido al cuento, provocando un estremecimiento compasivo de excitación a lo largo del espinazo de Ayla.

"El Clan no sabía qué hacer: ¿Por qué no nos protegen ya los espíritus de nuestros tótemes? ¿Qué hemos hecho para que estén enfadados con nosotros? El mog-ur decidió marchar solo para encontrar a los espíritus y hablar con ellos. Estuvo ausente mucho tiempo. Muchas personas se sintieron presa de agitación esperando que regresara el mog-ur, sobre todos los jóvenes.

"Pero Durc estaba más impaciente que ninguno. El mog-ur nunca volverá, decía. Nuestros tótemes no gustan del frío, se han marchado. Nosotros también deberíamos irnos.

"No podemos abandonar el hogar —decía el jefe—. Es donde el Clan ha vivido siempre. Es el hogar de nuestros antepasados. Es el hogar de los espíritus de nuestros tótemes. No se han ido. Están infelices con nosotros, pero serían más infelices si no tuvieran lugar, lejos del hogar que conocen. No podemos marcharnos y llevárnoslos. ¿Adónde iríamos?

"Nuestros tótemes se han ido ya —alegaba Durc—. Si hallamos un hogar mejor, pueden regresar. Podemos ir al sur, siguiendo a las aves que huyen del frío en otoño, y al este, hacia la tierra del Sol. Podemos ir allí donde el Monte de Hielo no pueda darnos alcance. El Monte de Hielo avanza lentamente; podemos correr como el viento. Nunca nos alcanzará. Si seguimos aquí, nos helaremos.

"No. Debemos esperar a mog-ur. Volverá y nos dirá lo que tengamos que hacer —recomendaba el jefe—. Pero Durc no quería escuchar su consejo razonable. Alegó y rogó al Pueblo y unos cuantos se dejaron convencer: decidieron irse con Durc.

"Quédense —suplicaban los demás—. Quédense hasta que regrese el mog-ur.

"Durc no quiso hacerles caso: El mog-ur no encontrará a los espíritus. Nunca regresará. Nosotros nos marchamos ahora. Vengan con nosotros para encontrar un lugar donde no pueda vivir el Monte de Hielo.

"No —le contestaron—, esperaremos.

"Las madres y sus compañeros se preocuparon por los hombres y mujeres jóvenes que se iban, seguros de que estaban condenados. Esperaron al mog-ur pero al cabo de muchos días, al ver que el mog-ur no había vuelto aún, empezaron a dudar. Empezaron a preguntarse si no deberían haberse marchado con Durc.

"Entonces, un buen día el Clan vio que un extraño animal se aproximaba sin sentir temor ante el fuego. El Pueblo estaba asustado y miraba, pasmado. Nunca anteriormente habían visto semejante animal. Pero al acercarse éste, vieron que no era un animal ¡era el mog-ur! Estaba cubierto con la piel de un oso cavernario. Finalmente había vuelto. Dijo el Clan lo que había aprendido de Ursus, el Espíritu del Gran Oso Cavernario.

"Ursus enseñó al Pueblo a vivir en cavernas, a llevar pieles de animales, a cazar y cosechar en verano y guardar alimentos para el invierno. El Pueblo del Clan siempre recordó lo que Ursus le había enseñado, y por mucho que lo intentara Monte de Hielo, no pudo sacar al Pueblo de su hogar. Por mucho frío y hielo que enviara por delante Monte de Hielo, el Pueblo no se movía, no se apartaba de su camino.

"Finalmente Monte de Hielo renunció; se enfadó y dejó de combatir con el Sol. Nube de las Tormentas se puso furiosa porque Monte de Hielo no combatía, y se negó a seguir ayudándolo. Monte de Hielo abandonó la tierra y regresó a su región del norte, y el gran frío se fue con él. El Sol estaba radiante con su victoria y lo empujó por todo el camino hasta su hogar septentrional. No había lugar donde pudiera ocultarse del gran calor, y quedó derrotado. Durante muchos, muchos años, no hubo invierno, sólo largos días de verano.

"Pero Nieve Granular se preocupaba por su hijo perdido, y la pena la debilitó. La Nieve Seca y Ligera quería que tuviera otro hijo, y pidió ayuda al Espíritu de la Nube de las Tormentas. Nube de las Tormentas se apiadó de su hermana y ayudó a Nieve Seca y Ligera a llevarle alimento para que se fortaleciera. Cubrió nuevamente el rostro del Sol mientras Nieve Seca y Ligera andaba por allí cerca, rociando su espíritu para que lo tragara Nieve

Granular. Dio nacimiento de nuevo a otro Monte de Hielo, pero el Pueblo recordaba lo que Ursus le había enseñado. Monte de Hielo no volverá a sacar de su hogar al Clan.

"¿Y qué pasó con Durc y los que se fueron con él? Algunos dicen que fueron devorados por lobos y leones, y otros, que se ahogaron en las grandes aguas. Otros han dicho que al llegar a la tierra del Sol, éste se enfureció porque Durc y su gente quería su tierra. Lanzó una bola de fuego desde el cielo para devorarlos. Desaparecieron y nadie volvió a verlos nunca más".

—Ya ves, Vorn —oyó Ayla a Aga decirle a su hijo, como lo hacía siempre que se relataba la leyenda de Durc—, siempre debes atender a lo que dicen tu madre y Droog y Brun y Mog-ur. Nunca debes desobedecer ni dejar el Clan, porque entonces también tú podrías desaparecer.

—Creb —dijo Ayla al hombre sentado a su lado—, ¿crees que Durc y su gente pueden haber hallado un nuevo lugar dónde vivir? Desapareció pero nadie lo vio morir ¿no es cierto? Podría haber sobrevivido ¿verdad que sí?

—Nadie lo vio desaparecer, Ayla, pero cazar es difícil cuando sólo hay dos o tres hombres. Tal vez durante el verano pudieran matar suficientes animales pequeños, pero las grandes bestias que necesitarían para almacenar carne que los alimentara durante todo el invierno, serían mucho más difíciles y peligrosas. Y habrían tenido que pasar muchos inviernos antes de llegar a la tierra del Sol. Los tótemes quieren tener un lugar dónde vivir. Probablemente abandonarían a la gente que vagara sin hogar. Tú no querrías que tu tótem te abandonara ¿verdad?

Inconscientemente Ayla tocó su amuleto.

—Pero mi tótem no me abandonó, ni siquiera cuando estuve sola y sin hogar.

—Eso fue porque te estaba poniendo a prueba. Te encontró un hogar ¿no es cierto? El León Cavernario es un tótem fuerte, Ayla. Te escogió, puede decidir protegerte siempre porque te escogió, pero todos los tótemes son más dichosos cuando tienen un hogar. Si le prestas atención, te ayudará. El te dirá lo que es mejor.

—¿Y cómo voy a saberlo, Creb? —preguntó Ayla—. Nunca he visto el espíritu de un León Cavernario. ¿Cómo sabes cuando un tótem te está diciendo algo?

—No puedes ver el espíritu de tu tótem porque es parte de ti, dentro de ti. Sin embargo, él te dirá. Sólo que debes aprender a comprenderlo. Si tienes que tomar una decisión, él te ayudará. Te dará una señal si haces lo correcto.

—¿Qué clase de señal?

—Es difícil decir. Por lo general será algo especial o insólito. Puede ser una piedra que nunca habías visto antes o una raíz con una forma especial que signifique algo para ti. Debes aprender a comprender con tu mente y tu corazón, no con los ojos y los oídos: entonces, sabrás. Sólo tú puedes comprender a tu tótem, nadie puede explicarte cómo. Pero cuando llegue el momento y encuentres una señal que te haya dejado tu tótem, métela en tu amuleto. Te traerá suerte.

—¿Tú tienes señales de tu tótem dentro de tu amuleto, Creb? —preguntó la niña por gestos, mirando la abultada bolsa de cuero que colgaba del cuello del mago. Dejó que la nenita inquieta se pusiera en pie para irse con Iza.

—Sí —asintió el mago—. Una es un diente de oso cavernario que se me entregó cuando fui escogido como acólito. No estaba metido en una quijada: estaba entre unas piedras, a mis pies. No lo había visto al sentarme. Es un diente perfecto, sin desgaste ni podredumbre. Era una señal de Ursus, de que había tomado la decisión correcta.

—¿También mi tótem me dará señales?

—Nadie puede saberlo. Quizá, cuando tengas que tomar decisiones importantes. Lo sabrás cuando llegue el momento, mientras tengas puesto tu amuleto de manera que tu tótem pueda encontrarte. Cuida mucho de no perder nunca tu amuleto, Ayla. Te fue entregado cuando se reveló tu tótem. En él está la parte de tu espíritu que él reconoce. Sin él, el espíritu de tu tótem no encontrará su camino de regreso cuando viaje. Se perderá y buscará su hogar en el mundo de los espíritus. Si pierdes tu amuleto y no lo encuentras pronto, morirás.

Ayla se estremeció, tocó la bolsita que colgaba de una fuerte tira de cuero alrededor de su cuello, y se preguntó cuándo le haría una seña su tótem.

—¿Crees que el tótem de Durc le dio una señal cuando éste decidió marcharse en busca de la tierra del Sol?

—Nadie lo sabe, Ayla. No forma parte de la leyenda.

—Yo creo que Durc fue muy valiente al tratar de buscar un nuevo hogar.

—Puede haber sido valiente, pero muy imprudente —contestó Creb—. Abandonó el Clan y el hogar de sus antepasados y asumió un riesgo muy grande. ¿Para qué? Para encontrar algo diferente. No se conformó con quedarse. Algunos jóvenes piensan que Durc fue valiente, pero cuando envejecen y se vuelven más juiciosos, aprenden.

—Yo creo que me agrada porque era diferente —dijo Ayla—. Es mi leyenda predilecta.

Ayla vio que las mujeres se disponían a preparar la cena y saltó para reunirse con ellas. Creb meneó la cabeza viendo alejarse a la muchacha. Cada vez que pensaba que Ayla estaba realmente aprendiendo a aceptar y comprender las cosas del Clan, decía o hacía algo que le hacía preguntarse si sería cierto. No es que hiciera nada malo o incorrecto, simplemente no eran cosas que se hacían en el Clan. Se suponía que la leyenda enseñaba que es una falacia tratar de cambiar las tradiciones, pero Ayla admiraba la temeridad del joven de la historia, que quería algo nuevo. "¿Superaría algún día sus ideas no-del-Clan? —se preguntó—. Sin embargo, ha aprendido aprisa", admitía Creb.

Se suponía que las jóvenes del Clan estuvieran bien impuestas en las habilidades de las mujeres adultas para cuando cumplían siete u ocho años. Muchas llegaban entonces a la edad y eran apareadas poco después. En los casi dos años después de que la encontraron —sola, casi muerta de hambre, incapaz de encontrar alimento por sí sola—, no sólo había aprendido a encontrar alimentos sino, además, a cocinarlos y conservarlos. Era capaz también de muchas habilidades importantes más, y aun cuando no tan experta como las de más edad y mayor experiencia, por lo menos era tan apta como las más jóvenes.

Podía despellejar y curtir una piel y hacer mantos, capas y bolsas para usarlas de diversas maneras. Podía cortar correas de ancho regular partiendo de una espiral en una sola piel. Sus cuerdas, hechas de largos pelos de animal, tripas o corteza y raíces fibrosas, eran fuertes y pesadas o delgadas, finas, según el uso a que estuvieran destinadas. Sus canastas, esteras y redes, tejidas con hierbas duras, raíces y cortezas, eran excepcionales. Podía hacer un hacha basta con mango partiendo de un nódulo de sílex o sacar una escama de una pieza afilada para usarla como cuchillo o raspador, tan bien que el propio Droog quedó impresionado. Podía ahondar tazones en secciones de troncos y suavizarlos dándoles un fino acabado. Podía encender fuego haciendo girar un palo afilado entre las palmas de sus manos contra otro trozo de madera hasta que se formaba un carbón caliente que humeaba y prendía yesca seca; era más fácil cuando dos personas alternaban en la difícil y tediosa tarea de mantener en constante movimiento el palo afilado con una presión firme y constante. Pero lo más asombroso era que estuviera aprendiendo los conocimientos médicos de Iza con algo que parecía ser un instinto natural. "Tenía razón Iza —pensó Creb—, está aprendiendo inclusive sin los recuerdos".

Ayla estaba rebanando ñame para echarlo a una olla de piel que hervía sobre un fuego de cocina. Después de cortar y tirar los trozos que se habían echado a perder, no quedaba mucho. El fondo de la cueva, donde se almacenaban, estaba fresco y seco, pero la verdura empezaba a ablandarse y pudrirse cuando había avanzado mucho el invierno. La niña había empezado a soñar con la estación venidera pocos días antes, al observar un chorrito de agua saliendo del río congelado, una de las primeras señales de que pronto deshelaría. No aguantaba su impaciencia por ver llegar la primavera con su primer verdor, sus nuevos capullos y la dulce savia de los arces que salía y manaba de muescas recortadas en la corteza, que se recogía y se ponía a hervir en grandes ollas de cuero hasta convertirse en un jarabe denso y viscoso o cristalizarse en forma de azúcar antes de ser almacenado en recipientes de corteza de abedul. También el abedul tenía una savia dulce, pero no tan dulce como la del arce.

No era la única inquieta y aburrida por el largo invierno en el interior de la cueva. Aquel mismo día temprano, el viento había cambiado, llegando del sur unas cuantas horas y trayendo un aire más cálido del mar. El agua derretida corría a lo largo de los largos carámbanos que colgaban del vértice de la abertura triangular de la cueva. Volvían a congelarse en cuanto bajaba la temperatura, alargando y espesando las varas brillantes y transparentes que habían estado creciendo durante todo el invierno, cuando el viento cambiaba y traía las ráfagas heladas nuevamente del este. Pero el hálito del aire caliente volvía los pensamientos de todos hacia el final del invierno.

Las mujeres estaban charlando y trabajando, moviendo las manos con rapidez en gestos vivos, que eran su modo de conversar, mientras preparaban los alimentos. Hacia fines del invierno, cuando las reservas de alimentos escaseaban, combinaban sus recursos y cocinaban en común, aun cuando seguían comiendo por separado salvo en ocasiones especiales. Siempre había más banquetes en invierno —porque eso contribuía a interrumpir la monotonía de su confinamiento— aunque a medida que avanzaba la estación, sus banquetes solían ser excesivamente frugales. Pero contaban con suficiente comida. Carne fresca de caza menor o algún viejo venado que los cazadores habían conseguido traer entre ventiscas, eran bienvenidos aunque no esenciales. Seguían disponiendo de una reserva adecuada de alimentos deshidratados. Las mujeres estaban todavía bajo el imperio de los cuentos que se habían contado, y Aba relataba la historia de una mujer.

"...pero el niño era deforme. Su madre se lo llevó fuera como el jefe se lo ordenó, pero no podía soportar la idea de dejarlo morir. Trepó a lo alto de un árbol con él y lo sujetó a la rama más alta, hasta donde ni siquiera los gatos podían trepar. El niño lloró cuando ella se fue y de noche tuvo tanta hambre que aullaba como un lobo. Nadie pudo dormir. Lloró de día y de noche, y el jefe estaba furioso contra la madre, pero mientras gritaba y aullaba, la madre sabía que seguía con vida.

"El día de poner nombre, la madre trepó de nuevo al árbol muy de madrugada. Su hijo no sólo estaba vivo sino que había perdido su deformidad. Era normal y saludable. El jefe no había querido a su hijo en el Clan, pero puesto que seguía con vida, tuvo que ser nombrado y aceptado. El muchacho se convirtió en jefe una vez que creció, y siempre estuvo agradecido con su madre por haberlo puesto donde nada pudiera dañarlo. Inclusive después de aparearse, siempre le llevaba su parte de todas las cacerías. Nunca la golpeó ni la regañó, siempre la trató con honor y respeto" —concluyó Aba.

—¿Qué bebé podría vivir siete días sin alimento? —preguntó Oga mirando a Brac, su saludable hijo que acababa de quedarse dormido—. ¿Y cómo pudo su hijo convertirse en jefe si su madre no estaba apareada con un jefe ni con un hombre que algún día pudiera convertirse en jefe?

Oga estaba orgullosa de su hijito, y Broud más orgulloso aún de que su compañera hubiera dado a luz un hijo tan pronto después de su apareamiento. Inclusive Brun aflojaba un poco su dignidad estoica junto al bebé, y su mirada se suavizaba cuando sostenía a la criatura que habría de asegurar la continuidad de la jefatura del Clan.

—¿Quién sería el siguiente jefe si no tuvieras a Brac, Oga? —preguntó Ovra—. ¿Si no tuvieras hijos, sólo hijas? Quizá la madre estuviera apareada con el segundo al mando, y algo le sucediera al jefe. —Envidiaba un poco a la mujer más joven. Ovra no tenía hijos aun cuando se había hecho mujer y había sido apareada con Goov antes que Oga con Broud.

—Bueno, de todos modos ¿cómo podía volverse de repente normal y saludable un niño que nació deforme? —replicó Oga.

—Sospecho que ese cuento ha sido inventado por una mujer que tenía un hijo deforme y deseaba que fuera normal —dijo Iza.

—Pero es una leyenda antigua, Iza. Ha sido transmitida desde hace generaciones. Quizá antaño sucedieran cosas que ya no son posibles. ¿Cómo podemos estar seguras? —concluyó Aba, defendiendo su cuento.

—Algunas cosas pueden haber sido diferentes hace mucho tiempo, Aba, pero creo que Oga tiene razón. Un niño que nace deforme no se va a volver normal de repente, y es poco probable que pueda vivir hasta el día en que le den nombre sin que se le haya amamantado. Pero es un viejo cuento. Quién sabe, puede encerrar algo de verdad —reconoció Iza.

Una vez preparada la comida, Iza la llevó al hogar de Creb mientras Ayla levantaba a la robusta pequeña y la seguía. Iza estaba más delgada, no era ya tan fuerte como antes, y era Ayla quien llevaba en brazos a Uba la mayor parte del tiempo. Existía un afecto especial entre ambas; Uba seguía a la muchacha por todas partes, y no parecía que Ayla se cansara nunca de la pequeña.

Después de comer, Uba fue con su madre para mamar, pero muy pronto empezó a dar guerra. Iza se puso a toser, con lo que la niña se agitó más aún. Finalmente, Iza apartó a la nenita inquieta y llorosa dándosela a Ayla.

—Llévate esta niña. A ver si Oga o Aba quieren darle de mamar —señaló Iza, irritada, y fue presa de otro largo acceso de tos.

—¿Te sientes bien, Iza? —preguntó Ayla con expresión preocupada.

—Lo que pasa es que estoy vieja, demasiado vieja para tener una hijita tan pequeña. Mi leche se está secando, eso es todo. Uba tiene hambre; la última vez Aba le ha dado de mamar, pero creo que ya ha alimentado a Ona y tal vez no le quede mucha leche. Oga dice que tiene leche de sobra; llévale la nena esta noche. —Iza se dio cuenta de que Creb la examinaba detenidamente y miró hacia otro lado mientras Ayla llevaba el bebé a Oga.

Tenía mucho cuidado con su modo de caminar, manteniendo la cabeza baja al acercarse al hogar de Broud, en la actitud conveniente. Sabía que la menor infracción provocaría la ira del joven. Estaba segura de que andaba buscando razones para regañarla o golpearla, y no quería que le mandara llevarse a Uba por algo que ella hiciera. Oga estaba contenta de alimentar a la hija de Iza, pero cuando Broud estaba mirando, no había medio de conversar. Una vez que Uba estuvo satisfecha, Ayla se la llevó y se sentó, meciéndola, canturreando suavemente hasta que la bebita quedó dormida. Hacía tiempo que Ayla había olvidado la lengua que hablaba cuando se unió al Clan, pero seguía canturreando cuando sostenía a la nena.

—Sólo soy una vieja que se vuelve irritable, Ayla —dijo Iza cuando Ayla acostó a la nenita—. Era demasiado vieja al dar a luz, mi leche se está secando, y Uba no debería ser destetada todavía. Ni siquiera ha cumplido un año de caminar, pero no queda otro remedio. Mañana te mostraré cómo hacer comida especial para bebés. No quiero entregar a Uba a otra mujer si puedo evitarlo.

—¡Dar Uba a otra mujer! ¿Cómo ibas a poder dar Uba a otra mujer, si es nuestra?

—Ayla, tampoco yo quiero darla, pero debe comer lo suficiente y no lo está consiguiendo conmigo. No podemos estar llevándola de una a otra mujer para que la amamanten cuando no tengo leche suficiente. El bebé de Oga es todavía chiquito, por eso tiene ella tanta leche. Pero a medida que crezca Brac, la leche de ella se ajustará a sus necesidades. Como Aga, no tendrá mucha leche de más a menos que tenga otro bebé que amamantar —explicó Iza.

—¡Ojalá pudiera yo darle de mamar!

—Ayla, eres casi tan alta como una mujer, pero todavía no lo eres. Y no das señales de convertirte pronto en una. Sólo las mujeres pueden ser madres, y sólo las madres pueden tener leche. Empezaremos a dar alimentos normales a Uba y veremos qué tal le va, pero he querido que sepas lo que puede esperarse. Los alimentos para los bebés deben prepararse de manera especial. Todo tiene que ser suave para ella; sus dientes de leche no pueden masticar muy bien. Los granos deben estar molidos muy finos antes de cocerse, la carne seca debe ser convertida en una pasta y cocida con un poco de agua, la carne fresca tiene que ser raspada, para quitarle las fibras duras, las verduras hechas puré. ¿Quedan algunas bellotas?

—La última vez que miré había un montón, pero los ratones y las ardillas se las roban, y muchas están podridas —dijo Ayla

—Encuentra lo que puedas. Extraeremos lo amargo y las moleremos para añadirlas a la carne. Los ñames también serán buenos para ella. ¿Sabes dónde están esas conchas de almeja? Deben de ser suficientemente pequeñas para su boquita; tendrá que aprender a comer con ellas. Me alegro de que el invierno llegue a su fin, la primavera traerá mayor diversidad... para todos nosotros.

Iza vio la concentración alarmada en el rostro serio de la niña. Más de una vez, especialmente durante este invierno, había agradecido la ayuda que Ayla proporcionaba con tan buena voluntad. Se preguntaba si Ayla le habría sido dada mientras estaba embarazada para que pudiera ser una segunda madre para el bebé que había tenido tan tarde en su vida. Era algo más que la edad lo que agotaba a Iza. Aun cuando apartaba con indiferencia las referencias a su salud quebrantada y nunca hablaba del dolor que tenía en el pecho ni de la sangre que escupía a veces después de una crisis de tos particularmente mala, sabía que Creb se daba cuenta de que estaba mucho más enferma de lo que quería confesar. También él está envejeciendo, pensaba Iza. El invierno ha sido duro para él también. Pasa demasiado tiempo sentado en esa cavernita suya con sólo una antorcha para darle calor.

La enmarañada cabellera del viejo mago estaba mezclada con hilos de plata. Su artritis, además de su pierna inválida, convertía las caminatas en una prueba torturadora. Sus dientes, gastados por años de usarlos para sujetar las cosas en lugar de la mano que le faltaba, habían empezado a dolerle. Pero Creb había aprendido desde hacía mucho tiempo a vivir con dolores y sufrimientos. Su mente era tan potente y perceptiva como siempre, y se preocupaba por Iza. Miraba a la mujer y la niña mientras estudiaban la manera de hacer comida para la bebita, observando cómo se había encogido el robusto cuerpo de Iza. Tenía el rostro demacrado, y sus ojos estaban sumidos en hoyos profundos que hacían resaltar sus cejas salientes. Tenía los brazos flacos, su cabello se estaba volviendo gris, pero lo que más lo preocupaba era su tos pertinaz. "Me alegraré cuando este invierno llegue a su fin —pensó—, ella necesita sol y calor".

Finalmente el invierno aflojó su dominio sobre la tierra, y los días más cálidos de la primavera trajeron consigo torrentes de lluvia. Témpanos procedentes de las montañas lejanas flotaban río abajo mucho después de que la nieve y el hielo hubieron desaparecido en lo alto de la cueva. El escurrimiento de la acumulación derretida convertía el suelo empapado delante de la cueva en un vertedero de lodo chorreante. Sólo las piedras que pavimentaban la entrada matenían la cueva razonablemente seca mientras el agua subterránea manaba dentro.

Pero el cenagal aspirante no podía mantener al Clan dentro de la cueva. Después de su prolongado confinamiento invernal, salieron para saludar a los primeros rayos del sol y las primeras dulces brisas marinas. Antes de que se hubieran derretido por completo las nieves, estaban ya correteando descalzos entre el fango o caminando pesadamente con sus botas empapadas que ni siquiera la capa adicional de grasa podía conservar secas. Iza tuvo más que hacer cuidando catarros en los días, más calientes ya, de la primavera, que durante todo el invierno helado.

A medida que la temporada avanzaba y el sol fue secando la humedad, el ritmo de la vida del Clan se aceleró. El invierno tranquilo y lento que había transcurrido contando cuentos, chismeando, confeccionando herramientas y armas y llevando a cabo otras actividades que ayudaban a pasar el tiempo, dejaron lugar a la agitación llena de actividad de la primavera. Las mujeres salieron a recoger las primeras quimas de verdura y los primeros brotes, y los hombres de dedicaron al ejercicio y la práctica, preparándose para la primera importante cacería de la nueva estación.

Uba prosperaba con su nueva dieta, y sólo quería mamar por costumbre o por el calor y seguridad que representaba. Iza tosía menos, aun cuando estaba débil y tenía pocas energías para alejarse demasiado, y Creb empezó nuevamente a dar sus paseos lentos con Ayla a lo largo del río. A ella le agradaba la primavera más que las demás estaciones.

Puesto que Iza tenía que permanecer cerca de la cueva la mayor parte del tiempo, Ayla adquirió la costumbre de recorrer las laderas en busca de plantas medicinales para abastecer la farmacopea. Iza se preocupaba al verla salir sola, pero las demás mujeres estaban ocupadas buscando alimentos, y las plantas medicinales no siempre crecían en los mismos lugares que las plantas alimenticias. Iza salía a veces con ella, sobre todo para mostrarle nuevas plantas e identificar las conocidas de manera que supiera dónde buscarlas más adelante. Aun cuando Ayla llevaba a Uba, las pocas excursiones que hacía le resultaban a Iza muy fatigosas. De mala gana estaba dejando que la niña fuera sola, más de día en día.

Ayla descubrió que disfrutaba de la soledad al recorrer el área por su cuenta y riesgo. Le proporcionaba una sensación de libertad hallarse lejos del siempre vigilante Clan. A menudo salía también con las mujeres cuando recolectaban; pero siempre que podía, hacía las tareas que se esperaban de ella para tener tiempo de buscar sola por el bosque. No sólo traía de regreso plantas que ya conocía, sino cualquier cosa desconocida, para que Iza pudiera explicarle lo que era.

Brun no objetaba abiertamente; comprendía que era necesa-rio tener a alguien buscando plantas para que Iza llevara a cabo su magia curativa. Tampoco había pasado inadvertida para él la enfermedad de Iza. Pero el afán de Ayla por salir sola lo per-turbaba. Las mujeres del Clan no ansiaban estar solas. Siempre que Iza había salido en busca de sus materiales curativos, lo había hecho con ciertas reservas y algo de temor, y volvía cuan-to antes todas las veces que iba sola. Ayla nunca rehuía sus deberes, siempre se portaba convenientemente, no había nada, en lo que hacía, que Brun pudiera identificar como indebido. Era más una sensación, una impresión de que su actitud, su enfoque y sus pensamientos no eran incorrectos sino diferentes, lo que tenía a Brun nervioso respecto a ella. Siempre que salía la mu-chacha, regresaba con los repliegues de su manto y su canasto llenos, y puesto que sus incursiones eran tan necesarias, Brun no podía levantar ninguna objeción.

De vez en cuando Ayla traía algo más que plantas. Su idio-sincrasia, que tanto había asombrado al Clan, se había convertido en hábito. Aun cuando se habían acostumbrado, los miembros del Clan seguían sorprendiéndose un poco cuando regresaba con un animalito enfermo o herido, para devolverle la salud. El conejo que había hallado poco después del nacimiento de Uba fue sólo el primero de muchos. Tenía la manera de tratar a los animales; éstos parecían entender que deseaba ayudarlos. Y una vez esta-blecido el precedente, Brun no tuvo intenciones de cambiarlo. La única vez que se le negó fue cuando trajo un cachorro de lobo. Se le prohibió llevar animales carnívoros que eran competidores de los cazadores. Más de una vez un animal que había sido per-seguido y tal vez herido, se encontró finalmente al alcance de un carnívoro más rápido y se vio arrebatado a última hora por él. Brun no iba a permitir que Ayla ayudara a un animal que algún día pudiera robar una presa a su propio Clan.

Una vez, cuando Ayla se encontraba de rodillas arrancando una raíz, un conejito con una patita trasera ligeramente torcida brincó desde el matorral y fue a olerle los pies. Ella se quedó muy quieta y, sin hacer movimientos bruscos, tendió lentamente la mano para acariciar al animal. "¿Eres tú mi conejito Uba? —pensó—. Has crecido, te has convertido en un conejo adulto grande y saludable. ¿Habrás aprendido a ser más circunspecto? Deberías desconfiar también de la gente ¿sabes? Bien podrías acabar sobre un fuego", siguió diciéndose mientras acariciaba la piel suave del conejo. Algo asustó al animal que dio un brinco alejándose y se abalanzó en una dirección para dar media vuelta y regresar por donde había venido.

—Te mueves con tanta rapidez que no sé cómo nadie podría atraparte. ¿Cómo has girado de esa manera? —expresó con gestos, de repente soltó la carcajada, y al instante se percató de que era la primera vez que reía en voz alta desde hacía mucho. Pocas veces reía ya cuando estaba en el Clan; eso provocaba siempre miradas reprobatorias. Aquel día encontró muchas cosas divertidas.

—Ayla, esta corteza de cerezo silvestre está viejo. Ya no sirve —indicó Iza con gestos una mañana—. Cuando salgas hoy, trata de conseguir otra que esté fresca. Hay un bosquecillo de cerezos cerca de ese calvero, al oeste, del otro lado del río. ¿Sabes dónde digo? Trata de sacar la corteza interior, es mejor en esta época.

—Sí, madre, ya sé dónde están —respondió.

Era una hermosa mañana primaveral. Los últimos azafranes blancos y púrpura se acurrucaban al lado de los graciosos tallos de los primeros junquillos amarillos. Una escasa alfombra de nueva hierba verde que empezaba a sacar sus diminutas hojas a través del suelo húmedo, pintaba una acuarela fresca de verdor sobre la rica tierra morena de calveros y lomas. Manchas de verde moteaban las ramas desnudas de arbustos y árboles con los primeros brotes que se esforzaban por renovar la vida, y el amiento de los sauces cubría otros con su falsa pelusa. Un sol benévolo brillaba alentadoramente ante el renuevo de la tierra.

Una vez que estuvo fuera del alcance de la vista del Clan, el paso cuidadosamente controlado y la postura modesta de Ayla se convirtieron en un andar airoso. Bajó deslizándose una pendiente y corrió hacia arriba al otro lado, sonriendo inconscientemente ante la libertad de sus movimientos naturales. Examinaba la vegetación por la que pasaba, con una indiferencia aparente que desmentía la mente activa que trabajaba catalogando y almacenando el recuerdo de las plantas que crecían, para uso ulterior.

"Ya está saliendo la nueva hierba de grana" —pensaba al pasar junto al hueco pantanoso donde había recogido sus bayas púrpuras el otoño anterior—. "Voy a sacar unas cuantas raíces al regreso. Dice Iza que las raíces son también buenas para el reuma de Creb. Espero que la corteza fresca de cerezo mejore la tos de Iza. Está mejorando, creo yo, pero la veo tan flaca... Uba se está poniendo tan grande y pesada que Iza no debería levantarla. Quizá traiga a Uba conmigo la próxima vez, si puedo.

Me alegro tanto de no haber tenido que dársela a Oga. De veras, ya está empezando a hablar. Será divertido cuando crezca un poco más y podamos salir juntas. Mira esos sauces cubiertos de pelusa. Qué divertido: cuando son así de chiquitos parece piel de verdad, pero luego se ponen verdes. Iza dice que son flores. Qué azul está hoy el cielo. Puedo oler el mar en el viento. Me pregunto cuándo iremos a pescar. El mar sabe a sal, no es como el río, pero me siento tan ligera dentro ... No aguanto la impaciencia de ir a pescar. Y me gusta trepar por el risco en busca de huevos. El viento es tan agradable allá arriba, sobre el risco. ¡Ahí va una ardilla! ¡Mírala trepar por el árbol! Ojalá pudiera yo correr así por los árboles''.

Ayla vagó por las pendientes boscosas hasta media mañana. Entonces, al percatarse de lo tarde que se estaba haciendo, se fue directamente al bosquecillo junto al calvero para recoger la carteza que Iza deseaba. Al acercarse, oyó que había actividad y algunas voces, y vislumbró a los hombres en el calvero. Iba a alejarse, pero recordó la corteza de cerezo y se quedó un momento indecisa. ''Los hombres no estarán contentos si me ven por acá —pensó—. Brun podría enojarse y no dejarme salir sola nunca más, pero Iza necesita la corteza de cerezo. Quizá no sigan ahí mucho rato. Me pregunto qué estarán haciendo''. Silenciosamente, reptó más cerca y se ocultó tras un árbol grande, atisbando por entre las hojas del matorral enmarañado.

Los hombres estaban practicando con sus armas, preparándose para una cacería. Recordó que los había visto haciendo lanzas nuevas. Habían recortado árboles jóvenes delgados, flexibles y rectos, les habían quitado las ramas, y habían afilado un extremo carbonizándolo en una hoguera, y raspando la parte quemada con un rascador fuerte de sílex hasta convertirla en una punta fina. También el calor endurecía la punta para que resistiera el astillado y el desgaste. Todavía se estremecía al recordar la conmoción que había causado al tocar uno de los venablos de madera.

Las hembras no tocan las armas, le dijeron, ni siquiera las herramientas que se usan para hacer armas, aunque, a decir verdad, Ayla no podía ver la diferencia entre un cuchillo utilizado para cortar el cuero y hacer una honda y el cuchillo empleado para cortar el cuero y hacer un manto. La lanza recién hecha, ofendida por su contacto, había sido quemada, con gran irritación del cazador que la había confeccionado, y tanto Creb como Iza le habían echado unas cuantas conferencias prolongadas, en el esfuerzo para infundirle el sentimiento de su abominable acción. Las mujeres estaban horrorizadas de que hubiera contemplado siquiera semejante acción, y la mirada ceñuda de Brun no dejaba el menor lugar a dudas en cuanto a lo que opinaba. Pero más que nada, odió la mirada de placer malicioso en el rostro de Broud cuando las recriminaciones se abatieron sobre ella. Estaba positivamente gozoso.

La muchacha miraba incómodamente desde detrás de la pantalla del matorral a los hombres en su campo de prácticas. Además de las lanzas, los hombres tenían otras armas. Salvo por una discusión en el otro extremo entre Dorv, Grod y Crug respecto a los méritos relativos de la lanza y el garrote, casi todos los hombres estaban practicando con hondas y boleadoras. Vorn estaba con ellos. Brun había decidido que ya era hora de empezar a enseñarle al muchacho los rudimentos de la honda, y Zoug estaba explicándoselos al jovencito.

Los hombres habían llevado con ellos a Vorn al campo de ejercicio de vez en cuando, desde que cumplió los cinco años, pero la mayor parte del tiempo practicaba con su diminuta lanza, arrojándola contra la tierra blanda o un mojón de árbol podrido, para acostumbrarse a manejar el arma. Siempre le agradaba que lo llevaran, pero ésta era la primera vez que se intentaba enseñar al chico el arte más difícil del manejo de la honda. Se había plantado un poste en el suelo, y no muy lejos había un montón de piedras, suavemente redondeadas, sacadas de los ríos a lo largo del camino.

Zoug estaba mostrando a Vorn cómo sostener los dos extremos de la tira de cuero y cómo colocar un canto rodado en la ligera combadura que había en el medio de una honda muy gastada. Era una honda vieja que Zoug había pensado tirar hasta que Brun le pidió que iniciara el entrenamiento del muchacho. El viejo pensó que todavía servía si se acortaba para ajustarla al tamaño de Vorn.

Ayla observaba y se sintió cautivada por la lección. Se concentró en las explicaciones y demostraciones de Zoug con tanta atención como el muchacho. Al primer intento de Vorn, la honda se enredó y el canto cayó. Le costaba pescar el movimiento giratorio del arma para crear el impulso de fuerza centrífuga necesaria para lanzar la piedra. El canto rodado siguió cayéndose antes de poder adquirir suficiente velocidad para mantenerse en la copa de la tira de cuero.

Broud estaba de pie a un lado, mirando. Vorn era su protegido, y Broud seguía siendo objeto de la adoración de Vorn. Fue Broud quien había hecho la lancita que el chico llevaba a

JEAN M. AUEL

todas partes consigo, inclusive a la cama, y fue el joven cazador quien enseñó a Vorn a sostener la lanza, estudiando el equilibrio y el lanzamiento con él, como si el muchacho fuera su igual. Pero ahora Vorn estaba dirigiendo su atención admirada al viejo cazador, y Broud se sintió suplantado. Habría querido ser el único en enseñárselo todo al muchacho y se enfureció cuando Brun dijo a Zoug que le enseñara el uso de la honda. Después de varios intentos infructuosos más, Broud interrumpió la lección.

—Vamos, déjame mostrarte cómo se hace, Vorn —señaló Broud, haciendo a un lado al viejo.

Zoug dio unos pasos hacia atrás y lanzó una mirada aguda al arrogante joven. Todos se detuvieron y se quedaron mirando, y Brun estaba ceñudo. No le agradaba que Broud tratara con tanta desenvoltura al mejor tirador del Clan. Le había dicho a Zoug, no a Broud, que entrenara al muchacho. "Una cosa es interesarse por el joven —pensaba Brun—, pero está yendo demasiado lejos. Vorn debería aprender del mejor, y Broud sabe que la honda no es su mejor arma. Necesita aprender que un buen jefe debe aprovechar las habilidades de cada uno. Zoug es el más hábil y tendrá tiempo de enseñar al muchacho cuando los demás estemos cazando. Broud se está volviendo altanero; es demasiado orgulloso. ¿Cómo puedo elevarlo si no muestra mejor juicio? Tiene que darse cuenta de que no es tan importante sólo porque llegará a ser jefe, sólo *porque* llegará a ser jefe".

Broud tomó la honda de manos del muchacho y recogió una piedra. La insertó en la bolsa de la honda y la lanzó hacia el poste: cayó antes de llegar al blanco. Ese era el problema más usual que solían tener los hombres del Clan con la honda. Tenían que aprender a compensar la limitación de las articulaciones de su brazo, que impedían formar un arco completo. Broud estuvo furioso por haber fallado y se sintió algo tonto. Tendió la mano para recoger otra piedra, la lanzó a toda prisa deseando mostrar que podía hacerlo. Se daba cuenta de que todos los estaban observando. La honda era más corta de lo que él acostumbraba, y la piedra se fue hacia la izquierda, sin llegar al poste.

—¿Estás tratando de enseñarle a Vorn o quieres unas cuantas lecciones para ti, Broud? —sugirió Zoug con sorna—. Puedo acercar el poste.

Broud luchó por dominar su genio; no le gustaba ser objeto de la ironía de Zoug y estaba furioso por haber seguido fallan-

174

do después de haberle dado tanta importancia a la cosa. Lanzó otra piedra, pero esta vez su compensación fue excesiva y la lanzó mucho más allá del poste.

—Si esperas a que haya concluido la lección del muchacho, me dará mucho gusto enseñarte a ti —señaló Zoug con un sarcasmo pesado en su posición—. Parece que te hace buena falta. —El orgulloso anciano se sentía rehabilitado.

—¿Cómo puede aprender Vorn con una honda tan destrozada como ésta? —replicó Broud a la defensiva, arrojando la correa al suelo con repugnancia—. Nadie puede lanzar una piedra con este vejestorio. Vorn, yo te haré una honda nueva. No puede esperarse que aprendas con la honda desgastada de un viejo. Ni siquiera puede seguir cazando.

Ahora Zoug estaba enojado. Retirarse de las filas de los cazadores activos era siempre un golpe contra el orgullo de un hombre, y Zoug había trabajado mucho para perfeccionar su habilidad con el arma difícil, para retener algo de dignidad. Zoug había sido otrora segundo al mando como el hijo de su compañera, y su orgullo era particularmente sensible.

—Más vale ser un *hombre* viejo que un muchacho que se cree hombre —replicó Zoug, agachándose para recoger la honda que estaba a los pies de Broud.

La indirecta contra su hombría fue algo más de lo que podía soportar Broud, fue la última gota. No pudo seguir dominándose y empujó al viejo. Zoug perdió el equilibrio, pues no esperaba el empujón, y cayó pesadamente al suelo. Se quedó sentado donde había caído, con las piernas estiradas delante de él, mirando hacia arriba con los ojos sorprendidos y muy abiertos. Era lo último que habría esperado.

Los cazadores del Clan nunca se atacaban unos a otros físicamente; ese castigo se reservaba para las mujeres que no eran capaces de comprender reproches más sutiles. Las energías exuberantes de los jóvenes se desahogaban supervisando asaltos de lucha o competencias de corre-y-lanza o encuentros de honda y boleadoras que servían también para mejorar las habilidades de los cazadores. La habilidad en la caza y la auto-disciplina eran la medida de la hombría en el Clan, que dependía de la cooperación para sobrevivir. Broud quedó casi tan sorprendido como Zoug por su propio arrebato, y tan pronto como se percató de lo que había hecho, su rostro enrojeció de confusión.

—¡Broud! —la palabra salió de la boca del jefe en un rugido dominado. Broud alzó la cabeza y se encogió. Nunca había visto tan enojado a Brun. El jefe se acercó a él, plantando firmemente los pies a cada paso, con gestos tensos y controlándose mucho.

—Esa exhibición infantil de genio es imperdonable. Si no fueras ya el cazador de más bajo rango, ahí te pondría. ¿Quién te ha mandado interferir con la lección del muchacho, para empezar? ¿A quién mandé entrenar a Vorn, a Zoug o a ti? —La ira surgía de los ojos del jefe—. ¿Y te dices cazador? ¡Ni siquiera puedes llamarte hombre! Vorn se controla mejor que tú. Una mujer tiene más auto-disciplina. Eres el futuro jefe; ¿así es como vas a dirigir hombres? ¿Esperas controlar un Clan cuando no eres capaz de controlarte a ti mismo? No te sientas tan seguro de tu porvenir, Broud, Zoug tiene razón. Eres un chiquillo que se cree hombre.

Broud estaba mortificado. Nunca lo habían avergonzado tan severamente, y delante de los cazadores y de Vorn. Querría haber echado a correr y esconderse, no podría vivir con esa vergüenza. Habría preferido enfrentarse al ataque de un león cavernario que a la ira de Brun... Brun, que pocas veces mostraba su enojo, que tan pocas veces tenía que mostrarlo. Una mirada penetrante del jefe, que mandaba con una dignidad estoica, un liderazgo capaz y una disciplina constante, bastaba para que cualquier miembro de su Clan, hombre o mujer, brincara para obedecerle. Broud dejó caer su cabeza en señal de sometimiento.

Brun miró al sol y después hizo señas de que se fueran. Los demás cazadores, observando incómodamente la severa reprimenda que Brun acababa de dar, se sintieron mejor al poder alejarse. Echaron a andar detrás del jefe que se dirigió a la cueva con paso veloz. Broud se quedó atrás de todos, con el rostro enrojecido aún.

Ayla estaba inmóvil, agazapada, como si hubiera echado raíces en el lugar, sin atreverse a respirar. Estaba petrificada a la idea de que pudieran verla. Sabía que había presenciado una escena que ninguna mujer estaba autorizada a ver. Nunca se habría castigado de ese modo a Broud delante de una mujer. Los hombres, sea cual fuere la provocación, conservaban una solidaridad fraternal cuando había mujeres cerca. Pero el episodio había abierto los ojos de la muchacha a una parte de los hombres que nunca habría sospechado. No eran los libres agentes, poderosos, que reinaban impunemente como ella había creído. También ellos tenían que obedecer órdenes y también a ellos se les podía regañar. Sólo Brun parecía ser la figura omnipotente que gobernaba con predominio total. No comprendía que Brun se encontraba bajo constricciones todavía más fuertes que cualquiera de los demás: las tradiciones y costumbres del Clan, los espíritus insondables e impredecibles que controlaban a las fuerzas de la naturaleza, y su propio sentido de la responsabilidad.

Ayla permaneció oculta todavía mucho después de que los hombres hubieran abandonado el campo de ejercicio, con miedo a que pudieran regresar. Todavía sentía aprensión cuando se atrevió finalmente a salir de detrás del árbol. Aun cuando no captaba totalmente las implicaciones de su nueva penetración en la naturaleza de los hombres del Clan, sí comprendía una cosa: había visto a Broud tan sumiso como cualquier mujer, y eso le agradaba. Había aprendido a aborrecer al arrogante joven que la atormentaba despiadadamente, regañándola por la menor infracción, que ella supiera o no haber cometido, y a menudo llevaba las huellas de su mal genio. No podía complacerlo en nada, por mucho que se esforzara.

Ayla atravesó el calvero pensando en el incidente. Al acercarse al poste, vio que todavía estaba la honda en el suelo donde la había arrojado Broud con enojo. Nadie se había acordado de recogerla antes de marchar. Se quedó mirándola, sin atreverse a tocarla: era un arma, y el temor a Brun la hacía temblar como a la idea de hacer alguna cosa que pudiera enojarlo con ella tanto como con Broud. Su mente retrocedió hacia la serie de incidentes que acababa de presenciar, y al ver el trozo de cuero caído recordó las instrucciones que Zoug le había dado a Vorn, y las dificultades de éste. "¿Será realmente tan difícil? Si Zoug me enseñara ¿sería capaz de hacerlo?"

Se sentía aterrada ante la temeridad de sus pensamientos y echó una mirada en derredor para asegurarse de que estaba sola, con miedo a que se adivinaran sus pensamientos si alguien la veía. Broud no podía hacerlo, recordó. Pensó en Broud cuando intentaba atinarle al poste y en los gestos despectivos de Zoug ante su fracaso, y una sonrisa fugaz pasó por su rostro.

"¿No se enfurecería si fuera yo capaz de hacer algo que él no puede?" Le agradaba la idea de ser mejor que Broud en algo. Echando una mirada más a su alrededor, volvió a clavar la vista, llena de aprensión, en la honda; de repente se agachó y la recogió. Sintió el cuero flexible de la vieja arma y de repente pensó en el castigo que le acarrearía el que alguien la sorprendiera con una honda en la mano. Por poco la suelta, mirando rápidamente al otro lado del calvero, el camino que habían tomado los hombres. Su mirada cayó sobre el montoncito de cantos rodados.

"Me pregunto si podría hacerlo. ¡Oh, Brun estaría tan furioso conmigo que no sé lo que haría! Y Creb diría que soy mala sólo por tocar esta honda. ¿Qué puede tener de malo tocar un trozo de cuero? Sólo porque se haya usado para lanzar piedras. ¿Me pegaría Brun? Broud sí; estaría encantado de que lo hubiera tocado sólo como excusa para pegarme. ¡Y qué furioso estaría si supiera lo que he visto! Todos estarían furiosos pero ¿podrían estarlo más si lo intentara? Lo malo es malo ¿verdad? Me pregunto si podría darle al poste con una piedra".

La muchacha estaba torturada por el deseo de probar la honda y la conciencia de que le estaba prohibido hacerlo. Estaba mal; ya sabía que estaba mal. Pero quería probar. ¿Qué diferencia haría una cosa mala más? "Nadie lo sabrá, aquí no hay nadie más que yo". Echó una nueva mirada de culpabilidad en derredor, y echó a andar hacia las piedras.

Ayla recogió una y trató de recordar las instrucciones de Zoug. Cuidadosamente, unió los dos extremos y los agarró con firmeza. El bucle de cuero colgaba blandamente; se sintió torpe, insegura en cuanto a la manera de introducir la piedra en la bolsa gastada. Varias veces se le cayó la piedra en cuanto empezaba a moverla. Se concentró, tratando de ver en el recuerdo las demostraciones de Zoug. Volvió a intentarlo, casi la lanzó pero la honda se dobló y la piedra cayó nuevamente al suelo.

La vez siguiente trató de agarrar algo de impulso y lanzó el canto rodado a unos cuantos pasos de distancia. Encantada, agarró otra piedra. Después de unas cuantas lanzadas en falso, logró lanzar una segunda piedra. Los siguientes intentos fallaron, después una piedra voló, lejos de la meta pero cerca del poste. Empezaba a agarrar el modo.

Cuando el montón de piedras desapareció, volvió a recogerlas y lo hizo una tercera vez. A la cuarta ronda, ya podía lanzar la mayoría de las piedras sin que se le cayeran muchas veces. Ayla bajó la mirada y vio que quedaban tres piedras en el suelo. Recogió una, la puso en la honda, la hizo girar por encima de su cabeza y lanzó el proyectil. Oyó un "pac" cuando golpeó el poste y rebotó, y la niña saltó embriagada por el gozo del éxito.

"¡Lo logré! ¡Le atiné al poste!" Fue pura suerte, un golpe casual, pero eso no redujo su alegría. La siguiente piedra voló hacia otro lado pero más allá del poste, y la última cayó al suelo sólo a unos pies de distancia. Pero lo había hecho una vez y estaba segura de poder hacerlo de nuevo.

Empezó a recoger nuevamente las piedras y se dio cuenta de que el sol estaba acercándose hacia el horizonte al oeste del cielo. Súbitamente recordó que había salido en busca de corteza de cerezo silvestre para Iza. ¿Cómo se le había hecho tan tarde? pensó. "¿Me he pasado aquí toda la tarde? Iza se preocupará y Creb también". Rápidamente escondió la honda en un pliegue de su manto, corrió hacia los cerezos, quitó la corteza exterior con su cuchillo de sílex y raspó largas tiras delgadas de la capa interior de cambium. Entonces echó a correr lo más aprisa que pudo hacia la cueva, deteniéndose sólo al acercarse al río para adoptar la postura digna que se esperaba en las hembras. Tenía miedo de meterse ya en líos por haber vuelto tan tarde; no quería dar a nadie más razones para enfadarse.

—¡Ayla! ¿Dónde has estado? No podía soportar la angustia; pensé que te habría atacado algún animal. Estaba a punto de pedirle a Creb que Brun mandara alguien en tu busca —rezongó Iza tan pronto como la vio.

—Estuve mirando por ahí a ver si algo comenzaba a crecer, y luego fui al calvero —dijo Ayla, sintiéndose culpable—. No me había dado cuenta de lo tarde que era—. Era la verdad, pero no toda la verdad. Aquí está tu corteza de cerezo. La grana está saliendo donde la vimos crecer el año pasado. ¿No me habías dicho que sus raíces también eran buenas para el reuma de Creb?

—Sí, pero debes macerar la raíz y aplicarla como un lavado para aliviar el dolor. Las bayas sirven para hacer té. El jugo de las bayas aplastadas es bueno para tumores e hinchazón también —comenzó a explicar la curandera, respondiendo automáticamente a su pregunta; de repente se interrumpió—: Ayla, estás tratando de distraerme con preguntas médicas. Ya sabes que no deberías haber pasado tanto tiempo fuera, causándome tanta preocupación —señaló Iza con sus ademanes. Ahora que la niña había vuelto sana y salva, no estaba enojada pero quería asegurarse de que Ayla no se fuera sola tanto tiempo. Iza estaba preocupada siempre que Ayla salía.

—No volveré a hacerlo sin avisarte, Iza. Se me hizo tarde sin darme cuenta.

Mientras volvían a la cueva, Uba, que había estado buscando a Ayla todo el día, la vio y echó a correr hacia ella con sus piernitas regordetas y arqueadas, estando a punto de caer antes de llegar a ella. Pero Ayla agarró al vuelo a la nenita y la lanzó por el aire.

—Iza ¿no podría llevarme de vez en cuando a Uba? No me quedaría fuera mucho tiempo. Y podría empezar a enseñarle algunas cosas.

—Es demasiado joven para comprender todavía. Apenas está aprendiendo a hablar —dijo Iza, pero viendo lo felices que eran ambas cuando estaban juntas, agregó—: Supongo que puedes llevártela como compañía de vez en cuando, si no vas muy lejos.

—¡Oh, qué bien! —dijo Ayla abrazando a Iza sin soltar a la nenita. La lanzó nuevamente al aire y rió a carcajadas mientras Uba la contemplaba con ojos brillantes y llenos de adoración.

—¿Verdad que será divertido, Uba? —dijo, después de dejar a la niña en el suelo—. Madre va a dejar que vengas conmigo.

"¿Qué le ha pasado a esta muchacha? —pensó Iza—. Hacía tiempo que no la veía tan excitada. Tiene que haber espíritus extraños por el aire hoy. Primero vuelven temprano los hombres y en vez de sentarse a charlar como de costumbre, cada uno se va a su hogar y ni siquiera presta atención a las mujeres; creo que no he visto a ninguno regañar a nadie. ¡Inclusive Broud ha sido casi amable conmigo. Y luego Ayla se queda fuera todo el día y regresa llena de energías abrazándonos. No lo entiendo"

10

—¿Sí? ¿Qué quieres? —accionó Zoug con impaciencia. Hacía un calor inusitado para ser principios del verano. Zoug tenía sed y se sentía incómodo, sudando bajo el calor del sol, trabajando un extenso cuero de venado con un rascador romo a medida que secaba. No estaba de humor para interrupciones, especialmente procedentes de la muchacha fea de cara plana que acababa de sentarse junto a él con la cabeza inclinada, esperando que les prestara atención.

—¿No querría Zoug un poco de agua? —señaló Ayla, alzando prudentemente la mirada al sentir el golpecito en su hombro—. Esta muchacha estuvo en el manantial y vio al cazador trabajando bajo el ardiente sol. La muchacha pensó que el cazador tal vez tuviera sed; no tenía ánimos de interrumpir —expresó con la seriedad debida al dirigirse a un cazador. Presentó una taza de corteza de abedul y sostuvo la fresca y chorreante bolsa de agua hecha con el estómago de una cabra montés.

Zoug gruñó asintiendo, disimulando su sorpresa ante la solicitud de la muchacha mientras le vertía agua fresca en la taza. No había podido llamar la atención de ninguna mujer para pedirle de beber, y no quería dejar el trabajo en ese momento. El cuero estaba casi seco; era importante seguir trabajándolo para que el producto acabado fuera tan flexible como él quería. Su mirada siguió a la muchacha mientras ésta dejaba la bolsa de agua allí cerca, a la sombra, y regresaba con un hato de hierbas duras y raíces leñosas empapadas en agua, para ponerse a trenzar una canasta.

Aun cuando Uka siempre era respetuosa y respondía a sus solicitudes sin vacilar desde que se había mudado con el hijo de su compañera, ella no solía adelantarse a sus necesidades de la manera que lo había hecho su compañera antes de morir. Las atenciones de Uka estaban dirigidas principalmente a Grod, y Zoug echaba de menos los pequeños detalles de una compañera abnegada. De vez en cuando Zoug echaba una mirada a la muchacha que estaba sentada junto a él. Estaba silenciosa, aplicada a su trabajo. "Mog-ur la ha adiestrado bien", pensó. No se fijó en que ella lo estaba observando con el rabillo del ojo mientras él estiraba, tendía y raspaba la piel húmeda.

Aquella tarde, el viejo estaba sentado solo delante de la cueva, mirando a lo lejos. Los cazadores habían salido, Uka y otras dos mujeres los acompañaban, y Zoug había comido junto al fuego de Goov con Ovra. El ver a la joven, adulta ya y apareada, cuando hacía tan poco tiempo que era sólo una niña en brazos de Uka, hizo sentir a Zoug el paso del tiempo que lo había privado de las fuerzas para cazar con los hombres. Había dejado el fuego poco después de comer. Estaba sumido en sus pensamientos cuando observó que la muchacha se acercaba a él con un tazón de mimbre en la mano.

—Esta muchacha ha recogido más frambuesas de las que podemos comer —dijo, una vez que él reconoció su presencia—; ¿podrá el cazador encontrar lugar para comérselas, y que no se pierdan?

Zoug aceptó el tazón que le ofrecían con un placer que no consiguió disimular. Ayla se quedó sentada a distancia respetuosa mientras Zoug saboreaba la fruta dulce y jugosa. Cuando hubo terminado devolvió el tazón, y la muchacha se alejó rápidamente. "No sé por qué dice Broud que es irrespetuosa —pensó, viéndola alejarse—. No le veo nada malo salvo que es notablemente fea.

Al día siguiente Ayla volvió a llevar agua del fresco manantial mientras Zoug trabajaba, y extendió los materiales para el canasto que estaba haciendo allí cerca, para ir recolectando. Más tarde, cuando Zoug estaba terminando de frotar con grasa la suave piel de venado, Mog-ur llegó cojeando donde se encontraba el viejo.

—Es un trabajo duro curtir una piel al sol —dijo con gestos.

—Estoy haciendo hondas nuevas para los hombres, y también a Vorn le he prometido una. El cuero tiene que ser muy flexible para las hondas; hay que trabajarlo sin cesar mientras seca, y la grasa debe absorberse por completo. Es mejor hacerlo al sol.

—Estoy seguro de que los cazadores se sentirán complacidos —observó Mog-ur—. Todos saben que eres el experto en cuanto a hondas. Te he observado con Vorn: tiene suerte de que tú le enseñes. Es un arte difícil de dominar. También debe de ser un arte el confeccionar las hondas.

Zoug rebosó de contento al oír el halago del mago.

—Mañana las cortaré. Ya conozco los tamaños para los hombres, pero tengo que ajustar la de Vorn. Una honda debe estar hecha para el brazo, así se asegura mayor fuerza y precisión.

—Iza y Ayla están preparando la perdiz blanca que trajiste el otro día como parte para el Mog-ur. Iza está enseñándole a la muchacha a guisarla como a mí me gusta. ¿No te agradaría cenar esta noche en el hogar de Mog-ur? Ayla quería que te invitara, y tu compañía me sería agradable. A veces, a un hombre le agrada hablar con otro hombre, y yo sólo tengo hembras en mi hogar.

—Zoug cenará con Mog-ur —dijo el viejo, visiblemente complacido.

Aunque los banquetes en común eran frecuentes, y a menudo compartían una comida dos familias, especialmente cuando estaban emparentadas, pocas veces invitaba Mog-ur a otros. Tener un lugar suyo era algo nuevo para él, y disfrutaba descansando en compañía de sus mujeres. Pero conocía a Zoug desde la infancia, siempre lo había querido y respetado. El placer que vio en el rostro del otro hizo pensar a Mog-ur que debería haberlo invitado antes. Se alegró de que Ayla lo mencionara. Al fin y al cabo, había sido Zoug quien les dio la perdiz blanca.

Iza no estaba acostumbrada a tener invitados; se preocupó, se agitó y se superó. Su conocimiento de las hierbas comprendía igualmente los condimentos, no sólo las medicinas. Sabía impartir un toque sutil y hacer combinaciones compatibles que mejoraban el sabor de los platillos. La comida fue deliciosa; Ayla se mostró especialmente atenta sin exagerar, y Mog-ur estuvo contento de ambas. Una vez que los hombres se hubieran hartado, Ayla les sirvió un té delicioso a base de manzanilla y menta, del que Iza sabía que contribuiría a la buena digestión. Con dos mujeres dispuestas a adelantarse a sus deseos y una bebita regordeta y contenta que se subía a su regazo y les tiraba de las barbas, haciéndoles sentirse jóvenes de nuevo, los dos viejos descansaron y hablaron de tiempos pasados. Zoug se mostró agradecido y justo algo envidioso del dichoso hogar que el viejo mago podía llamar suyo, y Mog-ur sentía que su vida no podía ser más dulce.

Al día siguiente Ayla miró mientras Zoug medía una tira de cuero con el brazo de Vorn, y prestó mucha atención mientras el viejo explicaba por qué los extremos debían ser afinados sólo así, por qué no debería ser demasiado larga ni demasiado corta, y lo vio meter una piedra, que había estado sumida en agua, en medio del bucle para estirar lo suficiente el cuero y formar la bolsa. Estaba recogiendo las tiras después de cortar unas cuantas hondas más, cuando Ayla le llevó una taza de agua.

—¿No necesita Zoug los trozos que han sobrado? ¡El cuero parece tan suave! —dijo con gestos.

Zoug se sintió generoso con la muchacha amable y admirada.

—No necesito esa tiras. ¿Te gustan?

—Esta muchacha agradecería. Creo que algunos de los trozos son suficientemente grandes para aprovecharlos —accionó, con la cabeza inclinada.

Al día siguiente Zoug echó de menos a Ayla, que no fue a su lado a trabajar ni a llevarle agua. Pero había terminado su tarea y las armas estaban hechas. La vio alejarse hacia el bosque con su nuevo canasto de cosechadora colgado de la espalda y su palo de desarraigar en la mano. "Sin duda va en busca de más plantas para Iza —pensó—. No comprendo a Broud". A Zoug no le agradaba mucho el joven; no había olvidado cómo lo atacó anteriormente. "¿Por qué está siempre molestándola? La muchacha es trabajadora, respetuosa, y hace honor a Mog-ur. Este tiene suerte: Iza y ella". Zoug recordaba la agradable cena que había tomado con el gran mago, y aun cuando nunca lo dijo, recordaba que Ayla había sido quien insinuó a Mog-ur que lo invitara a compartirla. Observó a la alta joven de piernas rectas, mientras se alejaba. "Lástima que sea tan fea —se dijo—, podría ser una excelente compañera para algún hombre".

Una vez que Ayla se confeccionó una honda nueva con los restos de cuero de Zoug, para sustituir la vieja que finalmente se había acabado, decidió buscar un lugar donde practicar lejos de la cueva. Siempre tenía miedo de que alguien la sorprendiera. Echó a andar río arriba, siguiendo la ribera, y luego empezó a subir por el monte siguiendo un arroyo que desembocaba en el río que pasaba junto a la cueva, abriéndose paso entre la maleza.

EL CLAN DEL OSO CAVERNARIO

La detuvo una roca abrupta por encima de la que caía el arroyo formando una cascada. Rocas salientes, cuyas siluetas recortadas eran suavizadas por un profundo cojín de precioso musgo verde, separaban el agua que brincaba de roca en roca formando chorros que salpicaban creando velos de niebla y seguían cayendo. El agua se aquietaba en una poza espumosa que llenaba un hueco rocoso de poca profundidad al pie de la cascada, antes de seguir su camino para reunirse con el río más ancho. La muralla representaba una barrera paralela al río, pero cuando Ayla quiso seguir su camino por allí para volver a la cueva, el risco formaba un ángulo abrupto por donde se podía trepar.

Líquenes húmedos de un gris verdoso cubrían los pinos y abetos que dominaban en lo alto. Había ardillas correteando por los altos árboles y a través del césped de musgo jaspeado que tapizaba tierra y piedras y troncos caídos por igual con un manto continuo matizado desde un amarillo claro hasta un verde profundo. Más adelante la muchacha podía ver que el sol se filtraba entre los bosques de hojas perennes. Siguiendo el arroyo los árboles fueron haciéndose más escasos mezclados con algunos deciduos reducidos al tamaño de arbustos, y finalmente apareció un claro. La muchacha salió del bosque a un pequeño campo cuyo extremo más alejado terminaba en la roca de un gris moreno del monte, poco cubierta con plantas trepadoras a medida que iba ascendiendo.

El arroyo, formando meandros a través de uno de los lados del prado, encontraba su origen en un enorme manantial brotando del costado de la roca cerca de un frondoso avellano que crecía como si saliera de la roca. La sierra estaba perforada de grietas subterráneas y saltos de agua que filtraban el hielo derretido que aparecía más abajo como fuentes claras y efervescentes.

Ayla cruzó la pradera montañosa y bebió agua fría, deteniéndose después para examinar los racimos dobles y triples de avellanas, verdes aún, encerradas en sus fundas verdes cubiertas de púas. Arrancó un racimo, peló la funda y rompió la cáscara blanda con los dientes, dejando al descubierto una avellana blanca a medio crecer. Siempre le gustaban más las avellanas verdes que las maduras que caían al suelo. El sabor le abrió el apetito, y comenzó a recoger varios racimos y a meterlos en su canasto. Al tender la mano, observó un espacio oscuro detrás del tupido follaje.

Cautelosamente, apartó las ramas y vio una pequeña cueva oculta por los densos matorrales del avellano. Empujó las ramas, miró cuidadosamente el interior y entró, dejando que las ramas se cerraran tras ella. La luz del sol moteaba una pared con una serie de luz y sombras iluminando tenuemente el interior. La cuevita tendría unos doce pies de profundidad y unos seis de ancho. Si se ponía en puntillas, casi podía tocar con la mano la parte superior de la abertura. El techo se inclinaba suavemente hasta más o menos la mitad de la profundidad, acercándose más rápidamente hacia el suelo de tierra seca hacia el fondo.

Era justo un agujero en la pared montañosa, pero suficientemente amplio para que una muchacha pudiera encontrarse cómoda y moverse. Vio una reserva de nueces podridas y unos cuantos excrementos de ardilla junto a la entrada, y comprendió que la cueva no había sido aprovechada por ningún animal mayor. Ayla bailó en círculo, encantada con su hallazgo. La cueva parecía hecha justo a su medida.

Salió de nuevo y miró a través del claro, después trepó un poco por la roca desnuda y avanzó hasta un estrecho saliente que serpenteaba alrededor del promontorio. Muy lejos, entre dos colinas, estaba el agua espumosa del mar interior. Más abajo pudo divisar una figura diminuta cerca de la estrecha cinta plateada de un río: se encontraba casi directamente encima de la cueva del Clan. Bajando de nuevo, recorrió el perímetro del claro.

Es perfecto, pensó. Puedo practicar en el campo, hay agua cerca para beber, y si llueve puedo entrar en la cueva. También ahí puedo esconder mi honda. Entonces no tendré miedo de que la descubran Iza o Creb. Inclusive hay avellanas, y más adelante puedo llevar algunas para el invierno. Los hombres no suben casi nunca tan arriba para cazar. "Esto va a ser exclusivamente mío". Corrió por el calvero hasta el arroyo y se puso a buscar cantos rodados para probar su honda nueva.

Ayla subía para practicar en su retiro en cuanto podía. Encontró un camino más directo aunque más empinado para llegar a su pequeña pradera del monte, y a menudo sorprendía a gamos, ovejas o tímidos venados que allí pacían. Pero los animales que frecuentaban el alto pastizal pronto se acostumbraron a ella, y sólo se retiraban al extremo opuesto del prado herboso cuando llegaba.

EL CLAN DEL OSO CAVERNARIO

Cuando atinarle al poste con una piedra perdió su encanto, una vez que fue adquiriendo habilidad con la honda, se impuso blancos más difíciles. Observaba cuando Zoug daba explicaciones a Vorn, y después aplicaba los consejos y las técnicas al practicar a solas. Para ella era como un juego algo divertido; y para incrementar el interés, comparaba su progreso con el de Vorn. La honda no era el arma predilecta de éste, era un trabajo de viejo. Le interesaba más la lanza, el arma de los cazadores primitivos, y se las había arreglado para matar algo de caza menor, animalillos lentos como serpientes y puercoespines. No se aplicaba tanto como Ayla, y le resultaba más difícil. A ella le daba una sensación de orgullo y logro, saber que era mejor que el muchacho, así como un ligero cambio de actitud... un cambio del que Broud se percató.

Se suponía que las hembras debían ser dóciles, serviles, humildes y nada presumidas. El dominante joven consideraba como una afrenta personal que ella no se acobardara un poco en cuanto él se acercaba. Eso amenazaba su masculinidad. La observaba, tratando de saber qué había en ella que resultara diferente, y era rápido para darle un manotazo sólo por el placer de sorprender una mirada fugaz de temor en sus ojos o por verla encogerse.

Ayla trataba de responder convenientemente, hacía todo lo que él ordenaba y lo más rápidamente posible. No sabía que en su andar había libertad, una desenvoltura procedente de sus correrías por campos y selvas; orgullo en su porte, por estar aprendiendo una habilidad difícil y adquirirla mejor que nadie; y una confianza creciente en su semblante. No sabía por qué la atormentaba más que a nadie. El propio Broud no sabía por qué le fastidiaba tanto la muchacha. Era algo indefinible, y ella no podría haberlo cambiado como tampoco podía cambiar el color de sus ojos.

Parte de ello era el recuerdo de la atención que había usurpado el día en que se celebraron los ritos de su virilidad, pero el verdadero problema estaba en que ella no era originaria del Clan. No había sido imbuida desde generaciones con el atavismo de la servilidad. Era una de los Otros, una raza nueva, más joven, más vital, más dinámica, que no estaba controlada por tradiciones innatas arraigadas en un cerebro que era casi exclusivamente memoria. El cerebro de ella seguía caminos distintos, su alta y ancha frente que alojaba lóbulos frontales capaces de pensar hacia delante, le proporcionaban un entendimiento que procedía de una perspectiva diferente. Era capaz de aceptar lo nuevo, de configurarlo según su voluntad, de forjarlo con ideas que el Clan jamás soñara, y según el plan de la naturaleza, su especie estaba destinada a sustituir a la raza antigua que estaba a punto de desaparecer.

En un nivel profundo e inconsciente, Broud intuía los destinos opuestos de ambas. Ayla era algo más que una amenaza contra su masculinidad: era una amenaza contra su existencia. El odio que experimentaba hacia ella era el odio de lo viejo contra lo nuevo, de lo tradicional contra lo innovador, de lo moribundo contra lo que vive. La raza de Broud era demasiado estática, demasiado ajena al cambio. Habían alcanzado la cima de su desarrollo, no les era posible seguir progresando. Ayla formaba parte del nuevo experimento de la naturaleza, y aun cuando se esforzaba por modelarse a imagen de las mujeres del Clan, era sólo una apariencia, una fachada superficial adoptada para sobrevivir. Ya estaba encontrando rodeos en respuesta a una necesidad profunda que buscaba expresarse. Y aun cuando trataba por todos los medios de complacer al insoportable joven, comenzaba a rebelarse interiormente.

Una mañana particularmente pesada, Ayla fue a la poza para buscar agua de beber. Los hombres estaban reunidos juntos en el lado opuesto de la abertura de la cueva, proyectando la próxima cacería. Ella se alegraba, pues eso significaba que Broud estaría ausente unos días. Estaba sentada con una taza en la mano junto al agua tranquila, sumida en sus pensamientos. "¿Por qué se porta siempre tan ruinmente conmigo? Trabajo tanto como cualquier otra. Hago todo lo que quiere. ¿De qué me sirve esforzarme tanto? Ninguno de los otros hombres la toma contra mí como él. Sólo quisiera que me dejara en paz".

—¡Ay! —exclamó sin querer, cuando el golpe de Broud la tomó por sorpresa.

Todos interrumpieron lo que estaban haciendo y se quedaron mirándola, apartando la vista después. Una muchacha tan cerca de la edad adulta no debe gritar así sólo porque un hombre le da un manotazo. Ella se volvió hacia su atormentador, con el rostro colorado de confusión.

—Estabas mirando nada, sentada ahí sin hacer nada, muchacha perezosa —gesticuló Broud—. Te dije que nos trajeras té y me has ignorado. ¿Por qué tengo que repetírtelo?

Una sensación de ira la hizo enrojecer más aún. Se sintió humillada por haber gritado, avergonzada delante de todo el Clan, y furiosa contra Broud por ser el causante. Se puso en pie pero no con su prisa habitual para obedecer a sus órdenes.

Lenta, insolentemente se puso en pie, echó a Broud una mirada de odio frío antes de alejarse para ir en busca del té, y oyó que todo el Clan daba un jadeo. ¿Cómo se atrevía a portarse con tanto descaro?

Broud estalló de ira. Dio un brinco tras ella, la hizo girar y le dio un puñetazo en la cara. La muchacha cayó al suelo a sus pies, y entonces él le propinó otro golpe muy fuerte. Ella se encogió, tratando de protegerse con los brazos mientras la golpeaba una y otra vez. Luchó por no gritar, aun cuando no se esperara silencio de quien sufriera semejante maltrato. La furia de Broud aumentaba con su violencia; quería oírla gritar y hacía llover sobre ella un golpe brutal tras otro en su ira descontrolada. Ella apretaba los dientes, tratando de hacerse fuerte contra el dolor, negándose empecinadamente a proporcionarle la satisfacción que él buscaba. Al cabo de un rato, ya no habría podido gritar.

Débilmente, a través de una roja y vaga nebulosidad, se dio cuenta de que la paliza había cesado. Sintió que Iza la ayudaba a levantarse y se recostó pesadamente en la mujer mientras se dirigía a la cueva dando traspiés, casi incosciente. Oleadas de dolor la recorrían mientras oscilaba entre la conciencia y una insensibilidad entumecida. Sólo tenía vagamente conciencia de las cataplasmas frescas y calmantes y de que Iza le sostenía la cabeza para que pudiera beber un brebaje amargo antes de caer en un sueño aletargado.

Al despertar, la luz débil que precede al amanecer apenas diseñaba la silueta de los objetos familiares de la cueva, débilmente acompañada por el brillo apagado de las brasas de la lumbre. Quiso enderezarse: todos los músculos y huesos de su cuerpo se rebelaron contra el movimiento; un gemido salió de sus labios y al instante estuvo Iza junto a ella. Los ojos de la mujer se expresaban elocuentemente: estaban llenos de dolor y preocupación por la muchacha. Nunca había visto propinar tan brutal paliza; ni siquiera su compañero, en los peores momentos, había golpeado tan rudamente a Iza. Estaba segura de que Broud la habría matado si no lo hubieran obligado a dejarla. Fue una escena que nunca esperaba volver a ver Iza, y que no deseaba presenciar de nuevo.

Al volverle el recuerdo del incidente, Ayla se sintió llena de odio y temor. Sabía que no debería haberse mostrado tan insolente, pero tampoco tenía por qué esperar una reacción tan violenta. ¿Por qué lo afectaba ella de tal modo que se abandonara a estallidos semejantes?

Brun estaba enojadísimo, de esa ira calmada y fría que obligaba el Clan a andar silenciosamente y evitarlo en lo posible. El había reprobado la insolencia de Ayla, pero la reacción de Broud lo escandalizó. Estaba bien castigar a la muchacha, pero Broud había traspuesto demasiado lejos los límites del castigo. Ni siquiera había atendido a la orden del jefe cuando le mandó detenerse; Brun tuvo que apartarlo físicamente. Peor aún: había perdido el control con una hembra. Había permitido que una muchacha lo provocara haciéndole exhibir una furia descontrolada tan poco viril.

Después del arranque de mal genio de Broud en el campo de ejercicios, Brun había quedado convencido de que el joven no volvería a permitirse perder nuevamente el control, pero ahora había hecho una rabieta que era más que infantil, mucho peor porque Broud tenía el cuerpo fuerte de un adulto. Por vez primera, Brun empezó a poner seriamente en duda el juicio de hacer de Broud el siguiente jefe, y le dolía al hombre estoico más de lo que estaba dispuesto a reconocer. Broud era algo más que el hijo de su compañera, más que el hijo de su corazón; Brun estaba seguro de que fue su propio espíritu el que lo creó, y lo amaba más que a la vida misma. Lamentaba el fracaso del joven con una punzada de culpabilidad. La culpa tenía que ser suya; había fallado en algo, no lo había criado debidamente, ni entrenado debidamente, le había mostrado demasiada predilección.

Brun esperó unos cuantos días antes de hablar a Broud. Quería darse tiempo para pensarlo todo a fondo y cuidadosamente. Broud pasó esos días en un estado de agitación nerviosa, apartándose apenas de su hogar, y casi dio un suspiro de alivio cuando Brun le hizo finalmente señas de que lo siguiera, aun cuando el corazón le palpitaba desordenadamente. No había nada en el mundo que temiera tanto como la ira de Brun, pero precisamente la falta de ira en Brun fue lo que le hizo comprender.

Con ademanes sencillos y matices de voz tranquilos, Brun dijo a Broud exactamente lo que había estado pensando. Se echó la culpa de las fallas de Broud, y el joven sintió mayor vergüenza que nunca en su vida. Se le hizo comprender el amor de Brun y su angustia, de una manera que no había sabido antes. No estaba ahí el orgulloso jefe que Broud había respetado y temido siempre, allí estaba un hombre que lo amaba y estaba profundamente desilusionado por él. Broud se sintió lleno de remordimientos.

EL CLAN DEL OSO CAVERNARIO

Entonces vio Broud una mirada dura de resolución en los ojos del jefe. Por poco se le rompe el corazón a Brun, pero los intereses del Clan tenían que pasar por encima de todo.

—Un arrebato más, Broud. Sólo un indicio más de semejante exhibición, y dejarás de ser el hijo de mi compañera. Te corresponde asumir la jefatura después de mí, pero antes de confiar el Clan a un hombre que carezca de auto-control, te desconoceré y mandaré que te maldigan con la muerte. —Ninguna emoción expresaba el rostro del jefe mientras prosiguió—: Hasta que vea alguna señal de que ya no eres un niño, no hay esperanzas de que seas capaz de asumir el mando. Te estaré observando, pero también observaré a los demás cazadores. Tendré que ver algo más que una falta de exhibición de tu temperamento, tendré que convencerme de que eres un hombre, Broud. Si tuviera yo que escoger a otro como jefe, tu posición sería en última fila, permanentemente. ¿He sido claro?

Broud no podía creerlo: ¿desconocerlo? ¿maldecirlo de muerte? ¿otro puesto en la situación de jefe? ¿siempre el varón de más baja categoría? No podía decirlo en serio. Pero la mandíbula apretada de Brun y su dura mirada de determinación no dejaban lugar a dudas.

—Sí, Brun —asintió Broud; tenía el rostro de color ceniza.

—No hablaremos de esto con los demás. Un cambio así les resultaría difícil de aceptar, y no quiero provocar preocupaciones innecesarias. Pero no pongas en duda que haré lo que he dicho. Un jefe debe poner siempre los intereses del Clan por encima de los suyos propios; es lo primero que debes aprender. Por eso es tan esencial que un jefe se controle. La supervivencia del Clan es responsabilidad suya. Un jefe disfruta de menos libertad que una mujer, Broud. Tiene que hacer muchas cosas que tal vez no desea hacer. De ser necesario, tendrá inclusive que desconocer al hijo de su compañera. ¿Comprendes?

—Comprendo, Brun —respondió Broud, aunque no estaba muy seguro de comprender. ¿Cómo podía tener un jefe menos libertad que una mujer? Un jefe podía hacer cualquier cosa, dar órdenes a todos, hombres y mujeres por igual.

—Ahora vete, Broud. Quiero estar solo.

Pasaron varios días antes de que Ayla pudiera levantarse, y muchos más antes de que las manchas amoratadas que le cubrían el cuerpo pasaran a un amarillo sucio antes de desaparecer. Al principio estaba tan asustada que no se atrevía a acercarse adonde estaba Broud, y brincaba al verlo. Pero cuando el último dolor pasó, comenzó a percatarse del cambio que se había producido en él. Ya no la acosaba ni la fastidiaba: la evitaba, positivamente. Una vez que se olvidó del dolor, empezó a considerar que la paliza había valido la pena. Se percató del que, desde entonces, Broud la había dejado en paz.

La vida le resultaba más fácil a Ayla sin tener que aguantar constantemente su vejámenes. No se había dado cuenta de la presión bajo la que vivía, hasta que ésta cesó. Por comparación, se sintió libre, aun cuando su vida seguía siendo tan limitada como la del resto de las mujeres. Caminaba con entusiasmo, echando a correr o dando un brinco gozoso súbitamente, mantenía erguida la cabeza, agitaba libremente los brazos e inclusive soltaba la carcajada. Su sensación de libertad se revelaba en sus movimientos. Iza sabía que era feliz, pero sus acciones no eran usuales y provocaban miradas de reprobación. Era demasiado exuberante; eso no estaba bien.

Que Broud la evitaba se hizo obvio también para el Clan, y constituyó un tema de reflexiones y asombro. Observando casualmente conversaciones por gestos, Ayla comenzó a adquirir el convencimiento de que Brun había amenazado a Broud con funestas consecuencias si volvía a pegarle, y se le confirmó al ver que el joven la ignoraba inclusive cuando ella lo provocaba. Fue sólo un poco descuidada al principio, dando a sus tendencias naturales una rienda más suelta, pero entonces inició una campaña deliberada de insolencia sutil. No la falta de respeto descarada que había causado aquella paliza sino insignificancias, trucos mezquinos calculados para fastidiarlo. Lo odiaba, quería vengarse de él y se sentía protegida por Brun.

Era un pequeño Clan, y por mucho que Broud tratara de evitarla, en el transcurso de las interacciones normales del Clan había ocasiones en que tenía que darle órdenes. Ella ponía todo su empeño en ser más lenta para obedecer. Si creía que nadie observaba, alzaba la mirada y la fijaba en él con la mueca peculiar que sólo ella podía hacer, cuando lo veía luchar para controlarse. Tenía cuidado cuando había otros cerca, especialmente Brun; no deseaba experimentar la ira del jefe, pero se mostró irónica respecto a la ira de Broud y puso su voluntad en contra de la de él más abiertamente a medida que avanzaba el verano.

Sólo cuando sorprendió accidentalmente una mirada de odio venenoso se preguntó si lo que estaba haciendo sería juicioso. Su mirada de hostilidad era tan intensamente malévola que fue casi como un golpe físico. Broud le reprochaba a ella su situación inaguantable. De no haber sido ella tan insolente, él no se

habría enfurecido tanto. De no ser por ella, no tendría una maldición de muerte pendiente sobre su cabeza. La exuberancia
gozosa de ella lo irritaba, por mucho que tratara de controlarse.
Era obvio y patente que su comportamiento era de una indecen-
cia escandalosa. ¿Por qué no lo veían los demás? ¿Por qué la
dejaban salirse con la suya? La odiaba más profundamente que
antes, pero tenía cuidado de disimularlo cuando Brun estaba
cerca.

La batalla entre ellos se había vuelto solapada, pero se libraba con una intensidad más feroz, y la muchacha no era tan sutil
como creía. El Clan entero tenía conciencia de la tensión que
había entre ellos, y se preguntaba por qué la permitiría Brun.
Los hombres, siguiendo la actitud del jefe, evitaban intervenir
e inclusive permitían mayor libertad a la joven de lo que habría
sido normal, pero con eso todo el Clan se sentía incómodo,
hombres y mujeres por igual.

Brun reprobaba el comportamiento de Ayla; no habían pasado inadvertidos para él lo que ella consideraba como maniobras
sutiles, y tampoco le agradaba ver que Broud la dejaba salirse
con la suya. La insolencia y la rebelión eran inaceptables de
parte de quien fuera, especialmente de las mujeres; ninguna
mujer del Clan las consideraría siquiera. Las mujeres del Clan
estaban conformes con el lugar que ocupaban, era su estado
natural; comprendían con un instinto profundo la importancia
que tenían para la existencia del Clan. Los hombres no podían
aprender sus habilidades, como tampoco ellas podían aprender
a cazar; carecían de los recuerdos necesarios para hacerlo. ¿Por
qué iba una mujer a luchar y combatir para cambiar un estado
natural? ¿Lucharía por dejar de comer o de respirar? Si Brun no
hubiera estado absolutamente seguro de que era mujer, habría
pensado, por sus acciones, que era varón. Y sin embargo, había
aprendido las habilidades femeninas e inclusive estaba mostrando aptitudes para la magia de Iza.

Por muy perturbado que se sintiera, Brun se reprimía para
no interferir, pues podía ver que Broud luchaba por dominarse.
El desafío de Ayla servía de ayuda para que Broud dominara
su genio, dominio tan esencial para un futuro jefe. A pesar de
haber considerado seriamente la posibilidad de hallar un nuevo
sucesor, Brun simpatizaba con todo lo concerniente al hijo de
su compañera. Broud era un cazador intrépido, y a Broud lo
enorgullecía su valor. Si pudiera aprender a dominar su único
defecto evidente, Brun consideraba que Broud sería un buen jefe.

Ayla no tenía perfecta conciencia de las tensiones que la rodeaban. Aquel verano se sentía más feliz de lo que podía recordar. Aprovechó su mayor libertad para vagabundear más por sí sola, recogiendo plantas y practicando con la honda. No esquivaba tarea alguna que le fuera impuesta —eso no ·se le permitía— pero una de sus tareas consistía en llevarle a Iza las hierbas que necesitaba, y eso le proporcionaba una excusa para alejarse del hogar. Iza nunca recuperó plenamente sus fuerzas, aunque su tos cedió con el calor del verano. Tanto Creb como Iza se preocupaban por Ayla. Iza estaba segura de que las cosas no podrían seguir así, y decidió salir con la muchacha en busca de vegetales, y aprovechar la oportunidad para hablarle.

—Ven aquí, Uba, madre está preparada —dijo Ayla, levantando a la nenita y asegurándola contra su cadera con el manto. Bajaron la pendiente y atravesaron el río hacia el oeste, siguiendo entre bosques una senda de animales que había sido ligeramente ensanchada al usarse a veces como una pista. Cuando llegaron a una pradera descubierta, Iza se detuvo y echó una mirada en derredor antes de dirigirse hacia unas flores amarillas, altas y llamativas, parecidas al aster.

—Estas son atarragas, Ayla —dijo Iza—. Por lo general crecen en campos y lugares descubiertos. Las hojas son grandes óvalos puntiagudos, de un verde oscuro por arriba y con pelusilla por debajo ¿ves? —Iza estaba de rodillas sosteniendo una hoja mientras explicaba—. La nervadura del medio es gruesa y carnosa—. Iza la rompió para mostrársela.

—Sí madre, ya veo.

—Lo que se usa es la raíz. La planta sale de la misma raíz todos los años, pero es mejor recogerla el segundo año, a fines del verano o en otoño, cuando la raíz está suave y sólida. Se corta en trocitos y se pone la cantidad que cabe en la palma de la mano, y se hace hervir en la taza pequeña de hueso hasta ia mitad. Debe enfriarse antes de beberse, unas dos tazas al día. Elimina las flemas y es especialmente buena para la enfermedad de los pulmones que hace escupir sangre. También ayuda a sudar y a orinar—. Iza había usado su palo de cavar para mostrar una raíz, y estaba sentada en el suelo, con las manos agitándose rápidamente mientras explicaba. —La raíz también puede secarse y molerse muy fina—. Arrancó cuidadosamente varias raíces y las metió en su cesto.

Cruzaron una pequeña loma, y nuevamente se detuvo Iza. Uba se había quedado dormida, confortablemente segura junto al cuerpo de Ayla.

EL CLAN DEL OSO CAVERNARIO

—¿Ves esa plantita de flores amarillentas en forma de embudo, púrpura en el centro? —preguntó Iza, señalando otra planta.

—¿Estas? —preguntó Ayla tocando una planta de un pie de alto.

—Sí; es el beleño. Muy útil para una curandera, pero no debe comerse nunca; puede ser peligrosamente venenosa si se come.

—¿Qué parte se emplea? ¿La raíz?

—Muchas partes: raíces, hojas y semillas. Las hojas son más anchas que las flores y crecen una tras otra alternándose a ambos lados del tallo. Presta mucha atención, Ayla: las hojas son de un verde apagado y pálido, con orillas erizadas, ¿y ves los pelos que crecen en el medio? —Iza tocó los finos y largos pelos mientras Ayla miraba atentamente. Entonces la curandera arrancó una hoja y la arrugó—. Huele —ordenó; Ayla olisqueó: la hoja tenía un fuerte olor narcótico.

—El olor se quita una vez que se ha secado la hoja. Más tarde habrá muchas semillitas morenas—. Iza cavó y sacó una raíz gruesa, en forma de ñame, corrugada y de piel morena. El color blanco interior se vio donde se había roto. —Las distintas partes se usan con fines distintos, pero todas ellas son buenas contra el dolor. Se puede hacer un té y beberlo —es muy fuerte, no hace falta poner mucho— o un lavado y aplicarlo a la piel. Elimina los espasmos musculares, calma y descansa, produce sueño.

Iza recogió varias plantas y echó a andar hacia una mata cercana de la malvarrosa brillante y arrancó varias de las flores rosadas, púrpura, blancas y amarillas de los altos tallos sencillos.

—La malvarrosa es buena para calmar irritaciones, dolores de garganta, arañazos y raspaduras. Las flores sirven para hacer una bebida que puede calmar el dolor, pero quien lo toma se queda adormilado. La raíz es buena para las heridas. Usé malvarrosa en tu pierna, Ayla.

La joven bajó la mano y sintió las cuatro cicatrices paralelas de su muslo y pensó de repente dónde estaría ahora de no ser por Iza.

Siguieron andando juntas un rato, disfrutando del cálido sol y del calor de su compañía mutua, sin hablar. Pero la mirada de Iza examinaba constantemente la zona. La hierba del campo abierto, que alcanzaba el pecho de la mujer, estaba dorada y había granado. La mujer miraba hacia el otro lado del campo de grano, con las espigas inclinadas por el peso de las semillas maduras, ondulando suavemente bajo la cálida brisa. Entonces vio algo y se dirigió hacia ello, atravesando el campo para detenerse en un punto en que el centeno tenía semillas de un negro violáceo.

—Ayla —dijo, señalando uno de los tallos—, el centeno no crece así normalmente; es una enfermedad de las semillas, pero tenemos suerte de haberlo encontrado: es el cornezuelo del centeno; huélelo.

—¡Huele muy mal! a pescado podrido.

—Pero hay una magia en esas semillas enfermas que resulta especialmente buena para las mujeres embarazadas. Si una mujer tarda mucho en el parto, esto puede contribuir a acelerarlo. Provoca las contracciones; y también puede iniciar el alumbramiento. Puede causar que una mujer pierda pronto al bebé, y eso es importante, especialmente si ya ha tenido problemas anteriormente al dar a luz o si está criando a un bebé. Una mujer no debe tener hijos muy seguidos, es difícil para ella, y si se queda sin leche ¿quién alimentará al nene que ya tiene? Demasiados bebés mueren al nacer o durante el primer año; la madre debe cuidar del que ya vive y tiene una posibilidad de vivir y crecer. Hay otras plantas que pueden ayudarla a perder pronto el bebé si es necesario, el cornezuelo del centeno es sólo una de ellas. También es bueno después del parto. Ayuda a expulsar la sangre vieja y volver a su sitio normal los órganos. Sabe mal, no tan mal como huele, pero resulta útil cuando se emplea con juicio. Si se toma demasiado se puede sufrir mucho: calambres, vómitos, e incluso morir.

—Es como el beleño: puede ser bueno o malo —comentó Ayla.

—Eso suele ser cierto. Muchas veces las plantas más venenosas sirven para hacer las mejores y más fuertes medicinas, cuando se sabe hacer uso de ellas.

Cuando regresaban hacia el río, Ayla se detuvo señalando una hierba de flores púrpura-azuladas, de más o menos un pie de alto.

—Ahí hay algo de hisopo. La infusión es buena contra la tos y cuando se tiene catarro ¿no es así?

—Sí, y además proporciona un agradable sabor aromático a cualquier infusión. ¿Por qué no recoger un poco?

Ayla arrancó de raíz unas cuantas plantas y fue cortando las hojas mientras caminaba.

—Ayla —le dijo la mujer—, esas raíces sacan plantas nuevas todos los años. Si arrancas las raíces no habrá plantas aquí el próximo verano. Es mejor coger sólo las hojas cuando no vas a hacer uso de las raíces.

—No se me había ocurrido —dijo Ayla, contrita—. No volveré a hacerlo.

—Inclusive si aprovechas las raíces, es mejor no arrancarlas todas de un mismo lugar. Deja siempre algunas para que sigan creciendo.

Dieron media vuelta hacia el río, y al llegar a un lugar pantanoso, Iza señaló otra planta.

—Esto es ácoro; se parece un poco al iris pero no es igual. La raíz hervida sirve de lavado para calmar quemaduras, y cuando se mastican las raíces se alivia a veces el dolor de muelas, pero hay que tener cuidado al administrárselas a una mujer encinta. Algunas mujeres han perdido al bebé por beber el jugo, aunque nunca he tenido mucha suerte al dársela a una mujer con ese propósito. Puede ayudar a un estómago descompuesto, especialmente en casos de estreñimiento. Puedes ver la diferencia en esta planta —mostró Iza—: se llama bulbo y también la planta huele más fuerte.

Se detuvieron y descansaron a la sombra de un arce de hojas grandes que había junto al río. Ayla tomó una hoja, la enrolló como cornucopia, dobló la base y puso debajo su pulgar antes de sacar un poco de agua fresca del río para beber. Se la llevó a Iza en el vaso improvisado, antes de arrojarlo.

—Ayla —dijo la mujer después de haber bebido—, deberías hacer lo que dice Broud ¿sabes? Es un hombre y tiene derecho a darte órdenes.

—Hago todo lo que me manda —respondió, a la defensiva.

—Pero no lo haces como deberías —dijo Iza meneando la cabeza—. Lo desafías, lo provocas. Ayla, algún día lo lamentarás. Broud será jefe alguna vez. Tienes que hacer lo que mandan los hombres, todos los hombres. Eres mujer y no te queda más remedio.

—¿Por qué han de tener los hombres el derecho de mandar a las mujeres? ¿En qué son mejores? Ni siquiera pueden tener hijos —expresó con un gesto de amargura, pues se sentía sublevada.

—Así son las cosas. Siempre ha sido así en el Clan. Ahora tú eres del Clan, Ayla; eres mi hija. Tienes que portarte como cualquier muchacha del Clan.

Ayla bajó la cabeza sintiéndose culpable. Iza tenía razón, ella estaba provocando a Broud. ¿Qué habría sido de ella si no la hubiera encontrado Iza? ¿Si Brun ni le hubiera permitido quedarse? ¿Si Creb no la hubiera hecho del Clan? Miró a la mujer, la única madre que recordaba. Iza había envejecido; estaba delgada y demacrada. La carne de sus otrora musculosos brazos colgaba de sus huesos, y sus cabellos morenos eran casi grises. Creb le había parecido tan viejo al principio, pero apenas había cambiado. Ahora Iza era quien parecía vieja, más vieja que Creb. Ayla se preocupaba por Iza, pero en cuanto decía algo, la mujer la hacía callarse.

—Tienes razón, Iza —dijo la muchacha—. No me he portado como debía con Broud. Me esforzaré más por complacerlo.

La nenita que llevaba Ayla empezó a agitarse. Abrió de repente los ojos muy grandes:

—Uba hambre —señaló, y se metió el regordete puño en la boca.

—Se está haciendo tarde y Uba tiene hambre —dijo Iza después de examinar el cielo—. Será mejor que emprendamos el camino de regreso.

"Ojalá tuviera fuerzas Iza para salir más frecuentemente conmigo —pensaba Ayla mientras regresaban rápidamente hacia la cueva—. Entonces pasaríamos más tiempo juntas, y aprendo siempre mucho más cuando ella está conmigo.

Aunque Ayla se esforzaba por cumplir su decisión de agradar a Broud, le costaba mucho. Se había acostumbrado a no hacerle caso, pues sabía que se volvería hacia otra de las mujeres o lo haría él mismo si ella no se apresuraba. Sus sombrías miradas no la asustaban, se sentía a salvo de su ira. Dejó de provocarlo a propósito, pero su impertinencia también se había vuelto hábito. Lo había mirado demasiado tiempo en vez de bajar la mirada inclinando la cabeza, ignorándolo en vez de correr a cumplir sus mandatos; se había vuelto automático. Su desdén inconsciente lo ofendía más que sus intentos por fastidiarlo. Se daba cuenta de que no lo respetaba; no le había perdido el respeto, le había perdido el miedo.

Pronto se vería obligado el Clan a meterse de nuevo en la cueva a causa de los vientos fríos y las fuertes nevadas; Ayla odiaba ver que las hojas cambiaran de color aunque el brillante espectáculo otoñal siempre la cautivaba, y su rica cosecha de frutas y nueces tenía ocupadas a las mujeres. Poco tiempo le quedaba a Ayla para trepar a su retiro secreto durante el último ajetreo por guardar una reserva de la cosecha del otoño, pero el tiempo pasó tan rápidamente que no se percató de ello hasta que la temporada llegó a su fin.

Finalmente el ritmo se calmó y un buen día se colgó su canasto, tomó su palo de cavar y trepó una vez más a su calvero oculto, pensando recoger avellanas. En el momento en que llegó se quitó el canasto de la espalda y entró en su cuevita para buscar la honda. Había amueblado su casita de juguete con unos cuantos implementos que ella misma había confeccionado y una piel para dormir. Tomó una taza de madera de abedul de un trozo plano de madera montado en dos piedras grandes que también sostenía unos cuantos platos de concha, un cuchillo de sílex y algunas piedras que solía usar para romper nueces. Entonces sacó la honda del canasto de mimbre con tapa donde lo guardaba; después de haber tomado un trago del manantial, corrió por el arroyo en busca de cantos rodados.

Hizo unos cuantos tiros de práctica. "Vorn no da en el blanco tan a menudo como yo", se dijo, complacida consigo misma cada vez que las piedras daban donde ella había apuntado. Al cabo de un rato se cansó del deporte, hizo a un lado la honda y las últimas piedritas, y empezó a recoger las avellanas que había por el suelo junto a los densos arbustos viejos y retorcidos. Estaba pensando en lo maravillosa que era la vida. Uba estaba creciendo y prosperando, y su madre tenía mucho mejor aspecto. Los dolores y achaques de Creb estaban siempre aliviados durante los veranos cálidos, y a ella le encantaba vagar con él durante largos paseos a lo largo del río. Jugar con la honda era un deporte que le agradaba y en el que se había vuelto muy hábil. Era casi demasiado fácil dar en las piedras o el poste o las ramas que se fijaba como blancos, pero todavía había cierta excitación en el manejo del arma prohibida. Y más que nada, Broud había dejado de fastidiarla. No pensaba que nada pudiera echar a perder su felicidad mientras llenaba de avellanas su canastillo.

Hojas secas, rojizas y morenas eran atrapadas por los fríos vientos mientras se desprendían de los árboles, arrojadas hacia todos lados y finalmente depositadas suavemente en el suelo. Cubrían las nueces que todavía estaban tiradas al pie de los árboles que las habían hecho madurar. Los frutos que no habían sido recogidos para la reserva invernal colgaban, pesados y maduros, de las ramas desprovistas de hojas. Las estepas del este eran un mar dorado de granos, rizado por el viento del mismo modo que las olas orladas de espuma del agua gris al sur; y los últimos racimos de uvas redondas e hinchadas, reventando de jugo, pedían ser recolectados.

Los hombres estaban, como siempre, reunidos para planificar una de las últimas cacerías de la estación. Habían estado discutiendo el recorrido desde temprano por la mañana, y Broud había sido enviado para que ordenara a una mujer llevarles agua de beber. Vio a Ayla sentada cerca de la abertura de la cueva con palitos y trozos de cuero a su alrededor: estaba armando marcos de los cuales colgarían racimos de uva para convertirse en fruta seca.

—¡Ayla! ¡Trae agua! —ordenó Broud con un ademán, y se volvió.

La muchacha estaba sujetando un ángulo crítico, sosteniendo el marco sin terminar contra su cuerpo. Si se movía en ese momento, todo se desprendería y habría que volver a empezar. Vaciló, echó una mirada para ver si otra mujer andaba cerca y finalmente, soltando un suspiro de contrariedad, se levantó lentamente y se fue a buscar una amplia bolsa para agua.

El joven luchó por dominar la ira que le provocó al instante ver la renuencia con que lo obedecía, y luchando contra su enojo, buscó con la mirada otra mujer que respondiera a su mandato con mayor rapidez. De repente cambió de opinión; miró a Ayla que se ponía justo en pie y entrecerró los ojos. "¿Qué le daba derecho a mostrarse tan insolente? ¿Acaso no soy un hombre? ¿No es obligación suya obedecerme? Brun nunca me ha ordenado que tolere tal falta de respeto —pensó—. No puede mandar que me echen la maldición mortal sólo porque le ordeno cumplir con su obligación. ¿Qué clase de jefe dejaría que una hembra lo desafíe?" Algo chasqueó dentro de Broud: "¡Su imprudencia ha durado demasiado! No permitiré que esto continúe: ¡ha de obedecerme!"

Las ideas acudieron a su mente en una fracción de segundo, mientras daba los tres trancos que cubrían la distancia entre ellos. Mientras ella se ponía en pie, el duro puño de él la tomó por sorpresa y la derribó. Ayla lanzó una mirada de asombro rápidamente sustituida por otra de ira. Miró a su alrededor y vio que Brun los miraba, pero en su rostro inexpresivo había algo que le aconsejó no esperar ayuda por ese lado. La ira en los ojos de Broud cambió su enojo en temor; había visto su mirada colérica y eso despertó el odio apasionado que le tenía. ¡Cómo osaba desafiarlo!"

Rápidamente Ayla se apartó del camino del golpe siguiente. Corrió hacia la cueva en busca de la bolsa para agua. Broud salió tras ella con los puños apretados, luchando por mantener su furor dentro de límites aceptables. Echó una mirada hacia los hombres y vio el rostro impasible de Brun. No había en su expresión nada que indicara aprobación, pero tampoco rechazo. Broud observó mientras Ayla corría a la poza para llenar la bolsa y se echaba después la pesada vejiga a la espalda. No había pasado por alto su rápida respuesta ni la mirada de temor al ver que pensaba volver a golpearla. Eso facilitó un poco que controlara su ira; "he sido demasiado indulgente con ella", se dijo.

Cuando Ayla pasaba cerca de Broud, inclinada bajo el peso de la bolsa llena de agua, le dio un empujón que por poco vuelve a derribarla. La ira enrojeció las mejillas de la muchacha; se enderezó, le lanzó una rápida mirada llena de odio y empezó a andar más despacio. El Clan entero estaba mirando ya. La muchacha miró a los hombres: la mirada dura de Brun la hizo correr más que los puños de Broud. Recorrió a todo correr la corta distancia, se arrodilló y empezó a echar agua en una taza, manteniendo la cabeza inclinada. Broud la siguió lentamente, temeroso en cuanto a la reacción de Brun.

—Crug estaba diciendo que ha visto la manada ir hacia el norte, Broud —indicó por gestos Brun mientras Broud se reunía con el grupo.

¡Todo estaba bien! Brun no estaba enfadado con él. "Claro que no ¿por qué iba a estarlo? Hice lo correcto. ¿Por qué iba a interesarse por un hombre que impone disciplina a la hembra que se lo tiene merecido?" El suspiro de alivio de Broud casi pudo oírse.

Cuando los hombres terminaron de beber, Ayla volvió a la cueva. La mayoría de la gente había reanudado sus ocupaciones, pero Creb seguía de pie en la entrada, mirándola.

—¡Creb! Broud casi vuelve a pegarme —dijo con gestos, corriendo hacia él. Miró al viejo que amaba, pero la sonrisa de sus labios se apagó al ver en su rostro una mirada que nunca antes había visto.

—Sólo has cobrado tu merecido —señaló Creb con una mirada despectiva. Su mirada era dura; le dio la espalda y cojeó hasta su hogar. "¿Por qué estará Creb enojado conmigo?" pensó la muchacha.

Aquella misma tarde Ayla se acercó tímidamente al viejo mago y tendió los brazos para pasárselos alrededor del cuello, gesto que nunca había dejado de enternecerlo; pero él no respondió a la caricia, ni siquiera se molestó en sacudírsela. Siguió mirando a lo lejos, frío y distante. Ella retrocedió.

—No me molestes. Encuentra algo que hacer, muchacha. Mog-ur está meditando no le queda tiempo para hembras insolentes —señaló con un gesto abrupto e impaciente.

Se le llenaron los ojos de lágrimas; se sintió dolida y de repente un poco asustada ante el viejo mago. No era ya el Creb que ella conocía y amaba. Era Mog-ur. Por vez primera desde que fue a vivir con el Clan, comprendió por qué todos se mantenían a distancia y sentían pavor del gran Mog-ur. Se había apartado de ella. Con una mirada y pocos gestos mostraba su desaprobación y un rechazo más fuerte del que hubiera sentido jamás la muchacha. Ya no la quería. Habría querido abrazarlo, decirle que lo amaba, pero estaba asustada. Llegó hasta Iza, arrastrando los pies.

—¿Por qué está Creb tan enfadado conmigo? —preguntó por señas.

—Ya te lo había dicho, Ayla, tienes que hacer lo que manda Broud. Es hombre y tiene derecho a darte órdenes —dijo amablemente Iza.

—Pero ¡si *hago* todo lo que dice! Nunca le he desobedecido.

—Le muestras resistencia, Ayla. Lo desafías. Tú sabes que eres insolente. No te portas como se porta una muchacha bien criada. Eso se refleja sobre Creb... y sobre mí. Creb tiene la impresión de que no te ha criado debidamente, de que te ha concedido demasiada libertad, de que te ha dejado hacer lo que querías, de modo que ahora crees que puedes hacer lo que te viene en gana con todo el mundo. Tampoco Brun está contento de ti, y Creb lo sabe. Corres sin parar; Ayla, los niños corren, no las muchachas que son tan altas como mujeres. Haces esos ruidos con tu garganta. No te mueves rápidamente cuando te mandan hacer algo. Todo el mundo te desaprueba, Ayla. Has avergonzado a Creb.

—Yo no sabía que era tan mala, Iza —expresó Ayla por señas—. No quería ser mala... lo que pasa es que nunca habría pensado en ello.

—Pero tienes que pensar en ello. Eres demasiado alta para portarte como una chiquilla.

—Es que Broud ha sido siempre tan ruin conmigo, y aquella vez me golpeó tan fuerte...

—No hay diferencia alguna en que sea ruin o no, Ayla. Puede ser todo lo ruin que quieras; es su derecho: es un hombre. Puede pegarte siempre que se le antoje, y tan fuerte como quiera. Algún día llegará a ser jefe, Ayla, tienes que obedecerle, debes hacer lo que él diga y cuando lo diga. No te queda otro remedio —explicó Iza. Miró el rostro afligido de la niña. ¿Por qué le resultará tan duro? Se preguntó. Iza sintió tristeza y simpatía por la muchacha que tropezaba con tanta dificultad para aceptar las cosas de la vida—. Es tarde, Ayla, ve a acostarte.

EL CLAN DEL OSO CAVERNARIO

Ayla fué al lugar donde dormía pero pasó mucho tiempo antes de conciliar el sueño. Se revolvió y se agitó y durmió mal, cuando por fin el sueño se apoderó de ella. Despertó temprano, tomó su canasto y su palo de cavar y salió antes del desayuno. Quería estar sola para pensar. Trepó a su pradera secreta y tomó la honda, pero no se sentía con ganas de practicar.

"Todo es por culpa de Broud —se decía—. ¿Por qué está siempre fastidiándome? ¿Qué le he hecho? Nunca le he agradado. ¿Y qué si es hombre? ¿qué hace mejores a los hombres? No me importa que llegue a ser jefe, no es tan grande. Ni siquiera es tan bueno con la honda como Zoug. Yo podría ser tan buena como él, soy ya mejor que Vorn. Falla muchas más veces que yo; y probablemente Broud también. Cuando estaba presumiendo delante de Vorn falló."

Furiosamente, siguió lanzando piedras con la honda. Una de ellas rebotó en un matorral y sacó a un pequeño puerco espín de su agujero. Pocas veces se cazaba animalillos nocturnos. "Todos han hecho gran alharaca porque Vorn mató un puerco espín —recordó—, también yo podría si quisiera". El animalito trepaba por una colina arenosa cerca del arroyo con las púas erizadas. Ayla metió una piedra en la bolsa de su honda de cuero, apuntó y lanzó la piedra. El lento puerto espín era un blanco fácil: cayó al suelo.

Ayla corrió hacia él, complacida consigo misma, pero al tocarlo se dio cuenta de que el animalito no estaba muerto, sólo atontado. Sintió que le latía el corazón y vio que la sangre corría de una herida en la cabeza; entonces sintió el impulso de llevar al animalito de regreso a la cueva para curarlo, como había hecho con tantas criaturitas heridas. Ya no estaba contenta, experimentaba mucha pena. ¿Por qué lo he lastimado? No quería hacerle daño, pensó. No puedo llevármelo a la cueva: Iza se percataría inmediatamente de que ha sido golpeado con una piedra; ha visto demasiados animales muertos de una pedrada.

La muchachita miraba al animal herido. "Ni siquiera puedo cazar —se dijo—. Si matara un animal no podría llevármelo de nuevo a la cueva. ¿De qué sirve practicar con la honda? Si Creb está enojado conmigo ahora, ¿qué haría si supiera? ¿Qué haría Brun? Se supone que no debo siquiera tocar un arma, no digamos usarla. ¿Me despacharía Brun?" Ayla estaba abrumada por un sentimiento de culpabilidad y de temor. "¿Adónde iría? no puedo dejar a Iza, a Creb y Uba. ¿Quién se ocuparía de mí? No quiero irme", pensó, prorrumpiendo en llanto.

"He sido mala. ¡He sido tan mala, y Creb está tan enfadado conmigo! Lo quiero, no deseo que me odie. Oh ¿por qué está tan enfadado conmigo?" Las lágrimas corrían por el rostro desdichado de la niña. Se tendió en la tierra sollozando de pena. Cuando finalmente se quedó sin lágrimas, se sentó y se limpió la nariz con el dorso de la mano, mientras sus hombros se sacudían aún con sollozos renovados de vez en cuando. "No voy a volver a ser mala, nunca. ¡Oh, voy a ser tan buena! Hare todo lo que quiera Broud, sea lo que sea. Y no volveré a tomar una honda. Y para dar mayor fuerza a su convicción, arrojó la honda debajo de un matorral, corrió por su canasta y echó a correr monte abajo hacia la cueva. Iza la había estado buscando y la vio regresar".

—¿Dónde has estado? Has estado fuera toda la mañana y traes vacío el canasto.

—He estado pensando, madre —indicó Ayla por gestos, mirando a Iza con grave seriedad—. Tenía razón: he sido mala. No volveré a ser mala. Haré todo lo que me mande Broud. Y me portaré como es debido, no correré ni nada. ¿Crees que Creb volverá a quererme si soy muy, muy buena?

—Seguro que sí, Ayla —respondió Iza, acariciándola suavemente. "Ha tenido de nuevo esa enfermedad, la que le llena los ojos de agua cuando cree que Creb no la quiere —pensó la mujer, viendo el rostro de Ayla lleno de chorretes y sus ojos hinchados y rojos. Le dolía el corazón de pena por la muchacha—. Le resulta más duro, su especie es diferente. Pero quizá ahora sea mejor".

11

El cambio en Ayla fue increíble. Se había convertido en una persona distinta. Estaba pesarosa, se mostraba dócil, corría para ejecutar las órdenes de Broud. Los hombres estaban convencidos que lo había logrado disciplinándola. Asentían con la cabeza, entendidos. Era la prueba viviente de lo que habían sostenido siempre: si los hombres eran demasiado indulgentes, las mujeres se volvían insolentes y perezosas. Las mujeres necesitaban la firme dirección de una mano fuerte. Eran criaturas débiles y obstinadas, incapaces de controlarse a sí mismas como los hombres. Necesitaban hombres que las mandaran, que las tuvieran bajo control, para poder ser miembros productivos del Clan y contribuir a la supervivencia de éste.

No importaba que Ayla fuera sólo una muchacha ni que no fuera realmente del Clan. Era casi suficientemente mayor para ser mujer, ya era más alta que la mayoría, y era hembra. Las mujeres sentían los efectos cuando los hombres se empeñaban en sus ideas. Los hombres del Clan no querían ser culpables de indulgencia.

Pero Broud tomó la filosofía masculina a pecho vengativamente. Aun cuando apretaba más fuerte las clavijas a Oga, esto no era nada comparado con el ataque que sostenía contra Ayla. Si se había mostrado duro con ella anteriormente, era doblemente duro con ella ahora. Estaba tras ella constantemente, la acosaba, la agobiaba, la buscaba para darle cualquier tarea insignificante de manera que tuviera que brincar ante sus exigencias, la abofeteaba a la menor infracción o aun sin la infracción . . . y lo disfrutaba. Ella había amenazado su virilidad y lo iba a pagar. Había resistido demasiado, lo había desafiado, él había tenido que luchar demasiado para no golpearla. Ahora le tocaba a él. La había doblegado a su voluntad y ahí la iba a mantener.

Ayla hacía todo lo posible por complacerlo; inclusive trató de adelantarse a sus deseos, pero le salió el tiro por la culata cuando la reprendió por suponer que ella podía saber lo·que él quería. Tan pronto como Ayla salía de los límites del hogar de Creb, allí estaba Broud preparado, y no podía la muchacha quedarse sin razón alguna dentro de los límites marcados por piedras del dominio privado del mago. Era la última temporada ajetreada de la estación, por los preparativos para el invierno; había demasiadas cosas que hacer para asegurar al Clan contra el frío que aumentaba rápidamente. El depósito de medicinas de Iza estaba prácticamente completo, de modo que ya no tenía Ayla excusas para abandonar los alrededores de la cueva. Broud la tenía todo el día atareada, y por la noche caía en su cama, agotada.

Iza estaba segura de que el cambio de actitud de Ayla tenía menos que ver con Broud de lo que éste creía. Su amor por Creb era más importante que su temor de Broud. Iza contó al viejo que Ayla había padecido su extraña enfermedad de nuevo, cuando creyó que él no la quería.

—Ya sabes que ha ido demasiado lejos, Iza. Yo tenía que hacer algo. Si Broud no hubiera empezado a disciplinarla de nuevo, lo habría hecho Brun. Eso podría haber sido peor. Broud sólo puede hacerla infeliz; Brun puede despacharla —replicó, pero eso hizo reflexionar al mago sobre el hecho de que el poder del amor tuviera más fuerza que el poder del temor, y el tema ocupó sus meditaciones días enteros. Creb se mostró inmediatamente más blando con ella. Bastante trabajo le había costado mantener su distancia desde el principio.

La primera fina nieve que cayó fue lavada por helados aguaceros que se convirtieron en cellisca o lluvia helada con las temperaturas más bajas del atardecer. Por la mañana había charcos cubiertos de ligero hielo quebradizo, que presagiaba un frío más profundo, y, se derretía de nuevo al soplar el viento caprichoso desde el sur mientras un sol indeciso se decidía a hacer sentir su autoridad. Durante la titubeante transición entre fines del otoño y comienzos del invierno, Ayla no abandonó ni una sola vez su obediencia femenina correcta. Respondía al menor capricho de Broud, brincaba en cuanto él daba una orden, inclinaba sumisamente la cabeza, controlaba su manera de andar, no reía,

ni siquiera sonreía y se mostraba totalmente desprovista de resistencia... pero no era fácil. Y aun cuando luchaba consigo
misma, tratando de convencerse de que estaba mal y se obligaba
a ser más dócil, empezaba a sublevarse interiormente contra
su yugo.

Perdió peso, se volvió inapetente, se quedó tranquila y alicaí-
da inclusive en el hogar de Creb. Ni siquiera Uba podía hacerla
sonreír, aun cuando a menudo tomaba en brazos a la nenita en
cuanto regresaba al hogar de noche y estaba con ella hasta que
ambas se quedaban dormidas. Iza se preocupaba por ella, y cuando un día de brillante sol apareció después de otro de lluvia
helada, decidió que era el momento de dar un poco de respiro a
Ayla antes de que el invierno se cerrara del todo sobre ellos.

—Ayla —dijo Iza en voz fuerte cuando salían de la cueva, antes de que Broud pudiera expresar su primera exigencia—, he
estado examinando mis medicinas y veo que me faltan tallos
de bolitas de nieve para los dolores de estómago. Son fáciles de
identificar: es un matorral cubierto de bayas blancas que duran
cuando todas las hojas han caído.

Iza no comentó que disponía de otros muchos remedios contra los dolores de estómago. Broud arrugó el entrecejo al ver que
Ayla corría cueva adentro en busca de su canasto, pero sabía
que recoger las plantas mágicas de Iza era más importante que
conseguirle una·taza de agua o de té o un trozo de carne o las
pieles que olvidaba a propósito ponerse en las piernas como polainas o su capucha o una manzana o dos piedras del río para
romper nueces, porque no le gustaban las piedras que había cerca
de la cueva o cualquier otra de las tareas inconsecuentes que se
le podía ocurrir ordenarle. Se apartó al ver que Ayla salía de la
cueva con su canasto y su palo de cavar.

Ayla corrió hacia el bosque, agradeciendo a Iza la posibilidad
de estar sola. Miraba a su alrededor mientras caminaba, pero no
estaba pensando en matorrales de bolas de nieve. No prestaba la
menor atención al rumbo que había tomado y no se dio cuenta
de que sus pies comenzaban a llevarla hacia un arroyuelo y, si-
guiéndolo, hasta una cascada musgosa velada de nieblas. Sin
pensar, trepó la aguda pendiente y se encontró en su prado de la
alta montaña por encima de la cueva. No había vuelto por allá
desde que hirió al puerco espín.

Se sentó en la orilla junto al arroyo y se puso a tirar piedrecillas sin pensar en lo que hacía. El aire era frío; la lluvia del
día anterior había sido nieve a esta altitud. Un denso manto de
nieve cubría el terreno despejado y había manchas entre los

árboles empolvados de blanco. El aire inmóvil brillaba con una claridad que hacía juego con la nieve brillante que reflejaba, con millones incontables de diminutos cristalillos, el sol brillante en un cielo tan azul que casi parecía púrpura. Pero Ayla no podía ver la serena belleza del paisaje de principios del invierno; sólo le recordaba que pronto el frío obligaría al Clan a quedarse en la cueva y que no podría alejarse de Broud antes de la primavera. Mientras el sol seguía ascendiendo en el cielo, rociadas de nieve caían repentinamente de las ramas y se aplastaban contra el suelo.

El largo y frío invierno amenazaba, con Broud acosándola día a día. "No puedo contentarlo —se decía—. No importa lo que haga ni cuánto me esfuerce, de nada sirve. ¿Qué más puedo hacer?" Echó una mirada casual a un trecho de tierra desnuda y vio una piel parcialmente podrida y unas cuantas púas dispersas, todo lo que quedaba del puerco espín "Probablemente una hiena dio con él —pensó— o un glotón". Con una punzada de remordimiento, pensó en el día que le atinó. "Nunca debería haber aprendido a usar la honda, eso estuvo mal. Creb se enojaría, y Broud... Broud no se enojaría, estaría encantado si se enterara. Realmente le proporcionaría un buen pretexto para golpearme. ¡Cuánto le gustaría hacerlo! Pues bien, no lo sabe ni lo sabrá". Le proporcionó un sentimiento de placer saber que había hecho algo que él no sabía y que le habría dado la oportunidad de hacerla sufrir. Sintió ganas de hacer algo —por ejemplo, lanzar una piedra con la honda— para aliviar su rebeldía frustrada.

Recordó haber arrojado la honda bajo un matorral y la buscó; vio el trozo de cuero debajo de un matorral próximo y lo recogió: estaba húmeda pero su exposición a la intemperie no la había dañado aún. Pasó entre sus manos la suave y flexible piel de venado, y le gustó su contacto. Recordó la primera vez que había recogido una honda, y una sonrisa iluminó su semblante al recordar cómo se había amilanado Broud frente a la ira de Brun, cuando derribó a Zoug. No era ella la única en haber provocado alguna vez el mal genio de Broud.

"Sólo que conmigo, se puede dar gusto —pensó amargamente Ayla—. Sólo porque soy hembra. Brun se enfadó de veras cuando tiró a Zoug. pero a mí me puede golpear siempre que se le antoje, y a Brun no le importará. No, eso no es cierto —admitió para sus adentros—: Iza me ha dicho que Brun arrastró a Broud para que dejara de pegarme, y Broud no me golpea tanto cuando Brun está cerca. No me importaría que me golpeara nada más, con tal de que me dejara en paz de vez en cuando".

EL CLAN DEL OSO CAVERNARIO

Había estado recogiendo piedrecitas y tirándolas al arroyo, y se dio cuenta de que, sin querer, había metido una en la honda. Sonrió, vio una última hoja seca colgando del extremo de una ramita, tomó puntería y lanzó. Un cálido sentimiento de satisfacción la recorrió al ver que la piedra arrancaba la hoja del árbol. Recogió unos cuantos cantos más, se puso en pie y avanzó hasta el centro del campo desde donde las lanzó. "Todavía puedo dar en el blanco que quiera —pensó, y después arrugó la frente—. ¿De qué sirve? Nunca he intentado darle a nada en movimiento; el puerco espín no cuenta: estaba casi parado. Ni siquiera sé si podría hacerlo, y si aprendiera a cazar, a cazar de verdad ¿de qué serviría? No podría llevarme nada; lo único que haría sería ayudar a algún glotón o un lobo o una hiena, y ya nos roban lo suficiente tal como están las cosas".

La cacería y los animales matados eran tan importantes para el Clan, que todos debían estar constantemente en guardia contra depredadores rivales. No sólo los felinos grandes y las manadas de lobos o las hienas arrebataban algún animal a los cazadores, sino que las hienas en acecho o los glotones furtivos estaban siempre alrededor de la carne que se estaba secando o trataban de meterse en los depósitos. Ayla rechazó la idea de ayudar a la supervivencia de los competidores.

Brun no había permitido que llevara un lobezno a la cueva cuando estaba herido, y muchas veces los cazadores los mataban aun cuando no tuvieran necesidad de sus pieles. "Los carnívoros siempre nos están causando problemas". Ese pensamiento no se le apartaba de la mente. Entonces otra idea empezó a tomar forma: "los carnívoros —pensó—, los carnívoros pueden ser muertos con una honda, menos los más grandes. Recuerdo que Zoug se lo ha dicho a Vorn. Dijo que a veces es más fácil emplear la honda porque no hay que acercarse tanto".

Ayla recordó el día en que Zoug estaba ensalzando las virtudes del arma con la que era más experto. Era cierto que con una honda el cazador no tenía que acercarse tanto a los colmillos agudos o las potentes zarpas; pero tampoco dijo que si el cazador erraba el golpe, podía verse atacado por un lobo o un lince sin tener otra arma con la cual protegerse, aunque sí insistió en que sería imprudente usar la honda con animales grandes.

"¿Y si sólo cazara carnívoros? Nunca los comemos, de manera que no sería desperdicio —pensó— aunque les quede a los que se alimentan con carroña. Eso hacen los cazadores".

"¿En qué estoy pensando? —Ayla meneó la cabeza para apartar la vergonzosa idea de su mente—. Soy hembra, se supone que no debo cazar, ni siquiera debería tocar un arma. Pero sé ahora cómo usar una honda. Aun cuando se supone que no deba hacerlo —pensó, desafiante—, ayudaría. Si matara un glotón o una zorra o algo por el estilo, ya no nos robaría más carne, imagina qué ayuda representaría". Ayla se imaginaba al acecho de los taimados depredadores.

Había estado practicando con la honda el verano entero, y aun cuando sólo se trataba de un juego, comprendía y respetaba suficientemente las armas para saber que su propósito verdadero era la caza... no la práctica con un blanco sino la cacería. Sentía que la excitación que se sentía al dar en el blanco contra postes o blancos en piedras o ramas pronto se apagaría si no había un reto más importante. Y aun si fuera posible, el reto de la competición sólo por el placer de competir era un concepto que no podría llevarse a la práctica mientras la tierra no estuviera domesticada por civilizaciones que ya no necesitaran cazar para sobrevivir. La competición dentro del Clan sólo tenía un propósito: agudizar la habilidad para sobrevivir.

Aun cuando no podía definirla de esa manera, parte de su amargura estaba causada por el hecho de tener que renunciar a una habilidad que había desarrollado y que estaba dispuesta a incrementar. Había disfrutado cultivando su capacidad, adiestrando la coordinación de ojo y mano, y se sentía orgullosa de haber aprendido sola. Estaba preparada para el desafío mayor, el de la cacería, pero necesitaba convencerse por medio del razonamiento.

Desde el principio, cuando sólo estaba jugando, se había imaginado cazando y viendo las miradas complacidas y sorprendidas del Clan cuando llevara a casa la carne que hubiera matado. El puerco espín le había hecho comprender la imposibilidad de semejante sueño. Nunca podría llevarse lo que hubiera matado y lograr que se reconociera su hazaña. Era hembra, y las hembras del Clan no cazaban. La idea de matar a los competidores del Clan le proporcionaba un vago sentimiento de que su habilidad sería apreciada aunque no reconocida. Y también le daba una razón para cazar.

Cuanto más lo pensaba más se convencía de que cazar carnívoros, aun cuando fuera en secreto, era la respuesta, aunque todavía no podía superar sus sentimientos de culpabilidad.

Luchó con su conciencia. Tanto Creb como Iza le habían dicho que no estaba bien que las mujeres tocaran las armas. "Pero he hecho ya algo más que tocar un arma —pensó—. ¿Puede ser mucho peor cazar con ella?" Miró la honda que tenía en la mano y de repente tomó su decisión, combatiendo su sentimiento de que estaba cometiendo un delito.

—¡Lo haré! ¡Voy a hacerlo! ¡Voy a aprender a cazar! Pero sólo mataré carnívoros.

Lo dijo con énfasis, haciendo los gestos que agregaban una finalidad a su determinación. Roja de excitación, corrió hacia el arroyo en busca de más cantos rodados.

Mientras buscaba cantos del tamaño exacto, le llamó la atención un objeto peculiar: parecía una piedra pero también parecía la concha de un molusco como las que se encuentran a la orilla del mar. Lo recogió y lo examinó cuidadosamente: era una piedra, una piedra en forma de concha.

"Qué piedra tan extraña —pensó—. Nunca he visto una piedra así". Entonces recordó algo que Creb le había dicho y sintió un destello de percepción tan abrumador que le pareció que se le iba la sangre, y una corriente helada le recorrió la espina dorsal. Tenía las piernas tan débiles y estaba temblando tanto que tuvo que sentarse. Sosteniendo en sus manos el fósil de un gasteropodo, se quedó mirándolo fijamente.

"Creb dijo —recordó— que cuando tienes que tomar una decisión, tu tótem te ayudará. Si es la decisión correcta, te dará una señal. Creb dijo que sería algo insólito y nadie más puede decirte si es una señal. Tienes que aprender a escuchar con el corazón y la mente, y el espíritu de tu tótem, dentro de ti, te dirá".

—Gran León Cavernario ¿es una señal que me das? —Empleó el lenguaje formal y silencioso para dirigirse a su tótem—. ¿Me estás indicando que he tomado la decisión correcta? ¿Me estás diciendo que está bien que cace aun siendo una muchacha?

Se quedó sentada muy quieta, contemplando la piedra en forma de concha que tenía en al mano, y trató de meditar como había visto hacer a Creb. Sabía que la consideraban extraña porque tenía por tótem al León Cavernario, pero nunca había pensado mucho en ello hasta entonces. Metió la mano dentro de su manto y tentó las cicatrices de las cuatro líneas paralelas de su muslo. "De todos modos ¿por qué me escogería un León Cavernario a mí? Es un tótem poderoso, un tótem masculino, ¿por qué había de escoger a una muchacha? Tiene que haber alguna razón". Siguió pensando en la honda y en que había aprendido a manejarla. "¿Por qué recogí yo esa vieja honda que Broud había tirado? Ninguna de las mujeres la habría tocado. ¿Qué me impulsó a hacerlo? ¿Querría mi tótem que lo hiciera? ¿Querrá que aprenda a cazar? Sólo los hombres cazan, pero mi tótem es masculino. ¡Claro está! ¡Tiene que ser eso! Tengo un tótem fuerte, y quiere que yo cace".

—¡Oh, Gran León Cavernario! los caminos de los espíritus me son desconocidos. No sé por qué quieres que yo cace, pero me alegro de que me hayas dado esta señal.

Ayla volvió a dar vueltas en su mano a la piedra, después se quitó el amuleto que llevaba colgado al cuello, aflojó el nudo que mantenía cerrada la bolsita y metió dentro el molde fósil junto al trozo de ocre rojo. Volvió a apretar el nudo, se pasó el amuleto por la cabeza y observó la diferencia de peso. Parecía agregar peso a la sanción que el tótem había dado a su decisión.

Desapareció su sentimiento de culpabilidad. Estaba destinada a cazar; su tótem lo deseaba. No importaba que fuera hembra. "Soy como Durc —pensó—: abandonó su Clan a pesar de que todos decían que no debería hacerlo. Creo que halló un mejor lugar donde Monte de Hielo no podría darle alcance. Creo que inició un Clan totalmente nuevo. Tuvo que tener un tótem muy fuentre también. Creb dice que es difícil vivir con un tótem fuerte. Dice que te someten a prueba para asegurarse de que vales, antes de darte algo. Dice que estuve a punto de morir antes de que Iza me hallara. Me pregunto si el tótem de Durc lo sometió a prueba. ¿Volverá a probarme a mí mi León Cavernario?"

"Pero una prueba puede ser dura. ¿Y si no valgo? ¿Cómo sabré que estoy sufriendo una prueba? ¿Qué será la cosa difícil que me imponga mi tótem?" Ayla reflexionó sobre las cosas difíciles de su vida, y de repente comprendió:

—¡Broud! ¡Broud es mi prueba! —se explicó a sí misma por gestos. ¿Podía haber algo peor que vivir todo un invierno con Broud? "Pero si valgo, si lo puedo hacer, mi tótem me dejará cazar".

Había una diferencia en la manera de andar de Ayla cuando regresó a la cueva, y su madre Iza se dio cuenta a pesar de que no podía explicarse cuál era la diferencia. No era menos comedida, pero parecía más fácil, no tan tensa, y había una expresión de aceptación en el rostro de la muchacha cuando vio acercarse a Broud. No era resignación sino aceptación. Pero fue Creb quien observó que el amuleto abultaba más.

Al cerrarse sobre ellos el invierno, tanto Creb como Iza se alegraron de ver que estaba volviendo a la normalidad a pesar de las exigencias de Broud. Aun cuando solía estar cansada, cuando jugaba con Uba había vuelto su sonrisa, no su risa. Creb adivinó que había llegado a alguna decisión y hallado una señal de su tótem, y su aceptación más fácil del lugar que ocupaba en el Clan le proporcionó una sensación de alivio; él comprendía la lucha interior que libraba la muchacha, pero también sabía que no era sólo necesario someterse a la voluntad de Broud, tenía que dejar de combatirla. Tenía que aprender también a dominarse.

Durante el invierno que iniciaba su octavo año de vida, Ayla se hizo mujer. No físicamente: su cuerpo seguía teniendo las líneas rectas y subdesarrolladas de una muchacha sin el menor indicio de que fueran a surgir cambios. Pero fue durante aquella prolongada estación cuando Ayla hizo a un lado su niñez.

A ratos su vida le resultaba tan insoportable que no estaba segura de desear seguir viviéndola. Algunas mañanas, al abrir los ojos frente a la aspereza familiar de la roca desnuda que tenía sobre su cabeza, anhelaba poder dormirse de nuevo y no despertar nunca más. Pero cuando pensaba que no podría aguantar más, agarraba su amuleto y el contacto de la piedra nueva le impartía de cierto modo la paciencia necesaria para soportar un día más. Y cada día vivido la acercaba un poco más al momento en que las nieves profundas y las ráfagas heladas se convirtieran en hierba verde y brisas marinas, y ella pudiera correr por campos y bosques nuevamente en libertad.

Como el rinoceronte lanudo cuyo espíritu era su tótem, Broud podía ser tan testarudo como imprevisiblemente maligno. Era característica del Clan que una vez que se había establecido cualquier rumbo de acción en particular, se apegaba uno a él con una aplicación inmutable, y Broud se aplicaba a tener disciplinada a Ayla. El martirio cotidiano de ésta compuesto de bofetadas, maldiciones y agobio constante, le resultaba obvio al resto del Clan. Muchos consideraban que merecía algo de disciplina y castigo, pero pocos aprobaban los extremos a que Broud llegaba.

Brun seguía preocupado de que Broud permitiera que la muchacha lo provocara demasiado, pero puesto que el joven controlaba su furor, el jefe consideraba que había alguna mejoría. Pero Brun esperaba ver en el hijo de su compañera una manera más moderada de abordar las cosas, y decidió permitir que la situación siguiera su curso. A medida que el invierno avanzaba, empezó a experimentar, aunque renuentemente, cierto respeto por la extraña joven, la misma clase de respeto que había experimentado por su hermana mientras soportaba las palizas de su compañero.

JEAN M. AUEL

Como Iza, Ayla estaba imponiendo un ejemplo de comportamiento femenino. Soportaba sin quejarse, como corresponde a una mujer. Cuando se detenía un instante para agarrarse a su amuleto, Brun, como muchos otros, lo consideraban como señal de veneración hacia las fuerzas espirituales tan pavorosamente importantes para el Clan. Eso aumentaba la estatura femenina de la muchacha.

El amuleto le daba algo en que creer; reverenciaba a las fuerzas espirituales de la manera que ella las concebía. Su tótem la estaba sometiendo a prueba. Si demostraba que valía, podría aprender a cazar. Cuanto más la atormentaba Broud. más decidida estaba a comenzar a aprender sola tan pronto como se iniciara la primavera. Iba a ser mejor que Broud, mejor inclusive que Zoug. Iba a ser la mejor cazadora con honda del Clan, aun cuando nadie habría de saberlo más que ella. Esa era la idea a la que se aferraba. Cristalizó en su mente, como los largos fustes ahusados de hielo que se formaban a la entrada de la cueva donde el calor de las hogueras subía para enfrentarse a las temperaturas heladas del exterior, y creció, como las pesadas y translúcidas cortinas de hielo, durante todo el invierno.

Aun cuando no intencionadamente, ya estaba entrenándose. A pesar del hecho de que la acercaba más a Broud, se sintió interesada y atraída por los hombres cuando estaban sentados en grupo, pasando los largos días repitiendo una y otra vez cacerías pasadas o comentando estrategias para las futuras. Encontró medios para trabajar cerca de ellos, y la complacía especialmente cuando Zoug o Dorv relataban cuentos de cacería con honda. Sintió que su interés por Zoug revivía así como su respuesta femenina a los deseos del viejo cazador. En cierto modo, éste se parecía a Creb: era orgulloso y serio, y se alegraba al recibir un poco de atención y calor aunque sólo fuera de parte de una muchacha fea y extraña.

Zoug no había dejado de fijarse en su interés, y relataba sus glorias pasadas, de cuando era segundo al mando como lo era ahora Grod. Ella era un auditorio que, aunque silencioso, sabía apreciar y se mostraba siempre comedidamente respetuoso. Zoug empezó a llamar a Vorn para explicarle alguna técnica de persecución o alguna tradición cazadora, consciente de que la muchacha se las arreglaría para sentarse junto a ellos si podía, aun cuando fingía no fijarse. Si ella disfrutaba con sus cuentos ¿qué tenía eso de malo?

"Si fuera más joven —pensaba Zoug— y todavía proveedor, podría tomarla como compañera cuando se convirtiera en mujer. Necesitará un compañero más adelante, y con lo fea que es, le va a costar encontrar uno. Pero es joven y fuerte y respetuosa. Tengo parientes en otros clanes; si estoy lo suficientemente fuerte para asistir a la próxima Reunión del Clan, hablaré en su favor. Puede no querer seguir aquí después de que Broud se convierta en jefe, no que importe nada lo que quiera o no, pero yo no la censuraría. Espero haberme ido al otro mundo antes de que eso suceda". Zoug no había olvidado el ataque de Broud contra él, y no experimentaba la menor simpatía por el hijo de la compañera de Brun. Consideraba que el futuro jefe era irracionalmente duro con la muchacha a quien había cobrado afecto. Merecía que la disciplinaran, pero eso tenía sus límites y Broud los había pasado. Ella nunca se mostraba irrespetuosa con él; para saber manejar a las mujeres había que ser más viejo y más sabio. "Sí, hablaré en su favor. Si no puedo ir, enviaré un mensaje. Si solamente no fuera tan fea", meditaba.

Por difícil que fuera para Ayla, no todo era malo. Las actividades seguían un paso más lento y había menos cosas que hacer. Inclusive Broud sólo podía encontrar un número limitado de tareas, y después, nada. Con el paso del tiempo se empezó a aburrir: ya ella no peleaba, y la intensidad de su acoso se redujo. Y había otra razón por la cual Ayla empezó a encontrar más soportable el invierno.

Al principio, en un esfuerzo por hallar razones válidas para retenerla dentro de los límites del hogar de Creb, Iza había decidido adiestrarla en la preparación y aplicación de hierbas y plantas que Ayla había estado recogiendo. Ayla se sintió fascinada por el arte de curar. El ávido interés de la muchacha fue causa de que Iza se encontrara en medio de un programa regular, y la mujer curandera comprendió que debería haber comenzado antes, pues logró entender de qué manera tan diferente funcionaba la mente de su hija adoptiva.

De haber sido Ayla su hija verdadera, Iza sólo habría tenido que recordarle lo que ya estaba almacenado en su cerebro, para que se acostumbrara a utilizarlo. Pero Ayla luchaba por memorizar los conocimientos con que Uba había nacido, y la memoria consciente de la muchacha no era tan buena. Iza tenía que repetir, repasar muchas veces las mismas cosas, y examinarla constantemente para asegurarse de que lo había asimilado. Iza sacaba información de sus recuerdos así como de su experiencia, y se sorprendía ella misma con el caudal de saber de que disponía. Nunca había tenido que pensar en ello anteriormente; estaba ahí siempre que lo necesitaba, sin más.

A veces Iza desesperada de llegar a enseñar a Ayla todo lo que sabía o siquiera lo suficiente para hacer de ella una curandera adecuada. Pero el interés de Ayla nunca flaqueaba, y su madre adoptiva estaba decidida a dar a la muchacha una posición segura dentro del Clan. Las lecciones seguían adelante, día tras día.

—¿Con qué se alivian las quemaduras, Ayla?

—Déjenme pensar. Flores de hisopo mezcladas con flores de vara de oro y flores de cono, secas y pulverizadas a partes iguales. Se humedecen y se prepara una cataplasma con ellas, se cubre con una venda. Cuando esté seca, se remoja nuevamente con agua fría vertida sobre la venda —terminaba rápidamente, y después se detenía a pensar—: Y flores y hojas secas de mastranzo nevado son buenas para las quemaduras de agua hirviendo; se humedecen en la mano y se colocan sobre la quemadura. Raíces hervidas de ácoro sirven para lavar quemaduras.

—Bien. ¿Algo más?

La muchacha buscaba en su memoria.

—También el hisopo gigante. Se mastican las hojas frescas y el tallo para hacer una cataplasma, o se mojan las hojas secas. Y . . . ¡ah, sí! púas amarillas de flores de cardo, hervidas. Se lava la quemadura con ellas en frío.

—Eso también es bueno para inflamaciones de la piel, Ayla. Y no te olvides de las cenizas de helechos de cola de caballo que, mezcladas con grasa, hacen un buen ungüento para las quemaduras.

Ayla comenzaba también a guisar un poco más, bajo la dirección de Iza. Pronto se encargó de preparar de las comidas de Creb, pero eso no era una tarea para ella. Se esforzaba por moler los granos especialmente finos antes de cocerlos, para facilitarle la masticación con sus dientes gastados. También las nueces, las picaba finamente antes de servírselas al viejo. Iza le enseñó a preparar las fastidiosas bebidas y las cataplasmas que aliviaban su reumatismo, y Ayla se convirtió en especialista de los remedios para ese padecimiento de los miembros más viejos del Clan, cuyos sufrimientos siempre se agravaban en cuanto quedaban confinados a la fría cueva de piedra. Aquel invierno fue la primera vez que Ayla ayudó a la curandera, y su primer paciente fue Creb.

Estaban a mediados del invierno; las fuertes nevadas habían bloqueado hasta varios pies de altura la entrada de la cueva. La capa de nieve aislaba, ayudando a mantener el calor de los fue-

gos dentro de la inmensa caverna, pero el viento seguía sil-
bando a través de la vasta abertura por encima de la nieve. Creb
estaba generalmente de mal humor, pasando del silencio al re-
funfuño y de ahí a un arrepentimiento lleno de disculpas y nuevamente al silencio. Su comportamiento desconcertaba a Ayla,
pero Iza adivinó la causa: a Creb le dolían las muelas de una
manera particularmente aguda.

—Creb ¿no quieres dejar que te vea la muela? —rogó Iza.

—No es nada. Sólo un dolor de muelas. Sólo un pequeño
dolor. ¿No crees que puedo aguantar algo de dolor? ¿No crees
que he sufrido dolores antes de ahora, mujer? ¿Qué es un do-
lorcillo de muelas? —replicó Creb.

—Sí, Creb —respondió Iza, cabizbaja. Al instante su hermano
se arrepintió.

—Iza, ya sé que sólo tratas de ayudar.

—Si me dejaras mirar, podría darte algo. ¿Cómo puedo saber qué darte si no me dejas mirar?

—¿Qué hay que ver? —respondió con gestos.— Una muela
podrida es igual que otra. Hazme un poco de té de corteza de
sauce —gruñó Creb, y entonces se sentó en su piel mirando
a lo lejos.

Iza meneó la cabeza y empezó a preparar el té.

—¡Mujer! —gritó Creb poco después—. ¿Dónde está esa corteza de sauce? ¿Por qué tardas tanto? ¿Cómo voy a poder
meditar? No me puedo concentrar —expresó con gestos de impaciencia.

Iza se apresuró en llevarle una taza de hueso, indicando a
Ayla que la siguiera.

—Precisamente venía a traértela, pero no creo que la corteza de sauce te sirva de mucho, Creb. Sólo deja que mire.

—Está bien, está bien, Iza. Mira —Abrió la boca y señaló la
muela que le dolía.

—Mira qué profundo es el orificio negro, Ayla. La encía está
hinchándose, está podrida hasta dentro. Me temo que habrá que
sacarla, Creb.

—¡Sacarla! Decías que querías mirar para ver qué me podías dar. No habías dicho nada de sacarla. Bueno, dame algo,
mujer.

—Sí, Creb —dijo Iza—. Ahí tienes tu té de corteza de sauce.

Ayla observaba la conversación, totalmente pasmada.

—Creí que habías dicho que el té de corteza no serviría de
mucho.

—Nada servirá de mucho. Puedes masticar un trozo de raíz de ácoro, te puede hacer bien. Pero lo dudo.

—¡Qué curandera! Ni siquiera puede curar un dolor de muelas —rezongó Creb.

—Puedo tratar de quemar el dolor —señaló calmadamente Iza.

—Mascaré el ácoro —dijo Creb, tras un escalofrío.

A la mañana siguiente la cara de Creb estaba hinchada, lo cual contribuía a que su rostro tuerto y lleno de cicatrices pareciera más espantoso. Tenía los ojos colorados de no dormir.

—Iza —gimió—, ¿puedes hacer algo contra este dolor de muelas?

—Si me hubieras dejado sacártela anoche, el dolor habría desaparecido ya —señaló Iza, y se fue a revolver un tazón de grano molido, reseco, que hacía enormes burbujas que reventaban haciendo "ploc", "ploc".

—¡Mujer! ¿No tienes corazón? ¡No he pegado el ojo en toda la noche!

—Ya lo sé; no me has dejado dormir.

—¡Bueno, haz algo! —estalló.

—Sí, Creb —dijo Iza—. Pero no puedo sacarla ahora: tengo que esperar a que desaparezca la hinchazón.

—¿Es lo único que se te ocurre? ¿Sacarla?

—Puedo intentar algo más, Creb, pero no creo que eso salve la muela —expresó con un ademán compasivo—. Ayla, tráeme ese paquete con las astillas de madera chamuscada del árbol que fue abatido por el rayo el verano pasado. Tendremos que abrir la encía para reducir la hinchazón ahora, antes de poder sacar la muela. Será mejor ver si podemos quemar el dolor.

Creb se estremeció al oír las instrucciones que la curandera daba a la muchacha, y después se encogió de hombros. No puede ser mucho peor que el dolor de muelas, se dijo.

Iza revolvió el paquete de astillas y escogió dos.

—Ayla, quiero que lleves al rojo vivo la punta de ésta. La punta debe estar como carbón, pero suficientemente fuerte para no quebrarse. Saca un carbón del fuego y ponle encima la punta de la astilla hasta que humee. Pero antes quiero que me veas abrir la encía. Manténle los labios separados.

Ayla hizo lo que le ordenaban y miró la enorme boca abierta de Creb y las dos hileras de anchos dientes gastados.

—Pinchamos la encía con una astilla dura y afilada por debajo de la muela, hasta que corra la sangre —explicó Iza y después hizo la demostración. Creb tenía la mano cerrada en un puño apretado, pero no chistó.

—Ahora, mientras se drena esto, calienta la otra astilla.

Ayla corrió hacia el fuego y no tardó en volver con una brasa humeante en el extremo de la astilla corbonizada. Iza la tomó, la miró detenidamente, asintió para expresar su aprobación y con un gesto ordenó a Ayla que sostuviera abierta la boca del mago. Metió la punta ardiendo en la cavidad; Ayla sintió el sobresalto de Creb y oyó el siseo, viendo cómo un poco de humo salía del enorme agujero de la boca de Creb.

—Bueno, ya está. Ahora esperaremos para ver si se quita el dolor. Si no, habrá que sacar la muela —dijo Iza después de haber espolvoreado en la muela de Creb una mezcla de polvo de geranio y raíz de nardo con la yema del dedo.

—Qué pena no tener ninguno de esos hongos que son tan buenos para el dolor de muelas. A veces matan el nervio, otras veces lo sacan. Entonces no habría que sacar la muela. Es mejor emplearlos cuando están frescos, pero también los secos sirven, y deben recogerse a fines del verano. Si encuentro algunos el año que viene te los enseñaré, Ayla.

—¿Sigue doliéndote la muela? —preguntó Iza al día siguiente.

—Está mejor, Iza —contestó Creb lleno de esperanza.

—¿Pero sigue doliendo? Si no se ha quitado el dolor del todo, volverá a hincharse, Creb —insistió Iza.

—Bueno . . . sí, todavía duele —admitió el mago—. Pero no tanto; de veras: no tanto. ¿Por qué no esperar un día más? He hecho un poderoso encantamiento. He pedido a Ursus que destruya el mal espíritu que está provocando el dolor.

—¿No le has pedido ya muchas veces a Ursus que te quite ese dolor? Creo que Ursus desea verte sacrificar esa muela antes de quitarte el dolor, Mog-ur —dijo Iza.

—¿Qué sabes tú del gran Ursus, mujer? —preguntó Creb, irritado.

—Esta mujer ha sido presuntuosa. Esta mujer no sabe nada de los caminos de los espíritus —replicó Iza con la cabeza gacha; entonces, alzándola hacia su hermano: —Pero una curandera sabe de dolores de muelas. El dolor no terminará mientras no se saque la muela —señaló firmemente con ademanes.

Creb le dio la espalda y se fue cojeando. Se sentó en la piel de su cama con el ojo cerrado.

—¿Iza? —llamó al cabo de un rato.

—¿Sí, Creb?

—Tienes razón. Ursus quiere que renuncie a la muela. Adelante. Terminemos con esto.

Iza se acercó a él.

—Toma, Creb, bebe esto. Reducirá el dolor. Ayla, hay una estaquilla junto al paquete de astillas, y un trozo largo de tendón. Tráemelos.

—¿Cómo se te ocurrió tener lista la bebida? —preguntó Creb.

—Conozco a Mog-ur. Es difícil renunciar a una muela, pero si Ursus lo ordena, Mog-ur renunciará. No es el sacrificio más duro que haya hecho por Ursus. Es difícil vivir con un tótem poderoso, pero Ursus no te habría escogido si no fueras merecedor.

Creb asintió y se tomó la bebida. "Es de la misma planta que yo uso para ayudar a los hombres con los recuerdos —pensó—. Pero creo haber visto que Iza lo pone a hervir; ella hace un cocimiento en vez de una infusión. Es más fuerte que en infusión. Tiene muchos usos. La datura debe de ser un don de Ursus". Ya empezaba a sentir los efectos del narcótico.

Iza mandó a Ayla sostener abierta la boca del viejo mago, mientras colocaba cuidadosamente la estaquilla en la base de la muela dolorosa. Creb dio un brinco, pero no le dolió tanto como había creído. Entonces Iza amarró el hilo de tripa alrededor de la muela floja y mandó que Ayla sostuviera el otro extremo alrededor de uno de los postes plantados sólidamente en el suelo, que formaban parte de la estructura de la que colgaban las hierbas para secarse.

—Ahora, mueve su cabeza hasta que la cuerda esté tensa —dijo a la muchacha. Con un tirón rápido Iza agarró el hilo. —Ya está —dijo, y levantó la cuerda con la pesada molar colgando de un extremo. Espolvoreó con raíz seca de geranio el orificio sangrante y metió un trocito de piel absorbente de conejo en una solución antiséptica de corteza de goma balsámica y unas pocas hojas secas, y le cubrió la mandíbula con el cuero mojado.

—Toma tu muela, Mog-ur —dijo Iza poniéndole la muela cariada en la mano al mago todavía medio atontado. —Todo ha terminado.

Mog-ur cerró la mano sobre la muela, y después la dejó caer mientras se tendía en la cama.

—Tengo que dársela a Ursus —musitó medio dormido.

El Clan observó cómo se recobraba Creb después de que Ayla ayudó a la curandera en su cirugía dental. Cuando vieron que la boca sanaba rápidamente sin complicaciones, sintieron una mayor seguridad de que la presencia de la muchacha no enajenaba a los espíritus. Mostraron mayor conformidad para que Ayla ayudara a Iza cuando ésta los cuidaba. A medida que avanzaba el invierno Ayla aprendió a curar quemaduras, cortadas, magulladuras, catarros, dolores de garganta, de estómago, de oídos y muchas de las heridas y dolencias menores que se sufrían durante el transcurso normal de la vida.

Con el tiempo, los miembros del Clan acudieron con la misma facilidad a Ayla que a Iza para el tratamiento de problemas insignificantes. Sabían que Ayla había estado recogiendo hierbas para Iza, y veían que la curandera estaba adiestrándola. Sabían también que Iza envejecía y que no se sentía bien, y que Uba era demasiado joven. El Clan estaba acostumbrándose a la muchacha extraña que vivía entre ellos, y comenzaba a aceptar la idea de que una niña nacida de los Otros podría ser algún día la curandera de su Clan.

Durante el momento más frío del año, después del solsticio de invierno y antes de que se anunciara la primavera, Ovra empezó a sentir los dolores del parto.

—Es demasiado pronto —dijo Iza a Ayla—. No debería parir antes de la primavera, y últimamente no ha sentido movimientos. Me temo que el nacimiento no se produzca debidamente. Creo que su hijito nacerá muerto.

—Ay, Iza, Ovra ha deseado tanto ese bebé. ¡Se sintió tan feliz al darse cuenta de que estaba embarazada! ¿No puedes hacer algo? —preguntó Ayla.

—Haremos lo que podamos, pero hay cosas que están más allá de toda ayuda, Ayla —respondió la curandera.

Todo el Clan estaba preocupado por el parto prematuro de la compañera de Goov. Las mujeres trataban de brindar apoyo moral mientras los hombres esperaban ansiosamente cerca. Habían perdido a varios miembros durante el terremoto, y esperaban que aumentara su número. Los nenitos nuevos representaban más bocas que alimentar para los cazadores de Brun y las mujeres cosechadoras, pero con el tiempo esos bebés crecerían y proveerían para ellos cuando se hicieran viejos. La continuación y supervivencia del Clan era esencial para la supervivencia de los individuos. Se necesitaban unos a otros, y les entristecía que Ovra no diera probablemente a luz un niño viviente.

Goov estaba más preocupado por su compañera que por la criatura, y habría querido poder hacer algo. No le gustaba ver sufrir a Ovra, especialmente cuando el resultado prometía tan poca felicidad. Ella deseaba el bebé; se había sentido inadecuada por ser la única mujer del Clan que no tenía hijos. Inclusive la curandera había dado a luz, con lo vieja que era. Ovra se había sentido gozosa al saberse embarazada, y ahora Goov deseaba poder pensar en algo que le hiciera sentir menos duramente su pérdida.

Droog parecía comprender al joven mejor que nadie. Había tenido la oportunidad de experimentar sentimientos similares respecto a la madre de Goov, aun cuando se alegraba de que hubiera tenido a Goov, y Droog tenía que admitir que estaba disfrutando de su nueva familia, ahora que ya se había acostumbrado. Inclusive había esperanzas de que Vorn se interesara por hacer herramientas, y Ona era una delicia, especialmente ahora que la habían destetado y que comenzaba a imitar a las mujeres a su modo. Droog nunca había tenido una niña en su hogar anteriormente, y ésta había sido tan pequeña cuando se unió con Aga, que le parecía que Ona hubiera nacido en su hogar.

Ebra y Uka estaban sentadas junto a Ovra, brindándole su afecto mientras Iza preparaba las medicinas. Uka había estado anhelando que su hija diera a luz, y tenía a Ovra de la mano mientras ésta sufría. Oga había ido a preparar la cena para Brun y Grod además de Broud, y había invitado también a Goov. Ika se brindó a prestar ayuda, pero al ver que Goov agradecía sin aceptar, Oga dijo que no necesitaba ayuda. Goov no tenía ganas de comer y se fue a visitar el hogar de Droog donde Aba consiguió hacerle comer unos bocados.

Oga estaba distraída, preocupada por Ovra, y empezaba a lamentar haber rechazado la ayuda de Ika. No supo cómo pasó, pero mientras estaba sirviéndoles tazones de sopa caliente a los hombres, tropezó: la sopa hirviendo que llevaba cayó sobre el hombro y el brazo de Brun.

—¡Aaayyy! —gritó Brun cuando el líquido abrasador chorreó sobre él. Se puso a dar brincos apretando los dientes de dolor. Todas las cabezas se volvieron y cada quien aguantó la respiración. El silencio fue roto por Broud:

—¡Oga! ¡Tú, mujer estúpida y torpe! —gesticuló para disimular su confusión, por el hecho de que fuera su compañera la culpable de tal torpeza.

—Ayla, ve a ayudarlo, ahora no puedo yo —señaló Iza.

Broud avanzó hacia su compañera con los puños preparados, dispuesto a castigarla.

—No, Broud —señaló Brun, avanzando la mano para detener al joven. La grasa caliente de la sopa estaba pegada a su cuerpo y el hombre se esforzaba por no mostrar cuánto le dolía. —No fue culpa suya. Castigarla no servirá de nada—. Oga estaba encogida a los pies de Broud, temblando de miedo y humillación.

Ayla estaba llena de aprensión. Nunca había tratado al jefe del Clan y lo miraba con un temor excesivo. Corrió hacia el hogar de Creb, agarró un tazón de madera y se dirigió rápidamente a la boca de la cueva. Recogió un montón de nieve y fue al hogar del jefe, dejándose caer al suelo delante de él.

—Iza me envía, ahora no puede dejar a Ovra. ¿Permitirá el jefe que esta muchacha le ayude? —preguntó cuando Brun le dio permiso.

Brun asintió. Abrigaba muchas dudas en cuanto a que Ayla se convirtiera en curandera del Clan, pero en aquellas circunstancias no le quedaba más remedio que permitirle tratarlo. Muy nerviosa, Ayla aplicó la nieve refrescante sobre la fuerte quemadura roja, y sintió que los duros músculos de Brun se aflojaban al sentir disminuir el dolor. Se fue corriendo, encontró la hierbabuena seca y añadió agua caliente a las hojas; cuando estuvieron blandas, echó nieve al tazón para que se enfriaran rápidamente, y volvió junto a su paciente. Con la mano aplicó la medicina calmante, y sintió que seguía disminuyendo la tensión del cuerpo del jefe, musculoso y duro como la piedra, mientras ella lo cuidaba. Brun empezó a respirar mejor. La quemadura seguía doliendo, pero era mucho más soportable. Asintió en señal de aprobación, y la muchacha se sintió menos nerviosa.

"Parece estar aprendiendo la magia de Iza —pensaba Brun—. Y está aprendiendo a portarse bien, como corresponde a una mujer; quizá lo que le faltaba era un poco de madurez. Si algo le ocurre a Iza antes de que Uba sea mayor, nos quedaríamos sin curandera. Tal vez Iza muestre buen juicio al enseñarle".

Poco después llegó Ebra y dijo a su compañero que el hijo de Ovra había nacido muerto. Brun asintió y miró hacia ella, meneando la cabeza. "¡Y además era varón! —pensó—. Debe de estar destrozada, todos sabíamos cuánto deseaba ese bebé. Espero que le vaya mejor cuando vuelva a embarazarse. ¿Quién habría pensado que un tótem de castor pudiera luchar tanto?" Aun cuando el jefe sentía mucha lástima de la mujer no dijo nada, pues nadie debía mencionar la tragedia. Pero Ovra comprendió lo que incitó a Brun a acercarse al hogar de Goov pocos días después para decirle que podía tomarse todo el tiempo que quisiera para reponerse de su "enfermedad". Aunque los hombres solían reunirse alrededor del fuego de Brun, el jefe visitaba pocas veces los hogares de los demás, y era raro que hablara a las mujeres cuando lo hacía. Ovra agradeció sus atenciones, pero no había nada que aliviara su pesar.

Iza insistió en que Ayla siguiera cuidando a Brun, y cuando la quemadura se curó, el Clan la aceptó mejor aún. Ayla se sintió también más tranquila, después, cuando se encontraba cerca el jefe. Al fin y al cabo, sólo era humano.

12

Cuando el largo invierno llegó a su fin, el ritmo de la vida del Clan se aceleró para ajustarse al ritmo de la vida que también se aceleraba dentro de la rica tierra. La estación fría obligaba, no a una verdadera hibernación sino a una modificación de las tasas metabólicas, provocada por la reducción de las actividades. En invierno todos eran más lentos, dormían más, comían más y lograban que una capa aislante de grasa subcutánea se formara como protección contra el frío. Al subir la temperatura, se cambiaba esa tendencia, lo cual agitaba al Clan y lo incitaba a salir y moverse.

El proceso era ayudado por el tónico primaveral de Iza, compuesto de raíces de trigo recogido a principios de la primavera de la hierba basta parecida al centeno, hojas secas de asperilla y polvos ricos en hierro del polvo amarillo de viburno, que administraba a todos: desde los pequeños hasta los viejos. Con un vigor nuevo, el Clan salió de la cueva preparado para iniciar un nuevo ciclo de estaciones.

El tercer invierno en la cueva no les había resultado demasiado duro. La única muerte había sido la del bebé de Ovra, y eso no contaba porque nunca había sido nombrado y aceptado. Iza, que ya no se veía agotada por las exigencias de una bebita hambrienta a la que hubiera que alimentar, lo había pasado bien. Creb no había sufrido más que de costumbre. Tanto Aga como Oga estaban nuevamente encinta, y puesto que ambas mujeres habían dado a luz anteriormente sin problemas, el Clan contaba esperanzadamente con un aumento

JEAN M. AUEL

del número de miembros. Las primeras verduras, brotes y
retoños, fueron recogidos, y se proyectó una cacería temprana con el fin de obtener carne fresca para un banquete
primaveral en honor de los espíritus que despertaban a la
vida nueva, y de los espíritus de los tótemes protectores del
Clan, por haberles ayudado a pasar un invierno más.

Ayla sentía que tenía razones especiales para agradecer
a su tótem. El invierno había sido a la vez agotador y palpitante. Llegó a odiar a Broud con mayor intensidad aún, pero
se dio cuenta de que podía arreglárselas con él. La había
tratado lo peor posible, y ella había aprendido a aguantarlo.
Había un límite que ni siquiera Broud podía traspasar. Aprender más de la magia curativa de Iza sirvió de mucho; le gustó.
Cuanto más aprendía, más deseaba aprender. Descubrió que
ansiaba salir en busca de plantas medicinales por sus usos
—ahora que las comprendía mejor— más que como un medio
de escape. Mientras soplaron los vientos fríos y las tormentas heladas, esperó pacientemente. Pero en cuanto se
percibieron los primeros indicios del cambio, se apoderó de
ella una anticipación inquieta. Estaba deseando que llegara
esta primavera más que ninguna otra que pudiera recordar.
Era tiempo ya de aprender a cazar.

En cuanto lo permitió la temperatura, Ayla salió al bosque
y al campo. Dejó de esconder su honda en la cuevita, junto
a su pradera de prácticas. La guardaba consigo, metida en un
pliegue de su manto, o bajo una capa de hojas dentro de
su canastillo. Aprender sola a cazar no era fácil. Los animales eran rápidos y esquivos, y los blancos movedizos resultaban mucho más difíciles de alcanzar que los inmóviles. Las
mujeres hacían siempre ruido cuando salían a recolectar, de
manera que se alejaran los animales en acecho, y era un
hábito difícil de perder. Muchas veces se enojó consigo misma por haber advertido de su proximidad a algún animal, al
ver cómo se escondía a toda prisa. Pero estaba decidida, y
con la práctica iba aprendiendo.

Mediante prueba y error aprendió a perseguir y comenzó
a comprender y aplicar los fragmentos de tradición que había
oído comentar a los cazadores. Ya tenía adiestrado el ojo
para descubrir pequeños detalles que diferenciaban unas plantas de otras, y sólo hacía falta extender ese adiestramiento
un poco más para aprender a definir el significado de los
excrementos de un animal, de una leve huella en el polvo,
de una hoja de hierba doblada o de una ramita rota. Apren-

226

dió a distinguir el rastro de diferentes animales, se familiarizó con sus hábitos y su hábitat. Aun cuando no pasaba por alto a las especies herbívoras se concentraba en los carnívoros su presa de elección.

Se fijó en el camino que tomaban los hombres cuando salían de caza. Pero no eran Brun y sus cazadores quienes la preocupaban más. Casi siempre escogían la estepa como coto de caza, y ella no se atrevía a cazar en llanura descubierta sin árboles. Los que más la preocupaban eran los dos viejos; había visto en ocasiones a Zoug y Dorv, cuando ella iba en busca de plantas para Iza, tiempo atrás. Eran los que más fácilmente podría encontrarse cazando en el mismo terreno que ella. Tenía que mantenerse constantemente en guardia para evitarlos. Inclusive tomar la dirección contraria a la de ellos, no era garantía de que no regresaran ambos sobre sus pasos y la descubrieran con una honda en la mano.

Pero a medida que aprendió a moverse silenciosamente, los siguió en ocasiones para observar y aprender. Entonces se mostraba especialmente cautelosa. Era más peligroso para ella rastrear a los rastreadores que a los objetos de su persecución. Pero era un buen entrenamiento. Aprendió a moverse sin hacer ruido, tanto por seguir a los hombres como por perseguir a un animal, y podía fundirse con una sombra si uno de ellos volvía la mirada por casualidad.

A medida que Ayla fue adquiriendo habilidad en la caza, aprendiendo a moverse furtivamente y entrenando sus ojos para distinguir una forma dentro de su abrigo oculto, hubo veces en que estaba segura de que habría podido atinarle a un animalillo. Aun cuando sentía la tentación, si no era carnívoro pasaba cerca de él sin intentarlo. Había tomado la decisión de cazar sólo depredadores, y su tótem sólo aprobaba esto. Los brotes primaverales se convirtieron en flores y surgieron de los árboles frondosos, cayeron las flores y los frutos se hincharon saliendo de ellas, y colgaban medio maduros y verdes, y todavía Ayla no había matado su primer animal.

—¡Largo de aquí! ¡Fuera! ¡Zape!

Ayla salió corriendo de la cueva para enterarse de la causa de tanto revuelo. Varias mujeres estaban agitando los brazos y corriendo tras un animalito melenudo, robusto y pequeño. El glotón se dirigía a la cueva, pero giró de lado con un gruñido al ver a Ayla. Se escurrió entre las piernas de las mujeres y se fue corriendo con un trozo de carne entre los dientes.

—Hipócrita tragón. Acababa de poner a secar esa carne —gesticulaba Oga, frustrada y enfurecida—. Apenas volví la espalda. Ha estado merodeando por aquí todo el verano, envalentonándose un poco más de día en día. ¡Ojalá Zoug lo alcanzara! Es bueno que hayas salido en este momento, Ayla, estuvo a punto de meterse en la cueva. ¡Piensa el hedor que nos había dejado si llegamos a acorrarlo ahí!

—Creo que es hembra, Oga, y sin duda tendrá su nido por aquí cerca. Apostaría que tiene varios bebés hambrientos que deben estar creciendo bastante ya.

—¡Lo que nos faltaba! Toda una pandilla. —Gestos iracundos acentuaban sus gestos—. Zoug y Dorv se han llevado a Vorn temprano por la mañana. Ojalá hubieran ido a cazar a esa glotona en vez de marmotas y perdices blancas, por ahí abajo: Los glotones no sirven para nada.

—Sirven para algo, Oga: su piel no se hiela bajo tu aliento en invierno. Sus pieles sirven para hacer buenos sombreros y capuchas.

—¡Ojalá ése fuera piel!

Ayla regresó junto al fuego. En realidad, no tenía nada que hacer por el momento, pero Iza había dicho que le faltaban unas cuantas cosas. Ayla decidió salir en busca del nido de glotones. Sonrió para sus adentros y aceleró la marcha, y poco después abandonaba la cueva con su canasto, dirigiéndose bosque adentro en la dirección que había tomado el animal.

Examinado el suelo, vio la huella de una garra con uñas largas y agudas en el polvo; poco más allá, un tallo doblado. Ayla se puso a rastrear al animal. Al cabo de unos instantes oyó ruidos precipitados, extrañamente cerca de la cueva. Avanzó cautelosamente, sin rozar siquiera una hoja, y vio a la glotona con cuatro crías casi adultas, gruñendo y peleando por el trozo de carne robada. Cuidadosamente sacó la honda de un pliegue de su mano y ajustó una piedra en la cavidad del cuero.

Esperó a que se presentara la oportunidad de disparar bien. Un movimiento del aire transmitió un olor extraño al taimado glotón que miró hacia arriba olisqueando, alerta ante un peligro posible. Era el momento que había estado esperando Ayla. Rápidamente, justo cuando el animal captaba el movimiento, lanzó la piedra. La glotona cayó en tierra mientras los cuatro pequeños se alejaban brincando, asustados por la piedra.

Ayla se detuvo fuera de la maleza que la había ocultado y se agachó para examinar al bicho. La comadreja, con aspecto de oso, tenía más o menos tres pies de largo desde la nariz hasta la punta de la cola, y una piel áspera, larga y de un moreño oscuro. Los glotones eran ladrones intrépidos y belicosos, suficientemente feroces para apartar a depredadores mayores que ellos de lo que hubieran matado, suficientemente arrojados para robar carne que se estuviera secando o cualquier otra cosa movible que pudieran llevar, y taimados hasta el punto de irrumpir en escondrijos de depósito. Tenían glándulas almizcleras que dejaban tras ellos un olor como de mofeta, y eran para el Clan una peste aún peor que la hiena, que era tanto depredador como aficionado a la carroña y que no dependía de la habilidad ajena para sobrevivir.

La piedra de la honda de Ayla había dado encima del ojo, precisamente donde ella había apuntado. "Este glotón nunca más volverá a robarnos —pensó Ayla, llena de una satisfacción que lindaba con el alborozo. Era el primer animal que había matado—. Creo que le daré la piel a Oga —pensó—, tendiendo la mano para sacar el cuchillo y despellejar al animal. Estará muy contenta al enterarse de que no volverá a fastidiarnos". La muchacha se detuvo.

"¿En qué estoy pensando? No puedo darle esta piel a Oga, no se la puedo dar a nadie, ni siquiera la puedo conservar. Se supone que yo no cazo. Si alguien descubriera que he matado a este glotón, no sé qué harían". Ayla se sentó junto al glotón muerto, pasándole los dedos por su piel de pelos rudos. Su alborozo se había esfumado.

Había matado por vez primera. No era un gran bisonte derribado con una lanza pesada y afilada, pero era más que el puerco espín de Vorn. No habría fiesta para celebrar su ingreso entre las filas de los cazadores ni banquete en honor suyo ni siquiera miradas de halago y felicitación. Si regresara a la cueva con el glotón, lo único que podía esperar era que la miraran con expresión escandalizada y que la castigaran severamente. Poco importaría que su intención fuera ayudar al Clan o que fuera capaz de cazar y mostrara señales de que lo haría bien. Las mujeres no cazaban, las mujeres no mataban animales. Los hombres, sí.

Exhaló un tremendo suspiro. "Lo sabía, lo he sabido siempre" —se dijo. Aun antes de comenzar a cazar, antes de recoger esa honda, sabía que no debía hacerlo. El más valiente de los jóvenes glotones salió de su escondite, olisqueando al animal muerto. "Esos pequeños van a darnos tanto quehacer como su madre —pensó Ayla—. Están ya suficientemente grandes para que un par de ellos sobreviva; mejor será que me deshaga de este cadáver; si lo alejo, es probable que los pequeños sigan el olor". Ayla se enderezó y empezó a arrastrar a la glotona muerta por la cola, llevándola bosque adentro. Después se puso a buscar las plantas que necesitaba.

La glotona fue sólo el primero de los pequeños depredadores y aficionados a carne muerta que cayeron bajo su honda. Martas, visones, hurones, nutrias, mofetas, tejones, armiños, zorros y los pequeños gatos monteses, de rayas grises y negras, se convirtieron en presa fácil para sus rápidas pedradas. No se daba cuenta de ello, pero la decisión que había tomado de cazar depredadores había tenido un importante efecto: aceleró el proceso de aprendizaje de Ayla y afinó su habilidad mucho más que si hubiera cazado a los más amables herbívoros. Los carnívoros eran más rápidos, más astutos, más inteligentes y más peligrosos.

Pronto superó a Vorn con su arma de elección. No era sólo que el muchacho tendiera a mirar la honda como arma de viejo y careciera del empeño necesario para dominarla; es que le resultaba más difícil. No tenía la estructura física de Ayla, con su brazo que podía girar, mejor adaptado al lanzamiento. El apalancamiento pleno y la coordinación lograda entre la mano y el ojo, prestaban a la muchacha velocidad, fuerza y precisión. Ya no se comparaba con Vorn; en su imaginación, era Zoug con cuya habilidad competía, y la muchacha se aproximaba rápidamente a la pericia del viejo cazador. Demasiado aprisa. Se estaba volviendo demasiado confiada.

El verano llegaba poco a poco a su fin, con todo su aporte de calor calcinante y una cosecha abundante de tormentas acompañadas de rayos y truenos. Aquel día era caluroso, insoportablemente agobiante. Ni un amago de brisa agitaba el aire quieto. La tormenta de la noche anterior, con su exhibición fantástica de destellos que iluminaban las cimas montañosas y su granizo del tamaño de guijarros, había obligado al Clan a refugiarse en la cueva. El húmedo bosque, normalmente fresco bajo la sombra de los árboles, estaba húmedo y asfixiante. Moscas y mosquitos zumbaban interminablemente alrededor del chorrito limoso del agua mansa del arroyo casi seco, atrapada por niveles inferiores de agua en pozas estancadas y charcos llenos de algas.

Ayla seguía el rastro de un zorro rojo, moviéndose silenciosamente entre el bosque, junto a la orilla de un claro umbroso. Tenía calor y estaba sudorosa; no le interesaba mucho el zorro, y pensaba renunciar y regresar a la cueva para nadar un poco en el río. Caminando a través del lecho rocoso que pocas veces podía cruzarse en seco, se detuvo para beber ahí donde el arroyo todavía corría libremente entre dos enormes rocas que convertían el chorrito sinuoso en una poza poco profunda.

Se enderezó y, al mirar frente a ella, contuvo la respiración. Ayla miraba con aprensión la cabeza característica y las orejas peludas de un lince, agazapado sobre la roca delante de ella. La estaba mirando cautelosamente, meneando la corta cola de un lado a otro.

Más pequeño que la mayoría de los grandes felinos, el lince de cuerpo largo y patas cortas, como su primo septentrional de años ulteriores, era capaz de dar brincos de quince pies. Se sustentaba principalmente con liebres, conejos, ardillas grandes y otros roedores, pero bien podía derribar un venado pequeño si quería; y una niña de ocho años podía entrar en esa categoría. Aunque hacía calor y los humanos no eran su presa habitual; probablemente habría dejado que la niña siguiera su camino.

El primer estremecimiento de miedo fue sustituido por un escalofrío de excitación, mientras observaba al gato inmóvil que la vigilaba. "¿No le había dicho Zoug a Vorn que se podía matar un lince con la honda? No dijo nada más grande, pero dijo que una piedra lanzada con honda podía matar un lobo, una hiena o un lince. Recuerdo que dijo *lince*", pensó. No había cazado depredadores de tamaño medio, pero quería ser la mejor cazadora con honda del Clan. Si Zoug podía matar un lince, ella podía matar un lince, y ahí, delante de ella, estaba el blanco perfecto. Obedeciendo a un impulso, decidió que había llegado el momento de dedicarse a caza mayor.

Tendió lentamente la mano hacia el repliegue del corto manto de verano, sin apartar los ojos del gato, y tentó hasta encontrar la piedra más grande. Le sudaban las palmas de las manos, pero aferró los dos extremos de la tira de cuero más fuertemente mientras colocaba la piedra en la hendedura. Entonces rápidamente, antes de perder el valor, apuntó a un lugar justo entre los dos ojos y lanzó la piedra. Pero el lince percibió el movimiento mientras ella alzaba el brazo, y volvió la cabeza mientras se disparaba la piedra que, rozó el lado de su cabeza causándole un dolor agudo, por lo cerca que estaba, pero nada más.

Antes de que Ayla pudiera pensar en tomar otra piedra, vio los músculos del felino tensarse. Fue por reflejo que se lanzó de lado mientras el lince enojado brincaba contra su atacante. Cayó en el lodo junto al arroyo y su mano sintió una fuerte rama de madera de flotación, pelada de ramitas y hojas por su viaje río abajo, empapada en agua y pesada. Ayla la agarró y rodó sobre sí misma justo cuando el furioso lince, con los colmillos al descubierto, se abalanzaba de nuevo. Blandiendo salvajemente la rama, con toda la fuerza que el temor le infundía, dio un golpe fuerte en la cabeza del animal; asombrado, éste rodó de lado, se agazapó un momento sacudiendo la cabeza y después se dirigió silenciosamente hacia el interior del bosque. Ya le habían golpeado suficientemente la cabeza.

Ayla temblaba convulsivamente cuando se sentó, respirando fuerte. Tenía las rodillas como líquidas cuando fue a recuperar su honda, y tuvo que sentarse otra vez. Zoug no había imaginado nunca que alguien intentaría cazar a un depredador peligroso con sólo una honda, sin otro cazador ni otra arma siquiera como respaldo. Pero Ayla no había fallado en sus blancos se había vuelto demasiado segura de su habilidad, no había pensado en lo que pudiera suceder si fallaba. Estaba en un estado tal de conmoción que al volver a la cueva estuvo a punto de olvidar recoger su canasto del lugar donde lo había escondido antes de echarse a andar detrás del zorro.

—¡Ayla! ¿Qué te ha sucedido? ¡Estás cubierta de lodo! —señaló Iza con gestos al verla llegar. La muchacha tenía el rostro de color ceniza; algo tenía que haberla asustado.

Ayla no respondió, sólo meneó la cabeza y entró en la cueva. Iza sabía que había algo que la muchacha no quería contarle. Pensó en apremiarla, pero cambió de opinión con la esperanza de que se lo contara voluntariamente. Pero Iza no estaba muy segura de querer enterarse.

Fastidiaba a la mujer que Ayla se fuera sola por ahí, pero hacía falta que alguien recogiera sus plantas medicinales; eran necesarias. Ella no podía ir, Uba era demasiado joven, y ninguna de las mujeres sabía qué buscar ni tenía ganas de aprender. Tenía que dejar que fuera Ayla, pero si la muchacha le contaba algún incidente peligroso, se preocuparía más aún.

Lo único que deseaba era que Ayla no permaneciera tanto tiempo fuera.

Ayla se mostró muy callada aquella noche y se acostó temprano, pero no pudo dormir. Se quedó despierta recordando el incidente con el lince, y en su imaginación se le hizo más espantoso aún. Casi amanecía cuando se quedó dormida.

¡Despertó gritando!

—¡Ayla! ¡Ayla! —oyó que Iza la llamaba, sacudiéndola suavemente para devolverla a la realidad—. ¿Qué sucede?

—He soñado que estaba en una cuevita y que un león cavernario me acosaba. Ahora estoy bien, Iza.

—Hacía mucho tiempo que no tenías pesadillas, Ayla. ¿Por qué ahora? ¿Te has asustado por algo?

Ayla asintió con un ademán y agachó la cabeza, pero no explicó nada. La oscuridad de la cueva, iluminada solamente por el vago resplandor de las brazas disimuló su expresión de culpabilidad. No se había sentido culpable por cazar, desde que encontró la señal de su tótem. Ahora se preguntaba si había sido realmente una señal. Tal vez ella sólo creyó que lo era; tal vez no debiera cazar, al fin y al cabo. Especialmente animales tan peligrosos. ¿Qué le habría hecho creer que una muchacha debería intentar cazar linces?

—Nunca me ha gustado que salgas sola, Ayla. Siempre pasas tanto tiempo fuera... Ya sé que te gusta ir sola a veces, pero eso me preocupa. No es natural que las muchachas quieran pasar tanto tiempo solas. El bosque puede ser peligroso.

—Tienes razón, Iza, el bosque puede ser peligroso —señaló Ayla por gestos—. Tal vez cuando vuelva me lleve a Uba, o quizá le gustaría ir a Ika.

Iza se alegró de que Ayla siguiera su consejo. Se quedaba cerca de la cueva, y cuando salía en busca de plantas medicinales, volvía temprano. Cuando no podía lograr que la acompañaran, estaba nerviosa: seguía esperando que un animal agazapado se aprestara a brincar. Empezó a comprender por qué a las mujeres del Clan no les gustaba ir solas a recoger alimentos, y por qué su deseo de salir sola les había sorprendido siempre. Cuando era más joven no tenía la menor idea de los peligros. Pero bastó un ataque —y la mayoría de las mujeres se habían sentido amenazadas por lo menos una vez— para hacerle considerar su entorno con mayor respeto. Inclusive un animal que no fuera depredador podía ser peligroso: jabalíes con agudos caninos, caballos con duros cascos, ciervos con pesada cornamenta, cabras y borregos monteses con cuernos letales, todos ellos podían causar graves daños si se excitaban. Ayla se preguntaba cómo se le había ocurrido atreverse a pensar en cazar. Le daba miedo volver.

No había nadie a quien Ayla pudiera contárselo, nadie para decirle que un poco de miedo agudizaba los sentidos, especialmente al rastrear caza peligrosa, nadie para alentarla a que saliera antes de que el miedo la acobardara del todo. Los hombres comprendían el temor. No hablaban de él, pero cada uno de ellos lo había conocido muchas veces en su vida, empezando con su primera gran cacería que los elevaba a la categoría de hombres. Los animales pequeños eran para practicar, para adquirir habilidad en el manejo de las armas, pero la posición de hombre adulto no se alcanzaba mientras no hubieran conocido y superado el miedo.

Para una mujer, los días que pasaba lejos de la seguridad del Clan no eran una menor prueba de valor, aunque más sutil. En cierto modo, hacía falta más valor para enfrentarse a esos días y noches a solas, consciente de que pasara lo que pasara, estaba sola y abandonada a sus propios recursos. Desde su nacimiento, una muchacha había tenido siempre gente a su alrededor, protegiéndola. Pero no disponía de armas para defenderse ni de un varón protector armado que la salvara durante los ritos de su paso. Las muchachas, así como los muchachos, no se convertían en adultos mientras no se hubieran enfrentado al temor y lo hubieran superado.

Los primeros días Ayla no sintió el deseo de alejarse mucho de la cueva, pero al cabo de un corto lapso empezó a sentirse inquieta. En invierno no le quedaba más remedio, y aceptaba su confinamiento en la cueva con los demás, pero se había acostumbrado a vagabundear libremente cuando hacía calor. Una ambivalencia la torturaba. Cuando estaba sola en el bosque, lejos de la seguridad del Clan, se sentía incómoda y llena de aprensión; y cuando estaba cerca de la cueva con el Clan, echaba de menos la libertad y la intimidad de que gozaba en el bosque.

Una incursión en busca de plantas, cuando estaba sola, la llevó cerca de su retiro privado, y trepó todo el camino hasta la alta pradera. El lugar tenía un efecto calmante en ella; era su mundo privado, su cueva, su pradera, inclusive se sentía posesiva respecto a la pequeña manada de corzos que allí solía pacer. Se habían vuelto tan mansos que a veces podía acercárseles hasta casi tocarlos, antes de que se alejaran de un brinco. El campo abierto le producía una sensación de seguridad, de la que ahora carecía en los peligrosos bosques donde se ocultaban bestias peligrosas. No había visitado el lugar en toda la temporada, y los recuerdos se agolparon en su memoria. Allí fue donde aprendió por vez primera a usar la honda, donde le dio al puerco espín, y donde había hallado la señal de su tótem.

Llevaba consigo la honda —no se atrevía a dejarla en la cueva, de miedo a que Iza la hallara— y al cabo de un rato recogió unos cuantos cantos y practicó unos cuantos tiros. Pero era un deporte demasiado tranquilo para interesarla mucho, ahora; su mente regresaba al incidente con el lince.

"Si hubiera tenido otra piedra en la honda —pensaba—, si hubiera podido golpearlo inmediatamente después de la piedra que falló, lo podría haber derribado sin darle la oportunidad de brincar". Tenía dos piedras en la mano y las miró: si hubiera una manera de lanzar una tras otra... ¿habría dicho Zoug algo así a Vorn? Se esforzó por recordar. "De haberlo hecho —decidió—, tuvo que ser cuando yo estaba ausente". Ponderó la idea: si pudiera meter una segunda piedra en la bolsa al volver la honda del primer lanzamiento, sin parar, podría seguir lanzándola del mismo envión. "Me pregunto si sería posible".

Empezó a intentarlo y se sintió tan torpe como la primera vez que usó la honda. Entonces empezó a formar su propio ritmo: lanzar la primera piedra, agarrar la honda a su regreso con la segunda piedra lista, meter ésta en la bolsa mientras aún estaba en movimiento, lanzar la segunda piedra. Las piedrecillas caían frecuentemente, e inclusive después de lanzarlas, su precisión en ambos tiros no fue tan buena. Pero se convenció de que podía hacerse; y después, volvió diariamente para practicar. Seguía sintiéndose incómoda en cuanto a cazar, pero el reto de crear una nueva técnica renovó su interés en el arma.

Para cuando las laderas boscosas se incendiaron con el cambio de estación, era tan precisa con dos piedras como lo había sido con una. Parada en medio del campo, lanzando piedras contra un nuevo poste que había plantado en el suelo, sentía una profunda satisfacción al oír los dos golpes que le indicaban que ambas piedras habían dado en el blanco. Nadie le había dicho que fuera imposible lanzar dos piedras una tras otra con una honda, porque nunca se había hecho anteriormente, y puesto que nadie le dijo que no podía, aprendió a hacerlo.

Un cálido día de otoño, temprano, casi un año después de haber tomado la decisión de cazar, Ayla decidió trepar al alto pastizal para recoger las avellanas maduras que habían caído en tierra. Al acercarse a la cima, oyó el resoplido, caqueteo y ululeo de una hiena, y al llegar a la pradera, vio que uno de los odiosos bichos estaba medio sumido en las entrañas sangrientas de un viejo corzo.

Se enfureció. ¿Cómo se atrevía aquella apestosa criatura a profanar *su* pradera, a atacar a *su* corzo? Echó a correr hacia la hiena para espantarla, pero lo pensó mejor: también las hienas eran depredadores, con quijadas suficientemente fuertes para quebrar los grandes huesos de las patas de los grandes ungulados herbívoros, y no era fácil apartarlas de su presa. Rápidamente se deshizo de su canasto, que llevaba colgado, y sacó del fondo . la honda. Miraba hacia el suelo en busca de piedras mientras se dirigía a un saliente cerca de la muralla rocosa. El viejo corzo estaba medio devorado, pero el movimiento de la muchacha llamó la atención del animal medio pelado, cubierto de manchas y casi tan grande como el lince. La hiena alzó la cabeza, descubrió el olor humano y se volvió hacia la muchacha.

Estaba preparada. Saliendo de detrás de la roca, lanzó un proyectil inmediatamente seguido por un segundo. No sabía que el segundo era innecesario —el primero había cumplido— pero era más seguro. Ayla había aprendido la lección. Tenía una tercera piedra en la honda y una cuarta en la mano, preparada para una segunda serie en caso de ser necesario. La hiena cavernaria había caído hecha un ovillo y no se movió. Ayla miró en derredor para asegurarse de que no hubiera ninguna más cerca, y cautelosamente avanzó hacia la bestia con la honda preparada. En el camino recogió un hueso de pata que todavía tenía unas cuantas hebras de carne roja pegadas y que no estaba roto. Con un golpe capaz de romperle la cabeza, Ayla se aseguró de que la hiena no volvería a levantarse.

Miró al animal muerto a sus pies y dejó caer el garrote de hueso. Lentamente se fue percatando de las implicaciones de su hazaña. "He matado una hiena —se dijo mientras comprendía—, he matado una hiena con mi honda. No un animalito: una hiena, un animal que pudiera haberme matado. ¿Significa que ya me he convertido en cazador? ¿Un verdadero cazador?" No era alborozo lo que sentía ni la excitación de su primera matanza ni siquiera la satisfacción de haberse sobrepuesto a una bestia poderosa. Era algo más profundo, algo que la volvía más humilde. Era saber que se había sobrepuesto a sí misma. Fue como una revelación espiritual, una percepción mística; y con una veneración profundamente sentida, habló al espíritu de su tótem con el antiguo lenguaje formal del Clan:

—Sólo soy una muchacha, Gran León Cavernario, y los caminos de los espíritus me son desconocidos. Pero que ahora comprendo un poco mejor. El lince fue una prueba, todavía más que Broud. Creb ha dicho siempre que no es fácil vivir con un tótem poderoso, pero nunca me dijo que los dones más grandes que otorgan están dentro. Nunca me dijo cómo se siente uno cuando comprende por fin. La prueba no es simplemente algo difícil que hacer, la prueba es saber que uno lo puede hacer. Agradezco el que me hayas escogido, Gran León Cavernario. Espero que llegaré a ser siempre digna de ti.

Cuando el brillante y policromo otoño perdió su esplendor, y que las ramas esqueléticas dejaron caer sus hojas secas, Ayla regresó al bosque. Rastreó y estudió los hábitos de los animales que había decidido cazar, pero los trataba con mayor respeto, a la vez como criaturas y como adversarios peligrosos. Muchas veces, aun cuando se acercaba lo suficiente para lanzar un canto, se reprimía, limitándose a observar. Se convenció más fuertemente de que era un despilfarro matar un animal que no amenazara al Clan y cuya piel no pudiera emplear. Pero estaba decidida aún a convertirse en la mejor cazadora con honda del Clan; no se daba cuenta de que lo era ya. La única manera en que podría seguir mejorando su habilidad consistía en cazar. Y cazaba.

Los resultados comenzaron a ser observados, y los hombres se sentían incómodos.

—He encontrado otro glotón, o lo que quedaba de él, cerca del campo de prácticas —señaló Crug.

—Y había trozos de piel, parecían de lobo, sobre la cresta, a medio camino de la colina —agregó Goov.

—Siempre son carnívoros, los animales más fuertes, no tótemes femeninos —dijo Broud—. Grod cree que deberíamos hablarle a Mog-ur.

—De tamaño mediano y pequeño, pero no los grandes felinos. Corzos y caballos, borregos y cabras monteses, inclusive jabalíes son siempre perseguidos por los grandes felinos y los lobos y hienas, pero ¿qué está cazando a los más pequeños cazadores? Nunca he visto tantos muertos por algo —observó Crug.

—Eso es lo que yo quisiera saber: ¿qué los está matando? No que tenga inconveniente alguno en que haya unas cuantas hienas o unos cuantos lobos menos por ahí, pero si no los matamos nosotros... ¿Le hablará Grod a Mog-ur? ¿Creen que sea un espíritu? —El joven reprimió un escalofrío.

—Y si es un espíritu ¿es uno bueno que nos ayuda o uno malo que está furioso contra nuestros tótemes? —preguntó Goov.

—Tenías que ser tú, Goov, el que saliera con una pregunta de ésas. Tú eres el acólito de Mog-ur; ¿qué crees? —replicó Crug.

—Creo que será menester meditar y consultar profundamente con los espíritus para responder a esa pregunta.

—Ya hablas como un mog-ur, Goov. Nunca das una respuesta directa —ironizó Broud.

—Bueno, Broud ¿y cuál es tu respuesta? —repuso el acólito—. ¿Puedes darme una que sea más directa? ¿Qué está matando esos animales?

—Yo no soy mog-ur, ni siquiera estoy aprendiendo a serlo. No me preguntes.

Ayla estaba trabajando cerca, y reprimió las ganas de sonreír. "Así que ahora soy un espíritu, pero no pueden decidir si uno bueno o uno malo".

Mog-ur se acercó sin que nadie se diera cuenta, pero había visto la discusión.

—Todavía no tengo respuesta, Broud —señaló el mago—. Habrá que meditar. Pero sí voy a decir esto: no es el comportamiento normal de los espíritus.

"Los espíritus —se decía Mog-ur— pueden hacer que haga demasiado calor o demasiado frío o provocar demasiada lluvia o demasiada nieve o alejar las manadas o provocar enfermedades o causar truenos, rayos y terremotos, pero por lo general no provocan la muerte de animales individuales. Este misterio parece proceder de mano humana". Ayla se puso en pie y fue hasta la cueva, y el mago la miró alejarse. "Hay algo diferente en ella, ha cambiado —se decía Creb. Observó que la mirada de Broud también la seguía, y estaba llena de malignidad frustrada—. También Broud ha observado la diferencia. Tal vez sea porque no es realmente del Clan y camina de manera diferente, está creciendo". Pero algo, en el fondo de su mente, fastidiaba a Creb como para decirlo que ésa no era la respuesta.

Ayla había cambiado. A medida que mejoró su habilidad para cazar, se formó en ella una seguridad y una gracia vigorosa desconocidas entre las mujeres del Clan. Tenía el andar silencioso del cazador experimentado, confianza en sus propios reflejos, y una mirada lejana en sus ojos que se ensombrecía levemente siempre que Broud comenzaba a agobiarla, como si no lo viera realmente. Brincaba igual de pronto al oír sus órdenes, pero su respuesta carecía de ese algo de miedo, por mucho que la abofeteara.

Su compostura, su confianza, eran algo mucho más intangible pero no menos visible para Broud que la rebelión casi abierta de tiempos anteriores. Era como si le hiciera el favor de obedecerle, como si supiera algo que él ignoraba. La observaba, tratando de descubrir el cambio sutil, tratando de encontrar algo por qué castigarla, pero no lo conseguía.

Broud no sabía cómo lo hacía, pero cada vez que trataba de imponer su superioridad, le hacía sentir que era inferior a ella, que estaba muy por debajo de ella. Lo frustraba, lo enfurecía, pero cuanto más la hostigaba, menos control sentía que tenía sobre ella, y la odiaba por ello. Pero poco a poco la agobió menos, inclusive se apartó de ella, recordando sólo de vez en cuando la demostración de sus prerrogativas. Al terminar la estación, su odio se volvió más intenso. Algún día la quebraría, se prometió. Algún día le haría pagar las heridas que infligía a su propia estimación. ¡Oh, claro que sí! algún día le iba a pesar.

13

Llegó el invierno y, con él, la actividad reducida que compartían con todas las cosas vivientes que seguían el ciclo de las estaciones. La vida seguía palpitando pero con paso más lento. Por vez primera Ayla anhelaba que llegara la estación fría. Las estaciones activas y apresuradas en que hacía calor, no dejaban mucho tiempo a Iza para seguir adiestrándola. Con las primeras nieves, la curandera reanudó sus lecciones. El patrón de la vida del Clan se repetía con sólo pequeñas variantes, y el invierno llegó también a su fin.

La primavera llegó tarde y húmeda. La fusión de las nieves que bajaba desde las tierras altas, incrementada por fuertes lluvias, hinchó el río hasta una turbulencia enorme que desbordó de sus riberas y barrió con árboles y arbustos en su fuga atropellada hasta el mar. Una obstrucción de troncos provocó que un río cambiara su curso, llevándose parte del camino que había abierto el Clan. Un breve respiro producido por el calor, lo suficientemente prolongado para desplegar flores en los árboles frutales, fue contrarrestado por granizadas de fines del verano que asolaron las delicadas flores, ahogando las esperanzas de la prometida cosecha. Entonces, como si la naturaleza hubiera cambiado de opinión y quisiera compensar por no haber cumplido la promesa de las frutas, la coseoha de principios del verano produjo verduras, raíces, calabazas y legumbres en abundante profusión.

El Clan echaba de menos su visita primaveral a la costa, en busca de salmón, y todo el mundo se alegró al oír anunciar a. Brun que harían el viaje en busca de bacalao y esturión. Aun cuando había miembros del Clan que recorrían a menudo las diez millas hasta el mar interior para recoger moluscos y huevos de las incontables aves que anidaban en los riscos, pescar los enormes animales era una de las pocas actividades del Clan que constituían un esfuerzo común de parte de hombres y mujeres.

Droog tenía una buena razón para querer ir. El fuerte escurrimiento primaveral había arrancado nuevos nódulos de sílex de los depósitos calcáreos de las partes más altas, y los había depositado en el terreno aluvial. Había visitado ya la costa y comprobado que había varios depósitos aluviales. La excursión pesquera sería una buena oportunidad para reabastecer su reserva de herramientas, sustituyéndolas por otras, hechas con piedras de alta calidad. Era más fácil chasquear el sílex en el lugar mismo que transportar las pesadas piedras hasta la cueva. Hacía ya tiempo que Droog no hacía herramientas para el Clan. Habían tenido que arreglárselas con implementos más toscos cuando se rompía la piedra frágil de los buenos que tenían. Todos podían confeccionar herramientas útiles, pero muy pocas podían compararse con las que hacía Droog.

Un espíritu alegre acompañaba los preparativos. No era frecuente que todo el Clan abandonara la cueva al mismo tiempo, y la novedad de acampar en la playa resultaba palpitante, especialmente para los niños. Brun tenía pensado que uno o dos hombres regresaran diariamente a la cueva para asegurarse de que no sucediera nada malo en su ausencia. Incluso a Creb le alegraba la idea de cambiar de escenario; pocas veces se alejaba mucho de la cueva.

Las mujeres trabajaban en la red, remendando los cables más débiles y formando una nueva sección con cuerdas procedentes de lianas fibrosas, cortezas deshebradas, hierbas duras, y largos pelos de animales, para alargarla. Aun cuando la tripa era material fuerte y sólido, no se empleaba para eso; pasaba como con el cuero: el agua lo endurecía y atiesaba, y no absorbía bien la grasa ablandadora.

El enorme esturión, que a menudo pasaba de doce pies de largo y pesaba más de una tonelada, emigraba del mar donde vivía la mayor parte del año, y subía a los ríos para desovar a principios del verano. Los apéndices carnosos que tenía debajo de su boca desdentada prestaban al pez antiguo, parecido al tiburón, un aspecto temible, pero su dieta estaba compuesta de invertebrados y peces pequeños que atrapaba merodeando por el fondo. El bacalao, más pequeño, no solía pesar más de veinticinco libras, pero podía alcanzar hasta doscientas y más, y en verano se dirigía hacia el norte, a aguas menos profundas. Aun cuando se alimentaba casi siempre en el fondo, a veces nadaba cerca de la superficie o en desembocaduras de agua dulce si migraba o perseguía alimento.

Durante los catorce días en que desovaban los esturiones en verano, las desembocaduras de los ríos estaban llenas de ellos. Aun cuando el pez que escogía los ríos más pequeños no alcanzaba el volumen de los gigantes que subían por los grandes ríos, los esturiones que llegaban a la red del Clan serían más que suficientemente grandes para que ellos pudieran arrastrarlos hacia la playa. Al acercarse la época de la migración, Brun enviaba a alguien diariamente hasta la costa. Apenas había hecho acto de presencia el primero de los potentes esturiones blancos en el río, cuando dio la orden: todos partirían a la mañana siguiente.

Ayla despertó excitadísima: tenía ya su piel para dormir amarrada en un lío, alimentos y recipientes de cocina recogidos en un canasto, y la gran pieza de cuero que serviría de techo cargada encima de todo aun antes del desayuno. Iza nunca abandonaba la cueva sin su bolsa de medicinas, y todavía estaba recogiéndola cuando Ayla salió corriendo de la cueva para ver si todos estaban preparados para marchar.

—¡Apúrate, Iza! —la apremió, volviendo a la cueva—. Ya estamos casi listos para salir.

—Cálmate, chiquilla. El mar no se irá a ninguna parte —contestó Iza después de haber apretado bien la correa de su bolsa.

Ayla se echó el canasto a la espalda y alzó a Uba. Iza siguió, se volvió para mirar tras de sí pues quería recordar si no olvidaba nada: siempre le parecía estar olvidándose de algo cuando dejaba la cueva. "Bueno, en todo caso Ayla puede volver a buscarlo, si es algo importante", pensó. Casi todo el Clan estaba fuera y poco después de que Iza ocupara su lugar, Brun dio la señal de la partida. Apenas estaban en marcha cuando Uba comenzó a revolverse para que la dejaran en el suelo.

—¡Uba no es un bebé! Quiero caminar sola —señaló con dignidad infantil. A los tres años y medio, Uba había comenzado a copiar a los adultos y a los niños mayores, y a rechazar los mimos que se prodigaban a los pequeñitos. Estaba creciendo. Poco más o menos en cuatro años más sería probablemente una mujer. Tenía que aprender mucho en cuatro años escasos, y mediante un sentido interno de su rápida maduración, estaba empezando a prepararse para las responsabilidades mayores que pronto le incumbirían.

—Está bien, Uba —dijo Ayla por gestos dejándola caminar—. Pero quédate detrás de mí, muy cerca.

Siguieron el río por el flanco de la montaña, dando un rodeo por su curso alterado siguiendo el nuevo sendero que ya se había trazado cerca del estancamiento de árboles. Era una marcha fácil —aunque el viaje de regreso costaría más— y no era aún mediodía cuando llegaron a un ancho tramo de playa. Establecieron refugios temporales muy lejos de donde subían las mareas, empleando madera flotante y arbustos como postes de apoyo. Comenzarían a pescar a la mañana siguiente. Ayla echó a andar hacia el mar.

—Me voy al agua, madre —indicó.

—Ayla ¿por qué quieres meterte siempre en el agua? Es peligroso, y siempre te alejas mucho.

—Es maravilloso, Iza. Tendré cuidado.

"Siempre pasaba lo mismo cuando Ayla iba a nadar", se decía Iza, preocupada. Ayla era la única a quien le gustaba nadar; era la única que podía hacerlo. Los huesos grandes y pesados de los miembros del Clan les dificultaban la natación. No flotaban fácilmente y temían al agua profunda. Vadeaban por el agua para pescar, pero no les gustaba ir más allá del nivel de la cintura; los inquietaba. La predilección por la natación que Ayla mostraba era considerada como una de sus peculiaridades; y no era la única.

Para cuando Ayla cumplió nueve años, era ya más alta que cualquiera de las mujeres y tanto como algunos de los hombres, pero seguía sin dar muestras de alcanzar pronto la femineidad. Iza se preguntaba a veces si dejaría de crecer algún día. Su estatura y su retraso para madurar daban que pensar a algunos si su fuerte tótem masculino no le impediría desarrollarse como mujer. Se preguntaban si se pasaría la vida entera como una especie de hembra neutra, ni hombre ni realmente mujer.

Creb se acercó cojeando a Iza mientras ésta miraba a Ayla acercarse al agua. Su cuerpo duro y esbelto, sus músculos planos y nervudos y sus largas piernas como de potrillo la hacían parecer torpe y desmañada, pero la flexibilidad de sus movimientos desmentía su aparente desmañada torpeza. Aunque se esforzaba por imitar el porte sumiso de las mujeres del Clan, no tenía sus piernas cortas y arqueadas. Por mucho que tratara de dar pasos cortos, sus piernas más largas daban trancos más largos, casi masculinos.

Pero no eran sólo sus piernas largas las que la hacían diferente. Ayla irradiaba una confianza en sí que ninguna mujer del Clan sentía nunca. Era cazadora. Ningún hombre del Clan era mejor que ella con su arma, y ahora ella lo sabía. No podía fingir sumisión a la gran superioridad masculina puesto que no la sentía. Carecía del compromiso del convencimiento genuino que era parte del atractivo de la mujer del Clan. Ante los ojos de los hombres, su cuerpo alto y esbelto, carente de todos los atributos femeninos, y su actitud inconsciente de seguridad, le quitaban cualquier mérito a su harta dudosa belleza; Ayla no era sólo fea, carecía además de femineidad.

—Creb —expresó por señas Iza—, Aga y Aba dicen que nunca se convertirá en mujer. Dicen que su tótem es demasiado fuerte.

—¡Claro que se convertirá en mujer, Iza! ¿No crees que los Otros tienen hijos? Sólo porque haya sido aceptada en el Clan no cambiará lo que es. Probablemente es normal en sus mujeres madurar más tarde. Inclusive algunas muchachas del Clan no se convierten en mujeres antes de los diez años. Podría esperarse que le concedieran siquiera hasta entonces antes de ponerse a imaginar que hay alguna anormalidad. ¡Es ridículo! —resopló, fastidiado.

Iza se sintió apaciguada pero seguía deseando que su hija adoptiva comenzara a dar algunas señales de femineidad. Vio que Ayla caminaba dentro del agua hasta la cintura y de repente, de un brinco, se ponía a nadar largas brazadas tranquilas hacia el mar.

A la muchacha le encantaba la libertad y la flotabilidad del agua salada. No recordaba haber aprendido a nadar, era como si lo hubiera sabido siempre. El banco de arena submarino de la costa bajaba bruscamente al cabo de unas cuantas yardas; ella se enteró de que pasaba de ese lugar por el matiz más profundo y el agua más fría. Se tendió de espaldas y flotó perezosamente un rato, mecida por el vaivén de las olas. Escupiendo un trago salado que le había dado en la cara, se volvió nuevamente y se dirigió nadando a la playa. La marea estaba bajando, y se había desviado hacia el agua que desembocaba del río. La fuerza de las corrientes combinadas dificultaba el regreso a nado. Se esforzó y no tardó en poner nuevamente pie en la arena para volver andando a la playa. Enjuagándose en el agua dulce del río, podía sentir la rápida corriente golpearle las piernas y el inestable suelo arenoso escurrirse bajo sus pies.

Se dejó caer junto a la hoguera que ardía cerca de su refugio, cansada pero también más fresca.

Después de cenar Ayla se quedó mirando lánguidamente a lo lejos, preguntándose qué habría más allá del agua. Aves marinas chillaban, graznaban y giraban antes de clavarse por encima de las olas que mugían. Viejas osamentas, blancas y curtidas por las intemperies, que fueron árboles otrora, se erguían en la arena lisa adoptando formas torcidas, esculpidas ante la inmensa superficie de agua de un gris azulado que centelleaban bajo los rayos largos del sol poniente. La escena tenía un aspecto vacuo, surreal, como de otro mundo; la madera arrojada a la playa se convertía en siluetas grotescas antes de sumirse en la oscuridad de la noche sin luna.

Iza llevó a Uba a la cama bajo el refugio, y regresó junto a Creb y Ayla, junto a la pequeña hoguera que lanzaba bocanadas pequeñas de humo hacia el cielo tachonado de estrellas.

—¿Qué son, Creb? —señaló Ayla calmadamente, hacia arriba.

—Hogueras en el cielo. Cada una es el hogar del espíritu de alguien en el otro mundo.

—¿Existe tanta gente?

—Son las hogueras de todas las personas que han ido al mundo de los espíritus, y de todos los que no han nacido aún. Son las hogueras, también, de los espíritus de los tótemes, pero la mayoría de los tótemes tiene más de uno. ¿Ves ahí? —preguntó Creb, señalando con la mano. Es el hogar del Gran Ursus en persona. ¿Y aquéllos? —señalando en otra dirección.— Son los fuegos de tu tótem, Ayla, del León Cavernario.

—Me agrada dormir donde se pueden ver los pequeños fuegos del cielo —dijo Ayla.

—Pero no es tan agradable cuando sopla el viento y cae la nieve— interpuso Iza.

—También a Uba le gustan los fuegos —señaló la niña, surgiendo de la oscuridad al círculo de luz de la hoguera.

—Creí que estabas dormida, Uba —comentó Creb.

—No. Uba mira los pequeños fuegos como Ayla y Creb.

—Es hora de que nos acostemos todos —señaló Iza—. Mañana va a ser un día muy duro.

A primera hora de la mañana siguiente, el Clan tendió su red a través del río. Vejigas natatorias de pescas anteriores de esturión, cuidadosamente lavadas y secadas hasta convertirse en globos duros y claros de colapez, servían de flotadores para la red, y piedras atadas a la parte inferior, de pesas. Brun y Droog tomaron un extremo de la ribera más alejada; entonces el jefe hizo una seña: adultos y niños grandes comenzaron a vadear por el río. Uba los siguió.

—No, Uba —señaló Iza—, tú te quedas, no eres bastante grande.

—Pero Ona sí está ayudando —protestó la niña.

—Ona es mayor que tú, Uba. Podrás ayudar después, una vez que hayamos varado la pesca. Es demasiado peligroso para ti. El propio Creb está quedándose junto a la orilla. Quédate ahí.

—Sí, madre —respondió Uba con un gesto, sin disimular su desilusión.

Avanzaban lentamente, creando la menor perturbación posible al apartarse en abanico para formar un amplio semicírculo, y después se quedaban quietos hasta que la arena removida por su movimiento hubiera vuelto a asentarse. Ayla se quedó con los pies separados, luchando contra la fuerte corriente que le empujaba las piernas, la mirada fija en Brun esperando su señal. Estaba en medio del canal, a la misma distancia de ambas riberas y más cerca del mar. Observó cómo una forma oscura y muy grande se deslizaba a unos cuantos pies de distancia. Los esturiones estaban en camino.

Brun alzó el brazo y todos contuvieron el aliento. De repente, tan pronto como bajó el brazo, el Clan comenzó a dar gritos y agitar el agua, salpicando espuma. Lo que parecía un caos desordenado de ruido y salpicaduras se reveló muy pronto como un movimiento intencionado. El Clan estaba empujando los peces hacia la red, estrechando su círculo. Brun y Droog se acercaron desde la ribera más lejana llevando consigo la red, mientras la confusión agitada creada por el Clan impedía que los peces regresaran al mar. La red se iba cerrando, apresando a la masa plateada de peces que luchaban dentro de un espacio que se encogía poco a poco. Unos cuantos monstruos se lanzaron contra las cuerdas anudadas, amenazando salirse por ahí. Nuevas manos aferraron la red, llevándola a rastras hacia el ribazo mientras los

que allí estaban tiraban de ella, mientras todo el Clan se esforzaba por varar a la horda que agitaba convulsivamente sus aletas.

Ayla alzó la mirada y vio a Uba metida hasta las rodillas entre
los peces que luchaban, tratando de acercarse a ella desde el
otro lado de la red.

—¡Uba! ¡Vuelve a la playa! —le señaló de lejos.

—¡Ayla! ¡Ayla! —gritó la niña, y entonces señaló un punto
en el mar: —¡Ona! —gritó.

Ayla se volvió para mirar y apenas divisó una cabeza morena
que salía del agua antes de desaparecer. La niña, que tenía apenas un año más que Uba, había perdido pie y estaba siendo arrastrada hacia el mar. En la confusión creada al arrastrar la red,
nadie se había fijado en ella. Sólo Uba, que miraba a su compañera de juegos con admiración desde la orilla, había advertido el
apuro en que se encontraba Ona y trataba frenéticamente de llamar la atención de alguien para decírselo.

Ayla se lanzó a la corriente lodosa y agitada y avanzó laborio-
samente hacia el mar. Nadaba más rápidamente que nunca; la
corriente rápida la empujaba, pero esa misma corriente estaba
arrastrando a la niña hacia el declive con la misma fuerza. Ayla
vio que su cabeza surgía una vez más y se precipitó. Ganaba terreno pero temía que no fuera suficiente. Si Ona llegara al declive antes de que Ayla le diera alcance, sería atraída hacia las
aguas profundas por la fuerte corriente submarina.

El agua se estaba volviendo salada, Ayla lo sentía en sus labios. La cabecita oscura salió una vez más a unos cuantos pies
de distancia, y se hundió después. Ayla sintió que había bajado
la temperatura del agua al lanzarse desesperadamente hacia
delante, sumiéndose bajo el agua para tratar de agarrar la cabeza
desaparecida. Sintió unos pelos y apretó el puño alrededor de
la larga cabellera flotante de la niña.

Ayla pensó que le estallarían los pulmones —no había tenido tiempo para respirar profundamente antes de sumergirse—
y un ligero aturdimiento la amenazaba justo cuando salió a la superficie llevando consigo su preciosa carga. Sacó a Ona del agua
pero la niña estaba inconsciente. Ayla no había intentado nunca nadar sosteniendo a otra persona, pero tenía que llevar a Ona
a la orilla cuanto antes, manteniéndole la cabeza fuera del agua.
Ayla se puso a nadar con un solo brazo y halló la brazada correcta, sosteniendo a la niña con el otro.

Para cuando puso pie en la arena, vio que todo el Clan se
había metido en el agua para ir a su encuentro. Ayla sacó el cuerpo inerte de Ona y se lo entregó a Droog, y sólo entonces se

percató de lo agotada que se sentía. Creb estaba a su lado, y alzó la mirada sorprendida al ver que Brun estaba del otro lado, ayudándola a salir del agua. Droog avanzaba y para cuando Ayla cayó sobre la arena, Iza tenía a la nenita tendida y le estaba sacando el agua de los pulmones.

No era la primera vez que un miembro del Clan estaba a punto de morir ahogado; Iza sabía qué hacer. Unas cuantas personas se habían perdido ya en las frías profundidades, pero esta vez el mar se vio privado de su víctima. Ona empezó a toser y escupir mientras el agua salía de su boca, y parpadeó.

—¡Mi nena! ¡Mi nena! —gritó Aga, tirándose al suelo. La madre enloquecida tomó a su hija en brazos y la estrechó.— Creí que había muerto. Estaba segura de que la perdía. ¡Oh, mi nenita, mi única hija!

Droog tomó a la niña del regazo de su madre y, apretándola contra su cuerpo, la llevó de regreso al campamento. En contra de la costumbre, Aga caminaba a su lado, acariciando a la hija que creyó haber perdido.

Los demás miraban, fijamente y sin recato, a Ayla mientras pasaba cerca. Nadie había sido salvado anteriormente una vez que las olas lo arrastraban. Era un milagro que Ona hubiera sido rescatada. Nunca más volvería un miembro del Clan de Brun a mirarla con gestos irónicos cuando se abandonara a su idiosincrasia particular. "Es su suerte —decían—. Siempre ha tenido suerte. ¿No encontró ella la cueva?"

Los peces seguían agitándose espasmódicamente sobre la arena. Unos cuantos habían logrado regresar al río mientras los del Clan se daban cuenta de lo sucedido y corrían a reunirse con Ayla que volvía trayendo a la niña medio ahogada, pero la mayor parte de los peces estaban todavía enredados en la red. Los del Clan regresaron a la tarea de arrastrarlos playa adentro, los golpearon hasta dejarlos inmóviles, y las mujeres comenzaron a limpiarlos.

—¡Una hembra! —gritó Ebra al abrir de un tajo la barriga de un enorme esturión blanco. Todos echaron a correr hacia el enorme pescado.

—¡Mira cuánto hay! —señaló Vorn y tendió la mano para agarrar un puñado de huevecillos negros.

El caviar fresco era un manjar que todos apreciaban. Por lo general cada quien agarraba puñados de la primera hembra de esturión que se pescaba, y se hartaban. Las demás huevas serían saladas y conservadas para uso ulterior, pero nunca resultaban tan buenas como recién sacadas del mar. Ebra detuvo al muchacho y señaló con la mano hacia Ayla.

—Ayla, tú te sirves primero —expresó.

La muchacha miró a su alrededor, confusa al verse el centro de la atención.

—Sí, Ayla, tú primero —dijeron otros, a coro.

La muchacha miró a Brun, que asintió con un gesto. Entonces avanzó tímidamente y tomó un puñado de caviar negro y brillante, después se enderezó y lo probó. Ebra entonces hizo una seña y todos se abalanzaron para tomar su parte, rodeando gozosamente al pescado. Se había evitado una tragedia y su sensación de alivio les hacía sentirse como en día de fiesta.

Ayla fue despacio a su refugio. Sabía que había sido objeto de honores. Comiendo bocaditos, saboreó el sabroso caviar y saboreó el cálido resplandor de su aceptación. Era un sentimiento que nunca olvidaría.

Una vez varado y muerto el pescado, los hombres se alejaron formando su núcleo inevitable, dejando el trabajo de limpieza y conservación a las mujeres. Además de los agudos cuchillos de sílex que se empleaban para abrir el pescado y filetear los más grandes, tenían una herramienta especial para quitar las escamas. Era un cuchillo que no sólo tenía el lomo romo para poder ser agarrado cómodamente sino que además se había hecho una muesca en el extremo afilado donde se colocaba el dedo índice para controlar la presión de modo que las escamas fueran retiradas sin que se arrancara la piel del pescado.

La red del Clan recogió algo más que esturión: bacalao, carpa de río, unas cuantas truchas grandes e inclusive algunos crustáceos. Las aves atraídas por la pesca se hartaron con las entrañas, robándose unos cuantos filetes cuando podían acercarse lo suficiente. Una vez que se puso a secar la pesca al aire o sobre hogueras humeantes, se tendió la red por encima. Eso permitía secarla y ver dónde había que efectuar remiendos, además de mantener a raya a las aves que intentaban apoderarse de lo que tanto esfuerzo le había costado al Clan.

Antes de terminar de pescar todos estarían estragados con el sabor y el olor a pescado, pero la primera noche fue un verdadero festín, y lo celebraban siempre juntos. Los pescados reservados para la celebración, sobre todo bacalao cuya carne blanca y delicada era especialmente apreciada cuando estaba fresca, se envolvían en una capa de hierba fresca y de hojas anchas, y se colocaban sobre carbones calientes. Aun cuando no se dijo nada explícitamente, Ayla sabía que aquel banquete era en su honor. Fue beneficiaria de muchos bocados selectos que le llevaron las mujeres, y de todo un filete preparado con un cuidado especial por Aga.

El sol se había puesto en el oeste, y casi todos habían vuelto ya a sus correspondientes refugios. Iza y Aba se habían quedado charlando a un lado de la enorme hoguera que estaba quedándose ya en brasas, mientras Ayla y Aga miraban silenciosamente a Ona y Uba que jugaban juntas. Groob, hijo de Aga, que ya tenía un año, estaba durmiendo apaciblemente en el regazo de su madre, satisfecho y lleno de leche caliente.

—Ayla —comenzó a decir la mujer, vacilando un poco—, quiero que sepas algo. No siempre he sido amable contigo.

—Aga, siempre has sido cortés —interrumpió Ayla.

—No es lo mismo que amable —dijo Aga—. He hablado con Droog. Se ha encariñado mucho con mi hija, a pesar de que ha nacido en el hogar de mi primer compañero. Nunca anteriormente había tenido una niña en su hogar. Droog dice que siempre llevarás contigo una parte del espíritu de Ona. Yo no comprendo realmente los caminos de los espíritus, pero Droog dice que cuando un cazador salva la vida de otro cazador, se queda con parte del espíritu del hombre al que ha salvado. Se vuelven algo así como hermanos. Me alegro de que compartas el espíritu de Ona, Ayla. Me alegro de que esté todavía aquí para compartirlo contigo. Si tengo la suerte de volver a ser madre y si es una niña, Droog ha prometido llamarla Ayla.

Ayla se quedó asombradísima; no sabía qué contestar.

—Aga, ése es un honor demasiado grande. Ayla no es nombre del Clan.

—Ahora lo es —señaló Aga con un ademán.

La mujer se puso en pie, haciendo seña a Ona, y echó a andar hacia su refugio. Se volvió un instante:

—Ahora me voy —dijo.

Era el gesto más parecido que tenía el Clan para decir: "hasta luego". La mayor parte se omitía; la gente se iba, simplemente. El Clan no tenía palabra para "gracias" tampoco. Comprendían la gratitud, pero eso tenía una connotación distinta, por lo general un sentido de obligación, habitualmente procedente de una persona de posición inferior. Se ayudaban unos a otros porque tal era su modo de vida, su deber, necesario para sobrevivir, y no se daban ni se esperaban las gracias. Obsequios o favores especiales llevaban consigo la obligación de devolverlos por medio de algo que tuviera un valor análogo; así se entendía y no había por qué dar gracias. Mientras viviera Ona, a menos que surgiera una ocasión en que ella o, mientras no fuera adulta, su madre pudiera devolver el favor y asegurarse así un trozo del espíritu de Ayla, estaría en deuda con ésta. El ofrecimiento de Aga no era devolver una obligación, era algo más: era su manera de dar las gracias.

Aba se levantó para marcharse poco después que su hija.

—Iza ha dicho siempre que tienes suerte —señaló la mujer al pasar junto a la muchacha—. Ahora creo que es cierto.

Ayla se levantó y fue a sentarse junto a Iza cuando Aba se hubo alejado.

—Iza, Aga me ha dicho que siempre tendré parte del espíritu de Ona conmigo, pero yo sólo la traje, tú fuiste quien le devolvió la respiración. Salvaste su vida tanto como yo. ¿No llevas tú también una parte de su espíritu? —preguntó la muchacha—. Tienes que llevar partes de muchos espíritus... has salvado muchas vidas.

—¿Por qué crees que una curandera tiene posición propia, Ayla? Es porque lleva parte de los espíritus de todos los de su Clan, tanto hombres como mujeres. De todo el Clan, en realidad, a través del suyo propio. Ayuda a traerlos al mundo y se ocupa de ellos mientras viven. Cuando una mujer se convierte en curandera, recibe esa parte de espíritu de cada uno de ellos, inclusive de aquellos cuya vida no haya salvado, porque nunca se sabe cuándo lo hará.

—Cuando una persona muere y pasa al mundo de los espíritus —prosiguió Iza—, la curandera pierde parte de su espíritu. Algunos creen que por eso se esfuerza tanto la curandera, pero casi todas se esforzarían de todos modos. No cualquier mujer puede ser curandera, ni siquiera la hija de una. Tiene que llevar algo dentro que la incite a querer ayudar a la gente. Tú lo tienes, Ayla, por eso te he estado adiestrando. Lo vi desde el principio, cuando quisiste ayudar al conejo después del nacimiento de Uba. Y no te detuviste a pensar en el peligro cuando te lanzaste en busca de Ona, sólo querías salvarle la vida. Las curanderas de mi estirpe tienen la posición más elevada. Cuando te conviertas en curandera, Ayla, tú serás de mi estirpe.

—Pero Iza, no soy tu verdadera hija. Tú eres la única madre que recuerdo, pero no nací de ti. ¿Cómo puedo ser de tu estirpe? No tengo tus recuerdos. Realmente, no entiendo lo que son los recuerdos.

—Mi estirpe tiene la posición más alta porque siempre hemos sido las mejores. Mi madre, y su madre y la de ésta antes, mientras yo recuerde, siempre han sido las mejores. Cada una transmitió lo que sabía y aprendía. Eres del Clan, Ayla, hija mía educada por mí. Tendrás todo el saber que pueda darte. Puede no ser todo lo que yo sé —ni yo misma sé cuánto sé—, pero será suficiente porque hay algo más. Tienes un don, Ayla, y creo que tú procedes de tu propio linaje de curandéras. Vas a ser muy buena algún día.

"No tienes los recuerdos, criatura, pero tienes una manera de pensar, una manera de comprender lo que le duele a alguien. Si sabes lo que duele puedes ayudar, y tienes el modo de saber cómo ayudar. Nunca te había dicho que pusieras nieve en el brazo de Brun cuando lo quemó Oga. Podría haber hecho yo lo mismo, pero nunca te lo enseñé. Tu don, tu talento, puede ser tan bueno como los recuerdos, tal vez mejor, no sé. Pero una buena curandera es una buena curandera. Eso es lo importante. Serás de mi estirpe porque vas a ser una buena curandera, Ayla. Serás digna de la posición, serás una de las mejores"

El Clan adoptó su rutina: sólo pescaban una vez al día, pero con eso bastaba para tener ocupadas a las mujeres hasta avanzada la tarde. No hubo más incidentes, aunque Ona no volvió a ayudar a los que acosaban a los peces dentro de la red. Droog decidió que era todavía demasiado joven; el año que viene sería suficiente. Hacia fines del arribazón de esturiones, la pesca se volvió menos abundante, y las mujeres dispusieron de tiempo para descansar por la tarde. ¡Qué bien! El pescado tardaba unos cuantos días en secarse, y la hilera de tendederos que se estiraba por la playa crecía de día en día.

Droog había recorrido la llanura aluvial del río en busca de los nódulos de sílex que habían bajado del monte con las aguas, y se llevó arrastrando unos cuantos hasta el campamento. Varias tardes se le pudo ver chasqueando herramientas nuevas. Una tarde, poco antes del día en que se había previsto volver a la cueva, Ayla vio que Droog sacaba un bulto de su refugio y lo llevaba hasta un tronco seco que estaba cerca y en el que solía trabajar sus herramientas. Le gustaba verlo trabajar el sílex, y lo siguió, sentándose frente a él con la cabeza baja.

—Esta muchacha querría mirar si el hombre que hace las herramientas no se opone —señaló una vez que Droog la autorizó.

—Ejem . . . —asintió con la cabeza.

La muchacha se sentó en el mismo tronco, para observar calladamente. Ya lo había observado en otras ocasiones. Droog sabía que se interesaba sinceramente y que no interferiría en su concentración. "¡Ah! —pensaba— si Vorn mostrara ese mismo interés". Ninguno de los muchachos del Clan había mostrado una verdadera aptitud para hacer herramientas, y como todo técnico realmente experto, deseaba compartir sus conocimientos y transmitirlos.

Tal vez Groob se interesara, pensó. Estaba contento de que su nueva compañera hubiera dado a luz un muchacho tan pronto después de que Ona fuera destetada. Droog no había tenido nunca tan lleno su hogar, pero se alegraba de haber aceptado a Aga con sus dos hijos. Inclusive no era malo tener a la vieja cerca: Aba se ocupaba a menudo de sus necesidades cuando Aga estaba dedicada al bebé. Aga no tenía la comprensión tranquila y profunda de la madre de Goov, y Droog tuvo que esforzarse mucho al principio para hacerle comprender cuál era su lugar. Pero era joven y saludable y le había dado un hijo, un muchacho en quien Droog colocaba sus esperanzas de adiestrarlo para convertirlo en un buen hacedor de herramientas. Había aprendido el arte de chasquear la piedra con el compañero de la madre de su madre, y ahora comprendía el deleite del anciano cuando, siendo él un niño pequeño, había comenzado a interesarse por adquirir la habilidad.

Pero Ayla lo había observado frecuentemente desde que llegó al Clan, y él había visto las herramientas que hacía ella. Era hábil con sus manos, aplicaba bien las técnicas. Las mujeres podían hacer herramientas con tal de que no confeccionaran implementos cuyo propósito final fuera un arma ni elaboraran armas. No era muy valioso entrenar a una muchacha y ésta nunca llegaría a ser realmente una experta; pero tenía cierta habilidad, hacía herramientas muy útiles, y una aprendiza era mejor que nada. Ya anteriormente le había explicado algo de su artesanía.

El tallador de herramientas abrió el bulto y extendió el cuero en que estaban envueltas las herramientas de su oficio. Miró a Ayla y decidió beneficiarla con algunos conocimientos útiles sobre la piedra. Tomó un trozo que había desechado el día anterior. Durante muchos años de tanteos, los antepasados de Droog habían aprendido que el sílex poseía las características necesarias para hacer las mejores herramientas.

Ayla lo observaba atentamente mientras él explicaba. En primer lugar la piedra debía tener la dureza suficiente para raspar, cortar o hendir una variedad de materiales, tanto de origen animal como vegetal. Muchos de los minerales silíceos de la familia del cuarzo tenían la dureza necesaria, pero el sílex tenía una cualidad que no tenían la mayoría de los demás, inclusive muchas rocas de minerales más blandos. El sílex era quebradizo; se rompía bajo presión o percusión. Ayla dio un salto atrás cuando Droog le demostró golpeando un trozo de la piedra defectuosa contra otro, rompiéndola en dos y mostrando un material de naturaleza diferente en el corazón del sílex brillante, de un gris oscuro.

Droog no sabía muy bien cómo explicar la tercera cualidad, aun cuando la comprendía visceralmente por el hecho de haber trabajado por tanto tiempo la piedra. La cualidad que hacía posible su oficio era la manera en que se quebraba la piedra, y la homogeneidad del sílex constituía la diferencia.

La mayoría de los minerales se quiebran a lo largo de superficies planas paralelas a su estructura cristalina, lo cual significa que sólo se pueden fracturar en ciertas direcciones, y el que trabaja con el sílex no puede darles forma para usos específicos. Cuando podía encontrarla, Droog utilizaba a veces la obsidiana, el vidrio negro de las erupciones volcánicas, aun cuando era mucho más blanda que muchos minerales. No tenía una estructura cristalina bien definida, y la podía quebrar fácilmente en cualquier dirección, homogéneamente.

La estructura cristalina del sílex, aunque bien definida, era tan pequeña que también resultaba homogénea, y su única limitación para adquirir forma era la habilidad del chasqueador: y ahí estaba el talento especial de Droog. Sin embargo, el sílex era suficientemente duro para cortar gruesos cueros o plantas de fibras duras, y suficientemente quebradizo para romperse dejando un filo tan agudo como un vidrio roto. Para mostrarle, Droog tomó un de los trozos de la piedra defectuosa y la afiló. Ayla no necesitó tocarla para saber lo afilada que estaba; muchas veces había empleado cuchillos igualmente afilados.

Droog pensó en sus años de experiencia que habían refinado los conocimientos que le habían transmitido, al dejar caer el trozo roto y extender el cuero sobre sus rodillas. La habilidad de un buen chasqueador comenzaba al seleccionar el material. Hacía falta mucha práctica para reconocer variaciones secundarias de color en la cubierta exterior gredosa que indicaba una buena calidad, un sílex de textura fina. Hacía falta tiempo para desarrollar la sensación de que los nódulos de una ubicación eran mejores, más frescos, menos susceptibles a la inclusión de materiales extraños, que las piedras de otra ubicación. Tal vez algún día tendría un verdadero aprendiz que supiera apreciar como él esos detalles tan finos.

Ayla pensaba que se había olvidado de ella mientras colocaba sus implementos, examinaba cuidadosamente las piedras y, después, se quedaba con los ojos cerrados sujetando calladamente su amuleto. La sorprendió cuando comenzó a hablar mediante gestos silenciosos.

—Las herramientas que voy a hacer son muy importantes. Brun ha decidido que tenemos que cazar mamut. En otoño, cuando las hojas han cambiado de color, viajaremos muy al norte para buscar el mamut. Debemos contar con mucha suerte para que la cacería tenga éxito; los espíritus deben favorecerla. Los cuchillos que voy a hacer serán utilizados como armas, y los demás instrumentos para hacer armas especiales para la caza. Mog-ur hará un encantamiento poderoso para que tengan suerte, pero antes que nada hay que hacer las herramientas. Si salen bien, será buena señal.

Ayla no estaba muy segura de si Droog se dirigía a ella o sólo exponía los hechos para tenerlos claros en su mente antes de comenzar. Eso la incitó a permanecer muy callada y no hacer nada que pudiera perturbar a Droog mientras trabajaba. Casi esperó oírse despachar de allí, ahora que sabía la importancia de las herramientas que estaba a punto de comenzar.

Lo que ella no sabía era que, desde el momento en que mostró la cueva a Brun, Droog estaba convencido de que llevaba la suerte consigo, y el que salvara la vida de Ona lo había afirmado en su convencimiento. Pensaba en la muchacha extraña como en una piedra o muela insólita que uno recibiera de su tótem y llevara en su amuleto para la buena suerte. No estaba seguro de que ella tuviera suerte sino únicamente de que la traía, y el que ella pidiera permiso para observarlo en ese momento particular le pareció propicio. Con el rabillo del ojo observó que ella tocaba su amuleto en el momento en que él tomaba en la mano el primer nódulo. Aun cuando no se lo definía a sí mismo precisamente de esa manera, tuvo la impresión de que ella aportaba la suerte de su poderoso tótem a su tentativa, y lo aceptó con beneplácito.

Droog estaba sentado en el suelo, con una piel curtida sobre su regazo, y tenía un nódulo de sílex en su mano izquierda. Tendió la mano hacia una piedra ovalada y la amasó hasta sentirla cómodamente en su mano. Había buscado por mucho tiempo una piedra de martillo que tuviera el tacto y la resistencia exactos, y ésta había sido suya durante muchos años; las muchas mellas que ostentaba atestiguaban sus largos servicios. Con la piedra-martillo, Droog quebró la cubierta exterior gris de caliza y dejó a la vista el sílex de un gris oscuro; se detuvo para examinarlo con ojos críticos: la textura era correcta, el color, conveniente, y no había inclusiones. Entonces empezó a trazar toscamente el perfil de un hacha de mano. Los gruesos copos que caían tenían aristas agudas; muchos serían utilizados como implementos para cortar, tal como habían caído de la piedra. La parte de cada copo donde el martillo había golpeado el sílex tenía un abultamiento que se iba afilando hacia un corte más delgado en el extremo opuesto, y cada pieza que caía dejaba una cicatriz profunda y ondulada en el corazón del sílex.

Droog dejó su martillo y recogió un fragmento de hueso. Apuntando cuidadosamente, golpeó el corazón del sílex muy cerca de la arista aguda y ondulada. El martillo de hueso, más suave y elástico, produjo copos más largos y más delgados, con un bulbo de percusión más plano y aristas más rectas que se desprendían del corazón del sílex, y no rompía la arista delgada y aguda como lo habría hecho el martillo de piedra, más duro.

Al cabo de unos momentos Droog tuvo en la mano el producto acabado. La herramienta tendría unas cinco pulgadas de largo, tenía una punta en un extremo con aristas rectas y cortantes, una sección transversal relativamente gruesa, y caras suaves con sólo unas facetas poco profundas allí donde los copos habían sido desprendidos. Podía sostenerse en la mano y servir para cortar madera como un hacha, o para ahondar un tazón de madera en un trozo de tronco como una azuela o para desprender un trozo de martil de mamut o para romper los huesos de animales al destazar su carne o para cualquiera de los muchos usos que tiene un instrumento cortante con el que se pueda golpear.

Era una herramienta antigua, y los antepasados de Droog llevaban milenios produciendo hachas de mano similares. Una forma más simple era una de las primeras herramientas que se hubiera ideado, y todavía resultaba útil. Revolvió el montón de copos, recogiendo algunos que tenían aristas cortantes y poniéndolos a un lado para utilizarlos como hendedores, útiles para destazar y para cortar cueros duros. El hacha de mano sólo era un ejercicio de calentamiento. Droog volvió su atención hacia otro nódulo de sílex, uno que había escogido por su textura particularmente fina. Aplicaría a éste una técnica más avanzada, más difícil.

El tallador de herramientas estaba ya más calmado, menos tenso, y dispuesto para la tarea siguiente. Puso entre sus piernas el hueso de la pata de un mamut, para usarlo como yunque, y agarrando el nódulo, lo colocó sobre la plataforma asiéndolo firmemente. Entonces agarró su martillo de piedra. Esta vez, al desprender la cubierta exterior gredosa, dio cuidadosamente forma a la piedra para que el núcleo de sílex que quedaba tomara más o menos una forma aplastada de huevo. Lo puso de costado y, tomando el martillo de hueso, desprendió copos de arriba, trabajando de la arista hacia el centro todo alrededor. Cuando hubo terminado, la piedra ovoide tenía una parte superior ovalada y plana.

Entonces Droog se detuvo, puso sus dos manos alrededor de su amuleto y cerró los ojos. Un elemento de suerte, además de habilidad, era necesario para los siguientes pasos decisivos. Estiró los brazos, flexionó los dedos y agarró el martillo de hueso. Ayla contuvo la respiración. El quería formar una plataforma de golpeo, para desprender una astilla de un extremo de la parte superior ovalada y plana, que dejara una mella cuya superficie fuera perpendicular al copo que deseaba desprender. La plataforma de golpeo era necesaria para que el copo cayera limpiamente, con aristas afiladas. Examinó ambos extremos de la superficie ovalada, escogió una, apuntó con esmero y dio un fuerte golpe, y exhaló aire al caer el trocito. Droog sostuvo el núcleo discoidal firmemente sobre el yunque y, calculando la distancia y el punto de impacto con exactitud, golpeó la pequeña muesca que había hecho, con el martillo de hueso. Un copo perfecto cayó, desprendiéndose del núcleo previamente liberado. Tenía una forma ovalada larga, aristas agudas, estaba más o menos aplanado por fuera con una cara interior en forma de bulbo, y era ligeramente más grueso en el extremo que había sido golpeado, afinándose hasta una sección delgada en el otro.

Droog volvió a mirar el núcleo, lo volvió y desprendió de un golpe otra astillita para formar una plataforma, opuesta al final de la anterior plataforma de golpeo, y después chasqueó otro copo preformado. Al cabo de breves instantes, Droog había hendido seis copos y descartado el extremo más ancho del núcleo de sílex. Todos tenían una forma ovalada y larga, y tendían a afilarse en el extremo más fino formando una punta. Miró cuidadosamente los copos y los puso en hilera, preparándolos para darles los toques finales que habrían de hacer de ellos las herramientas que él quería. De una piedra que casi tenía las mismas dimensiones que la primera, con la que había hecho sólo un hacha, había sacado seis veces el filo de cortar merced a la nueva técnica, un filo cortante que podría convertirse en diversas herramientas útiles.

Con una piedrecita redonda, ligeramente aplanada, Droog partió suavemente el corte afilado de un lado del primer copo, para definir la punta pero sobre todo para enromar el lomo de manera que el cuchillo pudiera ser empleado sin cortar la mano del usuario; retocando, no para afilar la arista fina de por sí, sino para embotar el lomo y que se manejara sin dolor. Miró el cuchillo evaluándolo con mirada crítica, quitó unas cuantas astillitas más y entonces, satisfecho, lo dejó para ocuparse del copo siguiente. Según el mismo procedimiento, Droog confeccionó un segundo cuchillo.

El siguiente copo que tomó Droog era más grande, pues provenía del centro del núcleo ovoide. Una arista era casi recta. Sosteniendo el copo contra el yunque, Droog aplicó presión con un huesecillo y desprendió un trocito de la arista de la hoja, luego unas cuantas más, y dejó una serie de muescas en forma de V. Enromó el lomo de la herramienta denticulada y volvió a mirar la sierra de dientes cortos que acababa de hacer; entonces asintió con un ademán y la dejó.

Empleando el mismo trozo de hueso, el tallador de herramientas retocó todo el filo de un copo más pequeño y redondo, dándole una forma convexa y creando así una herramienta robusta, de arista roma, que no se rompería fácilmente bajo la presión aplicada para rascar madera o cuero de animal, y que no desgarraría las pieles. A otro copo le hizo una profunda muesca en forma de V en la arista cortante, especialmente útil para afilar las puntas de las lanzas de madera, y en el último copo —que salió con una punta aguda en el extremo delgado pero que tenía aristas algo onduladas en la hoja— enromó ambos lados, dejando la punta. La herramienta podría usarse como punzón para abrir orificios en cuero o como perforador para abrir agujeros en hueso o madera. Todas las herramientas que hacía Droog eran para usarse con la mano.

Droog miró una vez más la serie de herramientas que acababa de fabricar, y después hizo una seña a Ayla, que había estado observando con una atención extasiada. Le tendió el rascador y uno de los copos anchos y afilados que se habían desprendido mientras hacía el hacha.

—Puedes quedarte con éstas. Las encontrarás útiles si vienes con nosotros a la cacería del mamut —indicó por gestos.

Los ojos de Ayla brillaban. Manejó las herramientas como si fueran el obsequio más valioso— y lo eran. "¿Será posible que me escojan para acompañar a los cazadores en la cacería del mamut?" se preguntaba. Ayla no era mujer aún, y generalmente sólo las mujeres y los niñitos que estuvieran criando acompañaban a los cazadores. Pero tenía la estatura de una mujer y ya había tomado parte en algunas pequeñas cacerías aquel verano. "Tal vez me escojan, ojalá: de veras, ojalá que sí", pensó.

—Esta muchacha guardará las herramientas hasta la cacería del mamut. Si la escogen para acompañar a los cazadores, las usará por vez primera para el mamut que maten los cazadores— le dijo.

Droog gruñó, después sacudió el cuero que tenía sobre el regazo, para quitar las astillitas y esquirlas de piedra, colocó el yunque de pata de mamut, el martillo de piedra y el de hueso, y los retocadores de piedra y de hueso en medio, y los envolvió antes de asegurar el todo con una cuerda. Entonces recogió los nuevos implementos y se dirigió al refugio que compartía con los demás miembros de su hogar. Ya había completado su tarea del día, aunque no estaba muy avanzada la tarde. En muy poco tiempo había producido unas cuantas herramientas bien hechas, y no quería abusar de su buena suerte.

—¡Iza, Iza! ¡Mira! Droog me las ha dado. Y me ha dejado mirar mientras las hacía— señaló Ayla con los símbolos que hacía Creb con una sola mano, sosteniendo cuidadosamente las herramientas en la otra, mientras se dirigía corriendo hacia la curandera—. Ha dicho que los cazadores iban a cazar el mamut en otoño, y que estaba haciendo las herramientas para que los hombres hicieran nuevas armas para ello. Y dijo que podían serme útiles éstas si voy con ellos. ¿Crees que podría lograr ir con ellos?

—Pudiera ser, Ayla. Pero no sé por qué te excitas tanto: será un trabajo muy duro. Hay que reducir toda la grasa, secar casi toda la carne, y no te imaginas cuánta carne y cuánta grasa hay en un mamut. Tendrás que viajar lejos y traerla toda a cuestas.

—¡Oh! no me importa que sea trabajo duro. Nunca he visto un mamut, excepto una vez a distancia, desde la sierra. Quiero ir. ¡Oh! Iza, espero poder ir.

—Es poco frecuente que el mamut venga tan al sur. Le gusta el frío, y aquí los veranos son demasiado calientes. Pero no he comido carne de mamut desde hace tiempo. No hay nada mejor que un mamut bueno y tierno, ¡y tienen tanta grasa que se puede usar para tantas cosas!

—¿Crees que me lleven, madre?— gesticuló Ayla presa de excitación.

—Brun no me pone al tanto de sus proyectos, Ayla. Ni siquiera estaba enterada de que irían; sabes más de eso que yo —dijo Iza—. Pero no creo que Droog habría dicho nada si no existiera la posibilidad. Creo que te agradece que hayas salvado a Ona de ahogarse, y las herramientas y las noticias de la cacería son su manera de expresártelo. Droog es un hombre excelente, Ayla. Tienes suerte de que te considere merecedora de sus regalos.

—Voy a guardarlas hasta la cacería del mamut. Le he dicho que si voy, las usaré entonces por vez primera.

—Es una buena idea, Ayla, y era precisamente lo que tenías que decir.

14

La cacería del mamut, proyectada para principios del otoño cuando las enormes bestias lanudas emigraban hacia el sur, era, en el mejor de los casos, una empresa arriesgada, y tenía alborotado a todo el Clan. Todas las personas fuertes y sanas estarían incluidas en la expedición hasta el extremo septentrional de la península, cerca de donde se unía a la tierra firme. Durante los días necesarios para viajar, destazar y conservar la carne, fundir la grasa y regresar a la cueva, se prescindiría de todas las demás actividades cinegéticas. Y no había seguridad alguna de hallar mamut una vez que llegaran allí, de que los cazadores tuvieran suerte. Sólo el hecho de que, si tenían éxito, una bestia gigantesca bastaría para sustentar al Clan durante muchos meses, así como para proveer una amplia reserva de la grasa que tan esencial era para su existencia, les hacía considerar la posibilidad.

Los cazadores salieron muchas veces más de cacería a principios del verano, para conservar carne suficiente con vistas al próximo invierno, si se mostraban prudentes. No podían permitirse el lujo de jugársela contando con un mamut sin haber recogido provisiones para la siguiente estación fría. Pero la siguiente Reunión del Clan se celebraría dentro de dos años, y durante aquel verano casi no se cazaría. Toda la temporada transcurriría en el viaje a la cueva del Clan que era anfitrión del importante suceso, en la participación en el gran festival y en el regreso. La larga historia de tales reuniones hacía comprender a Brun que el Clan tenía que comenzar a amontonar alimentos y provisiones mucho antes, para permitir que el invierno después de la Reunión pudiera sobrellevarse. Por esa razón había decidido cazar mamut. Depósitos adecuados para el invierno venidero, además de una buena cacería de mamut, les darían mucho adelanto. Carne seca, verduras, frutas y granos durarían fácilmente dos años una vez que estuvieran convenientemente almacenados.

No sólo había una atmósfera de excitación debido a la próxima cacería, sino que se palpaba una corriente subterránea de superstición. El éxito de la cacería dependía tanto de la suerte, que se veían presagios en los incidentes más insignificantes. Todos tenían cuidado con la menor de sus acciones, y se mostraban especialmente circunspectos con todo lo que se relacionara aun remotamente con los espíritus. Nadie quería ser causa de que un espíritu se enfureciera y trajera mala suerte. Las mujeres tenían todavía más cuidado al cocinar: una comida quemada podía ser un mal presagio.

Los hombres celebraban ceremonias para cada fase de la planificación, ofrendando súplicas fervientes para conciliarse a las fuerzas invisibles que los rodeaban, y Mog-ur estaba atareado produciendo encantamientos para la buena suerte y elaborando amuletos, generalmente con los huesos de la cueva pequeña. Todo lo que salía bien era considerado como indicación favorable, y cada tropiezo constituía una causa de preocupación. Todo el Clan tenía los nervios de punta, y Brun casi no descansó bien una sola noche desde el día en que tomó la decisión de cazar mamut; había momentos en que casi lamentaba que se le hubiera ocurrido.

Brun convocó una reunión de los hombres para estudiar quién iría y quién quedaría atrás. Proteger el hogar era la cuestión importante.

—He estado pensando en dejar atrás a uno de los cazadores —comenzó a decir el jefe—. Estaremos ausentes casi toda una luna, tal vez dos. Es mucho tiempo para dejar la cueva sin protección.

Los cazadores evitaron la mirada de Brun; ninguno quería ser excluido de la cacería. Cada uno de ellos tenía miedo de que, si el jefe cruzaba la mirada con él, lo escogiera para quedarse.

—Brun, vas a necesitar a todos tus cazadores —indicó Zoug—. Tal vez mis piernas no sean suficientemente rápidas para cazar mamut, pero mi brazo es todavía lo suficientemente fuerte para empuñar la lanza. La onda no es la única arma que puedo usar. La vista de Dorv es baja, pero sus músculos no son débiles y no está ciego. Todavía puede usar un garrote o una lanza, por lo menos lo suficiente para proteger la cueva. Mientras ten-

gamos prendido el fuego, ningún animal se acercará. No tienes
que preocuparte por la cueva: podremos protegerla; ya tendrás
bastante en qué pensar con la caza del mamut. Claro está, a mí
no me toca decidir, pero creo que deberías llevarte a todos los
cazadores.

—Estoy de acuerdo, Brun —agregó Dorv inclinándose hacia
delante y bizqueando un poco—. Zoug y yo podemos proteger
la cueva mientras estés fuera.

Brun miró a Zoug, a Dorv y otra vez a Zoug. No tenía ganas
de dejar atrás a ninguno de sus cazadores. No quería hacer nada
que pudiera reducir sus posibilidades de éxito.

—Tienes razón, Zoug —dijo finalmente Brun con gestos—
Sólo porque Dorv y tú no puedan cazar mamut, no significa que
no sean lo suficientemente fuertes para proteger la cueva. Este
clan tiene suerte de que ambos sean todavía tan fuertes, y yo la
tengo porque el que fue segundo al mando del jefe-antes-que-yo,
todavía está con nosotros para permitirme disfrutar de su sabiduría, Zoug—. No hacía daño a nadie, hacer saber al viejo cuánto
se le apreciaba.

Los demás cazadores se tranquilizaron: ninguno de ellos quedaría atrás. Sentían lástima por los viejos que no podían participar en la gran cacería, pero agradecían que ellos se quedaran
para cuidar la cueva. También quedaba entendido que Mog-ur no
haría el viaje; no era cazador. Pero en ocasiones, Brun había visto
al viejo lisiado blandir su robusto cayado con bastante fuerza,
para protegerse, y mentalmente agregó al mago a la protección
de la cueva. Desde luego, los tres juntos lo harían tan bien como
un solo cazador.

—Y ahora ¿qué mujeres nos llevaremos? —preguntó Brun—.
Ebra vendrá.

—También Uka —agregó Grod—. Es fuerte y experta, y no tiene hijos pequeños.

—Sí, Uka está muy bien —aprobó Brun—, y Ovra, —dijo, mirando a Goov. El acólito asintió.

—¿Y Oga? —preguntó Broud—. Brac camina ya y pronto será
destetado; no le quita mucho tiempo a su madre.

—No veo por qué no —dijo finalmente Brun, después de reflexionar un momento—. Las demás mujeres pueden ayudar a cuidarlo, y Oga trabaja bien. Podemos aprovecharla.

Broud se vio complacido; le gustaba saber que el jefe tenía
buena opinión de su compañera; era una felicitación para lo bien
que él la había adiestrado.

—Algunas mujeres tendrán que quedarse con los niños— señaló Brun—. ¿Qué hacemos con Ika y Aga? Igra y Groob son todavía pequeños para viajar tan lejos.

—Iza y Aba pueden vigilarlos —propuso Crug—. Igra no molesta ya mucho a Ika. Casi todos los hombres preferían llevar a sus compañeras cuando se trataba de una larga cacería; así no tenían que depender de la compañera de otro hombre para atenderlos.

—No sé, Ika —comentó Droog—, pero creo que Aga preferiría quedarse esta vez. Tres de los niños son suyos, y aun cuando se lleve a Groob, sé que Ona la echaría de menos. Pero a Vorn le gustaría venir con nosotros.

—Creo que Iza y Aga deben quedarse —decidió Brun—, y también Vorn. No tendrá nada que hacer, no es suficientemente grande para cazar y no le gustaría ayudar a las mujeres, especialmente si no está su madre para obligarlo. Habrá otras cacerías de mamut para él.

Mog-ur no había tomado la palabra aún, pero le pareció que era el momento de hacerlo.

—Iza está demasiado débil para ir, y tiene que quedarse para cuidar a Uba, pero no hay razón para que no vaya Ayla.

—Ni siquiera es mujer —interpuso Broud— y, además, tal vez no les guste a los espíritus que venga la extraña con nosotros.

—Es más alta que una mujer y tan fuerte como cualquiera de ellas —repuso Droog—. Trabajadora, buena con las manos, y los espíritus la favorecen. ¿Qué hay de la cueva? ¿Y de Ona? Yo creo que nos traería suerte.

—Droog tiene razón. Trabaja rápidamente y es tan fuerte como una mujer. No tiene niños de quienes preocuparse, y ha tenido algún adiestramiento como curandera. Eso podría ser útil, aunque si Iza estuviera más fuerte preferiría llevármela a ella. Ayla vendrá con nosotros —expresó con un gesto de decisión Brun.

Ayla estaba tan emocionada cuando se enteró de que iba a la cacería del mamut, que no podía estarse quieta. Fastidiaba a Iza con preguntas acerca de lo que debería llevarse consigo, y preparó una y otra vez su canasto en los días anteriores a la salida.

—No debes llevar demasiadas cosas, Ayla. Tu carga será muchísimo más pesada cuando vuelvas, si la caza es buena. Pero tengo para ti algo que quiero que lleves. Acabo de hacerlo.

Lágrimas de felicidad salieron de los ojos de Ayla al ver la bolsa que le tendía Iza. Estaba hecha con la piel entera de una nutria, curtida con la piel, cabeza, cola y pies, todo ello intacto. Iza le había pedido una a Zoug, y la había tenido escondida en el hogar de Droog; Aga y Aba eran partícipes de la sorpresa.

—¡Iza! ¡mi propia bolsa de medicinas! —exclamó Ayla, y abrazó a la mujer.

Inmediatamente se sentó y sacó todas las bolsitas y los paquetes como lo había visto hacer a Iza tantas veces, poniéndolos en hileras. Abrió cada uno de ellos y olisqueó el contenido, y después volvió a guardarlos con los mismos nudos con que habían sido atados originalmente.

Era difícil distinguir entre muchas hierbas y raíces sólo por el olor, aunque las que eran particularmente peligrosas estaban a menudo mezcladas con una hierba inocua pero de fuerte olor, para evitar que fueran usadas indebidamente por accidente. El sistema real de clasificación consistía en el tipo de cuerda o correa que cerraba las bolsas y una combinación intrincada de nudos. Ciertas clases de remedios vegetales iban amarrados con cordel hecho con crin de caballo, otras con el pelo del bisonte o cualquier otro animal cuya pelambre tuviera una textura o un olor distintivo, otros más iban atados con tripas o cuerdas trenzadas con lianas o cortezas fibrosas, y algunas con correas de cuero. Parte de la memorización de los usos de una planta en particular consistía en saber qué tipo de cuerda y qué sistema de nudos se utilizaban para cerrar la bolsita en que se guardaba.

Ayla colocó nuevamente las bolsitas en su bolsa de medicinas y se colgó ésta de la cintura, admirándola. Se la quitó y la puso cerca de su canasto, junto con las grandes bolsas que se emplearían para traer la carne de mamut que esperaban conseguir. Todo estaba dispuesto. El único problema que preocupaba a Ayla era lo que haría con su honda. No podría usarla, pero tenía miedo de dejarla en la cueva y que la encontraran Iza o Creb. Pensó en esconderla en el bosque, pero algún animal poría desenterrarla y su exposición a la intemperie la arruinaría. Finalmente decidió llevársela pero tenerla muy escondida en un pliegue de su manto.

Era todavía noche cerrada cuando el Clan se levantó, el día de la marcha de los cazadores, y las hojas multicolores estaban empezando a mostrar sus verdaderos colores al iluminarse el cielo mientras se ponían en marcha. Pero al pasar más allá de la sierra al este de la cueva, el brillo radiante del sol naciente bañó el horizonte, iluminando la vasta llanura de heno verde que había abajo con un intenso resplandor dorado. Bajaron en tropel las laderas boscosas de los contrafuertes y llegaron a la estepa cuando el sol estaba todavía bajo. Brun impuso un paso rápido, casi tanto como cuando los hombres salían solos. Las mujeres llevaban cargas ligeras, pero como no estaban acostumbradas a viajar aprisa, tenían que esforzarse para no quedarse atrás.

Viajaron de sol a sol, cubriendo una distancia mucho mayor en un solo día que cuando el Clan andaba en busca de una nueva caverna. No cocinaban, sólo hervían agua para hacer té, y no se exigía mucho de las mujeres. No se cazaba durante el viaje; todos comían los alimentos que solían llevar los hombres cuando salían a cazar: carne seca molida para formar un tosco alimento, mezclada con grasa derretida y limpia, y fruta seca en forma de pastelillos. El alimento de viaje, altamente concentrado, satisfacía ampliamente sus necesidades alimentarias.

Hacía frío en la pradera descubierta barrida por los vientos, y el frío fue aumentando rápidamente a medida que avanzaban hacia el norte. Aun así, poco después de ponerse en marcha por las mañanas, se quitaban algo de ropa. Su paso les hacía entrar rápidamente en calor, y sólo cuando se detenían brevemente para descansar se fijaban en la temperatura inclemente. Los músculos doloridos de los primeros días, especialmente los de las mujeres, pronto dejaron de sentirse a medida que fueron adquiriendo el paso de viajeros y fortaleciendo sus piernas.

El terreno de la parte septentrional de la península era más áspero. Mesetas anchas y planas desaparecieron repentinamente para dejar lugar a barrancas escarpadas o abruptos riscos que las cerraban: resultado de cataclismos retumbantes en la tierra del pasado que se sacudía la prisión de límites de piedra caliza. Estrechos cañones estaban encerrados entre paredes rocosas melladas, algunos terminados donde se unían las murallas y otros cubiertos de los restos de rocas enormes, caídas, arrancadas de los baluartes circundantes. Otros daban cabida a ríos ocasionales, desde arroyos de temporada hasta torrentes. sólo cerca de los ríos crecían pinos retorcidos, alerces y abetos, rodeados de muy cerca por abedules y sauces encanijados, poco más que arbustos, aliviando la monotonía de la estepa herbosa. En los pocos casos en que una barranca se abría hacia un valle irrigado, protegido contra el incesante viento raudo, y con humedad suficiente, las coníferas y los árboles deciduos de hoja pequeña se acercaban más a sus verdaderas proporciones.

El viaje se realizó sin contratiempos. Viajaron con paso rápido y regular durante diez días antes de que Brun empezara a enviar exploradores que recorrieran la región circundante. lo cual entorpeció su avance durante los siguientes días. Estaban cerca del ancho istmo; si iban a encontrar mamut, tendrían que empezar a verlo muy pronto.

La partida de cazadores se había detenido junto a un pequeño río. Brun había enviado a Broud y Goov a principios de la tarde, y se encontraba a corta distancia de los demás, mirando hacia donde se habían ido. Tendría que tomar pronto una decisión en cuanto a acampar junto al río o proseguir, antes de detenerse a pasar la noche. Las sombras del atardecer estaban alargándose, y si los dos jóvenes no volvían pronto, la decisión se habría tomado sin él. Bizqueó frente al viento del este que azotaba su largo manto de piel alrededor de sus piernas y le pegaba la enmarañada barba al rostro.

A lo lejos le pareció ver movimientos ,y mientras esperaba, las siluetas de dos hombres que corrían se hicieron más claras. Sintió una súbita punzada de excitación. Quizá fuera intuición o tal vez su acuerdo físico con la manera que tenían de correr. Ellos vieron la silueta solitaria y apretaron más aún el movimiento, agitando los brazos. Brun lo sabía mucho antes de oír sus voces.

—¡Mamut! ¡Mamut! —gritaban los dos, sin aliento, mientras corrían hacia el grupo. Todos rodearon atropelladamente a los hombres llenos de entusiasmo.

—Una manada grande, hacia el este —gesticuló Broud, excitadísimo.

—¿A qué distancia? —preguntó Brun.

Goov señaló hacia arriba y entonces hizo girar su brazo en un corto arco.

—Unas cuantas horas —era lo que significaba la señal.

—Muestren el camino —ordenó Brun con un gesto, y después hizo señas a los demás de que siguieran. Quedaban suficientes horas de luz para acercarse más a la manada.

El sol bajaba rápidamente al encuentro del horizonte antes de que la partida de caza viera la oscura mancha en movimiento a lo lejos. "Es una gran manada", pensó Brun al ordenar que hicieran alto. Tendrían que arreglárselas con el agua que llevaban de la parada anterior; era demasiado tarde para buscar un río. Por la mañana podrían encontrar un mejor lugar donde acampar. Lo importante era que habían hallado mamut: ahora, era cosa de los cazadores.

Después de que el grupo se trasladó a un nuevo campamento junto a un arroyo sinuoso definido por una doble hilera de maleza enmarañada a lo largo de cada orilla, Brun se llevó a sus cazadores para examinar las posibilidades. No se podía hacer correr a un mamut igual que un bisonte; había que idear una táctica distinta para cazar a los paquidermos lanudos. Brun y sus hombres exploraron las barrancas y los cañones próximos. Estaba buscando una formación particular, un cañón cerrado que se estrechara en un angosto desfiladero donde a los lados se amontonaran rocas en el extremo cerrado, no demasiado lejos de la manada que se desplazaba con lentitud.

A principios del segundo día, Oga se sentó muy nerviosa enfrente de Brun, con la cabeza inclinada, mientras Ovra y Ayla esperaban ansiosas detrás de ella.

—¿Qué quieres, Oga? —señaló Brun después de tocarle el hombro.

—Esta mujer quisiera pedir algo —comenzó, vacilando.

—¿Sí?

—Esta mujer nunca ha visto un mamut. Tampoco Ovra ni Ayla. ¿Nos permitiría el jefe acercarnos para verlos mejor?

—Y Ebra y Uka? ¿No quieren también ver un mamut?

—Dicen que verán suficiente mamut antes de que hayamos terminado, para hartarse. No desean ir —respondió Oga.

—Son mujeres juiciosas, pero es que ya han visto anteriormente mamuts. Estamos bajo el viento; no perturbará a la manada si no se acercan demasiado y no tratan de darle vuelta.

—No nos acercaremos —prometió Oga.

—No, creo que cuando los vean no querrán acercarse. Sí, pueden ir —decidió el jefe.

"No perjudicará nada que las jóvenes hagan una pequeña excursión —se dijo—. Ahora tienen poco que hacer, y estarán más que atareadas después... si los espíritus nos favorecen"

Las tres se sentían excitadísimas a la idea de su aventura. Había sido Ayla la que convenció finalmente a Oga de que solicitara, aunque todas habían tratado el asunto. La cacería las había aproximado más que cuando estaban en la cueva, y les daba la oportunidad de conocerse mejor unas a otras. Ovra, que era callada y reservada por naturaleza, había considerado siempre a Ayla como niña y nunca había buscado su compañía. Oga no favorecía el contacto social, pues bien sabía lo que Broud pensaba de ella, y ninguna de las jóvenes encontraba mucho en común con Ayla. Eran mujeres apareadas, adultas, dueñas de los hogares de sus hombres; Ayla era todavía una niña y no tenía las mismas responsabilidades.

Sólo aquel verano, cuando Ayla adquirió casi posición de adulta y comenzó a acompañar a las partidas de caza, comenzaron las mujeres a pensar en ella como algo más que una chiquilla, y especialmente durante la expedición para ir a cazar el mamut. Ayla era más alta que cualquiera de lo cual le daba aspecto de adulta, y en la mayoría de los aspectos era tratada por los cazadores como si fuera ya mujer. Crug y Droog en particular recurrían a ella; sus compañeras se habían quedado en la cueva, y Ayla no estaba apareada. No tenían que solicitar nada por intermedio de otro hombre ni con permiso de ninguno, por confianza que hubiera al pedir o conceder. Con el interés común de la caza, una relación más amistosa se formó entre las tres hembras más jóvenes. Las asociaciones más estrechas de Ayla habían sido anteriormente con Iza, Uba y Creb, y ahora disfrutaba el calor recién descubierto de la amistad de las mujeres.

Poco después de que salieran los hombres por la mañana, Oga dejó a Brac con Ebra y Uka, y las tres jóvenes echaron a andar fue un paseo agradable. Pronto se pusieron a conversar animadamente con manos que se movían rápidamente y palabras enfáticas. Al acercarse a los animales, la conversación decayó y finalmente terminó. Las tres se detuvieron contemplando, boquiabiertas, a las enormes criaturas.

Los mamuts lanudos estaban bien adaptados al rudo clima periglacial de su frío entorno. Sus gruesas pieles estaban protegidas por un forro denso de pelos suaves y una cubierta de pelos rudos, largos, de un moreno rojizo, de hasta veinte pulgadas de largo. Además, estaban aislados por una capa de grasa subcutánea de tres pulgadas. El frío había provocado también modificaciones en su estructura física. Eran compactos en relación con los demás de su especie, y medían un promedio de diez pies de alto hasta la cruz. Sus enormes cabezas, grandes en proporción con su estatura general y casi la mitad de largas que el tronco, subían por encima de los hombros en un domo puntiagudo. Tenían orejas pequeñas, rabos cortos y trompas relativamente cortas con dos dedos al final, uno arriba y otro debajo. De perfil, revelaban una profunda depresión en la cerviz entre la cabeza puntiaguda y una alta joroba de grasa acumulada en la cruz. Sus lomos se inclinaban abruptamente hasta la pelvis y las patas traseras algo más cortas. Pero lo más impresionante era sus largos colmillos arqueados.

—¡Mira ése! —señaló Oga llamando la atención sobre un viejo macho. Sus colmillos de marfil, nacidos uno junto al otro, se encorvaban fuertemente hacia abajo, ondeaban hacia fuera, hacia arriba y después hacia dentro, cruzándose por delante y prolongándose hasta dieciséis pies en total.

El mamut estaba arrancando matas de hierba, plantas y juncias con su trompa y metiendo el forraje duro y seco en la boca, donde lo desmenuzaban entre muelas tan eficaces como limas. Un animal más joven cuyos colmillos no eran tan largos pero igualmente útiles, arrancó un alerce y comenzó a despojarlo de ramas y corteza.

—¡Son tan grandes! —indicó Ovra con un escalofrío—. No creí que un animal pudiera ser tan grande. ¿Cómo podrán matar uno de ellos? Ni siquiera pueden darle alcance con la lanza.

—Yo no sé —respondió Oga igualmente aprensiva.

—Casi preferiría no haber venido —dijo Ovra—. Será una cacería peligrosa. Alguien puede resultar herido. ¿Qué haría yo si le pasara algo a Goov.

—Brun tiene que tener un plan —manifestó Ayla—. No creo que pensara siquiera en cazarlos, de no estar seguro de que los hombres podrían hacerlo. Ojalá pudiera yo mirar —concluyó melancólicamente.

—Pues yo no —dijo Oga—. Ni quiero estar cerca. Me alegraré cuando todo haya concluido.

Oga recordaba que el compañero de su madre había sido muerto en un accidente de caza, justo antes del terremoto que mató a su madre. No ignoraba los peligros, por muy bueno que fuera el plan.

—Creo que deberíamos regresar ahora —dijo Ovra—. Brun no quería que nos acercáramos demasiado. Estamos demasiado cerca para mi gusto.

Las tres jóvenes dieron media vuelta; Ayla se volvió varias veces mientras se alejaban a toda prisa. Estaban más calladas al regresar, cada una de ellas sumida en sus reflexiones y sin muchos ánimos para seguir charlando.

Cuando regresaron los hombres, Brun ordenó que tan pronto como los hombres salieran a la mañana siguiente, las mujeres levantaran el campamento y se apartaran. Había encontrado el lugar adecuado, cazarían mañana, y quería que las mujeres estuvieran lejos. Había visto el cañón la víspera, muy temprano. Era el punto ideal, pero demasiado alejado de la manada. Consideró como un presagio particularmente bueno que la manada, que ahora avanzaba lentamente hacia el suroeste, hubiera vagado suficientemente cerca al terminar el segundo día, como para que el lugar pudiera ser aprovechado.

EL CLAN DEL OSO CAVERNARIO

Una nieve ligera, seca y pulverizada impelida por ráfagas de viento del este saludó a la partida de caza mientras cada quien se desprendía de sus pieles de dormir y sacaba la nariz de las tiendas bajas. El triste cielo gris, ocultando al brillante sol que iluminaba el planeta, no logró abatir el entusiasmo. Ese día iban a cazar un mamut. Las mujeres se apresuraron para preparar el té; como atletas finamente ajustados para el deporte, los cazadores no iban a ingerir nada más. Daban patadas en la tierra, efectuando lanzamientos de práctica en el aire con las lanzas, para estirar y aflojar músculos tensos. La tensión que proyectaban llenaba de excitación el aire.

Grod sacó un carbón ardiendo del fuego y lo guardó en el cuerno de auroch que llevaba sujeto a la cintura. Goov tomó otro. Se envolvieron en pieles. No los mantos pesados que solían llevar por encima, sino prendas más ligeras que no les coartaron los movimientos. Ninguno de ellos sentía el frío: estaban demasiado excitados. Brun repasó rápidamente el plan, por última vez.

Cada uno de los hombres cerró los ojos y se aferró a su amuleto, recogió una antorcha apagada que había preparado la noche anterior, y se puso en marcha. Ayla los vio alejarse, deseando atreverse a seguirlos. Después se reunió con las mujeres, que habían empezado a recoger hierba seca, bosta, broza y leña para el fuego antes de levantar el campamento.

Los hombres dieron rápido alcance a la manada. Los mamuts habían comenzado ya a ponerse en marcha después de haber descansado de noche. Los cazadores se agacharon entre las altas hierbas para esperar a que Brun examinara a los animales que desfilaban delante de ellos. Vio al viejo macho con los enormes colmillos retorcidos; sería magnífico, se dijo, pero lo descartó: tendrían que recorrer una larga distancia hasta la cueva, y los enormes colmillos pesarían demasiado, retrasándolos innecesariamente. Los colmillos de un animal más joven serían más fáciles de transportar, y además, su carne estaría más tierna. Eso era más importante que la gloria de ostentar enormes defensas.

Sin embargo, los machos jóvenes eran más peligrosos. Sus cortos colmillos no eran sólo útiles para arrancar árboles sino que constituían armas muy efectivas. Brun esperó calmadamente. No había hecho tantos preparativos y un viaje tan largo para apresurarse ahora. Sabía lo que estaba buscando, y prefería tener que regresar al día siguiente antes que poner en peligro sus probabilidades de éxito. Los demás cazadores también esperaban, aunque no todos con su misma paciencia.

El sol naciente había calentado el sombrío cielo encapotado y dispersado las nubes. La nieve cesó, y rayos brillantes aparecieron entre los espacios abiertos.

—¿Cuándo pensará dar la señal? —preguntó por señas silenciosas Broud a Goov—. Mira qué alto está ya el sol. ¿Por qué salir tan temprano si vamos a quedarnos aquí sentados? ¿Qué está esperando?

Grod sorprendió los gestos de Broud.

—Brun espera el momento preciso. ¿Qué prefieres: volver con las manos vacías o esperar un poco? Ten paciencia, Broud, y aprende. Algún día te tocará a ti decidir cuando llegará el momento. Brun es un buen jefe y un buen cazador. Hace falta algo más que arrojo para ser jefe.

A Broud no le hizo mucha gracia la conferencia de Grod. "No será mi segundo al mando cuando yo sea jefe —pensó—. De todos modos, se está haciendo muy viejo". El joven cambió de postura, se estremeció un poco bajo una fuerte ráfaga de viento, y se dispuso a esperar.

Ya estaba alto el sol cuando Brun expresó finalmente: "prepárense" con un ademán. Cada uno de los cazadores sintió una punzada aguda de excitación. Una hembra, cargada, se encontraba cerca de la periferia de la manada, alejándose más aún. Era bastante joven, pero dado el largo de sus defensas, su embarazo no era el primero sin duda: estaba bastante avanzado para hacerla más lenta. No sería tan rápida o ágil, la carne del feto sería un suplemento suculento.

La hembra miró una mata de hierba que el resto no había visto aún y avanzó; por un instante permaneció sola, animal solitario alejado de la protección de la manada. Era el momento que había estado esperando Brun: dio la señal.

Grod tenía preparada la brasa y una antorcha. En el momento en que Brun dio la señal, acercó la antorcha a la brasa y sopló, hasta que se encendió lanzando llamas. Droog encendió otras dos con la primera y tendió una a Brun. Los tres cazadores más jóvenes se habían abalanzado hacia el cañón tan pronto como vieron la señal. Su papel comenzaría después. Tan pronto como estuvieron encendidas las antorchas, Brun y Grod echaron a correr detrás de la hembra y prendieron fuego a la hierba seca de la pradera.

Los mamuts adultos no tienen enemigos naturales; sólo los muy jóvenes y los muy viejos podían ser presas de cualquier depredador ... excepto del hombre. Pero temían al fuego. Los incendios de pradera debidos a causas naturales ardían furiosamente por días enteros destruyéndolo todo a su paso; un incendio provocado por el hombre no era menos devastador. Tan pronto como sentía el peligro, la manada cerraba filas instintivamente. El fuego tenía que prender rápidamente para impedir que la hembra se reuniera con los demás, y Brun y Grod se encontraban entre ella y la manada, de manera que podrían ser barridos por una carga de cualquiera de los dos lados o atrapados en una estampida de las bestias gigantescas.

El olor del humo convirtió a los animales que pacían apaciblemente en un tumulto de ruidosa confusión. La hembra se volvió hacia la manada, pero ya era demasiado tarde: una muralla de fuego se había interpuesto. Barritó pidiendo ayuda pero las llamas, atizadas por el enérgico viento del este, habían convergido hacia los animales, que giraban sobre sí mismos presas de desconcierto; ya empezaban a correr hacia el oeste, esforzándose por alejarse de las llamaradas que ganaban terreno velozmente. El incendio de la pradera estaba fuera de control, pero eso no preocupaba mucho a los hombres; el viento llevaría la destrucción lejos del lugar al que deseaban dirigirse.

La hembra, gritando de espanto, se abalanzó presa del pánico hacia el este. Droog esperó hasta ver que las llamas habían prendido, y entonces se apartó corriendo. Al ver que la hembra iniciaba su carga, se abalanzó hacia la bestia confundida y espantada, dando gritos y blandiendo su antorcha, desviándola hacia el sureste.

Crug, Broud y Goov, los más jóvenes y rápidos cazadores, estaban corriendo delante de ella todo lo aprisa que podían. Tenían miedo de que la frenética hembra pudiera adelantárseles a pesar del avance que llevaban. Brun, Grod y Droog corrían tras ella, tratando de seguir su paso y con la esperanza de que no cambiara de rumbo. Pero una vez que se lanzó, la bestia colosal cargó ciegamente hacia delante.

Los tres jóvenes cazadores alcanzaron el cañón cerrado, y Crug se dio media vuelta. Broud y Goov se detuvieron en la muralla meridional. Nervioso y sin aliento, Goov sacó el cuerno de auroch, rogando silenciosamente a su tótem que la brasa no estuviera apagada. No lo estaba, pero a ninguno de ellos le quedaba suficiente resuello para soplar y encender la antorcha; el fuerte viento sirvió de ayuda. Ambos encendieron dos antorchas, sosteniendo una en cada mano, y se apartaron de la muralla tratando de adivinar por dónde se acercaría la hembra de mamut. No esperaron mucho: con una oración silenciosa a sus tótemes mientras el gigantesco animal, aterrorizado y barritando, se precipitaba hacia ellos, los valientes jóvenes corrieron frente a él blandiendo por delante antorchas humeantes. A ellos correspondía la tarea difícil y peligrosa de hacer entrar en el cañón al animal petrificado.

El atemorizado paquidermo, que ya corría para alejarse del fuego y se encontraba ahora delante con el olor a humo, buscó una salida. Virando bruscamente, galopó cañón adentro con Broud y Goov tras sus pisadas. La bestia bramaba al avanzar a galope a través del cañón, llegar al angosto desfiladero y encontrar su paso cerrado. Incapaz de avanzar o de virar en el estrecho tramo, barritó su frustración.

Broud y Goov seguían corriendo sin aliento. Broud tenía un cuchillo en la mano, uno que Droog había formado cuidadosamente y que Mog-ur había encantado. Brincando rápida y temerariamente, Broud se abalanzó contra su pata trasera izquierda y le tasajeó los tendones con la afilada hoja; el grito estridente de dolor cortó el aire. La bestia no podía avanzar y ahora tampoco podía retroceder. Goov siguió a Broud y tasajeó la pata derecha. La bestia colosal cayó de rodillas.

Entonces Crug brincó de detrás de la roca frente al mamut vacilante que barritaba su agonía, y sumió su lanza larga y afilada en la boca abierta. Instintivamente, el animal intentó atacar y cubrió de sangre al hombre desarmado; pero no siguió desarmado mucho tiempo. Otras lanzas habían sido almacenadas detrás de las rocas. Mientras Crug se volvía en busca de otra lanza, Brun, Grod y Droog llegaban al cañón y corrían hacia su extremo cerrado, brincando sobre las rocas a ambos lados de la enorme hembra preñada. Sumieron sus lanzas en la bestia herida casi a un mismo tiempo. La de Brun penetró en uno de los ojos, bañándolo de rojo caliente. El animal se tambaleó. Con su último soplo de vida, el mamut lanzó un grito desafiante y cayó derribado.

Lentamente los hombres agotados empezaron a comprender; en el silencio repentino, se miraron unos a otros. Sus corazones palpitaban más fuerte con una nueva clase de excitación. Un anhelo primitivo, informe que tenían adentro salió haciendo explosión en sus bocas con un grito de victoria. ¡Lo habían logrado! ¡Habían matado al poderoso mamut!

Seis hombres, lastimosamente débiles por comparación, haciendo uso de habilidad, inteligencia, cooperación y osadía, habían matado a la gigantesca criatura que ningún otro depredador podía vencer. Por muy rápido o fuerte o astuto que fuera, ningún caza-

EL CLAN DEL OSO CAVERNARIO

dor cuadrúpedo podía igualar su hazaña. Broud brincó sobre la roca junto a Brun, y se dejó caer sobre el animal derribado. Al instante estaba Brun a su lado, dándole golpes afectuosos en el hombro, y después sacó su lanza del ojo del mamut y la alzó. Los otros cuatro se reunieron rápidamente con ellos y, moviéndose al ritmo de los latidos de sus corazones, brincaron y bailaron de gozo sobre el lomo de la bestia enorme.

Entonces Brun saltó a tierra y dio vuelta al animal que casi llenaba el angosto espacio. Ninguno de los hombres estaba herido, pensó. Ninguno de ellos tiene siquiera un arañazo. Ha sido una cacería muy afortunada. Nuestros tótemes deben de estar contentos de nosotros.

—Debemos hacer saber a los espíritus que estamos agradecidos —anunció a los hombres—. Cuando regresemos, Mog-ur celebrará una ceremonia muy especial. Por ahora nos llevaremos el hígado; cada uno tendrá su parte, y llevaremos un trozo también para Zoug, Dorv y Mog-ur. El resto será para el Espíritu del Mamut, es lo que me ha dicho Mog-ur que debemos hacer. Lo enterraremos donde cayó, junto con el hígado del pequeño mamut que lleva dentro. Y Mog-ur dijo que no debemos tocar la sesera, que debe quedarse donde está para que el Espíritu la guarde. ¿Quién asestó el primer golpe, Broud o Goov?

—Lo dio Broud —respondió Goov.

—Entonces Broud tendrá el primer trozo de hígado, pero la muerte se acredita a todos.

Broud y Goov fueron enviados en busca de las mujeres. En un derroche repentino de energías, los hombres terminaron con su tarea. Ahora les tocaba el turno a las mujeres. A ellas correspondía el tedioso trabajo de destazar y conservar. Los hombres que se habían quedado atrás destriparon a la enorme hembra, esperándolas, y sacaron el feto que casi había llegado a término. Al llegar las mujeres, los hombres ayudaron a despellejar al animal. Era tan grande que fue necesario el esfuerzo de todos. Las partes predilectas fueron escogidas, cortadas y guardadas en escondites de piedra para que se congelaran. Se prendieron hogueras alrededor del resto, en parte para evitar que se helara y en parte para mantener a raya a los inevitables animales que se alimentaban de carroña, atraídos por el olor a sangre y carne cruda.

La partida de caza, cansada pero feliz, se dejó caer en sus lechos de pieles calientes, después de su primera comida de carne fresca desde el principio del viaje. Por la mañana, mientras los hombres se reunían para vivir una vez más la cacería excitante y admirar mutuamente su valor, los mujeres pusieron manos a la obra. Había un río cerca, pero suficientemente lejos del cañón para ser inconveniente. Una vez que hubieron dividido toda la carne en trozos grandes, se trasladaron más cerca del río, dejando la mayor parte de los huesos con algunos trozos de carne pegados para las aves rapaces y los carnívoros merodeadores, pero no mucho más.

El Clan aprovechaba casi todas las partes del animal. El rudo cuero del mamut podía servir para calzar los pies —era más fuerte y duradero que la piel de otros animales—, hacer rompevientos para la abertura de la cueva, ollas, correas fuertes para ataduras, y refugios al aire libre. El forro de pelos suaves podía curtirse y convertirse a golpes en una especie de fieltro, empleado para rellenar almohadas o colchones, inclusive como absorbente para pañales de los niños. Los pelos largos eran retorcidos para formar cuerdas sólidas, los tendones y tripas se retorcían en fuertes cordeles; la vejiga, el estómago y los intestinos servirían como recipientes para agua, ollas para sopa, almacenamiento de alimentos e inclusive ropa impermeable. Se perdía muy poco.

No sólo se empleaba la carne y otras partes, sino que la grasa era particularmente esencial. Aportaba las calorías necesarias para completar sus necesidades de energía, lo cual comprendía el calor metabólico en invierno así como una vigorosa actividad durante las estaciones más calurosas; se empleaba como aliño para curtir cueros, puesto que muchos de los animales que mataban —venado, caballos, aurochs que se apacentaban en la sierra y bisontes, conejos y aves eran esencialmente magros; proporcionaba combustible para las lámparas de piedra que agregaban un elemento de calor a la vez que luminoso; se empleaba para impermeabilizar y como excipiente para ungüentos, bálsamos y emolientes; también podía servir para ayudar a prender fuego con madera húmeda, para antorchas que ardían prolongadamente e inclusive como combustible para guisar cuando no había otra cosa. Tenía muchísimos usos la grasa.

Diariamente, mientras las mujeres trabajaban, observaban el cielo. Si el tiempo fuera claro, la carne se secaría más o menos en siete días con ayuda de los vientos que soplaban sin cesar. No era necesario hacer fuegos que humearan —hacía demasiado frío para que las moscas azules echaran a perder la carne— y ¡qué bien! El combustible escaseaba mucho más en la estepa que en las laderas boscosas de su cueva o inclusive en las estepas más cálidas del sur, que tenían más árboles. Con nublados intermitentes, cielo encapotado o precipitación pluvial, podría tomar tres veces más tiempo secar las delgadas tiras de carne. La nieve ligera y pulverizada que impelían los vientos tempestuosos no constituía mucho problema; sólo si la temperatura se elevara anormalmente y se cargara de humedad habría que interrumpir el trabajo. Esperaban que el tiempo se mantuviera seco, claro y frío. La única manera en que se podían trasladar a la cueva las montañas de carne, era secándolas antes de emprender la marcha.

La piel pesada y velluda con su gruesa capa de grasa y de vasos sanguíneos conjuntivos, nervios y folículas, fue raspada hasta quedar limpia. Gruesos trozos de la grasa endurecida por congelación se colocaron en una olla grande de piel, colocada sobre una hoguera, y la grasa derretida se vertió en partes de los intestinos limpios, antes de amarrar éstos como si fueran gruesas salchichas de grasa. El cuero, con los pelos, fue cortado en partes manejables y enrollado muy apretado, antes de que se congelara para facilitar el transporte. Más adelante, en invierno, en la cueva, sería pelado y curtido. Las defensas fueron quebradas y orgullosamente exhibidas en el campamento. También se las habían de llevar.

Durante los días en que las mujeres trabajaban, los hombres cazaban presas pequeñas o vigilaban desganadamente. Acercarse al río había permitido evitar un inconveniente, pero había otro que no podía remediarse: los animales carnívoros que se alimentaban con carroña se sentían atraídos por el olor de la matanza, y siguieron a los hombres a su nuevo campamento. Las tiras de carne colgadas en tendederos de cuerda y correa tenían que ser vigiladas constantemente. Una enorme hiena moteada era algo más que perseverante; la habían perseguido muchas veces, pero seguía acechando a orillas del campamento, eludiendo los esfuerzos tibios de los hombres por matarla. La criatura de mirada feroz era suficientemente hábil para apoderarse de un bocado de carne de mamut varias veces al día. Era un fastidio.

Ebra y Oga se apresuraban para terminar de rebanar el último de los enormes trozos de carne en finas tiras para ponerlas a secar. Uka y Ovra vertían grasa en una sección de intestino, y Ayla estaba en el río lavando otra sección. Una capa de hielo se había formado en las orillas, pero el agua aún corría. Los hombres estaban junto a las defensas, decidiendo si iban a cazar jerbos con las hondas.

Brac había estado sentado junto a su madre y Ebra jugando con guijarros. Se aburrió de los guijarros y se levantó para ir en busca de algo más interesante. Las mujeres, concentradas en su tarea, no se percataron de que el niño se alejaba hacia la llanura, pero había otro par de ojos que lo vigilaban.

Todas las cabezas se volvieron al oír el sonido de su agudo grito de espanto.

—¡Mi niño! —gritó Oga—. ¡La hiena se lleva a mi niño!

El odioso animal, que también era depredador y estaba siempre dispuesto a atacar al joven imprudente o al viejo debilitado, había atenazado al niño por el brazo con sus poderosas mandíbulas y se retiraba rápidamente llevándoselo consigo.

—¡Brac! ¡Brac! —gritaba Broud corriendo tras ellos, seguido por los demás hombres. Agarró su honda —estaba demasiado lejos para usar la lanza— y se agachó para recoger una piedra, corriendo para que el animal no se alejara fuera de alcance.

—¡No! ¡oh no! —gritó desesperadamente al ver que su piedra no llegaba al blanco y que la hiena seguía huyendo—. ¡Brac! ¡Braaac!

De repente, desde otra dirección llegó el *tac, tac* de dos piedras disparadas una tras otra. Dieron firmemente en la cabeza del animal y la hiena cayó fulminada.

Broud se quedó pasmado y boquiabierto antes de pasar a un estupor de estupefacción al ver a Ayla correr hacia el niño que lloraba, con su honda en la mano y dos piedras más a punto. La hiena había sido su presa. Ella había estudiado esos animales, conocía sus hábitos y sus puntos débiles, se había adiestrado para cazarlas hasta que se convirtiera en una segunda naturaleza. Al oír el grito de Brac, no pensó en las consecuencias: tendió la mano hacia la honda, agarró rápidamente dos piedras y las lanzó. Lo único en que pensaba era en detener a la hiena que se llevaba a Brac.

Sólo cuando se encontró junto al niño, lo sacó de las quijadas de la hiena y volvió la cara hacia los ojos fijos de los demás, recibió el pleno impacto de su acción. Su secreto se había descubierto. Se había delatado ella sola. Ellos sabían ahora que podía cazar; una oleada de frío temor la recorrió. "¿Qué me harán?" se preguntaba.

Ayla abrazó al niño, evitando las miradas incrédulas mientras volvía al campamento. Oga fue la primera en salir de su pasmo. Corrió hacia ellos tendiendo los brazos y aceptó con agradecimiento a su nenito de manos de la muchacha que le había salvado la vida. Tan pronto como llegaron al campamento, Ayla se puso a examinar al niño, tanto para evitar tener que mirar a nadie como para determinar la gravedad de sus heridas. El hombro y el brazo de Brac estaban lacerados y el hueso del brazo roto, pero parecía una fractura limpia.

Nunca había reducido una fractura, pero había visto cómo lo hacía Iza, y la curandera le había explicado qué hacer si se producía una emergencia. La preocupación de Iza era por los cazadores; no se le había ocurrido que pudiera sucederle algo al nene. Ayla atizó el fuego, puso agua a hervir y tomó su bolsa de medicinas.

Los hombres estaban silenciosos, atónitos aún, sin poder —o sin querer— aceptar lo que acababan de presenciar. Por vez primera en su vida, Broud experimentó gratitud hacia Ayla. Sus pensamientos no iban mucho más allá del alivio de ver que el hijo de su compañera se hubiera salvado de una muerte segura y horrible. Pero los de Brun sí.

El jefe captó rápidamente las implicaciones, y se percató de que se encontraba repentinamente ante una decisión imposible. Por tradición del Clan, en realidad por ley del Clan, el castigo contra toda mujer que empleara un arma era nada menos que la muerte. Era inequívoco. No había condiciones en cuanto a circunstancias insólitas. La costumbre era tan antigua y estaba tan bien entendida, que nunca se había invocado siquiera por generaciones sin cuenta. Las leyendas que la rodeaban estaban estrechamente vinculadas con las leyendas acerca de una época en que las mujeres controlaban el acceso al mundo de los espíritus, antes de que los hombres se hicieran cargo.

Esa costumbre era una de las fuerzas que había provocado la diferenciación tan marcada entre los hombres del Clan y las mujeres del Clan, puesto que ninguna mujer que abrigara el deseo tan poco femenino de cazar, tenía derecho a sobrevivir. Por eras sin número, sólo las que tenían las actitudes y acciones propiamente femeninas se quedaban. Como resultado, la adaptabilidad de la raza —la característica misma de la que depende la supervivencia— se encontraba menoscabada. Pero así era el comportamiento del Clan, la ley del Clan, aun cuando ya no había mujeres del Clan que se apartaran de la línea. Pero Ayla no había nacido en el Clan.

Brun amaba al hijo de la compañera de Broud. Sólo con Brac se suavizaba la reserva estoica del jefe. El nenito podía hacerle cualquier cosa: tirarle de las barbas, meterle dedos curiosos en los ojos, escupirle, no importaba. Brun no era nunca tan amable, tan flexible, como cuando el nenito caía dormido con la seguridad apacible de estar protegido entre los brazos tiesos y orgullosos del jefe. No dudaba de que Brac habría perdido la vida si Ayla no hubiera matado la hiena. ¿Cómo podía condenar a muerte a la muchacha que le había salvado la vida a Brac? Lo había salvado con el arma cuyo uso le costaría la muerte.

"¿Cómo lo había hecho?" se preguntaba. La bestia estaba fuera de alcance, y ella estaba más lejos aún que los hombres. Brun se fue hasta donde la hiena muerta había quedado tendida y tocó la sangre que empezaba a secarse donde había chorreado de las heridas mortales. ¿Heridas? ¿Dos heridas? Sus ojos no lo habían engañado: creía haber visto dos piedras. ¿Cómo podía haber aprendido la muchacha a emplear la honda con tanta habilidad? Ni Zoug ni ninguno que él supiera podía lanzar dos piedras con una honda tan velozmente, con tanta precisión y tanta fuerza. Fuerza suficiente para matar una hiena a esa distancia.

Nadie empleaba una honda para matar una hiena, sea como fuere. Desde el principio estuvo seguro de que el intento de Broud sería un gesto inútil. Zoug siempre había dicho que podía hacerse, pero para sus adentros Brun lo dudaba. Nunca había llevado la contraria al hombre; Zoug era todavía demasiado valioso para el Clan, no había razón para hacerle de menos. Pues bien, había quedado demostrado que Zoug tenía razón. ¿Podría servir una honda también para matar un lince o un lobo, como lo sostenía tan firmemente Zoug? Brun reflexionaba. De repente abrió mucho los ojos y los entrecerró después: ¿Un lobo o un lince? ¡O un glotón, un hurón, un gato montés, un tejón o una hiena! Brun pensaba a toda prisa. ¿O todos los demás depredadores que habían encontrado muertos últimamente?

"¡Naturalmente!" y el movimiento de Brun subrayó su pensamiento. ¡Ella lo había hecho! Ayla llevaba mucho tiempo cazando; de otro modo ¿Cómo podría haber adquirido una habilidad tan grande? Pero era hembra, aprendía fácilmente las habilidades femeninas. ¿Cómo pudo aprender a cazar? ¿Y por qué depredadores? ¿Y por qué animales tan peligrosos? Pero: ¿por qué?

"Si fuera hombre, sería la envidia de todos los cazadores. Pero no es hombre. Ayla es hembra y ha empleado un arma y tendrá que morir por ello, pues de lo contrario los espíritus se enfurecerían. ¿Enfurecerse? Lleva mucho tiempo cazando, ¿por qué no están furiosos? Desde luego, no están furiosos. Acabamos de matar un mamut en una cacería tan afortunada que ni un solo hombre ha resultado herido. Los espíritus están complacidos con nosotros, no furiosos".

El confundido jefe meneó la cabeza. "¡Espíritus! No comprendo a los espíritus. Ojalá estuviera aquí Mog-ur. Droog dice que la muchacha trae suerte; estoy a punto de creerlo yo también, las cosas nunca habían salido tan bien como desde que está con nosotros. Si la favorecen tanto, ¿no se sentirían desdichados de que la mataran? Pero así es en el Clan pensaba, torturado—. ¿Por qué tuvo que ser hallada por mi Clan? Puede tener suerte, pero me ha causado más dolores de cabeza de lo que yo creía posible. No puedo tomar una decisión sin hablar primero con Mog-ur. Habrá que esperar hasta que estemos de vuelta en la cueva''.

Brun regresó al campamento a grandes trancos. Ayla había dado al niño medicina calmante con lo que se durmió; después limpió las heridas con una solución antiséptica, redujo la fractura y enyesó con corteza de abedul humedecida. Se pondría tieso y duro y mantendría los huesos en su sitio. Pero tendría que vigilarlo por si se hinchaba demasiado. Vio que Brun regresaba después de examinar a la hiena, y se puso a temblar al sentir que se acercaba. Pero él pasó junto a ella sin mirarla, ignorándola por completo, y ella se dio cuenta de que no sabría cuál iba a ser su sino mientras no estuvieran de regreso en la cueva.

15

Las estaciones se invirtieron a medida que la partida de caza
regresaba hacia el sur: de invierno a otoño. Nubes amenazadoras
y el olor a nieve apresuró su partida; no tenían la intención de
dejarse atrapar por la primera verdadera tempestad de nieve del
invierno del norte de la península. La temperatura más calurosa
en el extremo sur prestaba una falsa impresión de primavera,
con un cambio desconcertante. En vez de nuevos brotes y flores
silvestres en capullo, las hierbas altas ondulaban en olas doradas por la estepa, y la floración de los árboles templados en el
extremo protegido tenía matices carmesí y ambarinos revueltos
con siemprevivas. Pero la vista a distancia resultaba decepcio-
nante. La mayor parte de los árboles deciduos se habían quedado
sin hojas, y la violenta embestida del invierno estaba muy próxima ya.

Tardaron más en el regreso que en la ida hasta el punto donde
se encontraba la manada de mamut. El paso rápido que tragaba
las distancias resultaba imposible con aquellas pesadas cargas.
Pero Ayla llevaba a cuestas algo más que mamut: culpabilidad,
ansiedad y depresión constituían agobios mucho mayores. Nadie
hablaba del incidente, pero no habían olvidado. A menudo, su
mirada casual cruzaba la mirada fija de alguno que se desviaba
inmediatamente, y pocos le hablaban como no fuera absolutamente necesario. Se sentía aislada, solitaria y más que un poco
asustada. Por poca conversación que hubiera, bastaba para poder
enterarse del castigo que su delito acarreaba.

EL CLAN DEL OSO CAVERNARIO

Los que se habían quedado en la cueva habían estado vigilando el retorno de los cazadores. Desde el día en que se esperaba su llegada, alguien había quedado apostado en la sierra, desde donde había una excelente vista de la estepa; casi siempre era uno de los niños.

Cuando Vorn ocupó su lugar temprano por la mañana, se quedó mirando concienzudamente el panorama distante, pero acabó aburriéndose. No le gustaba quedarse solo sin tener siquiera a Borg para jugar. Ideaba cacerías imaginarias y sumía su lanza, todavía pequeña, en la tierra tan a menudo, que la punta se enromó a pesar de haber sido endurecida al fuego. Sólo por accidente echó una mirada colina abajo cuando la partida de caza llegó al alcance de la vista.

—¡Colmillos! ¡Colmillos! —gritó Vorn, corriendo hacia la cueva.

—¿Colmillos? —preguntó Aga—. ¿Qué quieres decir: colmillos?

—¡Están de regreso! —gesticulaba Vorn, presa de excitación—. Brun y Droog y los demás, y los he visto cargando colmillos.

Todos echaron a correr hacia la estepa para saludar a los cazadores triunfantes. Pero cuando se reunieron con ellos, se veía a las claras que algo andaba mal. La cacería fue un éxito, y los cazadores deberían haberse mostrado jubilosos. En cambio, su paso era lento y su actitud deprimida. Brun estaba sombrío, y le bastó a Iza echar una mirada a Ayla para comprender que algo terrible había sucedido y que eso implicaba a su hija.

Mientras la partida de caza descargaba parte de su carga en los que habían ido a su encuentro, se fue desarrollando la razón del silencio sombrío. Ayla trepó la cuesta con la cabeza baja, sin hacer caso de las miradas subrepticias que se lanzaban en su dirección. Iza estaba atónita. Si alguna vez se había preocupado por las acciones poco ortodoxas de su hija adoptiva, aquello no era nada comparado con la fría puñalada de temor que sentía ahora por ella.

Una vez que llegaron a la cueva, Oga y Ebra llevaron al niño a Iza; esta cortó el molde de corteza de abedul y lo examinó.

—Su brazo estará tan bien como antes dentro de poco —declaró—. Tendrá cicatrices, pero las heridas están sanando y el brazo está bien soldado. Pero será mejor que le ponga otro molde.

Las mujeres respiraron con alivio. Sabían que Ayla era inexperta, y aun cuando no les quedaba más remedio que dejar a la joven cuidar a Brac, habían estado preocupadas. Un cazador necesitaba dos brazos fuertes. Si Brac hubiera perdido el uso de uno, nunca habría podido convertirse en jefe como se esperaba de él. De no haber podido cazar, ni siquiera se habría hecho hombre, sino que habría existido en ese limbo ambiguo de los muchachos que después de haber alcanzado la madurez física, no habían logrado su primera matanza.

También Brun y Broud se sintieron tranquilizados. Pero por lo menos Brun recibió la noticia con emociones complejas. Eso le dificultaba aún más su decisión. Ayla no había salvado sólo la vida de Brac, había asegurado su existencia útil. El asunto se había aplazado lo suficiente. Hizo señas a Mog-ur y ambos se alejaron juntos.

La historia, tal como la contó Brun, perturbó profundamente a Creb. La responsabilidad de criar y educar a Ayla había sido suya, y era evidente que había fracasado. Pero otra cosa lo perturbaba más aún. Cuando supo de los animales muertos que solían encontrar los hombres, tuvo la intuición de que nada tenían que ver con los espíritus. Inclusive se preguntó si Zoug o uno de los demás no los estarían embromando. No parecía probable, pero su intuición le indicaba que las muertes eran causadas por un agente humano. También se había percatado de los cambios en Ayla, cambios que debería haber reconocido ahora que lo pensaba: las mujeres no caminaban con el paso ligero del cazador, y con harta razón. Más de una vez Ayla lo había sorprendido al acercarse a él tan silenciosamente que no la había oído llegar. También había otras cosas, menudencias que deberían haber despertado sus sospechas.

Pero lo había cegado el amor que le tenía. No se había permitido pensar siquiera que pudiera estar cazando, sabía demasiado bien cuáles serían las consecuencias. Eso incitaba al viejo mago a poner en tela de juicio su propia integridad, su capacidad para llevar a cabo su ministerio. Había permitido que su sentimiento por la muchacha pasara antes que la salvaguardia espiritual del Clan. ¿Seguiría mereciendo la confianza que habían depositado en él? ¿Sería aún digno de Ursus? ¿Podría justificarse que siguiera siendo Mog-ur?

Creb se echaba la culpa de las acciones de Ayla. Debería haberla interrogado; no debería haberle permitido vagar tan libremente; debería haberla disciplinado con mayor severidad. Pero toda la angustia que le causaba lo que debería haber hecho no cambiaba en nada lo que le quedaba por hacer. La decisión correspondía a Brun, pero era función de él llevarla a efecto, era su deber matar a la criatura que amaba.

—Sólo estamos sospechando que sea ella quien haya matado a los animales —dijo Brun—. Tendremos que interrogarla; pero sí mató la hiena y tenía una honda. Ha tenido que practicar con algo, pero es posible que haya adquirido tanta pericia de otra manera. Es mejor que Zoug con el arma, Mog-ur ¡y es hembra! ¿Cómo ha podido aprender? Me he preguntado en otras ocasiones si no habría en ella algo viril, y no soy el único. Es tan alta como un hombre y ni siquiera es todavía mujer. ¿Crees que haya algo de cierto en la idea de que nunca lo será?

—Ayla es una niña, Brun, y algún día se convertirá en mujer al igual que cualquier otra muchacha... o debería haberse convertido ya. Es una hembra que ha empleado un arma—. La mandíbula del mago estaba apretada; no quería dejarse llevar por falsas ilusiones.

—Bueno, pues sigo queriendo saber desde cuándo ha estado cazando. Pero eso puede esperar hasta mañana. Ahora todos estamos cansados; ha sido un viaje largo. Di a Ayla que la interrogaremos mañana.

Creb regresó cojeando a la cueva, pero se detuvo en su hogar sólo lo suficiente para indicar a Iza que dijera a la muchacha que la interrogarían por la mañana, y siguió hasta su pequeño anexo. No volvió a su hogar en toda la noche.

Las mujeres se quedaron mirando silenciosamente a los hombres que se dirigían al bosque con Ayla a la zaga. No sabían qué pensar, y estaban llenas de emociones complejas. La propia Ayla estaba confundida. Siempre había sabido que era malo cazar, aun cuando ignoraba cuán grave era el delito. "Me pregunto si habría habido alguna diferencia, de haberlo sabido —se dijo—. No. Yo quería cazar y habría cazado de todos modos. Pero no quiero que los malos me persigan hasta el mundo de los espíritus". Y se estremeció al pensarlo.

La muchacha temía a las entidades invisibles y malignas tanto como creía en el poder de los tótemes protectores. Ni siquiera el Espíritu del León Cavernario podía protegerla contra ellos, ¿o sí? "Debo de haberme equivocado. Mi tótem no me habría dado una señal para permitirme cazar a sabiendas de que moriría por ello. Probablemente me abandonó la primera vez que toqué una honda". Y no le agradaba pensar eso.

Los hombres llegaron a un claro del bosque y se acomodaron en troncos caídos y rocas a ambos lados de Brun, mientras Ayla se dejaba caer en el suelo a sus pies. Brun le tocó el hombro para permitirle mirarlo y comenzó sin más preliminares.

—¿Fuiste tú la que mataba los carnívoros que encontraban por ahí los cazadores, Ayla?

—Sí —reconoció asintiendo con un ademán. De nada serviría tratar de ocultar nada ya. Su secreto había sido descubierto y ellos podrían darse cuenta de que intentaba evadir sus preguntas. Era incapaz de mentir, lo mismo que cualquier otro miembro del Clan.

—¿Cómo aprendiste a usar la honda?

—Aprendí de Zoug —respondió.

—¡Zoug! —repitió Brun. Todas las cabezas se volvieron como una acusación colectiva hacia el viejo.

—Nunca he enseñado a la muchacha a usar la honda —accionó con gestos defensivos.

—Zoug no sabía que estaba aprendiendo de él —señaló rápidamente Ayla, defendiendo prontamente al viejo cazador-con-honda—. Yo lo observaba mientras instruía a Vorn.

—¿Cuánto tiempo llevas cazando? —fue la siguiente pregunta de Brun.

—Ahora, dos veranos. Y el verano anterior sólo practiqué, pero sin cazar.

—Es lo que lleva aprendiendo Vorn —comentó Zoug.

—Ya sé —dijo Ayla—. Comencé el mismo día que él.

—¿Cómo sabes con exactitud el día en que Vorn empezó, Ayla?— preguntó Brun, intrigado por lo segura que se había manifestado.

—Yo estaba ahí, lo vi.

—¿Qué quieres decir con eso de que estabas ahí? ¿Dónde?

—En el terreno de prácticas. Iza me envió en busca de un poco de corteza de cerezo, pero al llegar ahí, todos estaban reunidos —explicó—. Iza necesitaba la corteza de cerezo y no sabía yo cuánto tiempo más iban a quedarse, de manera que esperé y miré. Zoug estaba impartiendo su primera lección a Vorn.

—¿Viste cómo Zoug daba a Vorn su primera lección? —cortó bruscamente Broud—. ¿Estás segura de que era la primera? —Broud recordaba ese día demasiado bien: todavía enrojecía de vergüenza al recordarlo.

—Sí, Broud, estoy segura.

—¿Qué más viste? —Los ojos de Broud estaban entrecerrados, y sus gestos eran tensos. También Brun recordó repentinamente lo que había sucedido en el terreno de prácticas el día en que Zoug comenzó el entrenamiento de Vorn, y no le hacía mucha gracia pensar que una hembra hubiera presenciado el incidente.

Ayla vaciló.

—También vi practicar a los demás hombres —respondió, evitando una respuesta directa, pero vio que la mirada de Brun se volvía severa—. Y vi que Broud empujaba a Zoug, y tú te enojaste mucho con él, Brun.

—¡Viste eso! ¿Lo viste todo? —interrogó Broud con vehemencia. Estaba lívido de ira y confusión. De todos, de todos los del Clan ¿Por qué tuvo que ser ella quien lo viera? Cuanto más lo pensaba más se mortificaba y más furioso se ponía. Ella había presenciado la más ruda reprimenda que le había echado Brun. Broud recordó lo mal que disparó, y súbitamente recordó que tampoco le había atinado a la hiena... la hiena que ella mató. Una hembra, *esa* hembra, lo había puesto en evidencia.

Todo pensamiento amable, toda brizna de gratitud que había sentido recientemente por ella desapareció. "Me alegraré cuando esté muerta —pensó—. Se lo merece". No podía soportar la idea de que ella siguiera viviendo, consciente del momento de vergüenza suprema que él había vivido.

Brun observaba al hijo de su compañera y casi podía leer los pensamientos que pasaban por su mente al ver las expresiones de su rostro. "Mala suerte —pensaba—, justo cuando había una posibilidad de que terminara la enemistad entre ellos; claro, que nada de eso importa ya". Y prosiguió el interrogatorio:

—Dices que comenzaste a practicar el mismo día que Vorn; cuéntame cómo fue.

—Cuando todos se alejaron, crucé el campo y vi la honda que Broud había tirado al suelo. A todos se les había olvidado cuando te enfureciste contra Broud. No sé por qué, pero se me ocurrió que tal vez yo pudiera hacerlo. Recordaba la lección de Zoug y probé. No era fácil, pero seguí tirando toda la tarde; se me olvidó que se hacía tarde. Le di una vez al poste; creo que fue por accidente, pero eso me hizo pensar que podría lograrlo de nuevo si seguía intentándolo, de modo que me quedé con la honda.

—Supongo que también aprenderías de Zoug a hacer una.

—Sí.

—¿Y practicaste aquel verano?

—Sí.

—Y entonces decidiste cazar con ella, pero ¿por qué cazabas carnívoros? Son más difíciles y también más peligrosos. Hemos encontrado lobos muertos, inclusive linces muertos. Zoug decía siempre que se les podía matar con la honda; has demostrado que era cierto, pero ¿Por qué esos animales?

—Bien sabía yo que no podría llevar nada al Clan, sabía que no debía tocar un arma, pero quería cazar, en todo caso quería intentarlo. Los carnívoros siempre nos están robando alimentos; pensé que si los mataba, estaría ayudando. Y no sería tanto desperdicio puesto que no los comemos. De modo que decidí cazarlos.

Eso satisfizo la curiosidad de Brun en cuanto a la razón por la cual mataba depredadores, pero en realidad no aclaraba por qué había querido cazar. Era hembra; ninguna mujer había querido cazar nunca.

—Sabes que era peligroso dispararle a la hiena desde tan lejos; podías haber golpeado a Brac—. Brun estaba sometiéndola a prueba. El mismo había estado a punto de lanzar sus boleadoros, aun cuando la posibilidad de matar al muchacho con una de las grandes piedras era indudable. Pero morir instantáneamente con el cráneo fracturado era mejor que sufrir la muerte que esperaba al niño, y por lo menos habrían tenido el cuerpo que enterrar para poder enviarlo al mundo de los espíritus con el ritual debido. Si la hiena se hubiera salido con la suya, sólo les habrían quedado huesecillos dispersos, y eso con suerte.

—Sabía que podía atinarle —respondió Ayla con sencillez.

—¿Cómo podías estar tan segura? La hiena estaba fuera de alcance.

—No fuera de mi alcance. He atinado antes a animales a esa distancia; no fallo muchas veces.

—Me pareció ver la huella de dos piedras —señaló Brun.

—Lancé dos piedras —confirmó Ayla—. Aprendí a hacerlo después de que el lince me atacó.

—¿Te atacó un lince? —apremió Brun.

—Sí —asintió Ayla moviendo la cabeza, y contó el apuro del que había conseguido librarse.

—¿Cuál es tu alcance? —preguntó Brun—. No, no me lo digas: muéstrame. ¿Traes tu honda?

Ayla asintió y se puso en pie. Todos llegaron al extremo más lejano del calvero, donde un arroyuelo corría sobre un lecho rocoso. Ayla escogió unos cuantos guijarros de forma y tamaño convenientes. Los cantos rodados eran los mejores para precisión y distancia, pero piedras rotas y melladas, con aristas agudas, podrían servir.

—La roca blanca pequeña junto a la grande, en el otro extremo —señaló ella.

Brun asintió. Era como una mitad más de lo que cualquiera de ellos pudiera lanzar una piedra. Ella apuntó cuidadosamente, metió una piedra en la honda y al instante siguiente tenía otra metida en la honda y en el aire. Zoug fue corriendo para comprobar su precisión.

—Hay dos mellas recientes en la piedra blanca. Ha dado en el blanco dos veces —anunció al volver, con algo de asombro y un leve indicio de orgullo.

Era hembra y nunca debió tocar la honda —la tradición del Clan era muy claro al respecto—, pero lo hacía bien. Y le acreditaba a él haberle enseñado, a sabiendas o no. "Esa técnica de las dos piedras —se decía— es un truco que me gustaría aprender". El orgullo de Zoug era el de un verdadero maestro en un alumno excelente; un estudiante que prestaba atención, aprendía bien y mejoraba a su maestro. Y había demostrado que él decía la verdad.

Brun percibió un movimiento en el claro.

—¡Ayla! —gritó—. Ese conejo. ¡Dale!

Ella miró en la dirección que él señalaba, vio al animalito brincar a campo traviesa y lo derribó. No era necesario comprobar su precisión. Brun miró a la joven con aprecio; es rápida, pensó. La idea de una mujer cazadora ofendía su sentido de las conveniencias, pero con Brun, el Clan pasaba siempre antes que todo; su seguridad, su prosperidad eran lo primero. En un rinconcito de su mente, sabía qué ventaja representaba la muchacha para el Clan. "No, es imposible —se dijo—. Va en contra de las tradiciones; no es la manera de ser del Clan".

Creb no apreciaba su habilidad de la misma manera. Si le hubiera quedado alguna duda, su exhibición lo habría convencido. Ayla había estado cazando.

—Y para empezar ¿Por qué recogiste la honda? —señaló Mog-ur con una mirada vacua, sombría.

—No lo sé —contestó Ayla meneando la cabeza y mirando al suelo. Lo que más odiaba era la idea de que el mago estuviera disgustado.

—Hiciste algo más que tocarla. Cazaste con ella, mataste con ella aun cuando sabías que era malo.

—Mi tótem me dio la señal, Creb. Por lo menos, yo creí que era una señal—. Y desató los nudos de su amuleto —cuando decidí cazar, encontré esto—. Y tendió el molde del fósil a Mog-ur.

—¿Una señal? ¿Su tótem le dio una señal? Los hombres quedaron consternados. La revelación de Ayla daba un nuevo giro a la situación, pero, ¿por qué se decidió a cazar?

El mago lo examinó de cerca. Era una piedra muy poco común, con la forma de un animal marino, pero definitivamente piedra. Podría haber sido una señal, pero eso no probaba nada: las señales estaban entre la persona y su tótem; nadie podía comprender las señales de otra persona. Mog-ur se la devolvió a la muchacha.

—Creb —rogó la joven—, creí que mi tótem estaba poniéndome a prueba. Pensé que la manera en que Broud me trataba era mi prueba. Pensé que si podía aprender a aceptarlo, mi tótem me dejaría cazar—. Miradas enigmáticas fueron lanzadas hacia el joven para ver su reacción. ¿Pensaría realmente Ayla que su tótem estaba usando a Broud para probarla? Broud se sentía incómodo—. Pensé, cuando el lince me atacó, que era una prueba también. Casi dejé de cazar por entonces: estaba muy asustada. Entonces se me ocurrió probar con dos piedras de manera que podría intentarlo de nuevo si errara la primera vez. Inclusive pensé que mi tótem me había inspirado esa idea.

—Ya veo —dijo el hombre santo—. Necesito algún tiempo para meditar acerca de todo esto, Brun.

—Quizá todos deberíamos pensar en ello. Nos reuniremos nuevamente mañana temprano —anunció—, sin la muchacha.

—¿Qué hay qué pensar? —objetó Broud—. Todos conocemos el castigo que merece.

—Su castigo pudiera ser peligroso para todo el Clan, Broud. Necesito estar absolutamente seguro de que no hayamos pasado nada por alto antes de condenarla. Nos reuniremos nuevamente mañana.

Los hombres volvieron a la cueva intercambiando comentarios.

—Nunca he sabido de una mujer que quisiera cazar —dijo Droog—. ¿Tendrá que ver algo con su tótem? Es un tótem viril.

—Yo no quise cuestionar el juicio de Mog-ur entonces —dijo Zoug—, pero siempre me ha intrigado su León Cavernario, inclusive con las señales de su pierna. Ya no lo pongo en duda. Tenía razón, siempre la tiene.

—¿Podría ser macho en parte? —preguntó Crug—. Se han dicho cosas.

—Eso justificaría sus modales poco femeninos —agregó Dorv.

—Es hembra, no cabe duda —cortó Broud— y debe morir: todos lo sabemos.

—Probablemente tengas razón, Broud —dijo Crug.

—Aun cuando sea macho en parte, no me agrada la idea de que una mujer cace— comentó tercamente Dorv—. Ni siquiera me agrada que forme parte del Clan. Es demasiado diferente.

—Ya sabes que siempre he opinado así, Dorv —convino Broud—. No sé por qué quiere hablar nuevamente de eso Brun. Si yo fuera jefe lo haría y se acabó.

—No es una decisión que pueda tomarse a la ligera, Broud —dijo Grod—. ¿Por qué tanta prisa? Un día más importa poco.

Broud se adelantó sin tomarse la molestia de contestar. "Ese viejo está siempre echando discursos —pensó—, siempre se pone del lado de Brun. ¿Por qué no puede tomar una decisión Brun? Yo ya la he tomado. ¿De qué sirve hablar tanto? Tal vez esté envejeciendo, demasiado para seguir de jefe".

Ayla echó a andar detrás de los hombres. Se fue directamente a la cueva, al hogar de Creb, y se sentó en sus pieles de dormir, mirando al vacío. Iza trató de incitarla a que comiera, pero meneó la cabeza. Uba no sabía lo que estaba pasando, pero algo perturbaba a la muchacha alta y maravillosa, la amiga especial que amaba e idolatraba. Se fue hacia Ayla y se acurrucó en su regazo. Ayla sostuvo a la nenita, meciéndola en silencio. En cierto modo, Uba era un consuelo; no se agitó para bajarse sino que se dejó mecer y acabó por quedarse dormida. Iza fue a tomarla de brazos de Ayla y la acostó antes de hacer lo mismo, pero no durmió. Tenía el corazón demasiado lleno de pesar por la extraña joven a la que llamaba hija y que estaba allí sentada, mirando fijamente las brazas de la hoguera que casi no calentaba ya.

La mañana fue clara y fría. Se estaba formando hielo en las orillas del río, y una fina película de agua sólida cubría la poza quieta, alimentada por el arroyo, junto a la entrada de la cueva, todas las mañanas, derritiéndose por lo general tan pronto como el sol estaba alto. Dentro de muy poco tiempo el Clan se vería confinado en la cueva para pasar el invierno.

Iza no sabía si Ayla había dormido; seguía sentada en sus pieles cuando despertó la mujer. La muchacha estaba silenciosa, perdida en un mundo que le era propio, sin tener apenas conciencia de lo que estaba pensando. Sólo esperaba. Creb no regresó a su hogar esta segunda noche. Iza lo había visto entrar, arrastrando los pies, en la oscura grieta que era la entrada de su sanctasanctórum. Y no salió hasta la mañana. Una vez que los hombres salieron, Iza llevó algo de té a Ayla, quien no respondió a las bondadosas preguntas de la curandera. Cuando ésta volvió, el té seguía junto a la muchacha, intacto y frío. "Es como si ya estuviera muerta", pensó Iza. Se le cortó la respiración al sentir la helada garra de la pena estrujar su corazón. Era casi más de lo que podía soportar Iza.

Brun condujo a los hombres a un lugar bajo una enorme roca, protegido del viento frío, y mandó encender una hoguera antes de abrir la sesión. La incomodidad que representaba estar sentados al aire fresco podría incitar a los hombres a mostrarse precipitados, y él quería conocer toda la extensión de sus sentimientos y opiniones. Cuando comenzó, lo hizo con los símbolos totalmente silenciosos empleados para dirigirse a los espíritus, y eso informó a los hombres que no se trataba de una reunión casual sino de una sesión oficial.

La muchacha Ayla, miembro de nuestro Clan, ha utilizado la honda para matar a la hiena que atacó a Brac. Durante tres años ha usado el arma. Ayla es hembra; según la tradición del Clan, la hembra que emplee un arma debe morir. ¿Alguien quiere tomar la palabra?

—Brun, Droog quisiera hablar.

—Droog puede hablar.

—Cuando la curandera encontró a la muchacha, estábamos buscando una nueva caverna. Los espíritus estaban enojados con nosotros y mandaron un terremoto para destruir nuestro hogar. Quizá no estuvieran tan furiosos, tal vez sólo querían un lugar mejor, y tal vez querían que halláramos a la niña. Es curiosa, rara, como la señal de un tótem. Hemos tenido suerte desde que la encontramos. Creo que trae suerte, y creo que eso proviene de su tótem.

"Sólo es parte de su rareza que fuera escogida por el Gran León Cavernario. Pensamos que era peculiar porque le gustaba ir al agua del mar, pero si no hubiera sido tan peculiar, Ona estaría ahora vagando por el mundo de los espíritus. Ona es sólo una niña y ni siquiera ha nacido en mi hogar, pero he llegado a amarla. La habría echado de menos; agradezco que no se haya ahogado.

"Es rara para nosotros, pero sabemos poco de los Otros. Ahora es del Clan, pero no nació en el Clan. No sé por qué haya querido cazar; está mal que las mujeres del Clan cacen, pero tal

vez sus mujeres sí lo hagan. No importa, de todos modos está
mal, pero si no hubiera aprendido a usar la honda, también Brac
estaría muerto. No es agradable pensar en cómo iba a morir.
Que un cazador sea muerto por un carnívoro es una cosa, pero
Brac es un bebé.

"Su muerte habría sido una pérdida para todo el Clan, Brun,
no sólo para Broud y para ti. Si hubiera muerto, no estaríamos
aquí sentados para decidir qué hacer con la muchacha que le
salvó la vida; estaríamos llevando el luto del niño que algún
día habría de ser jefe. Creo que la muchacha debe ser castigada
pero, ¿cómo se la puede condenar a morir? He concluido.

—Zoug querría hablar, Brun.

—Zoug puede hablar.

—Lo que dice Droog es cierto; ¿cómo puedes condenar a la
muchacha que ha salvado la vida de Brac? Es diferente, no nació
en el Clan y quizá no piense como debería pensar una mujer,
pero excepto en el asunto de la honda, se porta como una buena mujer del Clan. Ha sido una mujer modelo, obediente, respetuosa . . .

—¡Eso no es cierto! Es rebelde, insolente —interrumpió Broud.

—Ahora estoy hablando yo, Broud —replicó Zoug con enojo.
Brun le lanzó una mirada reprobatoria y Broud dominó su arrebato.

—Es cierto —prosiguió Zoug—, cuando la muchacha era más
joven se portó insolentemente contigo, Broud. Pero tú tenías la
culpa, tú fuiste quien dejaste que eso te molestara. Si actúas
como un chiquillo, ¿qué cosa más natural que la muchacha no
te tratara como hombre? Nunca ha sido otra cosa que obediente
y respetuosa conmigo. Ni siquiera ha sido insolente con ninguno
de los demás hombres.

Broud miró con malos ojos al viejo cazador, pero se dominó.

—Aun cuando no fuera cierto —prosiguió Zoug—, nunca he
visto a nadie que maneje tan bien la honda como ella. Dice que
aprendió de mí; yo no lo sabía, pero confesaré sinceramente
que desearía tener un alumno tan capaz de aprender, y debo
admitir que ahora podría aprender de ella. Quería cazar para el
Clan, y como no podía, trató de hallar otra manera de ayudarnos.
Puede haber nacido de los Otros, pero en su corazón, pertenece
al Clan. Siempre ha puesto los intereses del Clan antes que los
suyos. No pensó en el peligro cuando se lanzó tras Ona; puede
ser capaz de moverse en el agua, pero yo vi lo cansada que
estaba cuando trajo a la niña de vuelta. El mar podría habérsela

llevado también. Ella sabía que cazar estaba mal y guardó su secreto durante tres años, pero no vaciló cuando Brac estuvo en peligro.

"Es hábil con el arma, más hábil que nadie que yo haya conocido. Sería una vergüenza permitir que se desperdicie tanta pericia. Yo digo: que sea una ventaja para el Clan, que se le permita cazar...

—¡No! ¡No! ¡No! —exclamó furiosamente Broud dando un brinco—. Es hembra. Las hembras no tienen permiso para cazar...

—Broud —dijo el orgulloso y viejo cazador—. No he terminado. Podrás pedir la palabra cuando termine yo.

—Deja que termine Zoug, Broud —advirtió el jefe—. Si no sabes cómo portarte en una reunión oficial, puedes retirarte. Broud se sentó de nuevo, luchando por dominarse.

—La honda no es un arma importante. Sólo empecé a desarrollar mi habilidad después de que estuve demasiado viejo para cazar con lanza. Las demás armas son las verdaderas armas masculinas. Yo digo que se la deje cazar, pero sólo con honda. Que la honda sea el arma de los viejos y de las mujeres, o por lo menos de esta mujer. Ahora he concluido".

—Zoug, bien sabes tú que es más difícil emplear una honda que una lanza, y muchas veces has suministrado carne cuando la cacería había fracasado. No te menosprecies en favor de la muchacha. Con una lanza sólo se necesita un brazo fuerte —dijo Brun.

—Y piernas y corazón fuertes, y buenos pulmones y muchísimo valor —replicó Zoung.

—Me pregunto cuánto valor se necesitaría para enfrentarse a otro lince después de haber sido atacado por uno, a solas, y con sólo una honda —comentó Droog—. Yo no tendría nada en contra de la sugerencia de Zoug, si se limita a cazar únicamente con honda. No parece que los espíritus hayan tenido nada en contra; sigue trayéndonos suerte. ¿Qué tal nuestra cacería de mamut?

—No estoy seguro de que sea una decisión que podamos tomar —dijo Brun—. No veo cómo podemos dejarla vivir, no hablemos ya de cazar. Ya conoces las tradiciones, Zoug. Nunca se ha hecho antes; ¿aprobarían realmente los espíritus? De todos modos, ¿cómo se te ha ocurrido? Las mujeres del Clan no cazan.

—Sí, las mujeres del Clan no cazan, pero esta ha cazado. Probablemente no se me habría ocurrido de no haber sabido que podía, de no haberla visto. Lo único que digo es que se le permita seguir haciendo lo que ya ha hecho.

—¿Qué dices tú, Mog-ur? —preguntó Brun.

—¿Qué esperas que diga? ¡Si vive en su hogar! —intervino amargamente Broud.

—¡Broud! —atronó Brun—. ¿Estás acusando a Mog-ur de poner sus sentimientos y sus intereses por encima de los del Clan? ¿Acaso no es Mog-ur? ¿El Mog-ur? ¿Crees tú que no dirá lo que es correcto, lo que es verdad?

—No, Brun. Broud ha dicho algo sensato. Todos conocen mis sentimientos por Ayla; no es fácil olvidar que la quiero. Creo que todos deben recordarlo, aun cuando he tratado de hacer a un lado mis emociones. No puedo estar seguro de haberlo logrado. He estado ayunando y meditando desde tu regreso, Brun. La noche pasada he encontrado el camino de recuerdos que no conocía, quizá porque nunca los busqué.

"Hace mucho, muchísimo tiempo, mucho antes de que fuéramos Clan, las mujeres ayudaban a los hombres a cazar. —Hubo un jadeo de incredulidad—. Es la verdad. Tendremos una ceremonia y los llevaré a todos allá. Cuando estábamos aprendiendo a hacer herramientas y armas, y habíamos nacido con un conocimiento que era como los recuerdos sólo que diferente, las mujeres y los hombres mataban animales para comer. Los hombres no siempre proveían entonces para las mujeres. Como una madre osa, la mujer cazaba para sus hijos y para ella.

"Fue más adelante cuando los hombres comenzaron a cazar para la mujer y los hijos de ésta, y mucho más tarde aun cuando las mujeres con hijos se quedaron atrás. Cuando los hombres comenzaron a ocuparse de los pequeños, cuando comenzaron a proveer, fue el comienzo del Clan y eso le ayudó a desarrollarse. Si la madre de un nenito moría mientras iba en busca de alimento, también el niño moría. Pero sólo cuando la gente dejó de luchar entre sí y aprendió a cooperar, a cazar en grupo, se inició realmente el Clan. Inclusive entonces, algunas mujeres cazaban, cuando eran ellas quienes hablaban a los espíritus.

"Brun, has dicho que nunca anteriormente se había hecho. Estás equivocado: las mujeres del Clan han cazado en otros tiempos. Los espíritus aprobaban entonces, pero eran espíritus diferentes, espíritus antiguos, no los espíritus de los tótemes. Eran espíritus poderosos, pero hace mucho que se fueron a descansar. No estoy muy seguro de que puede decirse que son espíritus del Clan. No era tanto que se les venerara u honrara, sino que se les temía; pero no eran malos, sólo poderosos".

Los hombres estaban atónitos. Hablaba de tiempos tan pretéritos y tan mal recordados que casi se habían olvidado, que casi eran nuevos. Y sin embargo, con sólo mencionarlo, se evocaba en ellos un recuerdo del temor, y más de un hombre se estremeció.

—Dudo mucho que las mujeres nacidas en el Clan lleguen algún día a querer cazar —prosiguió Mog-ur—. No estoy seguro de que podrían. Hace muchísimo tiempo; las mujeres han cambiado desde entonces, y los hombres también. Pero Ayla es distinta, los Otros son distintos, más diferentes de lo que imaginamos. No creo que dejarla cazar causara diferencia alguna en lo concerniente a las demás mujeres. Que ella cace, que desee cazar, las sorprende tanto como a nosotros. No tengo nada más que decir.

—¿Alguien más tiene otra cosa que decir? —preguntó Brun. Pero no estaba seguro de poder aguantar más: demasiadas ideas nuevas se habían expuesto, para sentirse cómodo.

—Brun, Goov quisiera hablar.

—Goov puede hablar.

—Sólo soy un acólito. No sé tanto como Mog-ur, pero creo que ha pasado algo por alto. Tal vez sea porque se ha esforzado demasiado por apartar su sentimiento hacia Ayla. Se ha concentrado en recordar, no en la muchacha misma, y quizá por temor a que su amor hablara y no su mente. No ha pensado en su tótem.

"¿Ha considerado alguno por qué un tótem poderoso habría de escoger a una niña? —Y respondió a su pregunta retórica—: Aparte de Ursus, el León Cavernario es el tótem más poderoso. El león cavernario es más poderoso que el mamut; caza al mamut, sólo al viejo y al pequeño, pero a veces caza mamut. El león cavernario no caza mamut".

—No tiene sentido lo que dices, Goov. Dices que el león cavernario caza mamut, y después dices que no caza mamut —señaló Brun.

—El no caza, *ella* caza. Hemos pasado eso por alto al hablar de tótemes protectores: inclusive el león cavernario, el macho, es el protector. Pero ¿quién caza? ¡El carnívoro más grande de todos, el cazador más fuerte es la leona! ¡La hembra! ¿No es cierto que lleva a su compañero lo que ha matado? El puede matar, pero a él le toca protegerla mientras caza.

"Es curioso que un León Cavernario escogiera a una niña ¿no es cierto? ¿No se le ha ocurrido a nadie que tal vez su tótem no sea el León Cavernario sino la Leona Cavernaria? ¿La hembra? ¿La cazadora? ¿No podría eso explicar el porqué de que la muchacha *quisiera* cazar? ¿Por qué recibió una señal? Tal vez fuera la Leona la que le envió la señal, tal vez por eso fue marcada su pierna izquierda. ¿Es realmente más excepcional para ella cazar que tener semejante tótem? No sé si es cierto, pero hay que admitir que sí es lógico. Ya sea su tótem el León Cavernario o la Leona Cavernaria, si estaba destinada a cazar, ¿podemos negarlo? ¿Podemos negar su poderoso tótem? ¿Y nos atreveremos a condenarla por hacer lo que desea su tótem? —concluyó Goov.— He terminado".

A Brun, la cabeza le daba vueltas. Se le ocurrían las ideas con demasiada prisa. Necesitaba tiempo para pensar, para tomar una decisión. Claro está, la leona es la que caza, pero, ¿quién ha oído hablar nunca de un tótem femenino? Los espíritus, las esencias de los espíritus protectores son todos machos; ¿o no es cierto? Sólo quien se pase días sin fin pensando en los caminos de los espíritus, puede llegar a la conclusión de que el tótem de la niña que había estado cazando fuera el cazador de la especie que personifica a su tótem. Pero Brun habría querido que Goov no insinuara la idea de negar los deseos de un tótem tan poderoso.

Todo el concepto de una mujer cazadora era tan único, tan digno de profundas reflexiones, que algunos de los hombres habían sido incitados a empujar los confines de su mundo cómodo, seguro y bien definido. Cada uno hablaba desde su punto de vista, desde su área de interés o preocupación, y cada uno de ellos había empujado los confines de esa área, exclusivamente; pero Brun tenía que abarcarlo todo, y era casi demasiado. Se sentía obligado a examinar cada uno de los aspectos antes de pronunciar un juicio, y habría querido disponer de tiempo para pensar en todo ello cuidadosamente. Pero ya no se podía aplazar mucho más la decisión.

—¿Alguien más desea expresar su opinión?

—Broud querría hablar, Brun.

—Broud puede hablar.

—Todas esas ideas son interesantes y pueden darnos algo en que pensar durante los fríos días de invierno, pero las tradiciones del Clan están muy claras. Que la muchacha haya nacido de los Otros o no, ahora es del Clan. Las hembras del Clan no pueden cazar. Ni siquiera pueden tocar un arma ni cualquier herramienta que sirva para hacer un arma. Todos sabemos cuál es el castigo:

debe morir. No hay diferencia alguna aunque en otros tiempos hayan cazado las mujeres. Porque una osa o una leona cace, eso no significa que pueda cazar una mujer. No somos osos ni leones. No hay ninguna diferencia porque tenga un poderoso tótem o porque traiga suerte al Clan. Tampoco hay diferencia porque sea excelente con una honda ni siquiera porque haya salvado la vida del hijo de mi compañera. Lo agradezco, claro está —todo el mundo se ha enterado de que así lo dije muchas veces cuando regresábamos—, pero eso no crea diferencia alguna. La mujer que usa un arma debe morir. No lo podemos cambiar; así es la ley del Clan.

"Toda esta reunión es una pérdida de tiempo. No puedes tomar otra decisión, Brun. He terminado".

—Broud tiene razón —dijo Dorv—. No nos corresponde a nosotros cambiar las tradiciones del Clan. Una excepción lleva a otra. Pronto no quedaría nada con lo que pudiéramos contar. El castigo es la muerte; la muchacha debe morir.

Hubo unos cuantos gestos de asentimiento. Brun no contestó inmediatamente. "Broud tiene razón —pensó—. ¿Qué otra decisión puedo tomar? Ella salvó la vida de Brac, pero empleó un arma para hacerlo". Brun no estaba más cerca de tomar una resolución que el día en que Ayla sacó su honda y mató a la hiena.

—Tomaré en consideración todos los pensamientos que han expresado, antes de tomar mi decisión. Pero ahora quiero que cada uno me dé una respuesta clara —dijo finalmente el jefe. Los hombres estaban sentados en círculo alrededor de la hoguera. Cada uno de ellos apretó el puño y lo sostuvo contra su pecho. Un movimiento arriba y abajo significaría una respuesta afirmativa, un movimiento lateral del puño: no.

—Grod —comenzó Brun, dirigiéndose a su segundo al mando—: ¿crees que la muchacha Ayla debe morir?

Grod vacilaba. Simpatizaba con el jefe que se enfrentaba a tal dilema. Había sido segundo de Brun durante muchos años, casi podía leer los pensamientos del jefe, y su respeto por él había crecido con el paso de los años. Pero no veía otra alternativa: alzó el puño y lo bajó.

—¿Qué más podemos hacer, Brun? —agregó.

—Grod dice que sí. ¿Droog? —preguntó Brun, dirigiéndose al tallador de herramientas.

Droog no vaciló: se cruzó el pecho con el puño.

—Droog dice que no. Crug, ¿y tú?

Crug miró a Brun, después a Mog-ur y finalmente a Broud.
Alzó el puño.

—Crug dice que sí, que la muchacha debe morir —confirmó
Brun—. ¿Goov?

El joven acólito respondió inmediatamente poniendo el puño
sobre su pecho.

—Goov opina que no. ¿Broud?

Broud movió el puño antes de que Brun terminara de pronunciar su nombre, y Brun se apartó con la misma rapidez; conocía
de antemano la respuesta de Broud.

—Sí. ¿Zoug?

El viejo maestro de lanzamiento de honda se sentó orgullosamente y movió el puño atrás y adelante del pecho, con un énfasis
que no dejaba el menor lugar a dudas.

—Zoug considera que la muchacha no debería morir. Y tú,
Dorv, ¿qué opinas?

La mano del otro viejo subió y, antes que pudiera bajarla, todas las miradas se concentraron en Mog-ur.

—Dorv dice que sí. Mog-ur, ¿cuál es tu opinión? —preguntó
Brun. Había adivinado lo que dirían los demás, pero el jefe no
estaba seguro en cuanto al viejo mago.

Creb se sentía morir; conocía las tradiciones del Clan, se
echaba la culpa del delito de Ayla, de haberle dejado demasiada
libertad. Se sentía culpable por quererla y temía que eso empa-
ñara su razón, temía ser capaz de pensar en sí mismo antes que
en su deber hacia el Clan, y comenzó a levantar el puño. Lógica-
mente decidió que debería morir; pero antes de iniciar el movimiento, su puño se fue de lado como si alguien lo hubiera empujado en su lugar. No pudo decidirse a condenarla aun cuando
haría lo que debiera, una vez tomada la decisión. El no tenía
nada que decidir; eso le correspondía a Brun y sólo a Brun.

—Las opiniones están divididas a partes iguales —anunció el
jefe—. La decisión, de todos modos, estaba en mis manos. Sólo
quería conocer sus opiniones. Necesitaré algún tiempo para pensar en lo que se ha dicho hoy. Mog-ur dice que esta noche tendremos una ceremonia. Eso está bien. Necesitaré que me ayuden
los espíritus, tal vez todos necesitemos su protección. Conocerán
mi decisión por la mañana. Ella se enterará también en ese momento. Ahora vayan a prepararse para la ceremonia.

Brun permaneció junto al fuego, solo, después de que se fueron todos. Las nubes corrían por el cielo, impulsadas por vientos
fríos, y dejaban caer chubascos helados a ratos, a su paso, pero

Brun no se fijaba en la lluvia como tampoco en las últimas brasas que chisporroteaban en el fuego que se apagaba. Era casi de noche cuando finalmente se incorporó y echó a andar lentamente hacia la cueva. Vio que Ayla seguía sentada donde la había visto por la mañana, antes de salir. "Espera lo peor —se dijo—. ¿Qué otra cosa le cabe esperar?"

16

El Clan se reunió temprano fuera de la cueva. Soplaba un frío viento del este anunciando ráfagas más heladas aún, pero el cielo estaba claro y el sol mañanero brillante, justo por encima de la sierra, en contraste con los ánimos sombríos. Cada quien evitaba las miradas de los demás; los brazos colgaban a los lados, a falta de conversación, mientras todos iban a ocupar su lugar arrastrando los pies, para saber cuál sería el sino de la extraña muchacha que no les era ajena.

Uba podía sentir que su madre temblaba, y su mano la apretaba tanto que le hacía daño. La niña sabía que era algo más que el viento lo que estremecía tan fuertemente a su madre. Creb estaba en pie en la abertura de la cueva. Nunca había parecido más imponente el gran mago, con su cara estropeada como de granito cincelado y su único ojo tan opaco como si fuera de piedra. A una seña que le hizo Brun, fue cojeando a la cueva, lenta, cansadamente, abrumado bajo un peso avasallador. Fue hasta su hogar y miró a la muchacha que estaba sentada sobre sus pieles, y con un esfuerzo supremo de voluntad, se obligó a acercársele.

—Ayla, Ayla —dijo dulcemente—. La muchacha alzó la mirada. —Es la hora. tienes que venir—. La muchacha tenía la mirada apagada, carente de entendimiento. —Ahora tienes que venir, Ayla, Brun espera— repitió Creb.

Ayla asintió y se puso penosamente en pie. Tenía las piernas tiesas por haberse quedado sentada tanto tiempo, pero apenas se dio cuenta. Siguió silenciosamente al viejo, contemplando el polvo pisoteado que todavía mostraba las huellas de los que habían seguido ese camino anteriormente: la señal de un talón, la impresión de dedos, la silueta borrosa de un pie encerrado en una bolsa floja de cuero, el extremo redondo del cayado de Creb y el surco de la pierna tullida que arrastraba. Se detuvo al ver los pies de Brun, envueltos en sus protectores polvorientos, y se dejó caer al suelo. Al sentir un leve golpe en su hombro, se conminó a alzar la mirada hasta el rostro del jefe del Clan.

El impacto le devolvió la conciencia y despertó en ella un temor indefinible. Era familiar —frente baja y huidiza, cejas fuertes, nariz grande en forma de pico, barba entrecana—, pero la mirada orgullosa, severa y dura de los ojos del jefe había desaparecido, sustituida por una compasión sincera y un pesar luminoso.

—Ayla —dijo en voz alta antes de proseguir con los gestos oficiales reservados para las ocasiones serias—, muchacha del Clan, las tradiciones son antiguas. Hemos vivido con ellas por generaciones, casi desde que el Clan existe. No has nacido de nosotros pero eres de las nuestras, y debes vivir o morir según nuestras mismas costumbres. Mientras estuvimos en el norte, cazando mamut, se te vio emplear una honda, y ya habías cazado anteriormente con honda. Las mujeres del Clan no usan armas, es una de nuestras tradiciones. También el castigo forma parte de nuestras tradiciones. Así vive el Clan y no se puede cambiar.

Brun se inclinó hacia delante y miró a los ojos azules llenos de espanto de la muchacha.

—Sé por qué has usado la honda, Ayla, aunque todavía no puedo entender por qué comenzaste. Brac no viviría de no haber sido por ti. —Se enderezó y con los gestos más formales, de manera que todos los pudieran ver, agregó—: El jefe de este Clan agradece a la muchacha el haber salvado la vida del hijo de la compañera de su hijo.

Unas cuantas miradas se intercambiaron entre los miembros del Clan. Era una concesión que un hombre no solía hacer públicamente, y más raro aún que un jefe admitiera estar agradecido a una simple muchacha.

—Pero las tradiciones no tienen ese tipo de consideraciones— prosiguió. Hizo una seña a Mog-ur y el mago entró en la cueva. —No me queda más remedio, Ayla. Mog-ur está ahora colocando los huesos y diciendo en voz alta los nombres que no se pueden pronunciar, nombres que sólo conocen los mog-ures.

Cuando haya terminado, morirás. Ayla, muchacha del Clan, estás Maldita, Maldita de Muerte.

Ayla sintió que la sangre abandonaba su rostro. Iza chilló y siguió su lamento, quejándose por su hija perdida. El sonido se cortó de repente al alzar Brun la mano:

—No he terminado —indicó. En el silencio súbito, miradas de curiosidad a la expectativa se cruzaron entre los miembros del Clan. ¿Qué más tendría que decir Brun?

—Las tradiciones del Clan son claras, y yo, como jefe, debo seguir las costumbres. Una mujer que emplee un arma debe ser maldita de muerte, pero no hay costumbres que indiquen por cuanto tiempo. Ayla, estás Maldita de Muerte por toda una luna. Si, por la gracia de los espíritus, eres capaz de volver del otro mundo una vez que la luna haya concluido su ciclo y se encuentre en la misma fase que ahora, podrás volver a vivir con nosotros.

El grupo sufrió una conmoción: era inesperado.

—Eso es cierto —señaló Zoug—. Nada dice que la maldición sea permanente.

—Pero, ¿qué diferencia habrá? ¿Cómo puede alguien estar muerto por tanto tiempo y volver a vivir? Tal vez unos cuantos días, pero, ¿una luna entera? —cuestionó Droog.

—Si la maldición fuera por unos pocos días, no estoy seguro de que se cumpliría el castigo —dijo Goov—. Algunos móg-ures consideran que el espíritu no llega nunca al otro mundo si la maldición es breve. Se queda merodeando en espera de que pase el tiempo para poder regresar. Si el espíritu se queda cerca, también se quedarán los malos. Es una maldición de muerte limitada, pero es tan prolongada que bien pudiera ser permanente. Eso satiface las costumbres.

—Entonces, ¿por qué no le ha echado la maldición y se acabó? —señaló Broud con ira—. No hay nada en las tradiciones acerca de maldiciones de muerte temporal por ese delito. Se supone que debe morir por ello, la maldición de muerte debería ser el final para ella.

—¿Crees que no lo será, Broud? ¿De veras crees que podría regresar? —preguntó Goov.

—No creo nada. Sólo quiero saber por qué Brun no se ha limitado a echarle la maldición. ¿Acaso no es ya capaz de tomar una decisión?

Broud estaba confundido por la pregunta directa. Había manifestado abiertamente la idea que todos habían ponderado privadamente: ¿impondría Brun una maldición temporal de muerte si no creyera que podía haber una oportunidad, por remota que fuera, de que pudiera volver de entre los muertos?

Brun había luchado con el dilema la noche entera. Ayla había salvado la vida del nenito; no era justo que hubiera de morir por ello. El amaba al niño y estaba sinceramente agradecido, pero había algo más en todo aquello que sus sentimientos personales. Las tradiciones exigían que la muchacha muriera, pero también había otras costumbres: las de la obligación, las costumbres que imponían una vida por otra. Ella llevaba parte del espíritu de Brac; merecía, se le debía algo de igual valor: se le debía su propia vida.

Sólo al comenzar a clarear el alba había finalmente encontrado el camino. Algunas almas osadas habían vuelto después de una maldición temporal de muerte. Era una oportunidad lejana, casi no llegaba a ser una oportunidad, pero no podía ofrecer más, y era mejor que nada.

Súbitamente cayó un silencio de muerte: Mog-ur estaba en pie ante la abertura de la cueva, y parecía la muerte en persona, anciano y agotado. No era necesario que hiciera la seña: Mog-ur había cumplido con su deber, Ayla estaba muerta.

El alarido de Ayla cortó el aire. Entonces comenzaron Oga, y Ebra y después todas las mujeres se unieron a Iza, lamentándose por simpatía hacia ella. Ayla vio a la mujer que amaba derrumbarse bajo el dolor, y corrió hacia ella para consolarla; pero justo cuando iba a rodear con sus brazos a la única madre que podía recordar, Iza le volvió la espalda y se apartó para evitar el abrazo; era como si no la hubiera visto. La muchacha estaba confundida; miró interrogativamente a Ebra, pero ésta miró a través de ella. Fue hacia Aga y después hacia Ovra: ninguna la veía. Cuando se acercaba, se daban vuelta o se apartaban. No deliberadamente para dejarla pasar sino como si hubieran pensado cambiar de sitio antes de que ella llegara. Corrió hacia Oga.

—Soy yo, soy Ayla. Estoy aquí, frente a ti. ¿No me ves? —señaló.

Los ojos de Oga se volvieron vidriosos. Se dio vuelta, alejándose, sin responder, sin mostrar que la reconociera, como si Ayla fuera invisible.

Ayla vio que Creb se dirigía a Iza, y corrió hacia él:

—¡Creb! Soy Ayla, aquí estoy —señalaba frenéticamente. El viejo mago siguió su camino, apartándose apenas para evitar a la muchacha que se derrumbó a sus pies hecha un ovillo, como lo habría hecho de haber una roca inanimada en su camino—.

EL CLAN DEL OSO CAVERNARIO

¡Creb! —gimió la muchacha—. ¿Por qué no puedes verme? —Se incorporó y corrió nuevamente hacia Iza.

—¡Madre! ¡Madrrrre! ¡Mírame! ¡MIRAME! —gesticuló delante de los ojos de la mujer. Iza volvió a gritar, lanzando un grito prolongado de duelo; agitó los brazos y se golpeó el pecho.

—¡Mi hija! ¡Mi Ayla! Ha muerto mi hija. Se ha ido. Mi pobre, pobre Ayla. Ya no vive.

Ayla miró a Uba que abrazaba las piernas de su madre, llena de temor y confusión. Se arrodilló frente a la nenita.

—Tú me ves ¿verdad. Uba? Estoy aquí—. Ayla vio que los ojos de la niña mostraban reconocerla, pero al instante siguiente Ebra se agachó, tomó a la niña y se la llevó.

—¡Quiero ir con Ayla! —señalaba la nenita tratando de bajarse.

—Ayla ha muerto, Uba. Se ha ido. Eso no es Ayla, es sólo su espíritu: tiene que encontrar su camino hacia el otro mundo. Si tratas de hablarle, si lo ves, el espíritu querrá llevarte consigo. Te traerá mala suerte verlo; no lo mires. No quieres tener mala suerte ¿verdad, Uba?

Ayla se dejó caer en el suelo; realmente no había sabido lo que significaba una maldición de muerte y había imaginado todo tipo de horrores, pero la realidad era mucho peor.

Para el Clan, Ayla había dejado de existir. No era una farsa, no era una simulación para asustarla: no existía. Era un espíritu que resultaba visible por casualidad, que aún daba una semblanza de vida a su cuerpo, pero Ayla había muerto. La muerte era un cambio de estado para la gente del Clan, un viaje a otro plano de la existencia. La fuerza vital era un espíritu invisible, resultaba evidente. Una persona podía estar viva un instante y muerta al siguiente sin cambio aparente, excepto que lo que causaba movimiento y hálito y vida había desaparecido. La esencia que fue la verdadera Ayla había dejado de formar parte de su mundo; se había visto obligada a pasar al otro. No importaba que la parte física estuviera fría e inanimada o cálida y animada.

Sólo quedaba dar un paso más para creer que la esencia de la vida pudiera ser apartada. Si el cuerpo físico de Ayla no lo sabía aún, muy pronto se enteraría. Nadie creía realmente que regresaría algún día, ni siquiera Brun. El cuerpo de ella, la cáscara vacía, nunca podría ser nuevamente viable a menos que su espíritu fuera autorizado a regresar; y sin el espíritu vital, el cuerpo no podría comer ni beber, y pronto se deterioraría. Si se creía firmemente en semejante concepto, y si los seres amados no reconocían más la existencia de uno, ya no quedaba más existencia, ninguna razón para comer, beber o vivir.

Pero mientras el espíritu permaneciera cerca de la cueva, animando al cuerpo aun cuando ya no formaba parte de él, las fuerzas que lo arrastraban también merodeaban cerca; podrían perjudicar a los que seguían viviendo, podrían intentar llevarse consigo otra vida. No era poco frecuente que el compañero u otra persona íntima del alguien a quien se hubiera maldecido a muerte, falleciera poco después. Al Clan no le importaba que el espíritu se llevara consigo el cuerpo o dejara la cáscara inmóvil tras de sí, lo que deseaba era que el espíritu de Ayla se fuera, y pronto.

Ayla observaba a las personas que tan bien conocía y que estaban a su alrededor. Se apartaban, llevando a cabo sus tareas rutinarias, pero existía cierta tensión. Iza y Creb entraron en la cueva; Ayla se puso en pie y los siguió. Nadie intentó detenerla, sólo Uba fue retenida lejos de ella. Se consideraba que los niños disfrutaban de protección adicional, pero nadie quería arriesgarse. Iza recogió todas las pertenencias de Ayla, incluyendo su lecho de pieles y el relleno de hierba seca que ocupaba el hueco del piso, y las llevó afuera; Creb la acompañó después de agacharse para recoger una rama ardiendo del fuego de la cueva. La mujer lo arrojó todo a un lugar junto a una hoguera sin encender que Ayla no había visto antes, y regresó corriendo a la cueva mientras Creb prendía el fuego; el mago hizo gestos silenciosos por encima de sus cosas y del fuego, gestos que en su mayoría eran desconocidos para la muchacha.

Con una consternación que crecía por instantes, Ayla vio cómo Creb echaba al fuego todas las cosas que habían sido de ella. No habría ceremonia funeraria en su honor; eso formaba parte del castigo, parte de la maldición. Pero había que destruir todo recuerdo de ella, no debía quedar nada que pudiera retenerla allí. Ella vio cómo su palo de cavar empezaba a arder, después su canasto, el relleno de hierba seca, ropa; todo fue arrojado al fuego. Vio que le temblaban las manos a Creb al agarrar su manto de pieles. Lo apretó un instante contra su pecho, y lo arrojó después a las llamas.

—¡Creb, yo te quiero! —Señaló la muchacha. El no pareció verla. Con un sentimiento de horror profundo, lo vio recoger su bolsa de medicinas, la que Iza le había hecho justo antes de la malhadada cacería de mamut, y tirarla también al fuego.

—¡No, Creb, no! Mi bolsa de medicinas no —rogó; pero era demasiado tarde: ya había prendido fuego.

EL CLAN DEL OSO CAVERNARIO

Ayla no pudo soportalo más. Echó a correr ciegamente cuesta abajo y hacia el bosque, sollozando de dolor y desolación. No se daba cuenta de la dirección que había tomado ni le importaba. Había ramas que le cerraban el paso, pero seguía avanzando aunque le arañaban brazos y piernas. Atravesó agua helada pero no se fijó en que tenía los pies empapados ni en que comenzaban a entumecérsele hasta que tropezó con un tronco muerto y cayó cuan larga era. Quedó tendida sobre la tierra fría y húmeda, deseando que la muerte se apurara y la aliviara de su aflicción. No le quedaba nada: ni familia, ni clan ni razón para seguir viviendo. Estaba muerta. Ellos decían que estaba muerta.

La muchacha estaba a punto de ver realizado su deseo. Perdida en su mundo privado de temor y desdicha, no había comido ni bebido desde su regreso, hacía más de dos días. No llevaba ropa caliente, los pies le dolían de frío. Estaba débil y deshidratada, y era una perfecta candidata a morir por su exposición a la intemperie. Pero dentro de ella había algo más fuerte que su deseo de morir, lo mismo que la había mantenido en movimiento mucho antes, cuando un terremoto devastador había dejado a la niña de cinco años privada de amor, familia y seguridad. Una voluntad indomable de vivir, un instinto de supervivencia empecinado que no le permitiría abandonarse mientras respirara, mientras le quedara vida para continuar.

La caída la había repuesto un poco del cansancio; sangrando de los arañazos y tiritando de frío, se sentó. Su rostro había dado contra un montón de hojas secas, y se lamió los labios, pues su lengua buscaba humedad; tenía sed. No podía recordar cuándo había tenido tanta sed en toda su vida. El gorgoteo de agua próxima la hizo incorporarse. Después de beber prolongada y satisfactoriamente, siguió caminando. Tiritaba tanto que los dientes le castañeteaban, y le dolía caminar con sus pies fríos y doloridos. Estaba mareada y confusa. Su actividad la hizo entrar un poco en calor, pero la temperatura de su cuerpo había bajado tanto que ya comenzaba a sentir sus efectos.

No sabía con seguridad dónde se encontraba, no había pensado en un destino determinado, pero sus pies la llevaron por un trayecto que había recorrido muchas veces anteriormente y que se había fijado en su cerebro a fuerza de repetirlo. El tiempo no significaba nada para ella, no sabía cuánto rato llevaba caminando. Trepó a lo largo de la base de una muralla empinada más allá de una cascada nebulosa y empezó a tener conciencia de que la zona le parecía familiar. Saliendo de un bosque ralo de coníferas mezcladas con sauce y abedul enanos, se encontró en su alto prado secreto.

Se preguntó cuánto tiempo hacía que no visitaba el lugar. Pocas veces había vuelto desde que empezó a cazar, menos cuando estuvo practicando la técnica de las dos piedras. Siempre había sido un lugar de prácticas, no de caza. ¿Había estado allí siquiera una vez en todo el verano? No podía recordar. Apartando las densas y enmarañadas ramas que la ocultaban a pesar de no tener hojas, Ayla entró en su pequeña cueva.

Le pareció más pequeña de lo que recordaba. Ahí están las viejas pieles para dormir, se dijo, recordando cuando las había traído, tanto tiempo atrás. Algunas ardillas listadas habían hecho su nido en ellas, pero cuando las sacó para sacudirlas, comprobó que no estaban demasiado estropeadas: sólo un poco tiesas, por viejas, pero la cueva seca las había conservado. Se envolvió en ellas, agradeciendo su calor, y volvió a entrar en la cueva.

Había una pieza de cuero, una vieja capa que había llevado a la cueva para hacerse un jergón rellenándola de hierbas por debajo. "Me pregunto si seguirá aquí aquel cuchillo —se dijo—. El estante se ha caído, pero debería estar por aquí cerca... ¡aquí está!" Ayla sacó la hoja de sílex de entre la tierra, la limpió y empezó a recortar la vieja capa de cuero. Se quitó los protectores mojados que llevaba en los pies y pasó las correas por orificios abiertos en los círculos que había cortado, después se puso éstos en los pies rellenándolos con hierba seca que había encontrado debajo del cuero, y tendió los mojados para que se secaran. Entonces empezó a hacer su inventario.

"Necesito un fuego —pensó—, la hierba seca servirá para que prenda. —La amontonó junto a una pared—. El estante está seco; lo puedo hacer astillas para el fuego también, y como base para encenderlo, si encuentro un palo para la fricción. Ahí está mi taza de corteza de abedul; también podría quemarla... no, me servirá para el agua. Esta canasta está hecha trizas —pensó, mirándola— pero ¿qué hay dentro? ¡Mi vieja honda! No recordaba haberla dejado aquí, sin duda hice una nueva. —Alzó la honda—: es demasiado pequeña, y los ratones casi acaban con ella; necesitaré otra. Se detuvo y se quedó contemplando el trozo de cuero que tenía entre las manos.

"He sido maldita. Por esto he sido maldita. Estoy muerta. ¿Cómo puedo estar pensando en fuegos y hondas? Estoy muerta. Pero no me *siento* muerta: siento hambre y frío. Un muerto, ¿acaso puede sentir hambre y frío? ¿Qué se siente estando *muer-*

to? ¿Estará mi espíritu en el otro mundo? Ni siquiera sé dónde está mi espíritu. Nunca he visto un espíritu. Creb dice que nadie puede ver a los espíritus, pero que se les puede hablar. ¿Por qué no podía verme Creb? ¿Por qué no me podía ver nadie? Debo de estar muerta. Entonces ¿Por qué estoy pensando en fuegos y en hondas? ¡Porque tengo hambre!

"¿Debería usar una honda para conseguir algo de comer? ¿Y por qué no? Ya tengo la maldición encima, ¿qué más podrían hacerme? Pero ésta no sirve. ¿Con qué podría hacerme otra? ¿Con el manto? No, es demasiado duro: lleva demasiado tiempo aquí; lo que necesito es piel suave, un cuero delgado y flexible. —Miró a su alrededor en la cueva—. Ni siquiera puedo matar un animal para hacerme una honda, si no tengo honda. ¿Dónde podría encontrar cuero suave?" —Después de darle muchas vueltas a la cabeza, se sentó en el suelo, desesperada.

Miró las manos que tenía sobre el regazo y de repente se percató de dónde tenía apoyadas las manos: ¡el manto! "El manto es suave y flexible. Puedo cortarle un trozo". Se alegró y empezó a buscar por la cueva, nuevamente entusiasmada. "Ahí está mi viejo palo de cavar; no recuerdo haber dejado ninguno aquí. Y algunos trastos. Eso mismo, traje unas cuantas conchas. Tengo hambre, ojalá hubiera algo de comer por acá. ¡Espera! ¡Eso es! Este año no he recogido avellanas: tienen que estar caídas por el suelo".

Todavía no se había dado cuenta Ayla de que ya había vuelto a vivir. Recogió las avellanas, las llevó a la cueva y comió todas las que su estómago, encogido por falta de alimentos, pudo retener. Entonces se quitó las pieles viejas y cortó un trozo para hacerse una honda. La tira no iba a tener el bolso hundido para retener las piedras, pero creía que de todos modos serviría.

Nunca había cazado anteriormente animales para comer, y el conejo era rápido pero no lo suficiente. Creyó recordar haber pasado junto a una presa de castores; derribó al animal acuático precisamente cuando iba a zambullirse. Al regresar a la cueva divisó una piedra pequeña, gris y gredosa junto al arroyo. "¡Eso es sílex! ¡Sé que es sílex!" Recogió el nódulo y se lo llevó también. Metió conejo y castor en la cueva y salió otra vez en busca de leña y de una piedra para martillar.

"Necesito un palo para hacer fuego —se dijo—, tiene que ser bueno y seco; esta madera está algo húmeda. —Vio su viejo palo de cavar—. Con eso se puede hacer", se dijo. Era algo difícil iniciar un fuego sin ayuda: estaba acostumbrada a alternar la presión hacia abajo, girando, con otra mujer para que no parara de dar vueltas. Después de un esfuerzo y concentración intensos, un trocito ardiente de la plataforma del fuego cayó en el montón de leña seca. Soplando cuidadosamente, se vio recompensada por llamitas que subían; agregó las astillas una por una y después trozos más grandes del viejo estante. Cuando el fuego quedó firmemente prendido, colocó encima trozos de madera más grandes que había estado recogiendo, y un fuego alegre calentó la pequeña cueva.

"Voy a tener que hacerme una olla para cocinar —pensó mientras ensartaba el conejo desollado en el asador y le ponía encima la cola del castor para añadir su sabrosa grasa a la carne magra—. Necesitaré otro palo de cavar y un canasto. Creb quemó el mío; lo quemó todo, hasta mi bolsa de medicinas. ¿Por qué tenía que quemar mi bolsa de medicinas? —Se le llenaron los ojos de lágrimas que muy pronto corrieron por sus mejillas—. Iza dijo que yo había muerto; le supliqué que me viera pero sólo decía que yo había muerto. ¿Por qué no podía verme? Si yo estaba allí parada, delante de ella. —La muchacha lloró un poco y después acabó por sentarse y secarse las lágrimas—. Voy a hacerme otro palo de cavar; necesitaré un hacha de mano", se dijo con firmeza.

Mientras el conejo se asaba, talló a golpes un hacha de mano de la manera que le había visto hacer a Droog, y con ella se recortó una rama verde para hacer un palo de cavar. Después recogió más leña y la depositó en la cueva. Esperaba con impaciencia que la carne estuviera guisada: de sólo olerla se le hacía la boca agua, y su estómago vacío gruñía. Estaba segura de que nada le había parecido tan sabroso, cuando mordió el primer bocado.

Había oscurecido para cuando terminó, y Ayla se alegró de tener fuego. Lo juntó bien para que no se apagara y se acostó, envuelta en las viejas pieles, pero el sueño se negó a venir. Se quedó mirando las llamas mientras los espantosos sucesos del día pasaban por su mente en su horrenda procesión, sin darse cuenta de que le corrían las lágrimas. Estaba asustada pero, más que nada, estaba solitaria. No había pasado una noche sola desde que Iza la recogió. Por fin, el agotamiento le cerró los ojos, pero su sueño fue perturbado por pesadillas. Llamaba a Iza y llamaba a otra mujer en un lenguaje que casi había olvidado. Pero no había nadie para consolar a la muchacha desesperada, enferma de soledad.

EL CLAN DEL OSO CAVERNARIO

Los días de Ayla transcurrían en una actividad constante para asegurar la supervivencia. No era ya la criatura inexperta e ignorante que había sido a los cinco años. Durante los años pasados con el Clan, había tenido que trabajar duro, pero al hacerlo había aprendido. Tejió canastos muy cerrados, impermeables, para llevar agua y cocinar, y se hizo un nuevo canasto para recolectar. Curtió las pieles de los animales que cazaba y forró con piel de conejo el interior de los protectores que usaba para los pies, polainas envueltas y atadas con cuerda, y protectores para las manos parecidos a los de los pies: una pieza circular que se ataba alrededor de la muñeca formando una bolsa, pero con ranuras cortadas en la palma para sacar el pulgar. Hizo herramientas con sílex y recogió hierba para que su cama fuera más muelle.

Las hierbas del prado también le suministraban alimento. Estaban altísimas, cargadas de semillas y granos. En la zona inmediata había también nueces, bayas de arándano, gayuvas, manzanillas duras, tubérculos feculentos y helechos comestibles. Le agradó hallar astrágalos, en la variedad no venenosa de la planta, cuyas vainas verdes encerraban hileras de verdura redondita, e inclusive recogió las diminutas semillas duras del quenopodio blanco para molerlas y agregarlas a los granos que cocía para hacer gachas. Su entorno cubría sus necesidades.

Poco después de llegar reconoció que necesitaba otro manto de piel. El invierno no había lanzado aún lo peor que tenía en reserva, pero hacía frío, y Ayla sabía que la nieve no tardaría en caer. Pensó primero en una piel de lince; el lince encerraba para ella un significado especial; pero su carne sería incomible, al menos para ella, y el alimento resultaba tan importante como la piel. No le costaba mucho cubrir sus necesidades inmediatas mientras podía cazar, pero tenía que almacenar para cuando la nieve no le permitiera salir de la cueva. Ahora, el alimento era su razón de cazar.

Odiaba la idea de matar a una de las dulces y tímidas criaturas que habían compartido por tanto tiempo su retiro, y no estaba segura de poder matar un venado con la honda. La sorprendió ver que todavía ocupaban el alto prado al ver la pequeña manada, pero comprendió que debería aprovechar la oportunidad antes de que los animales bajaran a zonas menos elevadas. Una piedra lanzada con fuerza desde cerca derribó una hembra, y un fuerte estacazo acabó con ella.

La piel era gruesa y suave —la naturaleza había preparado al animal para un invierno frío—, y el asado de venado fue una cena muy buena. Cuando el olor a carne fresca atrajo a un glotón de mal genio, una rápida piedra lo mató y le recordó el primer animal que había derribado: un glotón que había estado robándole al Clan. "Los glotones sirven para algo", le dijo a Oga en aquella oportunidad; la respiración helada no se congelaba en la piel de un glotón; con sus pieles se hacían siempre las mejores capuchas. "Esta vez me haré una capucha con su piel", se dijo, arrastrando al animal muerto hacia la cueva.

Encendió fuegos formando un círculo alrededor de su tendedero de carne para secar, evitando así que otros carnívoros se acercaran y acelerando al mismo tiempo el proceso de secado; además de que le agradaba el sabor que el humo daba a la carne. Abrió un hoyo en el fondo de su cueva, poco hondo puesto que la capa de tierra no era profunda en la parte posterior de la grieta del monte, y lo forró con piedras del río. Una vez almacenada la carne, cubrió el escondite con piedras pesadas.

Su piel nueva, curtida mientras se secaba la carne, tenía olor a humo también, pero era caliente y, junto con la vieja, le proporcionaba un lecho confortable. La cierva le proporcionó también una bolsa para el agua, una vez que el estómago impermeable estuvo bien lavado, y tendones para hacer cuerdas, así como grasa de la giba que tenía encima de la cola, que es donde el animal guardaba su reserva para el invierno. Se preocupaba todos los días esperando la nieve, mientras se secaba la carne, y dormía fuera, dentro de su círculo de hogueras, para mantener a éstas encendidas. Una vez que lo tuvo todo guardado, se sintió mucho más tranquila y segura.

Cuando un cielo pesadamente encapotado ocultó la luna, empezó a preocuparse por el paso del tiempo. Recordaba exactamente lo que había dicho Brun: "Si, por la gracia de los espíritus, eres capaz de volver del otro mundo una vez que la luna haya concluido su ciclo y se encuentre en la misma fase que ahora, podrás volver a vivir con nosotros". Ella no sabía si estaba en el "otro mundo", pero más que nada, lo que deseaba era regresar. No estaba muy segura de poder, no sabía si la verían cuando se presentara, pero Brun dijo que podía, y ella se aferraba a las palabras del jefe. Sólo que ¿Cómo iba a saber cuándo podría regresar, si las nubes ocultaban la luna?

Recordó una vez, mucho antes, que Creb le había mostrado cómo hacer muescas en un palo. Comprendió que la colección de palos mellados que guardaba en un sitio del hogar —fuera de límites para los demás miembros de éste— eran las cuentas del tiempo entre sucesos importantes. Una vez, por curiosidad, trató de llevar la cuenta de algo, igual que él, y puesto que la luna seguía ciclos que se repetían, pensó que sería divertido ver cuántas muescas harían falta para completar un ciclo. Cuando lo descubrió Creb, la regañó severamente. La reprimenda fortaleció el recuerdo de la ocasión además de advertirla de que no debería volver a hacerlo. Se preocupó un día entero acerca de cómo iba a saber cuándo regresar a la cueva, antes de recordar aquello, y decidió que marcaría un palo cada noche. No importaba lo mucho que se esforzaba por retenerlas: se le llenaban los ojos de lágrimas cada vez que hacía una muesca.

Se le llenaban muy a menudo los ojos de lágrimas. Cositas insignificantes provocaban el recuerdo de amor y calor. Un conejo asustado que brincara a través del camino le recordaba sus largos paseos con Creb. Amaba su viejo rostro áspero, tuerto y lleno de cicatrices. Pensar en él la hacía llorar. Ver una planta que había cortado para Iza provocaba sus sollozos al recordar cómo la mujer explicaba sus usos; y su llanto aumentaba al recordar a Creb quemando su bolsa de medicinas. Lo peor de todo era la noche.

Se había acostumbrado a andar sola todo el día por sus años pasados en busca de plantas o cazando por el campo, pero nunca había estado separada de la gente, de noche. Sentada sola en su cuevita contemplando el fuego y su reflejo rojizo que danzaba sobre la muralla, lloraba anhelando la compañía de los seres amados. En ciertos aspectos, a quien más echaba de menos era a Uba. Con frecuencia abrazaba sus pieles y las mecía canturreando suavemente para sí como tantas veces había hecho con Uba. Su ámbito satisfacía sus necesidades materiales pero no las humanas.

La primera nieve cayó silenciosamente durante una noche. Ayla exclamó con deleite al salir de su cueva por la mañana. Un blancor prístino suavizaba los contornos del paisaje familiar, creando un mundo de ensueño de formas fantásticas y plantas míticas. Los arbustos tenían altos sombreros de nieve suave, las coníferas estaban vestidas con nuevas prendas blancas de gala, y las ramas deshojadas estaban cubiertas de mantos brillantes que las destacaban nítidamente sobre el profundo azul del cielo. Ayla miró sus huellas que estropeaban la capa perfecta y suave de blanco luciente, y echó a correr por la blanca nevada, cruzando sus pasos una y otra vez para formar un diseño complejo cuyo plan original se perdió al ejecutarlo. Empezó a seguir las huellas de un animalito, y de repente cambió de opinión y trepó al estrecho saliente del crestón rocoso que el viento no había permitido cubrir a la nieve.

Toda la sierra que avanzaba tras ella en una serie de picos mayestáticos estaba cubierta de blanco matizado de azul. Chispeaba al sol como una joya luminosa gigantesca. La vista que se extendía ante ella mostraba hasta dónde se había extendido la nevada. El mar verde azulado, agitado con la espuma del oleaje, se recogía en la grieta abierta entre colinas nevadas, pero la estepa al este seguía sin cubrir. Ayla vio diminutas figurillas escabullirse a través de la extensión blanca a sus pies, y una de las figuras parecía arrastrarse lentamente cojeando. De repente la magia abandonó el paisaje nevado, y la muchacha abandonó su atalaya.

La segunda nevada careció de magia. La temperatura bajó bruscamente. Tan pronto como dejaba Ayla la cueva, feroces vientos le clavaban afiladas agujas en la piel de su rostro, congelándoselo. La tormenta duró cuatro días, amontonando tanta nieve contra la muralla que casi bloqueó la entrada de la cueva. Ayla se abrió un túnel para salir, haciendo uso de las manos y de un hueso plano de la cadera del venado que había matado, y se pasó el día recogiendo leña. Con secar la carne se había consumido la reserva de leña que había alrededor, y avanzar a duras penas por la nieve la dejó exhausta. Estaba segura de que tenía suficiente comida pero no había mostrado un cuidado igual en cuanto a amontonar madera. No estaba segura de que le bastaría, y si nevaba mucho más, su cueva podría quedar enterrada tan profundamente que le resultaría imposible salir.

Por vez primera desde que se encontró sola en su cuevita, temió por su vida. La altitud de su prado era tan grande... si se encontrara atrapada allí no podría durar el invierno entero. No había tenido tiempo para prepararse pensando en la totalidad de la estación fría. Aquella tarde Ayla regresó a su cueva prometiéndose recoger más leña al día siguiente.

Por la mañana, otra tormenta de nieve estaba aullando furiosamente, y la entrada de la cueva quedó totalmente bloqueada. La muchacha se sintió encerrada, atrapada... y asustada. Se preguntó cuánta profundidad tendría la nieve que la cubría: encontró una rama larga y la metió a través de las ramas del matorral de avellano, con lo que entró nieve en la cueva. Sintió que entraba aire y miró, comprobando que la nieve caía horizontalmente, empujada por el viento; dejó la rama en el agujero y regresó junto al fuego.

Fue una suerte que pensara en medir la altura del amontonamiento de nieve a la entrada porque el orificio, que la rama mantenía abierto, permitía entrar aire fresco en el corto espacio que ella ocupaba; el fuego necesitaba oxígeno y ella también. Sin aquel orificio, podría haberse quedado dormida y no despertar jamás; había corrido un mayor peligro del que suponía.

Descubrió que no necesitaba un fuego muy grande para mantener caliente la cueva. La nieve, que encerraba minúsculas bolsas de aire entre sus cristales helados, era un buen aislante; el calor de su cuerpo casi habría bastado para mantener caliente el pequeño espacio. Pero necesitaba agua; el fuego resultaba más importante para derretir la nieve que para mantener el calor.

Sola en la cavernita, sin más iluminación que el diminuto fuego, se quedaba mirándolo; era caliente y se movía sin parar, de modo que encerrada, como sepultada, en su mundo, le pareció que cobraba vida propia. Lo miraba devorar cada astilla, dejando sólo por residuo un poco de ceniza. "¿Tendría también un espíritu el fuego? —se preguntaba—. ¿Adónde va el espíritu del fuego cuando éste se apaga? Creb dice que cuando muere una persona, su espíritu pasa al otro mundo. ¿Estaré yo en el otro mundo? No se siente mucha diferencia; sólo que éste es más solitario y nada más. ¿Tal vez mi espíritu esté en otra parte? ¿Cómo saberlo? Pero no me da esa impresión. Bueno, quizá. Creo que mi espíritu está con Creb, Iza y Uba. Pero estoy maldita; debo de estar muerta".

"Sabiendo que iba a sufrir la maldición ¿Por qué me daría una señal mi tótem? Creí que me estaría probando; tal vez esto sea otra prueba. Tal vez haya ido él al mundo de los espíritus en mi lugar. Tal vez sea él quien está combatiendo a los malos espíritus; podría hacerlo mejor que yo. Tal vez me haya enviado aquí a esperar. ¿Podría estar protegiéndome? Pero si no estoy muerta, ¿cómo estoy? Estoy sola, eso es lo que me pasa; ojalá no estuviera tan sola".

"El fuego tiene nuevamente hambre y quiere de comer. Creo que yo también voy a comer algo. —Ayla tomó otro leño de su reserva que menguaba rápidamente y se lo echó a las llamas, y después fue a ver su paso de aire—. Está oscureciendo —pensó—, será mejor que marque mi palo. ¿Irá a soplar esa tormenta el invierno entero? —Tomó su palo mellado, hizo una marca y ajustó sus dedos sobre todas las marcas, primero una mano, después la otra, nuevamente la primera y continuó hasta haber cubierto todas las marcas—. Ayer fue mi último día; ahora puedo volver pero ¿cómo salir con esa tormenta?'' Comprobó nuevamente su paso de aire; apenas podía ver la nieve que seguía cayendo lateralmente en la oscuridad creciente. Meneó la cabeza y regresó junto al fuego.

Al día siguiente, cuando despertó, lo primero que hizo fue comprobar de nuevo su paso de aire, pero el ventarrón seguía soplando furiosamente. ¿No se detendría nunca? "No puede seguir así siempre ¿No es cierto? Yo quiero regresar. ¿Y si Brun hubiera hecho permanente mi maldición? ¿Y si nunca pudiera regresar aunque cesara la tormenta? Si ahora no estoy muerta moriría entonces, de seguro. No había tiempo suficiente. Apenas he podido durar toda una luna; no podría lograrlo el invierno entero. Me pregunto por qué haría Brun que fuera una maldición limitada de muerte. No me lo esperaba. ¿Podría haber regresado realmente si hubiera ido yo al mundo de los espíritus y no mi tótem? ¿Cómo sé que no fue mi espíritu? Tal vez mi tótem haya estado protegiendo aquí mi cuerpo mientras mi espíritu está lejos. ¡Yo qué sé! No lo sé y eso es todo. Sólo sé que si Brun no hubiera hecho temporal la maldición, no habría quedado la menor oportunidad para mí''.

"¿Una oportunidad? ¿Querría Brun darme una oportunidad?" Con una percepción repentina, todo se ajustó con una nueva profundidad que revelaba su madurez recién alcanzada. "Creo que Brun lo decía sinceramente cuando me dio las gracias por haber salvado la vida de Brac. Tenía que maldecirme porque es la ley del Clan, aunque no quisiera, pero sí quiso darme una oportunidad. No sé si estoy muerta. Cuando uno está muerto ¿Come o duerme o respira?'' Se estremeció con un escalofrío que no era causado por la temperatura. "Creo que la mayoría de la gente no quiere, y ya sé por qué''.

"Entonces, ¿qué me decidió a seguir viviendo? ¡Habría sido tan fácil morir si me hubiera quedado tendida donde caí al salir corriendo de la cueva! Si Brun no me hubiera dicho que podría regresar ¿Me habría vuelto a levantar? De no saber que había una posibilidad, ¿habría seguido esforzándome? Brun dijo: "por la gracia de los espíritus . . ." ¿Qué espíritus? ¿El mío?, ¿el de mi tótem?, ¿importa acaso? Algo me ha hecho desear seguir viviendo; tal vez fuera mi tótem que me protegía y tal vez fue simplemente que yo sabía tener una oportunidad. Tal vez ambas cosas. Sí, creo que eso fue''.

Ayla tardó un rato en captar que estaba despierta, y tuvo que tocarse los ojos para saber que estaban abiertos. Ahogó un chillido en la negrura sofocante de la cueva. "¡Estoy muerta! ¡Brun me echó la maldición y ahora estoy muerta! Nunca podré salir de aquí ni regresar a la cueva: es demasiado tarde. Los malos espíritus me han engañado; me han dejado creer que estaba viva, a salvo en mi cueva; pero estoy muerta. Se enfurecieron al ver que no iba con ellos siguiendo el río, de modo que me castigaron. Me hicieron creer que estaba viva y en realidad estuve muerta todo el tiempo". La muchacha temblaba de miedo, arrebujada en sus pieles y sin atreverse a hacer un movimiento.

La muchacha había dormido mal; despertaba a cada momento y recordaba sueños pavorosos de horrendos espíritus malignos y terremotos, y linces que atacaban y se convertían en leones cavernarios, y nieve, nieve sin fin. La cueva tenía un olor húmedo, desagradable, peculiar, pero el olfato fue lo primero que le hizo percatarse de que sus demás sentidos estaban funcionando aunque no la vista. Lo segundo fue cuando, presa de pánico, dio un brinco y se golpeó la cabeza con la muralla rocosa.

—¿Dónde está mi palo? —preguntaba por señas en la oscuridad—. Es de noche y tengo que marcar mi palo.

Gateó en la oscuridad buscando su palo como si fuera lo más importante de su vida. "Se supone que lo marco de noche, pero ¿Cómo puedo marcarlo si no lo encuentro? ¿Lo habré marcado ya? ¿Cómo voy a saber si puedo regresar a casa si no encuentro mi palo? No, eso no está bien". Sacudió su cabeza tratando de aclarar sus ideas: "puedo regresar a casa, ya ha transcurrido el tiempo, pero estoy muerta, y la nieve no quiere parar; va a seguir y seguir y seguir nevando. El palo; el otro palo; tengo que ver la nieve. ¿Cómo voy a ver la nieve en la oscuridad?"

Arrastrándose por la cueva, tropezando con las cosas llegó a la abertura y vio un oscuro y pálido resplandor por arriba. "Mi palo, tiene que estar ahí arriba". Trepó por el matorral que penetraba un poco en la cueva, encontró el extremo de la larga rama y la empujó. Le cayó nieve encima mientras la rama avanzaba entre la nieve y abría el paso de aire. Una bocanada de aire fresco la saludó junto con un tramo de cielo de brillante azul. La tormenta había cedido finalmente, y al dejar de soplar el viento, la última nieve había taponado el agujero.

El aire fresco y frío le aclaró las ideas. "¡Ha terminado! ¡Ha dejado de nevar! ¡Por fin ha dejado de nevar! Puedo volver a casa. Pero ¿Cómo voy a salir de aquí?" Revolvió con la rama tratando de ensanchar el orificio. Se aflojó una amplia porción, cayó por la boca de la cueva y se despanzurró en el suelo, cubriendo a la joven de nieve húmeda y fría. "Tengo que pensarlo muy bien". Bajó de nuevo y sonrió al ver cómo entraba la luz a raudales por la abertura ensanchada. Estaba excitada, ansiosa por marcharse, pero se forzó a sentarse y pensarlo todo muy bien.

"Ojalá no se hubiera apagado el fuego, habría querido beber té. Pero creo que hay algo de agua en la vejiga. Sí, bueno —pensó, y bebió—. No podré cocinar nada para comer, pero una comida menos no me hará mucho daño. De todos modos, puedo comer algo de carne de venado seca. No hay necesidad de cocinarla. Volvió rápidamente a la entrada de la cueva para asegurarse de que el cielo seguía azul. Ahora bien ¿qué voy a llevarme? No tengo que preocuparme por la comida, hay mucha en reserva, especialmente desde la cacería del mamut".

De repente todo volvió a ella: la cacería del mamut, la muerte de la hiena y la maldición de muerte. "¿Me aceptarán realmente otra vez? ¿Y si no? ¿Adónde iré? Pero Brun dijo que podría volver, lo dijo". Ayla se aferraba a esa idea.

"Bueno, no me llevaré la honda, eso sí que no. ¿Y mi canasto? Creb quemó el mío; entonces haré otro nuevo. Mi ropa; me llevaré toda la ropa, la llevaré puesta y quizá algunas herramientas". Ayla reunió todas las cosas que pensaba llevarse y empezó a vestirse. Se puso el forro de piel de conejo y sus dos pares de protectores para los pies, envolvió sus piernas en polainas de piel de conejo, metió sus herramientas en el manto y ató firmemente sus pieles contra su cuerpo. Se cubrió con la capucha de piel de glotón y los protectores de manos, y avanzó hacia el orificio. Volviéndose, echó una mirada a la cueva que había sido su hogar durante la luna pasada, retiró entonces los protectores de sus manos y volvió sobre sus pasos.

No sabía por qué era importante dejar la cuevita en orden, pero eso le daba una sensación de algo completo, como apartarla ahora que había terminado. Ayla tenía un sentido inherente del orden, fortalecido por Iza, ya que ésta debía conservar un ordenamiento sistemático de su depósito de medicinas. Rápidamente lo ordenó todo limpiamente, volvió a ponerse los protectores de las manos y se dirigió decididamente hacia la entrada bloqueada por la nieve. Iba a salir; todavía no sabía cómo, pero iba a regresar a la cueva del Clan.

"Será mejor que salga por la parte de arriba del agujero, porque no podré abrirme un túnel a través de tanta nieve", pensó. Empezó a trepar por el matorral de avellano y aprovechó la rama que había mantenido abierto el orificio para ensancharlo. Subida a las ramas más altas, que sólo se doblaban ligeramente en la nieve alta bajo el peso de la joven, sacó la cabeza del hoyo y contuvo el aliento: su prado del monte era irreconocible. Desde su posición, la nieve formaba una suave pendiente. No podía iden- tificar una sola marca: todo estaba cubierto de nieve. "¿Cómo voy a poder pasar a través de todo esto? Está tan profundo". La muchacha estaba casi abrumada por el desaliento.

Mirando a su alrededor comenzó a determinar su posición: "aquel bosquete de abedul, junto al alto pino, no es mucho más alto que yo. La nieve no puede ser muy profunda por ahí. Pero, ¿cómo voy a llegar?" Gateó para salir del agujero en que se en- contraba, pateando la nieve para que proporcionara una base más sólida, mientras se esforzaba. Trepó por el saliente y cayó de bruces sobre la nieve; su peso se distribuyó por igual sobre una superficie más amplia, impidiéndole hundirse más.

Cuidadosamente se puso de rodillas y finalmente de pie, vien- do que sólo estaba más o menos un pie por debajo del nivel de la nieve circundante. Dio un par de pasos vacilantes, pisotean- do la nieve mientras avanzaba. Los protectores de sus pies eran círculos flojos de cuero fruncidos alrededor del tobillo, y dos pa- res permitían caminar sólo torpemente, pues el segundo par se ajustaba peor aún sobre el primero formando como un globito. Aunque no eran exactamente raquetas para nieve, servían para repartir el peso de la muchacha sobre un área mayor, y eso le impedía sumirse demasiado en la nieve ligera como polvo.

Pero era difícil avanzar. Pisoteando la nieve al andar, dando pasos cortos y sumiéndose de vez en cuando hasta las caderas, se fue abriendo paso hasta el lugar donde había estado el arroyo. La nieve que cubría el agua helada no era tan profunda. El viento había acumulado una gran cantidad contra la muralla en que se abría su cueva, pero en otras áreas había dejado la tierra casi desnuda. Se detuvo allí, tratando de decidir si seguiría el arroyo helado hasta el río y después daría un amplio rodeo o si seguiría el camino más abrupto y directo hacia abajo, hasta la cueva. Es- taba anhelante, no aguantaba la impaciencia que la impulsaba a regresar y decidió tomar el camino más corto. ¡No sabía cuánto más peligroso sería!

Ayla se puso en marcha cuidadosamente, pero era lento y difícil encontrar el camino de bajada. Para cuando el sol estuvo alto en el cielo, apenas había recorrido la mitad del trecho cuesta abajo, que en verano solía bajar en el tiempo que transcurre entre crepúsculo y oscuridad. Hacía frío, pero los brillantes rayos del sol de mediodía calentaban la nieve, y la joven empezaba a cansarse y a mostrarse descuidada.

Partió de un reborde descubierto barrido por el viento, que conducía a una pendiente suave totalmente nevada, y patinó sobre un tramo cubierto de piedrecillas. La grava suelta desprendió unas rocas mayores que sacaron de su sitio a otras. Todas las piedras se fueron abajo cayendo en un montó de nieve, sacándolo de su posición insegura mientras Ayla perdía pie. En un instante se encontró resbalando y rodando cuesta abajo, nadando a través de una cascada de nieve desplazada, en medio del rugido atronador de una avalancha.

Creb estaba acostado pero despierto cuando apareció Iza silenciosamente llevándole una taza de té caliente.

—Sabía que no dormías, Creb. He pensado que tal vez quisieras tomar algo caliente antes de levantarte. La tormenta cesó durante la noche.

—Ya lo sé, puedo ver cielo azul del otro lado de la muralla.

Se quedaron tomando té, sentados uno junto al otro. A menudo se quedaban sentados juntos, sin hablar. El hogar parecía vacío sin Ayla. Costaba trabajo creer que una muchacha pudiera dejar un vacío tan grande. Iza y Creb trataban de llenarlo estando más juntos, tratando de consolarse mutuamente con su presencia, pero no era mucho consuelo. Uba estaba desanimada y lloriqueaba; nadie podía convencer a la niña de que Ayla había muerto; seguía preguntando por ella. Jugueteaba con la comida, tiraba la mitad o se le caía... y luego se ponía de mal humor y pedía más, cosa que sacaba de quicio a Iza hasta que la regañaba y al instante se arrepentía. La tos de la mujer había vuelto y la mantenía despierta la mitad de la noche.

Creb había envejecido más de lo que parecía posible en tan corto tiempo. No se había acercado a la caverna pequeña desde el día en que colocó los huesos blancos del oso cavernario en dos hileras paralelas, el último, metido en la base de la calavera, saliendo por el orificio ocular izquierdo y dijo en voz alta los nombres de los malos espíritus en sílabas tensas y ásperas, reconociéndolos y concediéndoles poder. No tenía fuerzas para volver a mirar esos huesos, ni deseaba emplear los bellos movimientos fluidos que servían para comulgar con espíritus más benéficos. Había considerado seriamente renunciar y entregar las funciones de mog-ur a Goov. Brun trató de convencerlo de que lo pensara mucho primero, una vez que el viejo mago tocó el tema.

—¿Qué vas a hacer, Mog-ur?

—¿Qué hace un hombre al retirarse? Estoy haciéndome demasiado viejo para pasarme largas horas sentado en esa fría cueva. Mi reúma está empeorando.

—No te precipites, Creb —señaló dulcemente el jefe—. Piénsalo un poco más.

Creb lo pensó y casi había decidido anunciarlo ese mismo día.

—Iza, creo que voy a dejar que Goov sea el mog-ur —señaló el mago a la mujer que estaba sentada a su lado.

—Esa sólo puede ser decisión tuya, Creb —respondió. No trató de disuadirlo; sabía que ya no tenía ganas de seguir adelante desde el día en que pronunció la maldición de muerte contra Ayla, aunque eso había sido toda su vida.

—Ya ha pasado el plazo ¿verdad, Creb? —preguntó Iza.

—Sí, ya ha pasado el plazo.

—¿Cómo puede ella saber que ha terminado el plazo? Nadie puede ver la luna con tanta tormenta.

Creb recordó cuando había mostrado a una nenita cómo contar los años antes de poder tener un bebé, y en otra mayor que contaba los días del ciclo de la luna, ella sola.

—Si viviera, lo sabría, Iza.

—Pero ha sido una tormenta tan terrible. Nadie podría salir.

—No lo pienses más. Ayla ha muerto.

—Ya lo sé, Creb —expresó Iza con gestos desesperados. Creb miró a su hermana, pensó en cuánto sufría y quiso darle algo, algún gesto para mostrarle que la comprendía.

—No debería decir esto, Iza, pero el plazo ha vencido; su espíritu ha abandonado este mundo, y los malos también. No queda daño en ninguna parte. Su espíritu me habló antes de irse, Iza. Dijo que me amaba. Fue tan real que por poco cedo. Pero el espíritu de la persona que ha recibido la maldición es el más peligroso; siempre intenta atraparte haciéndote creer que es real, para llevarte consigo. Casi desearía haberme ido.

—Ya lo sé, Creb. Cuando su espíritu me llamó madre, yo... yo... —Iza alzó las manos, no podía proseguir.

—Su espíritu me suplicó que no quemara su bolsa de medicinas, Iza. Se le llenaron los ojos de agua, igual que cuando vivía.

Fue lo peor. Creo que si no lo hubiera arrojado ya al fuego, se lo habría entregado. Pero fue la última trampa; fue entonces cuando se marchó definitivamente.

Creb se puso en pie, se envolvió en sus pieles y tendió la mano hacia el cayado. Iza lo observaba; pocas veces se alejaba ya del fuego. Llegó hasta la entrada de la cueva y se quedó allí largo tiempo, contemplando la nieve brillante. Sólo volvió cuando Iza mandó a Uba a buscarlo para que fuera a comer. Regresó a su puesto poco después; Iza se reunió más tarde con él.

—Aquí hace frío, Creb. No deberías quedarte así expuesto al viento —señaló.

—Es la primera vez que tenemos un cielo claro desde hace muchos días. Da gusto ver algo que no sea una tormenta aullante.

—Sí, pero acércate al fuego para calentarte de vez en cuando.

Creb anduvo cojeando del fuego a la entrada de la cueva varias veces, quedándose largos ratos contemplando la escena invernal. Pero a medida que avanzaba el día tardó más y más en volver. Al cenar, mientras el crepúsculo se convertía en oscuridad, hizo señas a Iza:

—Me iré al hogar de Brun cuando terminemos de cenar. Le diré que de ahora en adelante Goov será mog-ur.

—Sí, Creb —contestó Iza, cabizbaja. No había esperanza. Ahora estaba segura de que no había más esperanza.

Creb se puso en pie mientras Iza retiraba la comida. De repente, un grito de espanto surgió del hogar de Brun; Iza levantó la mirada. Una extraña aparición se encontraba en la entrada de la cueva, totalmente cubierta de nieve y sacudiéndose los pies a patadas.

—¡Creb! —gritó Iza—. ¿Qué es eso?

Creb se quedó mirando un momento, alerta contra los malos espíritus; de repente su único ojo se abrió muy grande.

—¡Es Ayla! —exclamó a voz en cuello y se dirigió a ella cojeando rápidamente; olvidando su cayado, olvidando su dignidad y olvidando todas las costumbres que imponían disimular los sentimientos fuera del hogar propio, rodeó a la muchacha con sus brazos y la apretó contra su pecho.

17

—¿Ayla? ¿Es realmente Ayla, Creb? ¿No es su espíritu? —indicó por señas Iza mientras el viejo llevaba a la muchacha cubierta de nieve hasta su hogar. Temía creérselo, temía que la muchacha que tan real parecía resultara ser un espejismo.

—Es Ayla —indicó Creb—. Ha transcurrido el plazo. Ha superado a los malos espíritus; ha vuelto con nosotros.

—¡Ayla! —y la mujer corrió hacia ella con los brazos abiertos y envolvió a la muchacha en un abrazo ferozmente amoroso, a pesar de la nieve húmeda. No sólo la nieve las mojaba: Ayla derramaba lágrimas de gozo suficientes para todos ellos. Uba tiraba de la muchacha mientras los brazos de Iza la tenían apresada.

—Ayla. Ayla de regreso. Uba sabe que Ayla no muerta —afirmaba la niña con el convencimiento de quien sabe haber tenido razón todo el tiempo. Ayla la levantó en brazos y la apretó tan fuertemente que Uba se revolvió para soltarse y poder respirar.

—¡Tú mojada! —señaló Uba en cuanto tuvo los brazos libres.

—Ayla, quítate esas ropas mojadas —dijo Iza, y se puso a afanarse echando leña al fuego y encontrando algo que pudiera ponerse la joven, tanto para disimular la intensidad de sus emociones como para demostrar su preocupación maternal—. Te vas a morir de frío.

Iza miró a la joven, llena de confusión, comprendiendo de repente lo que acababa de decir; Ayla sonrió.

—Tienes razón, madre. Me voy a resfriar —señaló, y se quitó el manto y la capucha, empapados. Se sentó y empezó a tratar de retirar los protectores empapados sujetos con correas hinchadas.

—Tengo un hambre atroz. ¿Hay algo que comer? No he probado nada en todo el día —dijo, después de ponerse uno de los mantos viejos de Iza; le quedaba pequeño y algo corto, pero por lo menos estaba seco—. Habría llegado más temprano, pero me vi atrapada en una avalancha al bajar del monte. He tenido suerte de no quedar enterrada bajo demasiada nieve, pero me llevó mucho tiempo abrirme una salida.

El pasmo de Iza sólo duró un instante; Ayla podría haber dicho que tuvo que caminar sobre fuego para volver, e Iza lo habría creído. Su regreso mismo era suficiente prueba de que la muchacha era invencible. ¿Qué era una pequeña avalancha para ella? La mujer tomó las pieles de Ayla para colgarlas, pero retiró súbitamente la mano, mirando la piel de venado, que no conocía, con mucha suspicacia.

—¿De dónde has sacado ese manto, Ayla? —preguntó.

—Yo lo hice.

—¿Es... es de este mundo? —interrogó la mujer con aprensión, y Ayla sonrió de nuevo.

—Sí, madre, muy de este mundo. ¿Has olvidado que sé cazar?

—No digas eso, Ayla —dijo Iza muy nerviosa. Se puso de espaldas para que el Clan, que bien sabía ella estaba observando, no viera, y haciendo una seña inconspicua—: ¿No tendrás una honda, verdad?

—No, la dejé allá. Pero eso no cambia nada. Todo el mundo lo sabe, Iza. Algo tenía que hacer después de que Creb lo quemó todo. La única manera de conseguir un manto era cazando. La piel no crece tampoco en sauces ni pinos.

Creb había estado observando silenciosamente, sin atreverse a creer que había vuelto de veras. Contaban historias de personas que habían regresado después de una maldición de muerte, pero él seguía sin creer que fuera posible. "Además, hay algo diferente en ella; ha cambiado. Tiene más confianza en sí, es más adulta. No me extraña, después de lo que ha pasado. Y también recuerda; sabe que he quemado sus cosas. Me pregunto qué más recordará. ¿Cómo será el mundo de los espíritus?"

—¡Espíritus! —señaló, recordando de repente: "Los huesos están puestos todavía. Tengo que quebrantar la maldición".

Creb se apresuró para deshacer el diseño de los huesos de oso cavernario que todavía asumía la forma de una maldición de muerte. Tomó la antorcha que ardía fuera de la grieta en la muralla y siguió su camino, jadeando de asombro al llegar al pequeño espacio detrás del breve corredor. La calavera del oso cavernario se había movido, el hueso largo no salía ya por el orificio ocular, el diseño estaba ya quebrantado.

Muchos pequeños roedores compartían la cueva del Clan, atraídos por los alimentos almacenados y el calor. Uno de ellos habría pasado cerca o brincado por la calavera, derribándola. Creb se estremeció ligeramente, hizo una señal de protección y llevó nuevamente los huesos al montón del fondo. Al salir, vio que Brun lo estaba esperando.

—Brun —dijo Mog-ur por gestos al verlo—. No lo puedo creer. Ya sabes que no he vuelto aquí desde que pronuncié la maldición; nadie ha entrado. Acabo de entrar para deshacerla... pero ya estaba deshecha. —Tenía en el rostro una expresión de asombro y pavor.

—¿Qué crees tú que haya sucedido?

—Tiene que haber sido su tótem. Una vez vencido el plazo, tal vez lo haya deshecho para permitirle regresar —contestó el mago.

—Sin duda tienes razón. —Y el jefe inició otro movimiento, pero vaciló.

—¿Querías hablarme, Brun?

—Quiero hablarte a ti solo. —Vaciló nuevamente—. Perdona mi intervención: he mirado tu hogar, el retorno de la muchacha ha sido una sorpresa.

Todos los miembros del Clan habían faltado al hábito de apartar la mirada para no mirar el hogar ajeno. No pudieron remediarlo; no habían visto nunca a nadie volver de entre los muertos.

—Se comprende, dadas las circunstancias. No te preocupes —respondió Mog-ur, empezando a alejarse.

—No es por eso que quería verte —dijo Brun, tendiendo la mano para retener al viejo mago—. Quiero preguntarte acerca de ceremonias. —Mog-ur se quedó aguardando, observando cómo Brun buscaba sus palabras—. Una ceremonia ahora que ella ha regresado.

—No es necesaria ceremonia alguna, el peligro ha pasado. Los malos se han ido, no hace falta protección.

—No hablo de esa clase de ceremonia.

—¿De qué hablas entonces?

Brun vaciló nuevamente, y partió entonces en otra dirección:

—He visto que hablaba con Iza y contigo. ¿Has notado alguna diferencia en ella, Mog-ur?

—¿Qué quieres dar a entender con "una diferencia"? —preguntó Mog-ur, cautelosamente, sin entender bien lo que insinuaba Brun.

—Tiene un tótem fuerte. Droog ha dicho siempre que era afortunada. Cree que el tótem de ella también nos trae suerte a nosotros. Puede tener razón. Nunca habría podido regresar sin suerte y una fuerte protección. Creo que ahora lo sabe. Eso es lo que quiero decir, por diferente.

—Sí, creo haber observado una diferencia como ésa. Pero sigo sin comprender lo que tiene que ver con ceremonias.

—¿Recuerdas la reunión que tuvimos después de la cacería del mamut?

—Quieres decir ¿cuando la interrogaste?

—No, la otra después, sin ella. He estado pensando en esa reunión desde que se fue. No creía que pudiera regresar, pero sabía que si volvía, significaría que su tótem es muy fuerte, más poderoso aún de lo que creíamos. He estado pensando en lo que deberíamos hacer si volviera.

—¿Lo que deberíamos hacer? No hay nada que hacer. Los espíritus malos se han ido, Brun. Ella está de regreso pero no es diferente de lo que era anteriormente. Es sólo una muchacha, nada ha cambiado.

—Pero ¿Y si yo quiero cambiar algo? ¿Hay alguna ceremonia para eso?

Mog-ur estaba confundido.

—Una ceremonia ¿Para qué? No necesitas ceremonia para cambiar la manera en que obraste con ella. ¿Qué clase de cambio? No te puedo hablar de ceremonias si no sé para qué las quieres.

—Su tótem es también un tótem del Clan, ¿o no? ¿No deberíamos intentar que todos los tótemes estuvieran contentos? Quiero que celebres una ceremonia, Mog-ur, pero tienes que decirme si existe una ceremonia así.

—Brun, no tiene sentido lo que dices.

Brun alzó las manos, abandonando el intento de comunicación. Mientras Ayla estuvo lejos, había tenido tiempo para rumiar las muchas ideas nuevas que habían expresado los hombres. Pero el resultado desconcertante de sus reflexiones se inmiscuía incómodamente en la mente del jefe del Clan.

—Nada de ello tiene sentido ¿Cómo puedo explicarlo, pues? De todos modos: ¿Quién esperaba verla regresar? No comprendo a los espíritus ni los he comprendido nunca. No sé lo que quieren, y para eso estás tú aquí. ¡Pero no me estás ayudando mucho! Toda la idea es ridícula, sea como sea. Será mejor que vuelva a pensarlo todo.

Brun giró sobre sus talones y se alejó, dejando tras de sí a un mago muy confuso. Después de dar unos cuantos pasos, se volvió:

—Dile a la muchacha que quiero verla —señaló, y se alejó hacia su hogar.

Creb meneaba la cabeza mientras volvía a su hogar.

—Brun quiere ver a Ayla —anunció al regresar.

—¿Dijo que quería verla ahora mismo? —preguntó Iza, sirviéndole más de comer—. No le importará que termine de cenar, ¿no crees?

—Madre, ya he terminado; no me cabe ni un bocado más. Iré ahora.

Ayla avanzó hacia el hogar vecino y se sentó a los pies del jefe del Clan con la cabeza agachada. El llevaba los mismos protectores de pies que estaban gastados y rajados en los mismos lugares. La última vez que vio aquellos pies, estaba aterrada. Ahora ya no estaba aterrada. Con gran sorpresa suya, no temía a Brun pero lo respetaba más. Esperó. Pareció tomarle muchísimo tiempo a él reconocer su presencia. Finalmente sintió un golpe en el hombro y alzó la mirada.

—Veo que has vuelto, Ayla —comenzó débilmente. No sabía qué decir.

—Sí, Brun.

—Me ha sorprendido verte, no te esperaba.

—Esta muchacha tampoco esperaba estar de regreso.

Brun estaba desconcertado. Quería hablarle, pero no sabía qué decir, y tampoco sabía cómo poner fin a la audiencia que él mismo había solicitado. Ayla esperaba, y después hizo un gesto de petición.

—Esta muchacha querría hablar, Brun.

—Puedes hablar.

Ayla vaciló, tratando de hallar la expresión correcta para decir lo que quería decir.

—Esta muchacha se alegra de estar de regreso, Brun. Más de una vez estuve asustada, más de una vez estuve segura de que no regresaría jamás.

Brun gruñó; "eso sí que se lo creo", pensó.

—Fue difícil, pero creo que mi tótem me protegía. Al principio había tanto qué hacer que no me quedaba mucho tiempo para pensar. Pero después de que estuve atrapada, no podía hacer más que eso.

—"¿Tanto que hacer? ¿Atrapada? ¿Qué clase de mundo es ese mundo de los espíritus?" Estuvo a punto de preguntárselo, pero cambió de opinión. Realmente, no deseaba saberlo.

—Creo que entonces empecé a comprender algo.

Ayla se detuvo, buscando aún cómo expresarse. Deseaba transmitir un sentimiento parecido a la gratitud, pero no de la manera en que ésta se siente normalmente ni la que implica cierta obligación o la que una mujer solía expresar al hombre. Quería decirle algo como a una persona, quería decirle que comprendía. Quería decir "gracias, gracias por darme una oportunidad", pero no sabía muy bien cómo hacerlo.

—Brun, esta muchacha está... te está agradecida. Eso me dijiste. Dijiste que estabas agradecido por la vida de Brac. Yo te agradezco la mía.

Brun se echó hacia atrás y estudió a la muchacha: alta, de cara plana y ojos azules. Lo que menos habría esperado de ella era gratitud. Le había impuesto una maldición. "Pero no dijo que agradeciera la maldición de muerte, pensó, dijo que le agradecía su vida. ¿Comprendería que no le había quedado otro remedio? ¿Comprendería que le había brindado la única oportunidad a su alcance? ¿Comprendía eso esta muchacha, mejor que sus cazadores, mejor aún que Mog-ur? Sí, decidió: comprende". Por un instante experimentó Brun un sentimiento hacia Ayla que nunca había experimentado hacia una mujer. En ese instante deseó que fuera hombre. No tenía más que pensar en lo que deseaba pedirle a Mog-ur. Ya lo sabía.

—No sé qué se traen, y no creo que los demás cazadores lo sepan —decía Ebra—. Lo único que sé es que nunca he visto a Brun tan nervioso.

Las mujeres estaban reunidas preparando los manjares para un banquete. No sabían cuál era la razón para ello —Brun sólo les había dicho que prepararan un festín para esa noche— y abrumaban a preguntas a Iza y Ebra, tratando de que éstas les insinuaran algo.

—Mog-ur se ha pasado la mitad del día y toda la noche en la cámara de los espíritus. Tiene que ser alguna ceremonia. Mientras estuvo Ayla ausente, ni siquiera se acercó; ahora, casi no sale de ahí —comentó Iza—. Cuando está así, se ve tan distraido que no se acuerda de comer. A veces se le olvida comer mientras está comiendo.

—Pero si va a ser una ceremonia ¿Por qué ha trabajado Brun la mitad del día limpiando un espacio en el fondo de la cueva? —interrogó Ebra con gestos—. Cuando me he brindado a hacerlo, me ha despachado. Tienen un lugar para las ceremonias, ¿por qué tenía él que trabajar como una mujer limpiando el fondo?

—¿Qué otra cosa podría ser? —preguntó Iza—. Me da la impresión de que cada vez que los miro, Brun y Mog-ur están con sus cabezas juntas. Y si se fijan en mí, dejan de hablar y sus rostros tienen expresiones culpables. ¿Qué más podrían estar tramando esos dos? ¿Y por qué vamos a tener un festín esta noche? Mog-ur se ha pasado el día entero en el espacio que ha limpiado Brun. A veces entra en la cámara de los espíritus, pero sale inmediatamente. después. Parece que llevara algo consigo, pero está tan oscuro allá atrás que no podría decirlo.

Ayla se limitaba a disfrutar con la compañía. Al cabo de cinco días, todavía le costaba creer que estaba de regreso en la caverna del Clan, sentada con las mujeres y preparando comida igual que si nunca hubiera estado ausente. No era exactamente lo mismo. Las mujeres no se sentían del todo cómodas junto a ella. Creían que había estado muerta, y su retorno a la vida era un verdadero milagro. No sabían de qué hablarle a una persona que había ido al mundo de los espíritus y había vuelto. A Ayla no le importaba: estaba contenta de haber vuelto. Observaba a Brac que gateaba hasta su madre para mamar.

—Oga ¿cómo está el brazo de Brac? —preguntó a la joven madre sentada a su lado.

—Míralo tú misma, Ayla. —La madre descubrió al niño para mostrar su hombro y su brazo—. Iza le quitó el molde el día antes de tu regreso. El brazo está bien, sólo un poco más delgado que el otro. Iza dice que en cuanto comience a usarlo, se fortalecerá.

Ayla miró las heridas sanadas y tocó suavemente el hueso mientras el niño serio, de grandes ojazos, la contemplaba. Las mujeres habían tenido buen cuidado de evitar los temas que se relacionaran aunque fuera de lejos con la maldición de Ayla. A menudo comenzaba una de ellas una conversación, y dejaba caer sus manos a media frase al ver hacia dónde iba a parar.

Eso tendía a asfixiar la cálida comunicación que solía establecerse cuando las mujeres se reunían para trabajar.

—Las cicatrices siguen rojas, pero con el tiempo palidecerán —dijo Ayla, y miró al niño—. ¿Eres fuerte, Brac? Muéstrame lo fuerte que eres. ¿Puedes bajarme el brazo? —Y le tendió el antebrazo—. No, con esa mano no, con la otra —lo corrigió, cuando el niño tendía hacia ella el brazo sano. Brac cambió de mano y tiró del brazo de Ayla, que resistió justo lo necesario para sentir la fuerza que hacía, y después dejó que le bajara el brazo—. Eres un muchacho fuerte, Brac, algún días serás un valeroso cazador como Broud.

Tendió los brazos para ver si se acercaría a ella. Al principio el niño se volvió, después lo pensó mejor y permitió que Ayla lo alzara en brazos. La muchacha lo sostuvo en el aire y después lo abrazó, sentándolo en su regazo.

—Brac es un muchacho grande; tan pesado y tan robusto.

El niño se quedó allí cómodamente sentado unos momentos, pero al ver que ella no tenía con qué darle de mamar, se agitó para regresar con su madre, le tomó el seno y empezó a mamar sin quitarle la vista de encima a Ayla con sus ojotes redondos.

—¡Qué suerte tienes, Oga! Es un niño maravilloso.

—No tendría tanta suerte de no haber sido por ti, Ayla. —Oga había acabado por tocar el tema que todas habían evitado con tanto esfuerzo—. Nunca te he dicho cuán agradecida te estoy. Primero estuve demasiado preocupada por él y no sabía qué decir. No parecía que tú quisieras hablar mucho tampoco, y después te fuiste. Todavía no sé qué decir. Nunca esperaba volver a verte; es difícil creer que estés de regreso. Hiciste mal usando un arma y no puedo comprender por qué se te antojó cazar, pero me alegro de que lo hicieras. No puedo decirte cuánto. Me sentí tan mal cuando tú... cuando tuviste que irte, pero me siento muy feliz al verte de vuelta.

—Yo también —dijo Ebra. Las demás mujeres, meneando la cabeza de arriba abajo, expresaron su asentimiento.

Ayla se sentía abrumada por la aceptación incondicional que le expresaban, y luchaba por contener las lágrimas que se le salían con demasiada facilidad. Temía que las mujeres se sintiesen incómodas si vieran que los ojos se le llenaban de agua.

—Me alegro de estar de vuelta —señaló, y las lágrimas se escaparon de su control. Ahora Iza ya sabía que sus ojos se hacían agua cuando sentía fuertemente alguna cosa, no porque estuviera enferma. También las mujeres se habían acostumbrado a esa peculiaridad suya, y habían llegado a conocer el significado de sus lágrimas; se limitaron a asentir con expresión comprensiva.

—¿Cómo fue, Ayla? —preguntó Oga, con la mirada llena de una turbación compasiva. Ayla lo pensó antes de contestar.

—Solitario —respondió—. Muy solitario. ¡Echaba tanto de menos a todos! —Las miradas de las mujeres encerraban tanta lástima, que Ayla tuvo que decir algo para cambiar los ánimos—: ¡Inclusive eché de menos a Broud! —agregó.

—Ejem ejem ejem —carraspeó Aga—. Eso sí que era estar solitaria —y echó una mirada a Oga, que se sentía algo confusa.

—Ya sé que puede ser difícil —admitió Oga— pero Broud es mi compañero, y para mí no es tan malo.

—No, Oga, no necesitas excusarlo —dijo amablemente Ayla—. Todos sabemos que Broud te tiene afecto. Deberías estar orgullosa de ser su compañera. Va a ser jefe y es un valeroso cazador, inclusive fue el primero en herir al mamut. No tienes tú la culpa de que no me quiera. En parte es culpa mía; no siempre me he portado con él como debía. No sé cómo empezó todo ni sé cómo ponerle fin; si pudiera lo haría, pero no es nada de que debas preocuparte.

—Siempre ha tenido un genio fuerte —comentó Ebra—. No es como Brun. Yo sabía que Mog-ur tuvo razón al decir que el tótem de Broud era el Rinoceronte Lanudo. Creo que en cierto modo tú le has ayudado a dominar su genio, Ayla. Eso hará de él un mejor jefe.

—Yo no sé —dijo Ayla moviendo la cabeza—. Si no estuviera yo cerca, no creo que se desbocaría tanto. Creo que yo provoco lo peor que tiene dentro.

Un silencio tenso siguió. Por lo general, las mujeres no hablaban tan abiertamente de los defectos de sus hombres, pero la discusión había servido para despejar la atmósfera de tensión que rodeaba a la muchacha. Juiciosamente, Iza consideró que era el momento de cambiar de tema.

—¿Sabe alguna dónde están los ñames? —preguntó.

—Creo que estaban en el sitio que Brun ha limpiado —contestó Ebra—. Tal vez no volvamos a encontrarlos antes del próximo verano.

Broud había visto que Ayla estaba sentada con las mujeres, y había fruncido el ceño al verla examinar a Brac y tenerlo sobre su regazo. Eso le hizo recordar que ella había salvado la vida del muchacho, y esto le recordó que había presenciado su humillación. Broud se había sentido tan abrumado por su retorno como todos los demás. El primer día la contempló con pavor, con cierta aprensión. Pero el cambio que Creb había interpretado como una madurez creciente, y Brun como el sentimiento de su propia suerte, Broud lo veía como una insolencia flagrante. Durante su prueba por la nieve, Ayla no sólo había adquirido la confianza de que podría sobrevivir, sino una aceptación de las trivialidades ruidosas de la vida. Después de su ordalía, con sus luchas de vida o muerte, nada tan insignificante como una reprimenda, cuya eficacia se había ido perdiendo por desgaste, podía afectar a su serena compostura.

Ayla *había* echado de menos a Broud. En su aislamiento total, aunque hubiera sido el agobio a que él la sometía le habría parecido mejor que la vacuidad total de no ver a la gente que la quería. Los primeros días, disfrutó literalmente de su atención estrecha aunque abusiva. El no sólo la veía sino que veía cada uno de los movimientos que hacía.

Al llegar al tercer día de su regreso, los viejos patrones de vida se restablecieron solos pero con una diferencia. Ayla no tenía que luchar consigo misma para doblegarse a su voluntad, su respuesta no tenía siquiera la corriente oculta de una condescendencia sutil. Ayla se sentía genuinamente inconmovible. El no podría hacer nada que la perturbara; podría pegarle y maldecirla y llegar casi al extremo de la violencia explosiva; pero eso no causaba ningún efecto. La muchacha accedía a sus demandas más irracionales. Aun cuando lo hacía sin intención, Ayla estaba dando a Broud una pequeña medida del ostracismo que ella había sufrido tan abundantemente. Su furor más iracundo, controlado sólo mediante un esfuerzo exorbitante, no obtenía más reacción que la picadura de una mosca; menos, porque cuando pica una mosca, siquiera uno se rasca. Era lo peor que ella podía hacer; lo enfurecía.

Broud anhelaba recibir atención, se regodeaba en ella; para él, constituía una necesidad. Nada podía provocar en él una frustración mayor que ver una persona que no reaccionara ante él. Poco importaba, en la profundidad de su ser, que la reacción fuera positiva o negativa: lo esencial era que la hubiera. Estaba seguro de que la muchacha le demostraba indiferencia porque lo había visto humillado, había presenciado su vergüenza y no respetaba su autoridad. En parte, tenía razón. Ayla conocía los límites exteriores del control que ejercía sobre ella, había puesto a prueba el valor de su fuerza interior, y había descubierto que todo ello era insuficiente para merecer su respeto. Pero no sólo era que no lo respetara ni respondiera a él: era que usurpaba la atención que él necesitaba.

Con su sola presencia atraía la atención sobre sí, y todo lo que había en ella llamaba la atención: su poderoso tótem, el compartir el hogar y el amor, del formidable mago; su adiestramiento para convertirse en curandera; haber salvado la vida de Ona; su habilidad con la honda; haber matado la hiena con lo que salvó la vida de Brac; y ahora, volver del mundo de los espíritus. Cada vez que Broud había demostrado gran valor y se había hecho justamente digno de admiración, respeto y atención de parte del Clan, ella le había robado la atención que le correspondía.

Broud miraba coléricamente a Ayla, desde lejos. "¿Por qué tenía que haber vuelto? Todo el mundo habla de ella; siempre están hablando de ella. Cuando maté el bisonte y me hice hombre, todos hablaban del estúpido tótem que tiene. ¿Se enfrentó acaso a un mamut lanzado a la carga? ¿Estuvo a punto de verse aplastada por cortarle los tendones? No. Lo único que hizo fue lanzar un par de guijarros con una honda, y lo único en que todos podían pensar era en ella. Brun y sus reuniones: todo por ella. Y además ni siquiera pudo hacerlo derecho: y ahora está de vuelta y todos siguen hablando de ella. ¿Por qué tiene que echarlo siempre todo a perder?"

—Creb ¿por qué estás tan agitado? No recuerdo haberte visto nunca tan nervioso. Actúa como un muchacho a punto de tomar su primera compañera. ¿No quieres que te prepare una taza de té para calmarte los nervios? —preguntó Iza después de ver que el mago saltaba por tercera vez, echaba a andar para dejar el hogar, cambiaba de opinión y volvía sobre sus pasos para sentarse de nuevo.

—¿Qué te hace pensar que estoy nervioso? Lo único que pasa es que estoy tratando de recordarlo todo y meditar un poco —contestó Mog-ur, algo avergonzado.

—¿Qué necesitas recordar? Llevas años de mog-ur, Creb. No puede existir una sola ceremonia que no seas capaz de llevar a cabo dormido. Y nunca te he visto meditar poniéndote en pie y sentándote otra vez. ¿Por qué no dejas que te prepare un poco de té?

—No. No. No necesito té. ¿Dónde está Ayla?

—Está por ahí, más allá del último hogar, buscando ñames. ¿Por qué?

—Sólo quería saber —respondió Creb sentándose de nuevo. Poco después llegó allí cerca Brun, haciendo señas a Mog-ur. El mago se puso nuevamente en pie y ambos hombres llegaron al fondo de la cueva.

—''¿Qué pasará con esos dos?'' —se preguntaba Iza meneando la cabeza, llena de asombro.

—¿No es ya casi la hora? —preguntó el jefe tan pronto como llegaron al lugar que él había despejado—. ¿Está todo listo?

—Todos los preparativos están hechos, pero el sol debería estar más bajo, creo yo.

—¿Crees tú? ¿Acaso no sabes? Creí que habías dicho que sabías qué hacer. Creí que habías dicho que meditaste y encontrarse una ceremonia. Todo tiene que estar absolutamente correcto. ¿Cómo puedes decir que ''crees''? —dijo secamente Brun.

—He meditado —respondió Mog-ur, a la defensiva—. Pero hace mucho tiempo y el lugar era diferente; no había nieve. No creo que había nunca nieve, ni siquiera en invierno. No es fácil saber el momento exacto. Lo único que sé es que el sol estaba bajo.

—¡No me lo habías dicho! ¿Cómo puedes estar seguro de que así será como debe ser? Quizá sea mejor olvidarlo; de todos modos, ha sido una idea ridícula.

—Ya he hablado a los espíritus, las piedras están colocadas en su lugar. Ellos nos esperan.

—Tampoco me gusta la idea de mover las piedras. Quizá deberíamos haber decidido hacerlo en la cámara de los espíritus. ¿Estás seguro de que no se molestarán porque los hayamos sacado de la cámara pequeña? ¿Mog-ur?

—Ya hemos hablado de eso, Brun. Hemos decidido que era mejor mover las piedras que traer a los Antiguos al lugar de los Tótemes de los espíritus. Los antiguos pueden desear quedarse una vez que la vean.

—¿Cómo sabes que regresarán una vez que los hayamos despertado? Es demasiado peligroso, Mog-ur. Será mejor cancelarlo todo.

—Pueden quedarse algún tiempo —reconoció Mog-ur—. Pero después de que todo haya vuelto a su lugar y vean que no hay sitio para ellos, se irán. Sus tótemes les dirán que se vayan. Pero haz lo que te parezca. Si quieres cambiar de idea, yo trataré de

aplacar a los espíritus. Sólo porque estén esperando una ceremonia no significa que haya que celebrarla.

—No. Tienes razón. Será mejor seguir adelante. Están esperando algo. Los hombres, sin embargo, pueden no sentirse muy
felices con eso.

—Brun, ¿quién es el jefe? Además, ya se acostumbrarán una
vez que comprendan que está bien.

—Estás bien, Mog-ur? ¿Realmente? Ha transcurrido tanto tiempo. No estoy pensando ahora en los hombres. ¿Lo aceptarán
nuestros tótemes? Hemos tenido tanta suerte, casi demasiada
suerte. Sigo pensando que algo terrible va a suceder. No quiero
hacer nada que los trastorne. Quiero hacer lo que ellos deseen.
Quiero que se sientan felices.

—Eso es lo que estamos haciendo, Brun —dijo dulcemente
Mog-ur—, tratando de hacer lo que ellos quieren ... todos ellos.

—Pero, ¿estás seguro de que los demás comprenderán? Si
complacemos a uno, ¿no se sentirán desairados los demás?

—No, Brun, no estoy seguro de que comprendan. —El mago
podía sentir la tensión y la preocupación del jefe. Sabía cuán
difícil le resultaba—. Nadie puede estar absolutamente seguro:
sólo somos humanos; inclusive un mog-ur es sólo humano. Lo
único que podemos hacer es intentarlo. Pero tú mismo lo has
dicho: hemos tenido suerte. Eso tiene que significar que los espíritus de todos los tótemes están felices. Si estuvieran peleando
unos con otros, ¿crees que habríamos tenido tanta suerte? ¿Cuántas veces logra un Clan matar un mamut sin que nadie resulte
lastimado? Cualquier cosa podría haber salido mal. Podría haber
viajado todo ese camino sin encontrar una manada, y parte del
mejor tiempo para cazar se habría perdido. Corriste un riesgo,
pero todo salió bien. Inclusive Brac sigue con vida, Brun.

El jefe miró el rostro serio del mago. Entonces se enderezó
un poco más y una firme resolución sustituyó a la indecisión
en los ojos de Brun.

—Voy a buscar a los hombres —señaló.

Se había dicho a las mujeres que se quedaran alejadas del
fondo de la cueva, que ni siquiera miraran en aquella dirección.
Iza se dio cuenta de que Brun se llevaba a los hombres, pero
hizo como que no lo veía. Lo que hicieran era cosa suya. No
estaba segura de lo que le hizo alzar la mirada en el momento
en que dos hombres, con los rostros pintados de ocre rojo, se

abalanzaron hacia Ayla. Iza se dio cuenta de que se echaba a temblar: ¿qué podían tener que hacer con Ayla?

La muchacha no se había percatado siquiera de los hombres que iban con Brun. Estaba revolviendo entre canastos y recipientes de cuero tieso amontonados en una confusión total detrás del hogar que más lejos se encontraba de la salida de la cueva, buscando ñames. Al ver el rostro pintado de rojo del jefe que aparecía súbitamente frente a ella, dio un respingo de asombro.

—No resistas. No digas nada —le indicó Brun.

No se asustó mientras no le pusieron una venda sobre los ojos, pero se sintió petrificada al sentir que casi la alzaban del suelo mientras se la llevaban.

Los hombres sintieron aprensión al ver que Brun y Goov llevaban a la muchacha. No estaban más enterados que las mujeres de la razón por la cual se celebraba una ceremonia, pero a diferencia de ellas, los hombres sabían que su curiosidad sería finalmente satisfecha. Mog-ur sólo había advertido que nadie hiciera un solo ademán ni emitiera un sonido una vez que todos estuvieran sentados en círculo detrás de las piedras que habían sido traídas de la cámara, pero la advertencia cobró fuerza una vez que entregó dos largos huesos de oso cavernario a cada uno de los hombres, para que los cruzaran como una X ante sí. El peligro tenía que ser realmente grande para que necesitaran una protección tan extremada. Y empezaron a intuir cuál era el peligro al ver a Ayla.

Brun obligó a la hembra a sentarse en el espacio abierto del círculo, directamente frente a Mog-ur, y se sentó detrás de ella. A una seña del mago, Brun le retiró la venda. Ayla parpadeó para aclarar la vista: a la luz de las antorchas, podía ver a Mog-ur sentado detrás de una calavera de oso cavernario y a los hombres sosteniendo los huesos cruzados, y se encogió de temor, tratando de sumirse en el suelo.

"¿Qué he hecho yo? No he tocado una honda", pensaba, tratando de recordar si había cometido algún terrible delito que fuera la razón de su presencia allí. No se le ocurría qué podría haber hecho mal.

—No te muevas. No emitas un sonido —advirtió nuevamente Mog-ur.

No creía poder hacerlo aunque quisiera. Con los ojos muy abiertos, observaba al mago mientras éste se incorporaba, dejaba su cayado y comenzaba los movimientos formales que instaban a Ursus y los espíritus totémicos a velar sobre ellos. Muchos de los gestos le resultaban desconocidos, pero estaba contemplando con atención extasiada, no tanto por el significado de los símbolos que estaba trazando Mog-ur sino por el propio viejo mago.

Conocía a Creb, lo conocía bien: un viejo baldado que cojeaba torpemente al andar, inclinándose mucho sobre su cayado. Era la caricatura torcida de un hombre, con un lado de su cuerpo atrofiado, los músculos subdesarrollados por falta de uso, y el otro lado excesivamente desarrollado para compensar la parálisis que le obligaba a depender tan pesadamente de este lado. En el pasado, había observado sus graciosos ademanes cuando empleaba el lenguaje formal en ceremonias públicas, movimientos abreviados por la falta de un brazo y, sin embargo, de cierta manera sutil, cargados de delicadezas y complejidades y de un significado más pleno. Pero los movimientos del hombre que estaba en pie detrás de la calavera, ella había ignorado siempre que existieran.

Había desaparecido la torpeza; en su lugar había ritmos hipnóticamente poderosos de un movimiento que fluía suavemente, obligando a los ojos a fijar en él las miradas. El movimiento de la mano y las posturas sutiles no constituían una danza graciosa, aunque pareciera serlo; Mog-ur era un orador que hablaba con fuerza persuasiva y al que Ayla nunca había visto; y el gran hombre santo nunca era tan expresivo como cuando se dirigía al auditorio que, aun cuando invisible, le resultaba a veces más real que los humanos sentados frente a él. El Mog-ur del Clan del Oso Cavernario desplegó mayores esfuerzos aun cuando comenzó a dirigir su atención hacia los increíblemente venerables espíritus a los que deseaba apelar a esta ceremonia única.

—Espíritus los más Antiguos, Espíritus a los que no hemos invocado desde las primeras brumas de nuestros comienzos, prestadnos atención ahora. Os llamamos, os rendiremos pleitesía y os pediremos ayuda y protección. Grandes Espíritus de nombres tan venerables que son sólo un susurro de la memoria: despertad de vuestro profundo sueño y dejad que os honremos. Tenemos una ofrenda, un sacrificio para aplacar vuestros corazones antiguos; necesitamos vuestra sanción. Escuchad mientras pronunciamos vuestros nombres.

"Espíritu del Viento. ¡Oooha! —Ayla sintió un escalofrío a lo largo de su espina dorsal cuando Mog-ur dijo el nombre en voz alta—. ¡Espíritu de la Lluvia! ¡Zheena! ¡Espíritu de las Nieblas! ¡Eeesha! Atended a nuestro llamado. ¡Miradnos benévolamente!

JEAN M. AUEL

Tenemos con nosotros a una de las vuestras, a una que ha caminado con vuestras sombras y ha regresado, regresado por la
voluntad del Gran León Cavernario".

"Está hablando de mí —comprendió súbitamente Ayla—. Esto
es una ceremonia. ¿Qué estoy haciendo yo en una ceremonia?
¿Cuáles son esos espíritus? Nunca los he oído mencionar anteriormente. Los nombres son femeninos; yo creía que todos los
espíritus protectores eran masculinos". Ayla tiritaba de miedo
pero se sentía intrigada. Los hombres, sentados como las piedras que tenían por delante, tampoco habían oído hablar nunca
de los espíritus antiguos hasta que Mog-ur pronunció sus nombres, y sin embargo, éstos no les eran totalmente desconocidos.
Al oír los nombres antiguos despertaba una memoria igualmente
antigua que tenían escondida en lo más profundo de la mente.

—Los que más Honores han merecido en los Tiempos Antiguos, vosotros, los caminos de los espíritus nos son desconocidos porque sólo somos humanos, y no sabemos por qué esta
hembra ha sido escogida por uno tan poderoso, no sabemos por
qué la ha conducido a vuestros antiguos caminos, pero no lo
habremos de repudiar. El ha luchado por ella en el país de las
sombras, ha derrotado a los malignos y nos la ha devuelto para
que se aclaren sus deseos, para que se sepa que no habremos
de repudiarlo. ¡Oh poderosos Espíritus del Pasado! vuestros caminos han dejado de ser los del Clan, y sin embargo, lo fueron
otrora y deben serlo de nuevo para ésta, la que está sentada
con nosotros. Aceptadla. Protegedla y otorgad al clan vuestra
protección. —Mog-ur se volvió hacia Ayla—: Que avance la hembra— ordenó.

Ayla sintió que los fuertes brazos de Brun la alzaban del
suelo y la llevaban hacia delante hasta que se encontró frente
al gran mago. Jadeó al sentir que Brun agarraba un mechón de
sus largos cabellos rubios y llevaba su cabeza hacia atrás. Con
los ojos hacia abajo, vio que Mog-ur tomaba un cuchillo afilado
de su bolsa y lo alzaba muy por encima de la cabeza de ella:
aterrada, observó el rostro del tuerto que se acercaba, con el
cuchillo en alto, y casi perdió el conocimiento al ver cómo bajaba
rápidamente la punta afilada hacia su cuello descubierto.

Sintió un dolor agudo, más estaba demasiado asustada para
gritar. Pero Mog-ur sólo hizo una pequeñísima cortada en la
base de su garganta. El chorrito de sangre caliente fue rápidamente absorbido por un cuadro pequeño de suave piel de conejo. El mago esperó hasta que el cuadro estuvo empapado en

su sangre, limpió el corte con un líquido ardiente que sostenía Goov en un tazón; entonces Brun la soltó.

Fascinada, observó cómo Mog-ur ponía el cuadro empapado en sangre en un tazón de piedra, poco profundo, parcialmente lleno de aceite. El acólito entregó una pequeña antorcha al mago que con ella prendió el aceite del tazón y observó silenciosamente mientras la piel quemada se convertía en un tizón quebradizo con un olor fuerte y picante. Una vez que terminó de arder, Brun apartó el manto de la muchacha y dejó al descubierto su muslo izquierdo. Mog-ur metió el dedo en el residuo que había quedado en el tazón y tendió una línea negra por cada una de las cuatro largas cicatrices que tenía en la pierna. Ella se quedó mirando, pasmada: parecía una marca de tótem, cortada y pintada de negro durante la ceremonia que señalaba el paso de un muchacho a la edad adulta. Sintió que se la llevaban hacia atrás y vio que Mog-ur se dirigía nuevamente a los espíritus.

—Aceptad este sacrificio de sangre, Venerabilísimos Espíritus, y sabed que su tótem, el Espíritu del León Cavernario, es el que la ha escogido para seguir vuestros antiguos caminos. Sabed que os hemos honrado, sabed que os hemos rendido homenaje. Otorgadnos vuestro valimiento y regresad a vuestro sueño profundo, seguros de que vuestros caminos no han sido olvidados.

"Todo ha terminado" —pensó Ayla respirando fuertemente de alivio al ver que Mog-ur se sentaba de nuevo. Todavía no comprendía por qué la habían hecho participar en la insólita ceremonia. Pero no habían terminado aún con ella. Brun pasó delante de ella y le hizo señas de que se incorporara. Rápidamente, se puso en pie. El entonces metió la mano en un pliegue de su manto y sacó un óvalo pequeño de marfil pintado de rojo, cerrado de cerca de la punta de un colmillo de mamut.

—Ayla, por esta sola vez, mientras estamos bajo la protección de los Antiquísimos Espíritus, estás en condiciones de igualdad con los hombres. —Ella no estaba muy segura de comprender correctamente al jefe—. Una vez que abandones este lugar, no volverás a pensar nunca más en ti como una igual; eres hembra y siempre lo serás.

Ayla asentía su acuerdo con movimientos de la cabeza; seguro, ya sabía ella que era hembra, pero estaba intrigada.

—El marfil procede del colmillo del mamut que matamos. Fue una cacería muy afortunada; ningún hombre fue lastimado y sin embargo, derribamos a la enorme bestia. Este trozo ha sido san-

JEAN M. AUEL

tificado por Ursus, pintado con el rojo sagrado por Mog-ur, y es un potente talismán de caza. Cada uno de los cazadores del Clan lleva uno semejante en su amuleto, y todo cazador debe tener uno.

"Ayla: ningún muchacho se convierte en adulto antes de haber matado su primer animal, pero una vez que lo hace, no puede ser niño. Hace mucho tiempo, durante la época de los Espíritus que todavía se ciernen aquí cerca, las mujeres del Clan cazaban. No sabemos por qué tu tótem te ha conducido para que sigas esa senda antigua, pero no podemos repudiar al Espíritu del León Cavernario; hay que permitirlo. Ayla, has matado tu primer animal, ahora debes asumir las responsabilidades de un adulto. Pero eres mujer, no hombre, y siempre serás mujer en todos los aspectos menos uno: puedes usar la honda, Ayla, pero ahora serás la Mujer-Que-Caza".

Ayla sintió súbitamente una oleada de calor que se le subía al rostro. ¿Sería verdad? ¿Había comprendido bien a Brun? Por usar la honda había tenido que sufrir una ordalía a la que no creyó poder sobrevivir; ¿y ahora iban a permitirle usarla? ¿Permitirle cazar? ¿Abiertamente? Apenas podía creerlo.

—Este talismán es para ti. Guárdalo en tu amuleto.

Ayla tomó la bolsa que colgaba de su cuello y consiguió soltar los nudos con manos temblorosas. Tomó el óvalo de marfil pintado de rojo de manos de Brun y lo metió junto al trozo de ocre rojo y el molde fósil, cerrando después la bolsita de cuero y pasándose por la cabeza nuevamente la correa que lo sostenía.

—No se lo digas todavía a nadie. Lo anunciaré esta noche, antes del banquete. Es en tu honor, Ayla, en honor de tu primera matanza —dijo Brun—. Espero que la próxima sea algo más sabroso que una hiena —agregó con una chispa humorística en la mirada—. Ahora, date vuelta.

Hizo como le decían y sintió que le vendaban nuevamente los ojos; los dos hombres se la llevaron de regreso y le quitaron la venda. Ella vio que Brun y Goov regresaban al círculo de los hombres. ¿Estaría soñando? Tentó su garganta y sintió que ardía la herida donde Mog-ur la había cortado, entonces bajó la mano y sintió tres objetos dentro de su amuleto. Apartando su manto, se quedó mirando las líneas negras algo borrosas que cubrían sus cicatrices. "¡Cazadora! ¡Soy cazadora! Cazadora del Clan. Dijeron que mi tótem lo deseaba y que no podían repudiarlo". Cerró la mano sobre su amuleto, bajó los párpados y entonces comenzó a formar los gestos rituales.

"Gran León Cavernario ¿Por qué he dudado de ti? La maldición de muerte fue una dura prueba, la peor hasta ahora, pero tenía que serlo para obtener un don tan grande. Agradezco tanto que me hayas considerado digna. Sé que tenía razón Creb: mi vida nunca será fácil teniéndote a ti por tótem, pero siempre valdrá la pena de ser vivida".

La ceremonia había sido lo suficientemente efectiva para convencer a los hombres de que debía permitírsele cazar a Ayla... a todos menos uno. Broud estaba furioso. De no haber estado tan asustado por la advertencia de Mog-ur, habría abandonado la ceremonia. No quería tomar parte en nada que proporcionara privilegios especiales a aquella hembra. Miró sombríamente a Mog-ur, pero su rencor estaba especialmente dirigido contra Brun, y no podía aguantar la bilis.

"Es culpa suya —pensaba Broud—. Siempre la ha protegido, la ha favorecido. Me amenazó con la maldición de muerte sólo por haber castigado la insolencia de esa muchacha. A mí, el hijo de su compañera, y ella se lo merecía. Debería haberla maldecido como es debido, para siempre. Ahora va a dejar que cace, que cace como un hombre. ¿Cómo ha podido hacerlo? Bueno, Brun está envejeciendo; no será siempre jefe. Algún día yo seré jefe, y entonces veremos; entonces no lo tendrá para protegerla. Entonces ya verá cuáles serán sus privilegios; que trate nada más de salirse con su insolencia".

18

La Mujer-Que-Caza ganó su título completo durante el invierno en que se iniciaba el décimo año de su vida. Iza sintió una satisfacción interior así como cierta sensación de alivio al observar los cambios que se estaban produciendo en la muchacha, y que anunciaban el comienzo de la menarca. Las caderas de Ayla y las dos protuberancias que hinchaban su pecho, cambiando los contornos de su cuerpo recto, infantil, aseguraron a la mujer que su insólita hija no estaba condenada a seguir siendo niña por siempre, al final de cuentas. Pezones hinchados y un ligero plumón en el pubis y las axilas fueron seguidas por el primer flujo menstrual de Ayla; la primera vez que el espíritu de su tótem batalló con otro.

Ayla comprendía ahora que era poco probable que llegara a dar a luz; su tótem era demasiado fuerte. Deseaba un bebé —lo había deseado desde que nació Uba, un bebé propio para cuidarlo y amarlo—, pero aceptaba las pruebas y restricciones impuestas por el poderoso León Cavernario. Siempre disfrutaba cuidando a los nenitos y los niños del Clan que se hacía poco a poco más numeroso, cuando las madres estaban ocupadas, y sentía una punzada de remordimiento cuando iban con otra para mamar. Pero por lo menos ahora ya era mujer, no ya una niña más alta que una mujer.

Ayla experimentaba una sensación de identidad empática hacia Ovra, que había abortado otras cuantas veces, aunque el embarazo estaba menos avanzado, y con menos dificultades. El tótem de Ovra, el castor, también era demasiado feroz; la mujer parecía destinada a no tener hijos. Desde la cacería del mamut y especialmente después de que Ayla alcanzara la calidad de adulta, las dos jóvenes solían hacerce compañía mutuamente. La mujer tranquila no hablaba mucho —era de naturaleza reticente, a diferencia de la disposición abierta y amistosa de Ika—, pero entre Ayla y Ovra se desarrolló un entendimiento que fue madurando en una amistad estrecha y que se extendió para incluir a Goov. La amistad entre el joven acólito y su compañera era visible para todos; eso hacía de Ovra el objeto de mucha lástima. Puesto que su compañero era tan bondadoso y comprensivo respecto a la incapacidad en que estaba de darle un hijo, comprendían que ella anhelaba aún más tenerlo.

Oga estaba nuevamente encinta, con gran deleite de Broud. Había quedado embarazada poco después de destetar a Brac, al cumplir éste los tres años. Parecía que iba a ser tan prolífica como Ika y Aga. Droog estuvo seguro de que el hijo de Aga, que tenía ya dos años, iba a ser el tallador que anhelaba, cuando encontró al niño golpeando dos piedras, una contra otra. Encontró una piedra-martillo que se ajustara a la manecita regordeta de Groob, y le permitió jugar cerca de él mientras trabajaba, golpeando trozos rotos de sílex imitando al tallador. Igra, hija de Ika, tenía ya dos años y prometía tener tan buen carácter como su madre: era una nenita alegre, regordeta y amigable que encantaba a todos. El Clan de Brun estaba aumentando.

Ayla pasó los días indicados a principios de la primavera, lejos del Clan; tal era la maldición obligatoria de la mujer, y se fue a la cuevita de su retiro. Después de la maldición mucho más traumática de muerte, resultaba casi unas vacaciones. Aprovechó el tiempo para hacer lo que se le antojaba y para perfeccionar su lanzamiento después del largo invierno, aunque tenía que recordar a cada momento que ya no había por qué mantenerlo secreto. Aunque poco le costaba conseguir alimentos, esperaba con ansia las visitas cotidianas de Iza en un lugar previamente estipulado, cerca de la cueva del Clan. Iza le llevaba más comida de la que podía comer, pero más aún: le llevaba compañía. Todavía le resultaba difícil pasar las noches sola, aunque saber que el ostracismo iba a ser limitado, de corta duración, se lo facilitaba un poco.

A menudo se quedaban juntas hasta que oscurecía, y Ayla tenía que emplear una antorcha para regresar. A Iza nunca se le pasó la desconfianza de la piel de venado que Ayla se había hecho mientras estaba "muerta", de modo que la joven decidió

JEAN M. AUEL

dejarla en la cueva. Ayla se enteró por su madre de las cosas
que necesita saber una mujer, como todas las demás. Iza le
dio las tiras de piel suave y absorbente que se llevaban sujetas
por una correa alrededor de la cintura, y le explicó los símbolos que debía una hacer al enterrar las tiras manchadas de
sangre, muy profundamente en la tierra. Se le dijo la posición
que convenía adoptar si un hombre decidía aliviar sus necesidades con ella, los movimientos que haría y cómo limpiarse
después. Ahora Ayla era un mujer; podría verse llamada a cumplir todas las funciones de una hembra adulta miembro del Clan.
Hablaban de muchas cosas que interesan a las mujeres, aun
cuando algunas ya le eran conocidas debido a su adiestramiento médico. Hablaron del parto, la lactancia y la medicina para
aliviar los calambres. Iza explicó las posiciones y los movimientos que se consideraban seductores entre los hombres del
Clan, las maneras en que una mujer puede alentar a un hombre
para que éste desee aliviar sus necesidades con ella. Hablaron
de las responsabilidades de la mujer apareada. Iza dijo a Ayla
todo lo que su madre le había dicho a ella, pero en lo particular
se preguntaba si una muchacha tan fea necesitaría saber tantas
cosas algún día.

Había un tema en el cual nunca abundó Iza. La mayoría de
las jóvenes, al convertirrse en mujeres, solían haberle echado
el ojo a un joven en particular. Aunque ni una muchacha ni su
madre tenían derecho a opinar en la materia directamente, si
ésta se llevaba bien con su compañero, podía hablarle de los
deseos de su hija. El compañero, si quería, podía hacérselos
saber al jefe, que era quien tenía la última palabra. De no haber
nada más que tomar en cuenta, y especialmente si el joven en
cuestión había mostrado interés por la muchacha, el jefe podía
permitir que prevalecieran los deseos de la joven.

No siempre, y desde luego no en el caso de Iza, pero el
tema de los compañeros nunca surgió entre Iza y Ayla, aun
cuando solía ser uno que tenía muchísimo interés para una joven núbil. No había hombre solo en el Clan. Sin contar que Iza
estaba segura de que, de haber habido alguno, no habría querido
a Ayla, así como ninguno de los hombres del Clan la quería
como segunda mujer. Y la propia Ayla no estaba interesada en
ninguno de ellos. Ni siquiera había pensado en un compañero
hasta que Iza habló de las responsabilidades de la mujer apareada. Pero pensó en ello más adelante.

EL CLAN DEL OSO CAVERNARIO

Una soleada mañana de primavera, poco después de su regreso, Ayla fue a llenar una bolsa de agua a la poza alimentada por el río, cerca de la cueva. Todavía nadie había salido; se arrodilló y se inclinó, a punto de meter la bolsa, y se detuvo súbitamente. El sol matutino lanzaba rayos oblícuos a través del agua quieta y convertía su superficie en un espejo. Ayla se quedó mirando el curioso rostro que la miraba desde la poza; nunca anteriormente se había visto reflejada. La mayor parte del agua cerca de la cueva consistía en ríos, y por lo general sólo miraba la poza después de haber sumido el recipiente que deseaba llenar, perturbando la superficie tranquila.

La joven estudió su rostro. Era algo cuadrado con una quijada bien marcada, modificada por mejillas todavía redondeadas por su corta edad, pómulos altos y un cuello largo y suave. Su barbilla tenía un asomo de hendidura, sus labios eran llenos y su nariz recta y finamente cincelada. Ojos claros, de un gris azulado, perfilados por largas pestañas un poco más oscuras que el cabello dorado que caía en ondas suaves y abundantes muy por debajo de los hombros, brillantes con los reflejos del sol; cejas del mismo matiz que las pestañas, arqueadas por encima de sus ojos en una frente suave, recta y alta sin el menor indicio de arcos ciliares protuberantes. Ayla se echó hacia atrás y corrió a la cueva.

—Ayla ¿qué sucede? —preguntó Iza por señas; era obvio que algo perturbaba a su hija.

—¡Madre! Acabo de verme en la poza: soy tan fea. ¡Oh, madre! ¿Por qué soy tan fea? —fue la respuesta. Y rompió en llanto en brazos de la mujer. Desde donde comenzaban sus recuerdos, Ayla no había visto nunca a nadie que no perteneciera al Clan. No tenía otra norma de comparación. Ellos se habían acostumbrado a ella, pero ahora ella se veía diferente de todos, anormalmente diferente.

—¡Ayla, Ayla! —Iza trataba de calmarla, abrazándola.

—Madre, yo no sabía que era tan fea. No lo sabía. ¿Qué hombre me va a querer? Nunca tendré compañero. Y nunca tendré un bebé . . . nunca lo voy a tener. ¿Por qué tengo que ser tan fea?

—No sé yo si eres realmente tan fea, Ayla: eres diferente.

—¡Soy fea! ¡Soy fea! —y Ayla meneaba la cabeza, negándose al consuelo—. ¡Mírame! Soy demasiado alta, soy más alta que Broud y Goov. ¡Casi soy tan alta como Brun! Y soy fea. Soy alta y fea y nunca tendré compañero —señaló, sollozando de nuevo.

—¡Ayla! ¡Basta! —ordenó Iza, sacudiéndola por los hombros—. No tienes la culpa por el aspecto que tienes. No naciste en el Clan, Ayla, naciste de los Otros, y te pareces a ellos. No puedes cambiarlo, tienes que aceptarlo. Es cierto que tal vez nunca tengas compañero; eso no tiene remedio y también debes aceptarlo. Pero no es seguro, no hay que desesperar. Pronto serás curandera, una curandera de mi linaje. Aun cuando no tengas compañero, no serás una mujer sin posición, sin valor.

"El verano que viene se celebrará la Reunión del Clan. Habrá muchos clanes allí; el nuestro no es el único Clan, ya lo sabes. Puedes encontrar un compañero en uno de los otros clanes. Quizá no uno joven o que tenga posición elevada, pero un compañero. Zoug te aprecia mucho; tienes suerte de que tenga tan buena opinión de ti. Ya le ha dado a Creb un mensaje que llevar consigo. Zoug tiene parientes en otro Clan; ha dicho a Creb que les diga cuánto te estima; cree que puedes ser una buena compañera para alguno; inclusive ha dicho que, de ser más joven, él mismo te habría tomado. Recuérdalo: éste no es el único Clan, y éstos no son los únicos hombres que hay en el mundo".

—¿Zoug ha dicho eso? ¿A pesar de que soy tan fea? —señaló Ayla, con una expresión esperanzada en los ojos.

—Sí, eso dijo Zoug. Con su recomendación y la posición de mi estirpe, estoy segura de que habrá algún hombre que te acepte, aun cuando tu aspecto sea distinto.

La sonrisa trémula de Ayla se borró.

—Pero ¿No significaría eso que tendría que alejarme? ¿Vivir en otro lugar? No quiero separarme de ti ni de Creb ni de Uba.

—Ayla, yo soy vieja. Creb tampoco es joven, y dentro de unos años Uba será una mujer y estará apareada. Y entonces ¿Qué vas a hacer? —Iza siguió expresándose por gestos—. Algún día Brun transmitirá el mando a Broud. No creo que debas seguir viviendo con este Clan cuando Broud sea el jefe. Creo que podría ser mejor que te alejaras, y la Reunión del Clan pudiera ser tu oportunidad.

—Supongo que tienes razón, madre. No creo que me guste vivir aquí cuando Broud sea jefe, pero odio la idea de abandonarte —dijo, frunciendo el ceño, pero de repente se le iluminó el rostro—: Pero para el verano que viene falta todo un año. No tengo que preocuparme hasta entonces.

"Todo un año —pensó Iza—. Mi Ayala, mi niña..Quizá tendrás que llegar a mi edad para saber lo rápidamente que transcurre un año. ¿No quieres dejarme? No sabes cuánto te echaré de menos. ¡Si por lo menos hubiera un hombre en este Clan que te aceptara! ¡Si Broud no fuera a convertirse en el siguiente jefe!"

Pero la mujer no dejó que Ayla adivinara sus pensamientos mientras se secaba los ojos y regresaba a la poza. Esta vez, no volvió a mirarse.

Aquella misma tarde, Ayla estaba sentada a la orilla del bosque mirando la cueva a través de la maleza. Había varias personas fuera, trabajando o charlando. Ajustó los dos conejos que estaban colgados de su hombro, miró la honda metida en la correa de su cintura, la metió en un pliegue de su manto y después la sacó y volvió a colgarla de su cinturón a al vista de todos. Miró nuevamente hacia la cueva, arrastrando los pies.

"Brun dijo que podía —pensó—. Hubo una ceremonia para que yo pudiera. Soy cazadora, soy la Mujer-Que-Caza". Ayla alzó la barbilla y salió de detrás de la pantalla de follaje que la disimulaba.

Durante un prolongado momento, todos los que estaban fuera de la cueva se detuvieron y se quedaron mirando a la joven que avanzaba hacia ellos con dos conejos al hombro. En cuanto superaron la sorpresa y se dieron cuenta de que estaban demostrando malos modales, desviaron la mirada. El rostro de Ayla ardía, pero siguió caminando hacia delante con una determinación tesonera, ignorando las miradas de soslayo. Se sintió aliviada al alcanzar la cueva después de haber pasado por baquetas entre miradas escandalizadas, y agradeció el interior fresco y oscuro. Era más fácil ignorar las miradas de la gente que estaba dentro.

También los ojos de Iza se abrieron muy grandes cuando Ayla llegó al hogar de Creb, pero se recuperó rápidamente y miró hacia otro lado sin tomar en cuenta los conejos. No sabía qué decir. Creb estaba sentado en su piel de oso, meditando visiblemente, y no pareció fijarse en ella. La había visto llegar a la cueva, y para cuando la joven se acercó al hogar, se las había arreglado para poner cara de palo. Nadie dijo nada cuando dejó los animales en el suelo junto a la lumbre. Poco después llegó Uba a todo correr, y no tuvo empacho en reaccionar abiertamente.

—¿De veras los cazaste tú sola, Ayla? —preguntó.

—Sí —contestó Ayla asintiendo con la cabeza.

—Parecen dos bonitos y gordos conejos. ¿Los vamos a cenar, madre?

—Sí, bueno, supongo que sí —respondió Iza, todavía confusa e insegura.

—Voy a despellejarlos —dijo rápidamente Ayla, sacando el cuchillo. Iza observó un instante, después avanzó y le quitó el cuchillo de la mano.

—No, Ayla, tú los cazaste, yo los desollaré.

Ayla retrocedió mientras Iza despellejaba los conejos, los ensartaba rápidamente y los ponía a asar; la joven estaba tan incómoda como su madre.

—Ha sido una buena cena, Iza —declaró más tarde Creb, evitando aún comentar la caza de Ayla, pero Uba no puso tantos reparos.

—Han sido buenos conejos, Ayla, pero otro día ¿Por qué no tratas de conseguirnos perdiz blanca? —le dijo. Uba compartía la predilección de Creb por las gruesas aves de patas emplumadas.

La vez siguiente que Ayla llevó su caza a la cueva no causó tanta sensación, y al cabo de poco tiempo se hizo costumbre que saliera a cazar. Con un cazador en su hogar, Creb redujo la parte que tomaba de los demás cazadores, excepto cuando se trataba de los animales grandes que sólo los hombres cazaban.

Fue una primavera muy ajetreada para Ayla. Su parte del trabajo de las mujeres era el mismo aunque tenía que cazar, además de su tarea de recoger hierbas para Iza. Pero a Ayla le gustaba, estaba llena de energías, y se sentía más feliz que nunca. Le alegraba poder cazar sin ocultarse, estar otra vez con el Clan, y ser por fin una mujer, además de la satisfacción que le proporcionaban las relaciones más estrechas que estaba trabando con las otras mujeres.

Uka y Ebra la aceptaban, aunque las dos mujeres mayores nunca pudieron olvidar que era diferente; Ika siempre se había mostrado amigable; en cuanto a las actitudes de Aga y su madre, se habían invertido del todo desde que había salvado de ahogarse a Ona. Ovra se había convertido en confidente, y Oga simpatizaba a pesar de Broud. El ardor adolescente que sintió Oga por el hombre se había moderado; era ya un hábito indiferente, enfriado por los años de convivir con los impredecibles arranques de su compañero. Pero el odio vengativo de Broud por Ayla aumentó cuando ésta fue aceptada como cazadora. Seguía buscando la manera de desesperarla, tratando de hacerla reaccionar. Su acoso se había convertido en una manera de vivir a la que la joven se había acostumbrado y que la dejaba inconmovible. Había empezado a creer que aquel hombre no volvería a perturbarla más.

La primavera estaba en plena floración el día que Ayla decidió salir a cazar perdiz blanca para guisar el manjar predilecto de Creb. Pensó ver lo que estaba creciendo para reabastecer la farmacopea de Iza, ya que andaba por ahí. Pasó la mañana recorriendo la campiña próxima, y después se dirigió a una ancha pradera cerca de la estepa. Levantó un par de aves que volaban bajo y las derribó con rápidas piedras antes de ponerse a buscar entre las altas hierbas con la esperanza de hallar un nido y tal vez algunos huevos. A Creb le gustaban las aves rellenas con sus propios huevos en un nido de verduras y hierbas comestibles. Exclamó gozosamente al descubrirlo, y envolvió cuidadosamente los huevos en musgo suave, antes de guardarlos en un profundo pliegue de su manto. Estaba contenta de sí misma. Por pura exberancia, corrió rápidamente a través de la pradera y se detuvo, sin aliento, arriba de una loma cubierta de nueva hierba verde.

Arrojándose al suelo, comprobó que sus huevecillos estuvieran intactos y se puso a comer un trozo de carne seca. Observó una alondra de la pradera de pechuga amarilla que lanzaba su trino gloriosamente desde un punto elevado y levantaba el vuelo sin dejar de cantar. Un par de gorriones de corona dorada, gorjeando su tonada sombría de notas descendentes, revoloteaban entre las zarzamoras a la orilla del campo. Otro par de pajarillos de cabeza negra y manto gris que cantaban "chicadidí", llamados carboneros, volaban rápidamente entrando y saliendo, pues tenían su nido en el agujero de un abeto cerca de un arroyuelo que serpenteaba entre la densa vegetación al pie de la loma. Abadejos pequeñitos y vivos regañaban a los demás mientras llevaban ramitas y musgo seco a una cavidad, donde estaban haciendo su nido, dentro de un viejo manzano retorcido que demostraba su juvenil fecundidad con una floración sonrosada.

A Ayla le encantaban aquellos momentos de soledad. Tendida al sol, sintiéndose descansada y contenta, no pensaba en nada en particular como no fuera en la belleza del día y lo dichosa que se sentía. Ni siquiera sospechaba que alguien más estuviera cerca, hasta que vio una sombra caer sobre la tierra delante de ella. Sobresaltada, alzó la mirada hasta encontrar el rostro malévolo de Broud.

No se había proyectado ir de cacería aquel día, y Broud decidió salir solo a cazar. No había mostrado mucho afán; su salida había sido más bien un pretexto para dar un paseo en un cálido día de primavera que para buscar una carne que no necesitaba realmente. Había visto a Ayla descansando en la loma desde lejos, y no podía dejar pasar la oportunidad de echarle en cara su pereza, por sorprenderla sentada sin hacer nada.

Ayla dio un brinco al verlo, pero eso lo fastidió: era más alta que él y no le gustaba levantar la vista para mirar a una mujer. Le hizo señas de que se sentara y se preparó para reprenderla enérgicamente. Pero al sentarse de nuevo, la mirada indiferente, sumisa que volvía vidriosos los ojos de la joven lo irritó más aún. Habría querido encontrar un medio para lograr que tuviera alguna reacción. En la cueva, por lo menos podía ordenarle que hiciera algo para él y verla brincar para cumplir sus órdenes.

Miró a su alrededor, después a la mujer sentada a sus pies que esperaba, sin alterar su compostura, que le echara una reprimenda y se fuera. "Es peor que nunca desde que se ha convertido en mujer —pensó el hombre—. La Mujer-Que-Caza... ¿Cómo pudo hacer Brun semejante cosa?" Observó las perdices blancas que tenía y recordó sus propias manos vacías. "Hasta la mirada de su feo rostro es insolente; está orgullosa porque ha cazado y yo no. ¿Qué podría obligarla a hacer? Aquí no hay nada que pueda mandarle traer. Espera... ahora es mujer ¿No? Pues hay algo que puedo obligarla a hacer".

Broud le hizo una seña, y los ojos de Ayla se abrieron muy grandes. Era inesperado. Iza le había dicho que los hombres sólo deseaban eso de las mujeres a las que consideraban atrayentes; ella sabía que Broud la consideraba fea. Broud no había pasado por alto la sorpresa escandalizada de Ayla, y su reacción lo animó. Volvió a hacerle la seña, imperiosamente, para que adoptara la posición de modo que él pudiera aliviar sus necesidades, la posición del comercio carnal.

Ayla sabía lo que se esperaba de ella; no sólo se lo había explicado Iza: ella misma había visto a miembros adultos del Clan entregados a esa actividad; todos los niños lo veían; no había restricciones artificiales en el Clan. Los niños aprendían el comportamiento de los adultos imitando a sus padres, y el comportamiento sexual era sólo una de las muchas actividades que copiaban. Eso siempre intrigaba a Ayla, se preguntaba por qué lo hacían, pero no le perturbaba ver que un muchachito brincara inocentemente sobre una niña, en una imitación consciente de los adultos.

A veces no era imitación. Muchas muchachitas del Clan eran desfloradas por muchachos púberes que estaban todavía entre el ser-casi-hombre en vísperas de su primera matanza; y a veces un hombre, atraído por una joven coqueta, se complacía con una hembra todavía-no-mujer. La mayoría de los jóvenes, sin embargo, consideraban que jugar con sus antiguas compañeritas estaba por debajo de su dignidad.

Pero Ayla no había tenido más compañero de juegos que Vorn, más o menos de su misma edad, y desde los primeros tiempos en que Aga desalentó activamente su asociación, nunca se había desarrollado un contacto estrecho entre ambos. Ayla no simpatizaba mucho con Vorn, quien imitaba las acciones de Broud hacia ella. A pesar del incidente en el campo de prácticas, el muchacho seguía idolatrando a Broud, y Vorn no iba a jugar "aparearse" con Ayla. No había nadie más que pudiera haberlo hecho, de modo que nunca se había dedicado a imitar el acto.

Dentro de una sociedad que practicaba el sexo con la misma naturalidad que la respiración, Ayla seguía siendo virgen.

La joven se sintió incómoda; sabía que debía someterse, pero se sentía turbada y Broud lo estaba disfrutando. Se alegró de que se le hubiera ocurrido; finalmente, había derribado sus defensas. Lo excitaba verla tan confusa y desconcertada, y eso le inspiró el deseo. Se acercó mientras ella se ponía en pie antes de arrodillarse. Ayla no estaba acostumbrada a que los hombres del Clan se acercaban tanto a ella. La fuerte respiración de Broud la asustó; la joven vaciló.

Broud se impacientó, la empujó, y apartó su propio manto exponiendo su órgano, grueso y oscilante. ¿Qué esperaba la joven? "Es tan fea que debería sentirse halagada; ningún otro hombre la querría" —pensó Broud con enojo, arrebatando el manto de ella para quitárselo de delante a medida que aumentaba su necesidad.

Pero cuando Broud se aproximaba a ella, algo pasó: Ayla no podía hacerlo. ¡No podía! La razón la abandonó; no importaba que tuviera la obligación de obedecerle; se puso en pie y echó a correr, pero Broud fue demasiado rápido. La agarró, la arrojó al suelo y le golpeó la cara, cortándole el labio con su rudo puño. Empezaba a disfrutar. Demasiadas veces se había dominado cuando deseaba golpearla, pero ahora no había allí nadie para detenerlo. Y tenía justificada razón: le estaba desobedeciendo, desobedeciendo activamente.

Ayla estaba frenética; trató de levantarse y él volvió a golpearla. Estaba consiguiendo una reacción tal como nunca la esperara, y eso despertaba en él una lujuria mayor. Iba a amedrentar a aquella hembra insolente. La golpeó una y otra vez, y sintió una enorme satisfacción al sentir que la joven se encogía cuando iba a golpearla de nuevo.

La cabeza de ella zumbaba, la sangre le corría por la nariz y la comisura de la boca. Trató de incorporarse, pero él la retuvo tendida. Luchó contra él, golpeándole el pecho con los puños, sin hacer mella en su cuerpo musculoso, pero aquella resistencia provocó una mayor lujuria aún. Nunca se había sentido tan estimulado... la violencia incrementaba su pasión y la lujuria daba mayor fuerza a sus golpes. Se deleitaba en su resistencia y la volvió a abofetear.

Ella estaba inconsciente cuando la tumbó boca abajo, hizo a un lado febrilmente su manto y le apartó las piernas. Con una dura embestida, penetró profundamente. Ella gritó de dolor; eso le causó más placer aún, y se lanzó de nuevo, sacándole otro grito de dolor, y una vez más, y otra. La intensidad de su excitación lo impelía, elevándose rápidamente a cimas insoportables. Con un último fuerte impulso que provocó un alarido final de agonía, expulsó su calor acumulado.

Broud quedó tendido un instante sobre ella, privado de energías. Entonces, respirando aún fuertemente, se retiró. Ayla sollozaba incoherentemente. La sal de sus lágrimas quemaba las heridas de su rostro cubierto de sangre. Tenía un ojo hinchado, casi cerrado y amoratándose. Sus muslos estaban manchados de sangre y por dentro le dolía muchísimo. Broud se incorporó y se quedó mirándola; se sentía a gusto, nunca había gozado tanto penetrando en una mujer. Recogió sus armas y tomó nuevamente el camino de la cueva.

Ayla se quedó tendida con la cara sobre la tierra mucho después de haber dejado de sollozar. Finalmente, se enderezó. Se tocó la boca, la sintió hinchada, y miró la sangre que manchaba sus dedos. Todo su cuerpo le dolía, por dentro y por fuera. Vio que había sangre entre sus muslos y sobre la hierba. "¿Estará luchando nuevamente mi tótem? —se preguntó—. No, no lo creo, no es el momento. Será que Broud me ha herido. No sabía que también podía golpearme por dentro. Pero a las demás mujeres no les hace daño. ¿Por qué tiene que herirme el órgano de Broud? ¿Tendrá mi cuerpo algo que no está bien?"

Lentamente se puso en pie y caminó hasta el arroyo, y cada paso le dolía. Se lavó pero eso no sirvió para mitigar el dolor palpitante ni el torbellino que tenía en la cabeza. "¿Por qué ha querido Broud que yo haga eso? Iza dice que los hombres quieren aliviar sus necesidades con mujeres atrayentes. Yo soy fea. ¿Por qué iba un hombre a querer lastimar a una mujer que le guste?

Pero también a las mujeres les gusta; si no ¿Por qué habían de hacer gestos para alentar a los hombres? ¿Cómo puede gustarles a ellas? A Oga no le importa cuando se lo hace Broud, y lo hace diariamente y en ocasiones varias veces al día".

De repente, Ayla se sintió horrorizada. "¡Oh, no! ¿Y si Broud quiere que lo vuelva a hacer? No regresaré. No puedo regresar. ¿Adónde podría ir? ¿Mi cuevita? No, está muy cerca y ahí no puedo pasar el invierno. Tengo que regresar, no puedo vivir sola; ¿adónde podría ir? Y no puedo dejar a Iza, a Creb y Uba. ¿Qué voy a hacer? Si Broud quiere, no puedo negárselo. Ninguna de las demás mujeres lo intentaría siquiera. ¿Qué tengo de malo? Nunca quiso cuando todavía era una muchacha. ¿Por qué tuve que convertirme en mujer? ¡Y yo que me sentía tan feliz! Ahora no me importaría seguir siendo niña toda la vida. ¿De qué sirve ser mujer si no se puede tener un bebé? Especialmente ¿Si un hombre le puede hacer a una semejante cosa? ¿De qué sirve? ¿Para qué?"

El sol estaba ya en el ocaso cuando bajó penosamente de la loma en busca de sus perdices. Los huevos, tan cuidadosamente guardados, estaban rotos, y habían manchado la delantera de su manto. Miró de nuevo el arroyo y recordó lo feliz que se había sentido observando a los pajarillos. Le parecía que habían transcurrido eras, otros tiempos, otro lugar. Se arrastró de regreso a la cueva, temiendo el dolor que le causaba cada paso.

Mientras Iza veía que el sol se ponía detrás de los árboles al oeste, se preocupó más. Recorrió en parte todos los senderos del bosque cercano y hacia el reborde, para ver la pendiente que bajaba a la estepa. "Una mujer no debería salir sola; nunca me agrada cuando sale Ayla a cazar —pensaba Iza—. ¿Y si la atacara algún animal? ¿Tal vez esté herida?" También Creb estaba preocupado, aunque trataba de no mostrarlo. El propio Brun comenzó a preocuparse a medida que se hacía de noche. Iza fue la primera en verla acercarse a la cueva desde el reborde. Iba a regañarla por haberle causado tanta preocupación, pero se detuvo antes de hacer el primer gesto.

—¡Ayla! ¡Estás lastimada! ¿Qué ha pasado?

—Broud me ha golpeado —señaló, con expresión sombría.

—Pero ¿Por qué?

—Porque le he desobedecido —indicó por gestos la joven mientras entraba en la cueva y se dirigía directamente al hogar.

—"¿Qué puede haber sucedido? —se preguntaba Iza—. Ayla no ha desobedecido a Broud en años. ¿Por qué había de rebelarse ahora contra él? ¿Y por qué no me dijo él que la había visto, al verme tan preocupada? Está de regreso desde mediodía ¿Por qué llega Ayla tan tarde?'' Iza echó una mirada en dirección del hogar de Broud, y lo vio mirando por encima de los límites de piedras a Ayla, contra lo que dictaban los buenos modales, con una sonrisa llena de vanidad y deleite en el rostro.

Creb había captado toda la escena: el rostro golpeado, hinchado de Ayla y su aspecto de desolación total, la vigilancia a que la tenía sometida Broud desde el momento en que llegó, mirándola con una sorna arrogante. Sabía que el odio de Broud había crecido con los años —la obediencia plácida de Ayla parecía afectarlo más que su rebeldía infantil— pero algo había sucedido que daba a Broud la sensación de dominar a la joven. Por muy perspicaz que fuera Creb, no podría haber adivinado cuál era la causa.

Ayla temía abandonar el hogar a la mañana siguiente, y se quedó demorada con el desayuno mientras pudo. Broud la estaba esperando. De sólo pensar en su intensa excitación de la víspera, había vuelto a excitarse y estaba preparado. Al hacerle éste la señal, la joven sintió el deseo de volverse corriendo, pero se obligó a adoptar la posición. Trató de contener sus gritos, pero el dolor la hizo darlos, atrayendo miradas sorprendidas de los que se encontraban cerca. No comprendían por qué lloraría de dolor como tampoco podían comprender el interés súbito que había despertado en Broud.

Broud se deleitaba en su recién descubierto dominio en Ayla, poniéndola frecuentemente en la obligación de servirlo, aunque muchas personas no comprendían por qué escogería a la mujer fea que aborrecía y no a su guapa compañera. Al cabo de cierto tiempo dejó de dolerle, pero a Ayla le resultaba odioso; y precisamente su odio era lo que Broud disfrutaba. La había puesto en su lugar, había logrado superarla y, finalmente, había hallado la manera de obligarla a reaccionar ante él. No importaba que la respuesta fuera negativa, en verdad, lo prefería así. Quería verla asustada, ver su temor, ver que se sometía a él por la fuerza. De sólo pensarlo se sentía estimulado. Siempre había tenido un fuerte impulso sexual; ahora era más sexualmente activo que nunca. Todas las mañanas, cuando no iba de cacería, se quedaba esperándola, y por lo general, volvía a forzarla por la noche, y en ocasiones también a mediodía. Inclusive se sentía excitado de noche, y usaba a su compañera para aliviarse. Era joven y saludable, estaba en la cima de sus hazañas sexuales, y cuanto más intensamente lo aborrecía Ayla, mayor placer sacaba de ella.

Ayla perdió su brillantez. Estaba desanimada, sombría, no respondía a nada. La única emoción que experimentaba era un odio avasallador hacia Broud y su penetración cotidiana. Como un enorme ventisquero que se apodera de toda la humedad de la tierra que lo rodea, su odio y amarga frustración anulaban todos los demás sentimientos.

Siempre había sido aseada, lavándose y lavando sus cabellos en el río para no tener piojos, inclusive llevaba grandes tazones de nieve que dejaba junto al fuego siempre prendido, de modo que se derritiera y le proporcionara agua fresca en invierno. Ahora sus cabellos colgaban sin vida en marañas grasientas, y llevaba el mismo manto día tras día, sin tomarse la molestia de limpiar las manchas ni de ventilarlo. Se rezagaba en sus tareas, hasta el punto de que hombres que nunca antes la habían regañado, empezaron a reprenderla. Perdió todo interés en las medicinas de Iza, dejó de hablar, como no fuera para responder a preguntas directas, salía pocas veces de cacería, y cuando volvía solía ser con las manos vacías. Su melancolía tenía desalentados a todos los que compartían el hogar de Creb.

Iza no podía más de tanta preocupación; no entendía el cambio drástico que se había operado en Ayla. Sabía que se debía al interés inexplicable que Broud le testimoniaba, pero por qué iba a tener semejante efecto era algo que no podía explicarse. Daba vueltas alrededor de Ayla, vigilándola sin cesar, y cuando la joven empezó a sentirse mal por las mañanas, tuvo miedo de que algún espíritu maligno que se le hubiera metido dentro estuviera ganando terreno.

Pero Iza era una curandera experimentada; fue la primera en fijarse que Ayla no se mantenía en el aislamiento nominal exigido de las mujeres cuando sus tótemes combatían, y observó de más cerca a su hija adoptiva. Apenas podía creer lo que venía sospechando, pero cuando pasó otra luna y el verano estuvo derrochando su tremendo calor, Iza se convenció. Una tarde, mientras Creb estaba fuera del hogar, hizo señas a Ayla.

—Quiero hablarte.

—Sí, Iza —fue la respuesta de Ayla, que se levantó con esfuerzo de sus pieles y se dejó caer en la tierra junto a la mujer.

—¿Cuándo fue la última vez que batalló tu tótem, Ayla?

—No sé.

—Ayla, quiero que reflexiones sobre esto: ¿Han combatido los espíritus dentro de ti desde que cayeron las flores?

La joven trató de recordar.

—No estoy segura, quizá una vez.

—Es lo que yo pensaba —dijo Iza—. Tienes náuseas por la mañana, ¿no es cierto?

—Así es —respondió la joven con una inclinación de la cabeza. Ayla pensaba que se debía a que cuando Broud no salía de caza por la mañana, la estaba esperando, y lo odiaba tanto que no podía conservar dentro el desayuno, y a veces tampoco la cena.

—¿Has sentido los pechos doloridos?

—Un poco.

—¿Y han crecido también, ¿verdad que sí?

—Creo que sí. ¿Por qué preguntas? ¿Por qué este interrogatorio?

La mujer se quedó mirándola con expresión grave.

—Ayla, no sé cómo habrá sucedido, apenas puedo creerlo pero estoy segura de que es verdad.

—¿Verdad?, ¿el qué?

—Tu tótem ha sido derrotado; vas a tener un bebé.

—¿Un bebé? ¿Yo? No puedo tener un bebé —protestó Ayla—, mi tótem es demasiado fuerte.

—Ya lo sé, Ayla. No puedo entenderlo, pero vas a tener un bebé —repitió Iza.

Una expresión de sorpresa maravillada llenó los ojos mortecinos de Ayla.

—¡Será posible! ¿Puede ser realmente posible? ¿Yo, tener un bebé? ¡Oh, madre, qué maravilla!

—Ayla, no estás apareada, no creo que haya un hombre del Clan que te quiera aceptar, ni siquiera como segunda mujer. No puedes tener un hijo sin tener compañero, podría ser mala suerte —gesticuló seriamente Iza—. Será mejor que tomes algo para perderlo; creo que lo mejor sería el muérdago. Ya sabes, la planta con las bayas blancas y pequeñitas que crece muy alto en el roble. Es muy eficaz, y si se maneja debidamente no resulta demasiado peligroso. Te haré un té con las hojas y poquitas bayas. Ayudará a tu tótem a expulsar la nueva vida. Te sentirás un poco enferma, pero...

—¡No! ¡No! —Ayla meneaba negativamente la cabeza con gran vigor—. No, Iza: no quiero tomar muérdago .No quiero tomar nada

para perderlo. Madre: quiero un nenito. Lo he deseado desde que
nació Uba. Nunca creí que fuera posible.

—Pero Ayla, ¿y si el bebé tuviera mala suerte? Inclusive podría nacer deforme.

—No tendrá mala suerte, no lo permitiré. Lo prometo. Me voy
a cuidar mucho para que sea saludable. ¿No decías que un tótem
fuerte ayuda a tener un bebé saludable, una vez que ha sucumbido? Y lo cuidaré mucho después de nacido. No permitiré que
suceda nada. Iza, debo tener ese bebé. ¿No lo comprendes? Es
posible que mi tótem nunca vuelva a ser derrotado. Esta puede
ser mi única oportunidad.

Iza miró los ojos suplicantes de la joven; era la primera chispa
de vida que había podido vislumbrar en ellos desde el día que
Broud la golpeó mientras estaba fuera, cazando. Sabía que debería insistir en que Ayla tomara la medicina; no estaba bien que
una mujer sin compañero diera a luz, cuando podía evitarse. Pero
Ayla deseaba tan desesperadamente al bebé, podría caer en una
depresión más profunda aún si la obligaban a renunciar a él. Y tal
vez tuviera razón: podría ser su única oportunidad.

—Está bien, Ayla —concedió—. Si tanto lo quieres... Pero
será mejor no decírselo a nadie todavía; todos se enterarán muy
pronto.

—¡Oh, Iza! —dijo, abrazando a la mujer. Mientras el milagro
de su imposible embarazo iba penetrando en ella, una sonrisa le
cruzó el rostro. Dio un brinco, llena de energías; no podía quedarse quieta, tenía que hacer algo.

—Madre ¿Qué estás cocinando hoy? Déjame ayudarte.

—Estofado de uro —respondió la mujer, pasmada ante la trans-
formación tan repentina de la joven—. Si quieres, puedes cortar
la carne.

Mientras trabajaban ambas mujeres, Iza se percató de la dicha
que podía proporcionar Ayla. Sus manos volaban, charlando y trabajando, y de repente volvió a surgir el interés de Ayla por la
medicina.

—Yo no sabía lo del muérdago, madre —observó Ayla. Sé del
cornezuelo y del ácoro, pero no sabía que el muérdago pudiera
hacer que una mujer pierda su bebé.

—Siempre habrá algunas cosas de las que no te he hablado,
Ayla, pero sabrás lo suficiente. Y sabes cómo hacer pruebas;
siempre podrás seguir aprendiendo. El tanaceto también servirá,
pero puede ser más peligroso que el muérdago. Empleas toda la
planta —flores, hojas y raíces— y la pones a hervir. Si llenas de

agua hasta aquí —Iza señalaba una marca en el lado de uno de sus tazones medicinales— y dejas que se reduzca hasta caber en esta taza —mostrando una taza de hueso— será más o menos lo correcto; suele bastar con una taza. Las flores de crisantemo sirven a veces; no son tan peligrosas como el muérdago o el tanaceto, pero tampoco resultan eficaces siempre.

—Sería mejor para las mujeres que tienden a perder sus nenes con facilidad. Sería mejor emplear algo más suave, si sirve. . . que sea menos peligroso.

—Así es. Y, Ayla, otra cosa que deberías saber —y se volvió Iza para comprobar que Creb no había regresado aún—: ningún hombre debe enterarse nunca de esto; es un secreto que sólo conocen las curanderas, y no todas. Es mejor no decírselo nunca a una mujer porque si su compañero le preguntara, tendría que decírselo. Nadie le preguntará a una curandera. Si algún hombre lo descubriera, lo prohibiría. ¿Comprendes?

—Sí, madre —respondió Ayla, sorprendida ante el sigilo de Iza y muy curiosa.

—No creo que necesites saber nunca de esto para ti, pero deberás conocerlo de todas maneras por ser curandera. A veces, cuando una mujer tiene un parto difícil, suele ser mejor que no vuelva a tener hijos. La curandera puede darle la medicina sin explicarle lo que es. Hay otras razones por las que una mujer puede no querer hijos. Algunas plantas encierran una magia especial, Ayla. Fortalecen tanto al tótem de la mujer, que éste puede impedir que comience siquiera a iniciarse una nueva vida.

—¿Conoces la magia para impedir el embarazo, Iza? ¿El débil tótem de una mujer, puede volverse tan fuerte? ¿Cualquier tótem? ¿Aun cuando un mog-ur lleve a cabo un encantamiento para fortalecer el tótem del hombre?

—Sí, Ayla. Por eso nunca debe enterarse de esto hombre alguno. Yo misma lo utilicé cuando me aparearon. No me gustaba mi compañero; deseaba que me cediera a otro hombre. Pensé que si nunca tenía hijos, no querría quedarse conmigo —confesó Iza.

—Pero has tenido un bebé: has tenido a Uba.

—Tal vez, al cabo de mucho tiempo, la magia se debilite. Tal vez mi tótem no quiso seguir combatiendo, tal vez quería que tuviera un bebé. No lo sé. No hay nada que sirva todo el tiempo. Hay fuerzas más grandes que cualquier magia, pero me sirvió por muchos años. Nadie comprende del todo a los espíritus, ni siquiera Mog-ur. ¿Quién iba a creer que tu tótem pudiera ser derrotado, Ayla? —La curandera echó una rápida mirada a su alrededor—. Ahora, antes de que vuelva Creb, ¿conoces esa enredadera pequeña, amarilla, con hojas y flores diminutas?

—¿El hilo de oro?

—Sí, ese mismo. A veces lo llaman estrangulador porque mata a la planta en que se produce. Déjalo secar, aplástalo, más o menos esta cantidad en la palma de tu mano, que hierva en agua suficiente para llenar la taza de hueso hasta que el extracto esté del color del heno maduro. Tómate dos sorbos cada día que el espíritu de tu tótem no esté combatiendo.

—¿No es también una buena cataplasma para picaduras y mordiscos?

—Sí, y eso te da un buen pretexto para tenerlo a mano, pero la cataplasma se emplea sobre la piel, fuera del cuerpo. Para que tu tótem tenga fuerza, te lo bebes. Hay otra cosa más que debes tomar mientras tu tótem está combatiendo: raíz de artemisa, seca o fresca. Hiérvela y bebe el agua, un tazón cada uno de los días que estés aislada —prosiguió Iza.

—¿No es la planta de hoja dentada que sirve contra la artritis de Creb?

—Esa misma. Sé de otra, pero nunca la he empleado. Es la magia de otra curandera: intercambiamos conocimientos. Hay cierto ñame que no crece por acá, pero te enseñaré en qué difiere de los que tenemos. Lo cortas en trozos y lo hierves y haces con él un puré espeso; lo dejas secar y lo machacas en polvo fino. Hace falta mucho, medio tazón mezclado con agua para formar nuevamente una pasta, cada día que no estés aislada, cuando los espíritus no estén combatiendo.

Creb entró en la cueva y vio que ambas mujeres estaban muy absortas en su conversación. Al instante percibió là diferencia en Ayla. Estaba animada, atenta, pensativa y sonriente. "Tiene que haberse sacudido lo que fuera", pensó, mientras llegaba cojeando a su hogar.

—¡Iza! —dijo en voz alta para llamarles la atención—. ¿Hay que morirse de hambre por aquí?

La mujer dio un salto con expresión culpable, pero Creb no se fijó en ello. Estaba tan contento de ver que Ayla estaba ocupada, trabajando y charlando, que no vio a Iza.

—En seguida estará preparado, Creb —señaló Ayla y, corriendo, fue a abrazarlo; hacía tiempo que Creb no se sentía tan contento. Se sentaba en su estera cuando llegó Uba corriendo a la cueva.

—¡Tengo hambre! —indicó la niña.

—Siempre tienes hambre, Uba —dijo Ayla riendo y alzando a la niña para darle vueltas en el aire. Uba estaba encantada: era la primera vez que Ayla tenía ganas de jugar con ella, en todo el verano.

Más tarde, después de cenar, Uba se trepó hasta el regazo de Creb. Ayla tarareaba en voz baja mientras ayudaba a Iza a limpiar. Creb suspiró, satisfecho; así se sentía el hogar. "Los muchachos son muy importantes —pensó— pero creo que las niñas son mejores. No tienen que ser fuertes y valientes todo el tiempo y no les importa acurrucarse en el regazo de uno para dormir. Casi desearía que Ayla siguiera siendo una niñita".

Ayla despertó a la mañana siguiente envuelta en un resplandor de dicha anticipada. "Voy a tener un bebé", se dijo. Se abrazó, mientras estaba aún tendida entre sus pieles. De repente le entraron ganas de levantarse. "Creo que bajaré al río esta mañana: tengo que lavarme la cabeza". Brincó fuera del lecho, pero una náusea se apoderó de ella. "Tal vez sea mejor comer algo sólido y ver si no se me sale. Tengo que comer para que mi bebé sea saludable". No pudo conservar el desayuno, pero cuando pasó un rato levantada, volvió a comer y se sintió mejor. Todavía estaba pensando en el milagro de su embarazo cuando salió de la cueva para dirigirse al río.

—¡Ayla! —llamó Broud despectivamente, contoneándose con jactancia y haciendo la señal.

Ayla se sintió sobresaltada: se le había olvidado Broud. Tenía cosas más importantes en qué pensar, como nenitos que amamantar y tener al calor de sus brazos, su propio bebito. "Bueno, más vale terminar con esto ahora —pensó, y con paciencia adoptó la postura para que Broud aliviara sus necesidades—. Ojalá lo haga de prisa, quiero bajar al río a lavarme la cabeza".

Broud se sintió achicado; algo faltaba. No había la menor respuesta en ella. Echó de menos la excitación que le producía obligarla contra su voluntad. El odio desbordante y la amarga frustración que ella nunca había conseguido disimular anteriormente, estaban ausentes: había dejado de luchar contra él. Actuaba como si él no estuviera ahí, como si no sintiera nada. Y no sentía; su mente había pasado a otro ámbito, no percibió su penetración como tampoco sus regaños ni sus golpes. Era algo más que tenía que aguantar, y se resignaba a ello. Su serenidad tranquila y su aplomo habían vuelto.

El gozo de Broud no se debía al placer de la experiencia sexual sino al dominio de Ayla; descubrió que ya no se sentía estimulado; le costó conservar su erección. Al cabo de varias veces que no pudo lograr un clímax, retrocedió y pronto terminó el intento; era demasiado humillante. "Podía ser una mujer de piedra, dada su respuesta —pensó—. De todos modos es fea y he perdido suficiente tiempo con ella. Ni siquiera sabe apreciar el honor que representa el interés del futuro jefe".

Oga se alegró de verlo regresar, calmada al ver que había superado su incomprensible predilección por Ayla. No había tenido celos; no era algo de lo que una debería estar celosa. Broud era su compañero y no había dado la menor indicación de que se dispusiera a renunciar a ella. Cualquier hombre podía aliviar sus necesidades con cualquier mujer que se le antojara, eso no tenía nada de extraordinario. Lo que no podía comprender era que dedicara tanta atención a Ayla cuando, se veía a las claras, ella no la disfrutaba.

Por mucho que quisiera convencerse de que no le importaba, a Broud lo exasperaba la indiferencia súbita de Ayla. Creía haber hallado el modo de derribar de una vez por todas su muralla de indiferencia, y había descubierto el placer que eso le proporcionaba. Por eso se fortaleció más su determinación para encontrar la manera de atacarla otra vez.

19

El embarazo de Ayla asombró a todo el Clan. Parecía imposible que una mujer con un tótem tan poderoso como el suyo, pudiera concebir vida. El chismorreo se daba rienda suelta respecto a cual sería el hombre, el espíritu de cuyo tótem hubiera logrado subyugar al León Cavernario, y a todos los hombres del Clan les habría gustado adjudicarse el crédito... y el incremento de prestigio que entrañaba. Algunos consideraban que tuvo que ser la combinación de varias esencias totémicas, tal vez de toda la población masculina, pero la mayoría de las opiniones se dividían en dos campos, constituidos más o menos por los límites de edad.

El factor determinante era la proximidad de la mujer, y por eso la mayoría de los hombres consideraban que los hijos de sus compañeras eran resultado del espíritu de su tótem. Una mujer pasaba, inevitablemente, mucho más tiempo con el hombre cuyo hogar compartía; la oportunidad de tragarse el espíritu de su tótem era mayor. Aun cuando el tótem de un hombre pudiera pedir ayuda al tótem de otro hombre durante la batalla subsiguiente, o de cualquier otro espíritu que estuviera casualmente cerca, la fuerza vital del primer tótem era la que mayor derecho tenía a acreditarse. Un espíritu auxiliador podía tener el honor de iniciar la nueva vida, pero eso dependía de la voluntad del tótem que había solicitado ayuda. Los dos hombres que más cerca habían estado de Ayla desde que se hizo mujer, eran Mog-ur y Broud.

—Yo digo que es Mog-ur —afirmaba Zoug—. Es el único cuyo tótem es más fuerte que el León Cavernario. ¿Acaso no comparte ella su hogar?

EL CLAN DEL OSO CAVERNARIO

—Ursus nunca permite que una mujer trague su esencia —repuso Crug—. El Oso Cavernario escoge a los que protegerá, como hizo con Mog-ur. ¿Crees que un Corzo iba a derrotar a un León Cavernario?

—Con ayuda del Oso Cavernario. Mog-ur tiene dos tótemes: el Corzo no tendría que buscar ayuda muy lejos. Nadie dice que el Oso Cavernario dejara su espíritu, sólo digo que ayudó —replicó acaloradamente Zoug.

—Entonces ¿Por qué no quedó embarazada el invierno pasado? Vivía entonces en su hogar. Sólo después de que Broud se encaprichó con ella, aunque no me pregunten lo que le vería. Fue después de que pasó tanto tiempo junto a ella cuando la nueva vida comenzó. Un Rinoceronte Lanudo también es poderoso. Con ayuda, pudo haber superado al León Cavernario —alegó Crug.

—Creo que fue el tótem de todos —propuso Dorv—. La pregunta es: ¿quién quiere tomarla por compañera? Todos desean aprovechar el crédito pero ¿Quién quiere a la mujer? Brun ha preguntado si alguno la quiere. Si no está apareada, el niño tendrá mala suerte. Yo soy demasiado viejo, aunque no puedo decir que lo siento.

—Bueno, yo la tomaría si tuviera aún mi propio hogar —señaló Zoug—. Es fea, pero trabajadora y respetuosa. Sabe cuidar a un hombre. Eso, a la larga, resulta más importante que una cara bonita.

—Yo no —expresó Crug meneando la cabeza—. No quiero tener en mi hogar a la Mujer-Que-Caza. Está muy bien eso para Mog-ur, de todos modos no puede cazar ni le importa. Pero me imagino regresando de la caza con las manos vacías y comiendo la carne que mi compañera hubiera traído. Además, tengo mi hogar suficientemente lleno con Ika, Borg y la nenita, Igra. Me alegro de que Dorv pueda contribuir aún. Y mi compañera Ika todavía es joven y puede tener más ¿Quién sabe?

—He pensado en ello —dijo Droog—, pero mi hogar está demasiado lleno. Aga y Aba, Vorn y Ona y Groob. ¿Que haría yo con una mujer y un niño más? ¿Qué dices tú, Grod?

—No. A menos que Brun me obligue —respondió brevemente Grod. El segundo al mando nunca había podido superar cierta incomodidad en cuanto a la mujer que no había nacido en el Clan. Lo inquietaba.

—¿Y el propio Brun? —preguntó Crug—. El fue quien aceptó que ingresara en el Clan.

—A veces es juicioso considerar a la primera mujer antes de tomar la segunda —comentó Goov—. Ya sabemos cómo se siente Ebra respecto a la posición de la curandera, Iza ha estado adiestrando a Ayla. Si ésta se convierte en curandera de la estirpe de Iza, ¿quién cree que Ebra estaría contenta compartiendo el hogar con una mujer más joven, una segunda compañera, de posición superior a la suya? Yo tomaría a Ayla. Cuando sea mog-ur no cazaré tanto; a mí no me importaría entonces que trajera al hogar un conejo o una marmota; de todos modos, sólo son animales pequeños. No creo que a Ovra le importara una segunda mujer con posición más elevada, se llevan bien las dos. Pero Ovra quiere tener un hijo propio. Le costaría compartir el hogar con una mujer y un nenito. Especialmente porque nadie esperaba que Ayla tuviera uno. Creo que fue el espíritu del tótem de Broud el que lo inició todo; lástima que se sienta así hacia ella, porque él debería ser quien la tomara.

—Yo no estoy seguro de que fuera Broud —dijo Droog—. ¿Tú qué opinas, Mog-ur? Podrías tomarla por compañera.

El viejo mago había estado observando tranquilamente la discusión de los hombres, cosa que hacía con frecuencia.

—Lo he considerado. No creo que haya sido Ursus ni el Corzo quienes iniciaran al bebé de Ayla. Tampoco estoy seguro de que haya sido el tótem de Broud. El tótem de ella ha sido siempre un enigma; nadie sabe lo que puede haber ocurrido. Pero necesita un compañero. No es sólo que el bebé pueda tener mala suerte, es que un hombre tendrá que ser responsable, proveer por él. Yo soy demasiado viejo, y si resultara niño, no podría adiestrarlo en la cacería. Y ella no puede hacerlo porque sólo caza con honda. Sería como si Grod se apareara con Ovra, sobre todo teniendo aún a Ika como primera compañera. Para mí, es como la hija de la compañera, hija del hogar, no una mujer con quien aparearse.

—Ya se ha hecho en otras ocasiones —dijo Dorv—. La única mujer con quien un hombre no puede aparearse es su hermana.

—No está prohibido, pero no se mira bien. Y la mayoría de los hombres no lo desean. Además, nunca he tenido compañera, y soy demasiado viejo para comenzar ahora. Iza me cuida, con eso me basta. Me siento a gusto con ella. Se espera que los hombres alivien sus necesidades con sus compañeras de vez en cuando. Hace mucho que no he experimentado esas necesidades; aprendí a controlarlas hace mucho tiempo. No sería un gran compañero para una mujer joven. Pero tal vez no necesite uno; dice Iza que tendrá un embarazo difícil, ya ha tenido problemas y es posible que no llegue a término. Sé que Ayla desea tenerlo, pero sería mejor para todos si lo perdiera.

Como se dijo a los hombres, el embarazo de Ayla no transcurría fácilmente. La curandera temía que el nene tuviera algo malo. Muchos abortos se debían a fetos mal conformados, y a Iza le parecía mejor perderlos que dar a luz y tener que deshacerse de un bebé mal hecho. Los mareos matutinos de Ayla duraron mucho más que el primer trimestre, y aun a fines del otoño, cuando su vientre estaba ya abultado, tenía dificultades para no devolver los alimentos. Cuando Ayla comenzó a sangrar y a soltar coágulos, Iza pidió a Brun que exoneraran a la joven de las actividades normales, y la obligó a guardar cama.

Los temores de Iza respecto al bebé de Ayla aumentaron con las dificultades del embarazo. Estaba convencida de que Ayla debería renunciar al bebé y segura de que no costaría mucho expulsarlo, a pesar de que el vientre abultado atestiguaba el crecimiento del nene. Temía más por Ayla. El bebé estaba exigiendo mucho de ella; sus brazos y piernas adelgazaron en contraste con su corpulencia. No tenía apetito y comía, por pura fuerza de voluntad, los alimentos especiales que Iza preparaba para ella. Ojeras oscuras se le formaron alrededor de los ojos, y su abundante cabellera lustrosa perdió vida. Siempre tenía frío, carecía de reservas suficientes para conservar el calor, y se pasaba la mayor parte del tiempo acurrucada junto al fuego, envuelta en pieles. Pero cuando Iza sugirió que Ayla tomara la medicina que pusiera fin al embarazo, la joven se negó.

—Iza, quiero tener mi bebé. Ayúdame —suplicó Ayla—. Tú puedes ayudarme, sé que puedes. Haré todo lo que digas, pero ayúdame a tener mi bebé.

Iza no podía negarse; durante algún tiempo había contado con Ayla para recolectar las hierbas que necesitaba, y pocas veces salía; el ejercicio fuerte provocaba en ella accesos de tos. Iza se había estado administrando mucha medicación para ocultar la enfermedad pulmonar destructiva, la tisis que empeoraba a cada invierno. Pero por Ayla, saldría en busca de cierta raíz que ayudaba a impedir un aborto.

La curandera salió temprano de la cueva, una mañana, para buscar en los bosques de las tierras altas y en los yermos húmedos, aquella raíz especial. El sol brillaba en un cielo claro cuando se puso en camino. Iza creía que iba a ser uno de esos días calurosos de fines del otoño, y no quiso cargarse con ropas pesadas. Además, contaba estar de vuelta antes de mediodía. Siguió un camino que conducía al bosque desde la cueva, y a continuación se volvió para seguir un arroyo y comenzó a escalar las empinadas cuestas. Estaba más débil de lo que creía, le faltaba el aliento y tenía que detenerse a menudo para descansar o para sufrir un acceso de tos. A media mañana cambió el tiempo: aparecieron nubes del este empujadas por un viento frío, y al llegar a los contrafuertes soltaron su pesada carga de lluvia en forma de aguanieve. En unos instantes Iza quedó empapada.

La lluvia había menguado para cuando encontró la clase de bosque de coníferas y de plantas que andaba buscando. Tiritando bajo la fría llovizna arrancó las raíces del suelo lodoso. Su tos había empeorado para cuando tomó el camino de regreso, y convulsionaba su cuerpo a cada instante sacando sangre de entre sus labios. No conocía tan bien el terreno alrededor de esta cueva como el retorno del hogar anterior del Clan. Se desorientó, siguió el arroyo que no era cuesta abajo, y tuvo que volver sobre sus pasos en busca del otro. Casi había oscurecido cuando la curandera, totalmente empapada y muerta de frío, encontró el camino de la cueva.

—¡Madre! ¿Dónde has estado? —preguntó por señas Ayla—. Estás empapada y tiritando. Acércate al fuego. Te voy a traer ropa seca.

—He encontrado raíz de amaya para ti, Ayla. Lávala y mastica... —Iza tuvo que detenerse para ceder a otro espasmo. Tenía los ojos calenturientos, el rostro enrojecido— ...mastícala cruda. Eso te ayudará a conservar el bebé.

—¿No habrás salido con esa lluvia sólo por buscarme una raíz, verdad que no? ¿Acaso no sabes que preferiría perder el bebé y no perderte a ti? Estás demasiado enferma para salir así, bien lo sabes.

Ayla sabía que Iza llevaba años sufriendo de mala salud, pero hasta entonces no se había dado cuenta de lo enferma que estaba la mujer. La joven se olvidó de su embarazo, lo ignoró cuando sangraba de vez en cuando, se olvidó de comer la mitad del tiempo, y se negó a separarse del lado de Iza. Cuando dormía, lo hacía sobre unas pieles junto a la cama de la mujer. También Uba velaba constantemente.

Era la primera experiencia de la pequeña en cuanto a una enfermedad grave en alguien a quien amaba, y el efecto fue traumático. Observaba todo lo que hacía Ayla, ayudaba a ésta, y esa colaboración creó un entendimiento de su propia herencia y de su destino. Uba no era la única que observaba a Ayla: todo el Clan estaba preocupado por la curandera, y no muy seguro de la habilidad de la joven. Ella no se fijaba en la aprensión de todos: su atención total estaba enfocada en la mujer a la que llamaba madre.

Ayla rebuscó en su memoria todos los remedios que Iza le había enseñado, interrogó a Uba para que apelara a los recuerdos que sabía estaban almacenados en la memoria de la niña, y aplicó cierta lógica que le era propia. El talento especial que había observado Iza, la capacidad de descubrir y tratar el verdadero problema, era el punto fuerte de Ayla: sabía diagnosticar. Partiendo de pequeños indicios, podía reconstruir un cuadro como las piezas de un rompecabezas, y llenar los vacíos con razonamiento e intuición. Era una capacidad que su cerebro solo, entre todos los que compartían la cueva, tenía adaptada en exclusividad. La crisis de la enfermedad de Iza fue el estímulo que agudizó su talento.

Ayla aplicaba todos los remedios que había aprendido a usar con la curandera, y después empleó nuevas técnicas que se le imponían partiendo de otros usos, a veces muy diferentes.

Sea como fuere, la medicación o los cuidados amorosos o la voluntad de vivir que tenía la curandera —más probablemente: todo junto— lograron que, para cuando los vientos helados del invierno hubieron amontonado la nieve contra las barreras que había a la entrada de la cueva, Iza estuviera suficientemente restablecida como para volver a ocuparse del embarazo de Ayla. Ya era hora.

El esfuerzo de devolverle la salud a Iza había tenido sus efectos: Ayla perdió constantemente sangre durante todo el invierno, y sufrió dolor incesante en la espalda. Despertaba a mediados de la noche con calambres en las piernas y seguía vomitando a menudo. Iza esperaba que perdiera el bebé en cualquier momento. No sabía cómo podía retenerlo Ayla, ni cómo podía seguir desarrollándose el bebé estando Ayla tan débil. Pero se desarrollaba. El vientre de la joven se hinchó en proporciones increíbles, y el bebé pateaba con tanto vigor que apenas si la futura madre podía conciliar el sueño. Iza nunca había visto que una mujer padeciera un embarazo más difícil.

Ayla no se quejaba nunca. Temía que Iza pensara que estaba dispuesta a renunciar al bebé, aun cuando ya estaba demasiado avanzado el embarazo para que la curandera contemplara esa posibilidad. Y tampoco Ayla la contemplaba. Su sufrimiento la convencía más aún de que si perdía ese bebé, nunca volvería a tener otro.

Desde su cama, Ayla vio cómo las lluvias primaverales barrían la nieve, y la primera flor del azafrán croco fue una que Uba le llevó. Iza no le permitía salir de la cueva. Los sauces se habían deshecho de su pelusa y habían reverdecido, y los primeros brotes anunciaban un follaje verde el día triste y mojado de primavera, a principios de su onceavo año, cuando se inició el parto de Ayla.

Las primeras contracciones fueron fáciles. Ayla tomó té de corteza de sauce, hablándoles a Iza y Uba, excitada y complacida de que por fin hubiera llegado la hora. Estaba segura de que al día siguiente estaría con su bebé en brazos. Iza abrigaba reservas pero se esforzaba por no mostrarlo. La conversación se volvió, como sucedía tantas veces últimamente entre Iza y sus dos hijas, hacia la medicina.

—Madre ¿Qué raíz fue la que me trajiste el día que saliste y caíste enferma? —señaló Ayla.

—Se llama amaya. No se suele usar mucho porque debería mascarse mientras está fresca, y debe recogerse a fines del otoño. Es muy buena para impedir el aborto, pero ¿Cuántas mujeres corren el peligro de abortar a fines del otoño? En cuanto se seca, pierde su eficacia.

—¿En qué se reconoce? —preguntó Uba. La enfermedad de Iza había despertado un mayor interés en Uba hacia las plantas curativas que habría de administrar más adelante, y la estaban adiestrando Iza y Ayla al mismo tiempo. Pero adiestrar a Uba no era lo mismo que adiestrar a Ayla: para conseguir todo lo que su cerebro podía dar de sí, Uba sólo tenía que recordar con un poco de ayuda todo lo que sabía y ver cómo se aplicaba.

—En realidad se trata de dos plantas, hembra y macho, con un tallo largo que surge de un racimo de hojas junto al suelo, y flores pequeñas que brotan cerca de la parte superior y bajan hasta la mitad del tallo. Las flores macho son blancas; la raíz proviene de la planta hembra; sus flores son más pequeñas y verdes.

—¿Has dicho que crece en bosques de coníferas? —interrogó Ayla.

—Sólo en los que son húmedos. Le gusta la humedad, el pantano, los lugares húmedos de las praderas, a menudo en los bosques altos.

—No deberías haber salido aquel día, Iza. Me tuviste tan preocupada... Oh, espera ¡ahí viene otra!

La curandera examinó a Ayla. Estaba tratando de calcular la duración de los dolores; todavía faltaba mucho, pensó.

—No llovía cuando salí —explicó Iza—. Creí que sería un día caluroso. Estaba equivocada. El clima otoñal siempre es impredecible. Quería preguntarte algo, Ayla. Parte del tiempo deliraba y estaba calenturienta, pero creo que hiciste una cataplasma para el pecho, con las hierbas que empleamos para aliviar el reúma de Creb.

—Sí, la hice.

—Yo no te había enseñado eso.

—Ya lo sé. Pero tosías tanto y escupías tanta sangre, que quise darte algo que calmara los espasmos, pero también pensaba que deberías expulsar las flemas con menos esfuerzos. Esa medicina para el reúma de Creb penetra muy adentro con el calor, y estimula la sangre. Pensé que podría aflojar las flemas de modo que no tuvieras que toser tan fuerte para sacarlas, y de todos modos podía seguir dándote el cocimiento para calmar los espasmos. Parece que sirvió.

—Sí, creo que sí.

Cuando Ayla explicó su razonamiento, parecía lógico, pero Iza se preguntaba si se le habría ocurrido a ella. "Yo tenía razón —pensaba Iza—, es una buena curandera y va a mejorar. Merece la posición de mi estirpe. Tendré que hablarle a Creb. Puede no quedar mucho tiempo antes de que yo abandone este mundo. Ahora Ayla es una mujer, tiene que ser curandera... si sobrevive a este parto".

Después del desayuno, Oga se acercó con Grev, su segundo hijo, y mientras le daba de mamar, se sentó junto a Ayla. Ovra se reunió pronto con ellas. Las tres jóvenes charlaron amigablemente entre las contracciones de Ayla, aunque no se habló de su inminente alumbramiento. Toda aquella mañana, mientras Ayla se encontró en la primera etapa de sus dolores, las mujeres del Clan visitaron el hogar de Creb. Algunas sólo se quedaban unos instantes para brindar con su presencia un apoyo moral, algunas se quedaban casi todo el tiempo junto a ella. Siempre había unas pocas mujeres sentadas alrededor de su lecho, pero Creb se mantenía alejado: entraba y salía, muy nervioso, deteniéndose para intercambiar algunos ademanes con los hombres reunidos en el hogar de Brun, pero no podía quedarse mucho rato en el mismo sitio. La cacería que se había proyectado para aquel día se aplazó.

El pretexto de Brun fue que todavía estaba todo demasiado mojado, pero todos sabían la verdadera razón.

A finales de la tarde, los dolores de Ayla fueron más fuertes; Iza le dio un cocimiento de cierto ñame que tenía cualidades especiales para aliviar los dolores de parto. A medida que avanzaba la tarde, las contracciones se hicieron más fuertes y frecuentes. Ayla estaba tendida en su cama, empapada en sudor, aferrada a la mano de Iza. Trataba de ahogar sus gritos, pero cuando el sol se ocultó tras el horizonte, Ayla estaba retorciéndose de dolor, gritando cada vez que una convulsión le sacudía el cuerpo. La mayor parte de las mujeres no pudieron soportar quedarse cerca; todas, menos Ebra, regresaron a sus respectivos hogares. Encontraron algo que hacer, levantando la vista cada vez que Ayla daba otro grito de agonía. La conversación había cesado también alrededor del hogar de Brun. Los hombres estaban sentados, desalentados, mirando al suelo. Cualquier intento de charla insulsa era interrumpido por los gritos de Ayla.

—Ebra, tiene las caderas demasiado estrechas —señaló Iza—. No van a permitir que se abra suficientemente el canal.

—¿No serviría de algo romper la bolsa de agua? A veces da resultado —sugirió Ebra.

—Lo he estado pensando. No quería hacerlo demasiado pronto; no podría soportar un parto seco. Esperaba que se rompiera por sí sola, pero se está debilitando mucho y no hay progreso. Tal vez sea mejor hacerlo ahora. ¿Me quieres dar ese palo de olmo? Ahora empieza otra contracción. Lo haré tan pronto termine.

Ayla arqueó la espalda y agarró las manos de las dos mujeres mientras su grito de agonía salía en crescendo de entre sus labios.

—Ayla, voy a tratar de ayudarte —señaló Iza una vez terminada la contracción—. ¿Me entiendes?

Ayla asintió silenciosamente.

—Voy a romper las aguas, y entonces te pediré que te agaches. Empujar al bebé hacia abajo sirve de ayuda. ¿Podrás hacerlo?

—Lo intentaré —señaló débilmente Ayla.

Iza insertó el palo del olmo, y las aguas del parto de Ayla surgieron provocando otra contracción.

—Ahora enderézate, Ayla —expresó la curandera con un gesto. Entre Ebra y ella tiraron de la joven y la sostuvieron mientras se encuclillaba sobre el pellejo de cuero, semejante al que se ponía debajo de todas las mujeres a punto de dar a luz.

—Ahora empuja, Ayla, empuja fuerte.

Al siguiente dolor, la joven mujer se esforzó.

—Está demasiado débil —indicó Ebra—. No puede empujar con suficiente fuerza.

—Ayla, tienes que empujar más fuerte —ordenó Iza.

—No puedo —respondió Ayla con un ademán.

—Debes, Ayla. Debes, porque si no, tu bebé morirá —dijo Iza.

No agregó que también Ayla moriría. Iza pudo ver cómo se le hinchaban los músculos en la siguiente contracción.

—¡Ahora, Ayla! ¡Ahora! ¡Empuja! Empuja con todas tus fuerzas —la instó Iza.

"No puedo dejar que muera mi bebé —pensaba Ayla—. No puedo. Si éste muere, no podré tener otro". Desde alguna reserva desconocida, Ayla sacó un último esfuerzo. A medida que el dolor aumentaba, aspiró fuertemente y se aferró a la mano de Iza en busca de ayuda. Empujó con un esfuerzo que sacó gotas de sudor de su frente. Se le iba la cabeza; le pareció que los huesos se le estaban partiendo, como si se esforzara por echar fuera sus entrañas.

—Bien, Ayla, bien —la alentó Iza—. Ya se le ve la cabeza; una vez más.

Ayla aspiró otra bocanada de aire y volvió a esforzarse. Sintió que la piel y los músculos se le desgarraban pero siguió empujando. Con un chorro de sangre roja y espesa, la cabeza del bebé salió a la fuerza del estrecho canal; Iza la tomó en sus manos y tiró de ella, pero lo peor había pasado.

—Un poco más, Ayla, justo lo necesario para sacar la placenta. —Ayla se esforzó de nuevo, sintió que perdía el conocimiento y que todo se oscurecía, y se desvaneció.

Iza ató un trozo de fibra teñida de rojo alrededor del cordón umbilical del recién nacido, y cortó lo demás de un mordisco; le le golpeó los pies hasta que un grito semejante a un maullido se convirtiera en un fuerte berrido. "El niño vive —se dijo Iza, tranquilizada, mientras comenzaba a limpiarlo; y después sintió que se le partía el corazón—. Después de todo lo que ha soportado, después de tantos sufrimientos... esto. ¿Por qué? Deseaba tanto su bebé. —Iza envolvió al nenito en la suave piel de conejo que Ayla tenía preparada, después hizo una compresa de raíces masticadas para Ayla, sujeta en su lugar con una tira de piel absorbente. Ayla profirió un gemido y abrió los ojos.

—Mi bebé, Iza, ¿es niño o niña? —preguntó.

—Es niño, Ayla —dijo la mujer, y prosiguió rápidamente para no dejarle abrigar falsas esperanzas—, pero está deforme.

La sonrisa que se iniciaba en los labios de Ayla se convirtió en una expresión horrorizada.

—¡No! ¡No puede ser! ¡Enséñamelo!

Iza le llevó al recién nacido.

—Me lo temía. Sucede a menudo cuando el embarazo de una mujer es difícil. Lo siento, Ayla.

La joven retiró la cobija y miró a su diminuto hijo. Sus brazos y piernas eran más delgados de lo que habían sido los de Uba al nacer, y más largos, pero tenía el número de dedos correcto en los lugares debidos. Sus testículos y pene diminutos evidenciaban silenciosamente su sexo. Pero su cabeza, decididamente, no era natural. Era anormalmente grande, lo que causó la dificultad del parto de Ayla, y algo deformada debido a su tumultuosa entrada en el mundo, pero eso no era causa suficiente de alarma: Iza sabía que sólo era el resultado de la apretura que sufrió al nacer y que pronto se corregiría. Pero la conformación de la cabeza, la forma básica, que nunca cambiaría, era lo deforme, y el cuello flaco y larguirucho incapaz de soportar la enorme cabeza del nenito.

El nenito de Ayla tenía fuertes arcos superciliares, como la gente del Clan, pero su frente, en vez de huir hacia atrás, se alzaba alta y recta más arriba de las cejas, abombándose formando una alta corona antes de bajar hacia atrás en forma larga y plena. Pero la parte posterior de su cabeza no era todo lo larga que debería haber sido; parecía que el cráneo del nene fuera empujado hacia delante, hacia la frente abombada y la corona, acortando y redondeando la parte posterior. Sólo tenía un moño occipital simbólico detrás, y sus rasgos estaban extrañamente alterados. Tenía ojos grandes y redondos, pero su nariz era mucho más pequeña que lo normal; su boca era grande, sus quijadas, no tan grandes como las del Clan, pero debajo de su boca había una proyección ósea que desfiguraba su rostro, una barbilla bien desarrollada, ligeramente huidiza, de la que carecía por completo la gente del Clan. La cabecita del bebé cayó hacia atrás cuando Iza lo tomó por vez primera, y automáticamente tendió la mujer la mano para sostenerla, meneando su propia cabeza sobre su cuello grueso y corto. Dudaba de que el niño lograra nunca sostener la cabeza levantada.

El bebé frotó su naricilla hacia el calor de su madre mientras se encontraba en brazos de Ayla, tratando de mamar como si no le hubieran alimentado lo suficiente antes de venir al mundo. Ella le ayudó a colgarse de su seno.

—No deberías hacerlo, Ayla —dijo dulcemente Iza—. No debes darle más vida puesto que pronto habrá de serle quitada. Eso te dificultará más aún el deshacerte de él.

—¿Deshacerme de él? —y Ayla mostró su desazón—. Pero ¿Cómo me voy a deshacer de él? Es mi bebé, mi hijo.

—No te queda más remedio, Ayla. Es la regla. Una madre debe deshacerse siempre de un hijo deforme que haya traído al mundo. Es mejor hacerlo cuanto antes y no esperar a que lo ordene Brun.

—Pero Creb era deforme... y le permitieron vivir —repuso Ayla.

—El compañero de su madre era jefe del Clan; él lo permitió. Tú no tienes compañero, Ayla, ningún hombre que hable en favor de tu hijo. Ya te dije al principio que tu hijo podría tener mala suerte si dieras a luz antes de aparearte. ¿No queda demostrado por su deformidad, Ayla? ¿Por qué dejar vivir a un niño que durante toda su vida sólo tendrá mala suerte? Es mejor resolverlo ahora, Ayla —razonó Iza.

Renuentemente, Ayla apartó a su hijito del pecho, con las lágrimas desbordando de sus ojos.

—¡Oh, Iza! —dijo llorando— yo quería tanto tener un bebé, un bebé que fuera mío, como lo tenían las demás. Nunca creí poder tener uno. Y estaba tan dichosa; no me importó estar enferma, sólo quería mi bebé. Fue tan duro que no creí que llegaría nunca, pero cuando dijiste que iba a morir, empujé. Si tenía que morir de todos modos ¿Por qué fue tan duro? Madre, quiero tener a mi bebé, no me obligues a deshacerme de él.

—Ya sé que no es fácil, Ayla, pero debe hacerse —y el corazón de Iza le dolía por la pena que le daba. El bebé buscaba el pecho con tanto tezón, un pecho que le habían retirado tan bruscamente, buscaba la seguridad y la satisfacción de su necesidad de mamar. Ella no tenía leche aún, tardaría un día más o menos; sólo tenía ese líquido lechoso y grueso que podría otorgar al niño la inmunidad de ella a las enfermedades durante los primeros meses de su vida. Se puso a llorar y pronto lanzó un alarido, agitando los brazos y pateando la cobija. Su grito llenó la cueva con la insistencia exigente de un bebé iracundo y colorado. Ayla no pudo resistir, y se lo pegó nuevamente al pecho.

—No lo puedo hacer —señaló—. No lo haré. Mi hijo vive, está respirando. Puede estar deforme pero es fuerte. ¿Lo has oído gritar? ¿Has oído gritar a algún bebé de ese modo? ¿Lo has visto patear? ¡Mira cómo mama! Lo quiero, Iza, lo quiero y me voy a quedar con él. Preferiría marcharme a matarlo. Puedo cazar. Puedo encontrar alimento. Yo misma proveeré.

—¡Ayla, no puedes decir eso! —indicó Iza, palideciendo—. ¿Adónde irías? Estás demasiado débil, has perdido muchísima sangre.

—Yo qué sé, madre. A cualquier parte. . . a alguna parte. Pero no renunciaré a él. —Ayla estaba decidida y se mostraba inflexible. Iza no puso en duda que la joven madre pensara lo que decía, pero estaba demasiado débil para ir a ninguna parte; se moriría si trataba de salvar al bebé. Iza se sentía espantada a la idea de que Ayla no respetara las costumbres del Clan, pero también estaba segura de que lo haría.

—Ayla, no hables así —rogó Iza—. Dámelo. Si tú no puedes, lo haré por ti. Le diré a Brun que estás demasiado débil, es una razón suficiente. —La mujer tendió las manos para tomar al niño—. Deja que me lo lleve. Una vez que se haya ido, resultará más fácil olvidarlo.

—¡No, no, Iza! —Y Ayla meneó enérgicamente la cabeza, apretando más el paquetito que tenía en brazos. Se inclinó sobre él, protegiéndolo con su cuerpo, moviendo sólo una mano para hablar, con los símbolos abreviados de Creb—. Voy a quedarme con él. De alguna manera, como sea, aun cuando tenga que marcharme, me quedaré con mi bebé.

Uba estaba mirando a los dos mujeres, ignorada por ambas. Había presenciado el horripilante alumbramiento de Ayla, como había visto a otras mujeres dar a luz antes que ella. Ningún secreto de la vida ni de la muerte se guardaba respecto a los niños; compartían el sino del Clan al igual que sus mayores. Uba amaba a la muchacha de cabellos de oro que era amiga y compañera de juegos, hermana y madre, para ella. El nacimiento duro y doloroso había asustado a la niña, pero cuando Ayla habló de marcharse, se asustó más aún. Le recordó el tiempo en que había estado ausente, cuando todos decían que nunca más regresaría. Uba estaba segura de que si Ayla se marchaba ahora, nunca más volvería a verla.

—No te vayas —y la muchacha se puso en pie haciendo gestos frenéticos—. Madre, no puedes dejar que Ayla se vaya. No vuelvas a marcharte.

—No quiero marcharme, Uba, pero no puedo dejar que muera mi bebé —dijo Ayla.

—¿No puede ponerlo en lo alto de un árbol como la madre en la historia de Aba? Si sobrevive siete días, Brun tendrá que permitir que te quedes con él —suplicó Uba.

—La historia de Aba es una leyenda, Uba —explicó Iza—. Ningún bebé puede vivir fuera, al frío, sin alimento.

Ayla no estaba prestando atención a la explicación de Iza; la sugerencia infantil de Uba le había dado una idea.

—Madre, parte de esa leyenda es cierta.

—¿Qué quieres decir?

—Que si mi bebé vive al cabo de siete días, Brun tendrá que aceptarlo. ¿No es así? —preguntó muy en serio.

—¿En qué estás pensando, Ayla? No puedes dejarlo fuera con la esperanza de que siga con vida al cabo de siete días. Sabes que es imposible.

—No dejarlo, llevármelo. Sé un lugar donde puedo ocultarlo, Iza. Puedo irme allí y llevármelo y regresar el día en que se le tenga que poner nombre. Brun tendrá entonces que permitir que me quede con él. Hay una cuevita. . .

—¡No! Ayla, no me digas esas cosas. Estaría mal. Sería desobedecer. No puedo aprobar; no es la manera del Clan. Brun se enojaría mucho; irían en tu busca, te encontrarían y te traerían de vuelta. No está bien, Ayla —reprendió Iza. Se puso en pie y fue hacia el fuego, pero volvió sobre sus pasos—: Y si te marcharas, me preguntaría dónde estás.

Nunca en su vida había hecho nada Iza que fuera contrario a las leyes del Clan ni los deseos de Brun. De sólo pensarlo se aterraba. Inclusive la medicina anticonceptiva secreta tenía la sanción de las generaciones pasadas de curanderas, era parte de su herencia. Mantener el secreto no era desobedecer —no había tradición ni costumbre que prohibiera su uso, lo único que hacía era no mencionarlo. El plan de Ayla era nada menos que rebelión, una rebelión que jamás habría podido imaginar Iza. No podía aprobarla.

Pero sabía cuánto deseaba Ayla al bebé; su corazón se rompía al pensar en todo lo que había sufrido durante el prolongado y doloroso embarazo, y cómo sólo el temor de que muriera el bebé le había dado la fuerza necesaria para salvar su propia vida. "Ayla tiene razón —pensaba Iza mirando al bebé recién nacido—. Es deforme, pero por lo demás, fuerte y saludable, Creb era deforme. . . y ahora es Mog-ur. Además de que es su primer hijo. Si tuviera un compañero, éste quizá permitiera que viviera el niño

No, no lo permitiría", se dijo; no podía engañarse a sí misma como no podía engañar a nadie. Pero podía callar.

Pensó en hablar a Creb o Brun y sabía que debería, pero no pudo resolverse a hacerlo. Iza no podía aprobar el plan de Ayla, pero podía guardárselo para sus adentros. Era la peor cosa intencionada que hubiera cometido en toda su vida.

Echó unas cuantas piedras calientes en un tazón de agua para prepararle a Ayla una infusión de cornezuelo. La joven estaba durmiendo con el bebé en brazos cuando Iza le llevó la medicina y la sacudió suavemente.

—Bebe esto, Ayla —dijo—. He envuelto la placenta y está en ese rincón. Puedes descansar esta noche, pero mañana habrá que enterrarla. Ya lo sabe Brun, se lo ha dicho Ebra. Preferiría no tener que examinar al bebé y dar la orden oficialmente. Espera que tú te ocupes de todo al ocultar las evidencias del nacimiento. —Iza estaba indicando a su hija de cuánto tiempo disponía para trazar sus planes.

Ayla se quedó despierta cuando Iza la dejó sola, pensando en lo que debería llevarse. "Necesitaré mis pieles para dormir, pieles de conejo para el bebé y plumón, y también un par de cobijas más para mudarlo. Tiras de piel para mí, mi honda y cuchillos. Oh, y comida, será mejor que lleve de comer y una bolsa de agua. Si espero hasta que el sol esté alto, antes de salir, puedo tenerlo todo preparado por la mañana".

A la mañana siguiente, Iza cocinó mucho más de lo que hacía falta para desayunar cuatro personas. Creb había regresado tarde a su hogar para dormir; quería evitar cualquier comunicación con Ayla. No sabía qué podría decirle. "Su tótem es demasiado fuerte —se decía—. Nunca ha sido superado del todo; por eso ha sangrado tanto durante su embarazo. A eso se debe que el nene sea deforme. Mala suerte; lo deseaba tanto".

—Iza, has hecho de comer para todo el Clan —observó Creb—. ¿Cómo podríamos comer tanto?

—Es para Ayla —y la mujer agachó rápidamente la cabeza.

"Iza debería haber tenido muchos hijos —pensaba el vielo—, está chocheando con los pocos que tiene. Pero Ayla necesita reponer sus fuerzas. Le va a tomar mucho tiempo superar esto. Me pregunto si conseguirá tener algún día un hijo normal".

Ayla sintió que se le iba la cabeza en cuanto se puso en pie, y perdió una chorretada de sangre caliente. Le dolía dar siquiera unos cuantos pasos, y tratar de inclinarse era una ordalía. Estaba más débil de lo que había creído, y se sintió invadida por el pánico: "¿Cómo voy a poder trepar hasta la cueva? Pero no me queda más remedio. Si no lo hago, Iza me quitará mi bebé y se deshará de él. ¿Qué voy a hacer si pierdo a mi bebé?"

"No lo perderé —decidió con firme determinación, desterrando de su mente el pánico—. Llegaré arriba de algún modo aunque tenga que ir gateando por todo el camino".

Estaba lloviznando cuando Ayla salió de la cueva. Metió unas cuantas cosas en el fondo de su canasto, y las cubrió con el apestoso paquete de los residuos del parto; lo demás, lo escondió bajo su manto exterior de pieles. El bebé estaba firmemente sujeto contra su cuerpo mediante una capa especial para llevar niños. La primera oleada de aturdimiento pasó mientras echaba a andar bosque adentro, pero le quedó la náusea. Se apartó del sendero y se adentró en la selva antes de detenerse. Era difícil abrir un hoyo con su palo de cavar, de tan débil que se sentía. Enterró profundamente el bulto, como le había dicho Iza, y expresó los símbolos debidos. Después miró a su hijo que dormía profundamente, al calor, confortablemente seguro. "Nadie te meterá en un hoyo así", le decía la joven madre. Entonces comenzó a escalar los abruptos contrafuertes, sin darse cuenta de que alguien la seguía con la mirada.

Poco después de que abandonara Ayla la cueva, Uba echó a andar tras ella. El invierno de entrenamiento, después de la enfermedad de su madre, había dado a la muchachita una conciencia mucho mayor del peligro que corría Ayla. Sabía lo débil que estaba la joven madre, y temía que fuera a desmayarse y se convirtiera en fácil presa de algún animal carnicero atraído por el olor a sangre. Uba estuvo a punto de volver corriendo a la cueva para contárselo a Iza, pero no quería que Ayla se marchara sola, y empezó a seguirla. La muchacha la perdió de vista cuando abandonó el sendero, pero volvió a verla mientras escalaba una pendiente descubierta.

Ayla se apoyaba pesadamente en su palo de cavar, empleándolo como bastón. Se detenía a menudo, tragando con fuerza para rechazar la náusea y luchando para no abandonarse al vértigo que podía convertirse en desmayo; sintió que la sangre le chorreaba por las piernas, pero no se detuvo para cambiar su tira absorbente. Recordó cuando podía subir la cuesta aquella a todo correr, sin jadear. Ahora no podía convencerse de lo lejos que estaba la alta pradera. La distancia entre puntos de referencia conocidos era bastante larga; Ayla se forzó hasta que estuvo a punto de desvanecerse, y luchó por seguir consciente hasta haber descansado lo suficiente para poder seguir su camino.

A finales de la tarde, cuando el bebé empezó a llorar, lo oyó apenas a través de una neblina. No se detuvo por eso, sino que siguió ascendiendo con empeño. Su mente sólo se aferraba a una idea: "Tengo que llegar a la pradera, tengo que llegar a la cueva". Ni siquiera estaba ya muy segura de por qué.

Uba la seguía de algo lejos, pues no quería que Ayla la viera. No sabía que Ayla apenas podía ver más que el siguiente paso. La cabeza de la joven madre flotaba en una niebla roja cuando alcanzó finalmente el pastizal montañoso. Un poco más, se decía, sólo un poco más. Cruzó pesadamente el campo y apenas tuvo fuerzas suficientes para apartar las ramas cuando llegó trastabillando a la cuevita y se dejó caer en lo que había sido su santuario tantas veces antes. Cayó sobre la piel de venado, sin preocuparse de que su manto estuviera mojado, y no recordó haber puesto a mamar al bebé que lloraba antes de permitirse sucumbir al agotamiento.

Fue una suerte que Uba alcanzara la pradera justo cuando Ayla desaparecía en la cueva, pues de lo contrario habría pensado que la mujer se había desvanecido en el aire. La gruesa y vieja maleza de avellanos con su ramaña de ramas disimulaba por completo el orificio de la muralla montañosa, inclusive sin el follaje veraniego. Uba corrió de vuelta a la cueva. Había tardado más de lo que pensaba; Ayla había tardado muchísimo más de lo que ella creía en llegar a la cuevita. Temía que Iza se hubiera preocupado y la reprendiera; pero Iza ignoró el retraso de su hija. La había visto deslizarse detrás de Ayla, y adivinó sus intenciones pero no quería saber nada, prefería la duda.

20

—¿No debería estar ya de regreso, Iza? —preguntó Creb. Había estado yendo y viniendo ansiosamente de la puerta de la cueva a su hogar, toda la tarde, Iza asintió, nerviosa, sin alzar la vista del cuarto de venado frío y cocido que estaba cortando.

—¡Ay! —exclamó de repente cuando el afilado cuchillo que estaba usando le cortó el dedo. Creb alzó la mirada, tan sorprendido por el hecho de que se cortara como por su grito espontáneo. Iza era tan hábil con el cuchillo de piedra que no recordaba cuándo fue la última vez que se cortó. "Pobre Iza —pensó Creb—. Me he preocupado tanto que he olvidado cómo debe de sentirse —se reprendió—. No es de extrañar que esté nerviosa; también ella se preocupa".

—He hablado a Brun hace un rato, Iza —señaló Creb—. Todavía no quiere ponerse a buscarla. Nadie debería saber dónde se deshace una mujer... dónde se encuentra en momentos como éstos. Ya sabes qué mala suerte sería para un hombre llegar a verla. Pero está tan débil que podría estar tirada en cualquier lugar, bajo la lluvia. Tú podrías ir a buscarla, Iza, tú eres curandera. No puede haber ido demasiado lejos. No te preocupes por la cena; puedo esperar. ¿Por qué no sales, ya? Pronto será de noche.

—No puedo —señaló Iza, y se metió en la boca el dedo herido.

—¿Qué quieres decir con eso de que no puedes?

—No puedo encontrarla.

—¿Cómo sabes que no puedes encontrarla si no la buscas? —El viejo mago estaba completamente confundido—. "¿Por qué no querrá Iza salir en su busca? Ahora que lo pienso ¿Por qué no ha ido a buscarla más temprano? Yo comprendería que anduviera recorriendo el bosque, levantando las piedras para encontrar a Ayla a estas horas. Está tan nerviosa... algo anda mal".

—Iza, ¿por qué no quieres ir en busca de Ayla? —preguntó.

—De nada serviría. No podría hallarla.

—¿Por qué? —insistió el mago.

Los ojos de la mujer estaban llenos de una ansiedad temerosa.

—Se está escondiendo —confesó la mujer.

—¡Escondiéndose! ¿De qué se está escondiendo?

—De todos. De Brun, de ti, de mí, de todo el Clan —contestó.

Creb no sabía qué pensar, y las respuestas enigmáticas de Iza lo confundían más aún.

—Iza, es mejor que expliques. ¿Por qué se está escondiendo Ayla del Clan o de mí o de ti? Especialmente de ti. Ahora te necesita.

—Creb, quiere quedarse con el bebé —señaló Iza, y después, explicó muy rápidamente, suplicando con los ojos que la comprendiera—. Le dije que era deber de la madre deshacerse de un bebé deforme, pero se negó. Tú sabes cuánto lo ha deseado. Ha dicho que se lo llevaría y se escondería con él hasta el día de ponerle nombre, así Brun tendría que aceptarlo. —Creb se quedó mirando duramente a la mujer, comprendiendo rápidamente las implicaciones del empecinamiento de Ayla.

—Sí, Iza, Brun se verá obligado a aceptar a su hijo, y entonces la maldecirá a ella por haber desobedecido deliberadamente, y esta vez será para siempre. ¿No sabes que cuando una mujer obliga a un hombre contra su voluntad, éste se desprestigia? Brun no puede permitírselo, los hombres le perderían el respeto. Aun cuando la maldiga, se desprestigiará, y la Reunión del Clan es este verano. ¿Crees que podrá enfrentarse ahora a los otros clanes? —señaló airadamente el mago—. ¿Cómo se le ha ocurrido semejante cosa?

—Es una de las historias de Aba, respecto a la madre que puso a su bebé deforme en un árbol —contestó Iza. Perturbada, la mujer estaba fuera de sí. ¿Por qué no habría pensado más en eso?

—¡Cuentos de viejas! —señaló Creb con disgusto—. Aba no debería llenar la cabeza de una joven con tales insensateces.

—No es sólo Aba, Creb... también tú.

—¡YO! ¿Cuándo le he contado semejantes cuentos?

—No tenías que contarle cuentos. Has nacido deforme, pero se te permitió vivir. Ahora, eres Mog-ur.

La declaración de Iza sobresaltó al torcido y manco mago. Sabía muy bien qué serie de sucesos fortuitos habían provocado su aceptación. Sólo la suerte había conservado al más alto hombre santo del Clan. La madre de su madre le dijo una vez que fue casi un milagro. ¿Estaría Ayla intentando hacer que se produjera para su hijo un milagro, por causa de él? No funcionaría: nunca podría obligar a Brun a aceptar a su hijo, y seguir viviendo. Tendría que ser deseo de él, decisión de él, exclusivamente de él.

—Y tú, Iza, ¿no le has dicho que estaba mal?

—La supliqué de que no fuera. Le dije que yo me desharía del bebé si no podía. Pero después de eso no me dejó ni acercarme a él. ¡Oh, Creb! ha sufrido tanto para tenerlo.

—De manera que dejaste que se fuera, con la esperanza de que el plan saliera bien. ¿Por qué no me lo has dicho a mí o a Brun?

Iza meneó la cabeza. "Creb tiene razón, debería habérselo dicho. Ahora también Ayla morirá y no sólo su bebé", pensó.

—¿Adónde ha ido, Iza? —El único ojo de Creb se había vuelto de piedra.

—No lo sé. Habló de un cueva pequeña —respondió la mujer, con el alma a los pies. El mago se volvió bruscamente y llegó cojeando al hogar del jefe.

Los gritos del bebé acabaron por despertar a Ayla de su sueño; estaba oscuro y la cuevita estaba húmeda y fría, sin fuego. Ella se fue al fondo para aliviarse y se crispó cuando el fluido caliente y amoniacal quemó su carne desgarrada, despellejada. Tanteó en la oscuridad en su canasto para ponerse una tira limpia y sacar un manto seco para el niño mojado y sucio; bebió un poco de agua. Entonces, envolviendo a ambos con sus pieles, se tendió de espaldas para amamantar a su hijo. Cuando despertó de nuevo, el muro de la cueva estaba bañado en luz de sol que chorreaba a través de las ramas enredadas del avellano que ocultaba la entrada. Comió fríos los alimentos mientras el niño mamaba.

El reposo y la comida la revivieron, y se sentó sosteniendo al nene y reflexionando. "Tengo que conseguir leña —pensaba— y no tengo comida para mucho tiempo, tendré que buscar más. La alfalfa debe de estar ya brotando; eso fortalecerá mi sangre.

El trébol nuevo y los brotes de algarroba también deben de estar en su punto. La savia sube, la corteza interior debe de estar dulce, especialmente la de arce. No, el arce no crece tan arriba como esto, pero hay abedul y abetos. Vamos a ver, bardana y fárfara y hojas nuevas de diente de león, y helecho, la mayor parte todavía cerrado. He recordado la honda... hay muchísimas ardillas por acá, y castor, y conejos.

Ayla soñaba los placeres de la temporada cálida, pero al ponerse en pie sintió que nuevamente sangraba y que la cabeza le daba vueltas. Tenía las piernas cubiertas de sangre seca que ensuciaba los protectores de sus pies y su manto, y eso le hizo tener una conciencia más realista de lo desesperado de su situación.

Cuando le pasó el vértigo, decidió limpiarse y recoger algo de leña, pero no sabía qué hacer con el nene. Estaba desgarrada entre el deseo de llevárselo y de dejarlo dormido donde estaba. Las mujeres del Clan nunca dejaban a los bebés solos, siempre estaban a la vista de alguna de las mujeres, y Ayla odiaba la idea de dejarlo solo. Pero tenía que limpiarse y conseguir más agua, y podría cargar con más leña si no lo llevaba.

Miró entre las ramas de la maleza sin hojas para asegurarse de que no hubiera nadie cerca, y entonces hizo las ramas a un lado y abandonó la cueva. El suelo estaba empapado; cerca del arroyo había un lodazal resbaloso. Manchas de nieve cubrían aún los rincones sombreados. Tiritando en el viento frío que soplaba desde el este impulsando más nubes de lluvia por delante, Ayla se desnudó, se metió en el arroyo frío para limpiarse, y después retorció sus prendas; el cuero frío y pegajoso no la ayudó mucho a entrar en calor cuando volvió a ponérselas.

Fue hasta los bosques que rodeaban el alto pastizal y sacudió algunas de las ramas bajas y secas de un abeto. Un vértigo se apoderó de ella, se le doblaron las rodillas y tendió la mano para agarrarse a un árbol. La cabeza le latía fuertemente, tragó ruidosamente para no devolver y la debilidad se adueñó de ella. Olvidó toda idea de cazar o recoger alimentos. El embarazo agotador, el terrible parto y la durísima escalada habían contribuido a dejarla exhausta... le quedaba muy poca fuerza.

El bebé estaba llorando cuando volvió a la cueva; tenía frío, estaba mojado y echaba de menos el calor de su madre. Lo tomó en sus brazos y lo sostuvo, y después recordó haber dejado la bolsa de agua junto al arroyo; necesitaba tener agua. Dejó al niño en el suelo y se arrastró fuera de la cueva; había empezado a llover nuevamente. Cuando estuvo de regreso, se dejó caer hecha un ovillo, agotada, y tendió las pieles calientes sobre ambos. Estaba demasiado cansada para darse cuenta de las agudas aristas de miedo que la amenazaban en los rincones de su mente, cuando el sueño la venció.

—¿No decía yo que era insolente y testaruda? —señalaba Broud en una actitud de dignidad mojigata—. ¿Me creyeron? No. Se pusieron de su lado, le encontraron excusas, le dejaron obrar a su antojo e inclusive cazar. El León Cavernario no la incitaba a ello: era simplemente una resistencia porfiada de su parte. ¿Ya ven lo que pasa cuando se le deja demasiada libertad a una mujer? ¿Cuando se muestra uno demasiado indulgente? Ahora cree que puede obligar al Clan a aceptar a su hijo deforme. Esta vez nadie puede encontrarle excusas. Ha desobedecido deliberadamente a las costumbres del Clan. Es imperdonable.

Por fin, Broud había sido rehabilitado, y se vanagloriaba al tener la oportunidad de decirles: "yo se lo dije". Y se extendía vengativamente hasta el punto de que el jefe se molestó. A Brun no le agradaba perder prestigio, y el hijo de su compañera no le facilitaba nada las cosas.

—Bueno, ya has demostrado tu punto de vista, Broud —indicó—. Ya no es necesario seguir con lo mismo. Ya me ocuparé yo de ella cuando regrese. Ninguna mujer me ha obligado nunca a hacer algo contra mi voluntad, y se ha salido con la suya después; y no va a empezar ninguna mujer ahora a lograrlo.

"Cuando reanudemos la búsqueda mañana por la mañana —prosiguió Brun, para explicar la razón de su convocatoria— creo que deberíamos buscar en lugares que frecuentamos poco. Iza dijo que Ayla sabía dónde había una cueva pequeña. ¿Ha visto alguien una cueva pequeña por aquí cerca? No puede estar muy lejos, estaba demasiado débil para ir muy lejos. Olvidemos la estepa o la selva, y busquemos por donde pueda haber probabilidad de cuevas. Con esta lluvia, su pista se ha borrado, pero puede haber quedado una huella de pie. No importa lo que cueste, quiero que la encontremos".

Iza esperaba ansiosamente que la reunión de Brun concluyera. Había estado tratando de hacer acopio de valor para hablarle, y consideró llegado el momento. Al ver que los hombres se separaban, fue hasta el hogar del jefe con la cabeza baja y se sentó a sus pies.

—¿Qué quieres, Iza? —preguntó el jefe después de tocarle el hombro.

JEAN M. AUEL

—Esta mujer indigna querría hablar al jefe —comenzó Iza.

—Puedes hablar.

—Esta mujer hizo mal al no acudir al jefe cuando se enteró de lo que proyectaba la mujer joven. —Iza olvidó la expresión oficial para dirigirse al jefe y prosiguió, dominada por sus emociones: —Pero Brun, deseaba tanto a ese bebé. Nadie creía que lograría dar vida, y ella menos que nadie. ¿Cómo pudo ser superado el espíritu del León Cavernario? Se sintió tan feliz al enterarse. Aun cuando sufría, nunca se quejó, y estuvo a punto de morir al dar a luz, Brun. Sólo la idea de que su bebé moriría le dio fuerzas al final. No podía renunciar a él, aun cuando fuera deforme. Estaba segura de que era el único bebé que pudiera tener. Perdió la cabeza de dolor y sobresalto, había perdido el juicio. Sé que no tengo derecho a pedirlo, pero Brun, te suplico que la dejes vivir.

—¿Por qué no acudiste antes a mí, Iza? Si has pensado que rogar por su vida podría servir ahora ¿Por qué no viniste entonces? ¿He sido tan malo con ella? No era ciego a sus sufrimientos. Uno puede apartar la vista para no mirar el hogar de otro hombre, pero no puede cerrar los oídos. No hay una sola persona de este Clan que no sepa cuánto dolor padeció Ayla para dar a luz. ¿Crees que tengo el corazón tan duro, Iza? Si hubieras venido a mí para decirme cómo se sentía y lo que pensaba hacer, ¿no crees que habría ponderado yo la posibilidad de dejar vivir al niño? Podría haber pasado por alto su amenaza de huir y esconderse, como los desvaríos de una mujer trastornada. Habría examinado al niño. Inclusive sin compañero, de no haber sido demasiada la deformidad, podría haberlo permitido. Pero no me diste oportunidad, Iza. Diste por sentado lo que yo haría. Tú no sueles ser así, Iza.

"Nunca has faltado a tu deber. Siempre has sido un ejemplo para las demás mujeres. Sólo puedo achacar tu comportamiento a tu enfermedad. Sé lo enferma que estás, aunque tratas de disimularlo. He respetado tus deseos y no he hablado de ello, pero estuve seguro de que pasarías al mundo de los espíritus el otoño pasado. Ya sabía yo que Ayla considera ésta como su única oportunidad de ser madre; y creo que tiene razón. Sin embargo, vi también que hizo caso omiso de sí misma cuando enfermaste, Iza, y te sacó adelante. No sé cómo lo hizo; tal vez fuera porque Mog-ur aplacó a los espíritus que deseaban verte con ellos, y los convenció de que te permitieran quedarte, pero no fue sólo Mog-ur.

"Estaba dispuesto a consentir lo que me pidiera y permitirle ser curandera. Había llegado a respetarla tanto como te respeté a ti en el pasado. Ha sido una mujer admirable, un modelo de obediencia sumisa, a pesar del hijo de mi compañera. Sí, Iza, sé perfectamente el mal trato a que Broud la ha sometido. Inclusive su única falla el verano pasado fue provocada por él, aun cuando no comprendo muy bien cómo. Es indigno de él ponerse en contra de una mujer de esa manera; Broud es un cazador muy fuerte y valeroso, y no tiene razón alguna para considerar que su virilidad esté amenazada por hembra alguna. Pero tal vez haya visto algo que yo pasé por alto. Tal vez tenga razón, y yo haya sido tolerante con ella. Iza, de haber venido antes a pedírmelo, podría haber ponderado tu ruego, podría haber dejado vivir al niño. Ahora es demasiado tarde. Cuando regrese el día en que debe nombrarse a su hijo, los dos, Ayla y su hijo, morirán".

Al día siguiente Ayla trató de encender un fuego. Quedaban todavía algunos palitos de leña seca de su temporada anterior. Hizo girar un palillo entre sus manos contra otra madera, pero no tuvo aguante suficiente para seguir esforzándose hasta lograr la chispa, y tuvo suerte al no lograrlo: Droog y Crug encontraron su camino hasta la pradera de la montaña donde dormían ella y el nene, y habrían olido el fuego o los restos de un fuego y descubierto su refugio. En cambio, estuvieron tan cerca de la cueva, que si el nenito hubiera gemido entre sueños, lo habrían oído. Pero la entrada del orificio que se abría en la pared rocosa estaba tan bien oculto por el viejo matorral de avellano, que no la vieron.

Pero la suerte le sonrió más aún. Las lluvias de primavera que se vertían sombríamente desde un cielo de plomo convirtiendo la orilla del arroyuelo en una poza de lodo, y la tierra de la pradera en una superficie pantanosa a la vez que la deprimían fuertemente, borraron todas sus huellas. Los cazadores eran tan expertos en seguir pistas que podían identificar las huellas de pisadas de cada uno de los miembros del Clan individualmente y su vista era tan aguda, que habrían reconocido ramitas rotas o tierra removida al arrancar bulbos o raíces, si ella hubiera salido a buscar comida, cosa que precisamente su debilidad no le había permitido hacer, evitándole así ser descubierta.

Cuando Ayla salió más tarde y vio las huellas de las pisadas de los hombres en el lodo junto al arroyo que constituía el manantial del río, precisamente donde se habían detenido para beber, el corazón le dio un vuelco. Le dio miedo salir de nuevo; se sobresaltaba cada vez que una ráfaga de viento sacudía el matorral que cerraba la entrada de su cueva, y estaba tensa escuchando sonidos imaginarios.

El alimento que había llevado consigo estaba casi terminado. Buscó entre los canastos donde había almacenado alimentos durante los días en que se quedó solitaria purgando su maldición de muerte temporal. Lo único que halló fue unas cuantas nueces secas, podridas, y excrementos de pequeños roedores, lo cual evidenciaba que sus reservas habían sido descubiertas y consumidas hacía mucho. Encontró los restos echados a perder del suplemento de comida que Iza le había dado cuando empleó la cueva como refugio durante su maldición femenina: estaban incomibles.

Entonces recordó que había escondido carne seca de venado en la pequeña excavación cubierta de piedras, en el fondo de la cueva, del venado que había matado para cubrirse con su piel. Ayla encontró el montoncito de piedras y las retiró; la carne conservada estaba intacta, pero el alivio de sus tensiones fue breve: las ramas de la entrada se agitaron, y el corazón de Ayla dio un brinco.

—¡Uba! —señaló con asombro al ver a la muchacha entrar en la cueva—. ¿Cómo me has encontrado?

—Te seguí el día que huiste. ¡Estaba tan asustada a la idea de que te pasara algo malo! Te he traído algo de comer y un poco de té para que te fluya la leche. Madre lo hizo.

—¿Sabe Iza dónde estoy?

—No. Pero sí sabe que yo sí. No creo que desee saberlo, porque entonces tendría que decírselo a Brun. ¡Oh, Ayla! Brun está furioso contra ti. Los hombres han estado buscándote todos los días.

—He visto sus huellas junto al arroyo, pero no han visto la cueva.

—Broud está presumiendo de que siempre supo él lo mala que eres. Apenas he visto a Creb desde que te fuiste. Se pasa todo el día en la cámara de los espíritus, y madre está tan trastornada. Quiere que te diga que no vuelvas —dijo Uba, con sus ojos muy abiertos, llenos del temor que sentía por la joven.

—Si no te ha hablado de mí, ¿cómo pudo Iza darte un mensaje? —preguntó Ayla.

—Cocinó de más anoche y también esta mañana. No demasiado... supongo que tenía miedo de que Creb se diera cuenta de que era para ti. Pero no ha comido su porción. Más tarde ha hecho el té, y después se ha puesto a gemir y hablando sola como si estuviera lamentándose por ti; se ha estado lamentando desde que te fuiste, pero esta vez me miraba a los ojos. Y no paraba de decir: Mi pobre niña, mi pobre hija, no tiene comida, está débil. Necesita leche para su bebé... y cosas por el estilo. Y después se ha alejado del hogar. La bolsa de agua estaba junto al fuego y el té, y la comida estaba envuelta.

"Sin duda me vio seguirte —prosiguió Uba—. Yo me preguntaba por qué no me habría regañado, si tardé tanto. Brun y Creb están furiosos con ella por no haberles dicho que ibas a esconderte. Si supieran que ella intuye dónde te encuentras y no se lo dice, no sé lo que le harían. Pero a mí, nadie me ha preguntado: de todos modos, nadie presta mucha atención a los niños, y menos a las niñas. Ayla, yo sé que debería decirle a Creb dónde estás, pero no quiero que Brun te maldiga, no quiero que te mueras".

Ayla sentía palpitaciones en los oídos. "¿Qué he hecho?" No se había percatado de lo débil que estaba ni de lo difícil que le sería sobrevivir sola, con un bebé, cuando amenazó con abandonar el Clan.

"Y ahora, ¿qué voy a hacer?" Tomó en brazos a su bebé y lo abrazó. "Pero no podía dejarte morir ¿verdad que no"

Uba miraba compasivamente a la joven madre que parecía haber olvidado su presencia.

—Ayla —dijo, tímidamente—. ¿Podría verlo? Nunca he tenido la oportunidad de ver a tu bebé.

—¡Oh, Uba! claro que puedes verlo —señaló, llena de remordimientos por haber ignorado a la niña que había recorrido tan largo camino para llevarle el mensaje de Iza. También ella podría tener disgustos; si se descubría que Uba sabía dónde encontrar a Ayla y no lo decía, el castigo podría ser tremendo... podría arruinarle la vida.

—¿Quieres tenerlo un poco?

—¿Puedo?

Ayla le puso el nenito en el regazo. Uba iba a partir su cobija, pero alzó la vista para pedir permiso a Ayla; la madre asintió.

—Ayla, no se ve tan mal. No está tullido como Creb. Está flacucho, pero lo que más diferente parece es su cabecita. Pero no tan diferente como la tuya. Tú no te pareces a nadie del Clan.

—Es porque no nací en el Clan. Iza me encontró cuando sólo era una niñita; dice que nací de los Otros. Pero ahora soy del Clan —dijo orgullosamente Iza, y de repente su expresión cambió—. Pero no por mucho tiempo.

—¿Echas alguna vez de menos a tu madre? Quiero decir a tu verdadera madre, no a Iza —preguntó la niña.

—No recuerdo más madre que Iza. No recuerdo nada antes de haber venido a vivir con el Clan—. De repente, palideció: —Uba, ¿adónde puedo ir si no regreso? ¿Con quién viviré? No volveré a ver a Iza, ni a Creb. Y ésta será la última vez que te vea a ti. Pero no sabía qué hacer. No podía dejar morir a mi niño.

—Yo qué sé, Ayla. Madre dice que Brun se desprestigiará si le obligas a aceptar a tu hijo, por eso está tan furioso. Dice que si una mujer obliga a un hombre a hacer algo, los demás hombres dejarán de respetarlo. Aunque te maldiga después, se desprestigiará porque le obligaste a hacer algo contra su voluntad. No quiero que te vayas, Ayla, pero si regresas morirás.

La joven miró el rostro descompuesto de la niña, sin comprender que su rostro cubierto de lágrimas tenía la misma expresión. Las dos se arrojaron simultáneamente una en brazos de la otra.

—Será mejor que te vayas, Uba, antes de que tengas un disgusto —dijo Ayla. La niña devolvió el niño a su madre y se puso en pie para marcharse—. Uba —llamó Ayla mientras la niña empezaba a apartar las ramas—: me alegro de que hayas venido a verme, porque así he podido hablar contigo una vez más. Y dile a Iza... dile a mi madre que la amo. —Las lágrimas volvían a correr por sus mejillas—. Díselo también a Creb.

—Lo haré, Ayla. —La muchacha se quedó un momento más—. Ahora me voy —dijo, y abandonó rápidamente la cueva.

Cuando Uba se hubo alejado, Ayla deshizo el bulto de comida que le había llevado. No había mucho, pero con el venado seco duraría unos cuantos días. ¿Y después? No podía pensar, su mente era un verdadero torbellino de confusión que la sumía en un negro agujero de desesperanza.

Su plan le había estallado en la cara. No sólo estaba en peligro la vida de su hijito sino también la suya propia. Comió, sin saborear nada, y bebió un poco de té antes de tenderse de nuevo con su hijito, y se deslizó hasta el olvido que proporciona el sueño. Su cuerpo tenía necesidades que le eran propias y exigía descanso.

Era de noche cuando despertó; bebió lo que le quedaba de té frío. Decidió buscar más agua mientras era de noche, pues no había posibilidad de que la vieran los que andaban en su busca. Tanteó en la oscuridad en busca de la bolsa de agua y se apoderó de ella el pánico al notar que había perdido el sentido de la orientación en la negrura absoluta de la caverna. Las ramas que disimulaban la entrada, destacándose fantásticamente sobre una oscuridad menos negra, le devolvieron la noción de dónde estaba; salió rápidamente.

Un cuarto creciente, jugando al escondite con nubes que corrían rápidamente, arrojaba poca luz, pero sus ojos, muy dilatados por la oscuridad de la cueva, podían ver árboles fantasmales que recortaban su silueta en el leve resplandor. El susurro del agua del arroyo, salpicando sobre diminutas rocas que formaban una cascada de juguete, reflejaban la brillante hoz con un matiz iridiscente. Ayla estaba débil aún, pero no se sentía mareada al ponerse en pie, y le resultaba menos doloroso andar.

Ningún hombre del Clan la vio mientras se inclinaba junto al arroyo bajo el manto protector de la oscuridad, pero otros ojos, más acostumbrados a ver a la luz de la luna, la vigilaban. Los depredadores nocturnos y sus presas que buscaban el alimento de noche bebían de ese mismo arroyo. Ayla no había sido nunca tan vulnerable desde que vagó sola —nenita de cinco años de edad—, y no tanto por su debilidad sino porque no estaba pensando en términos de supervivencia. No estaba en guardia; sus pensamientos estaban vueltos hacia dentro. Habría sido presa fácil para cualquier depredador en acecho, atraído por los ricos olores. Pero Ayla había sido temida antes de ahora; piedras rápidas, aun cuando no siempre letales pero sí dolorosas, habían dejado su impronta. Los carnívoros cuyo territorio comprendía la cueva, tendían a apartarse de ésta. Eso le daba a la joven una ligera ventaja, un factor de seguridad, una reserva contra el peligro, y se estaba beneficiando ahora que tanto lo necesitaba.

—Tiene que haber alguna señal de ella— señaló Brun con enojo—. Si ha llevado alimentos, no le van a durar para siempre; tiene que salir pronto de su escondite. Quiero que vuelvan a buscar por todos los lugares donde han buscado ya. Si ha muerto, quiero saberlo. Algún animal carnicero la habrá encontrado y tienen que quedar evidencias de ello. Quiero que la encuentren antes del día del nombre. No iré a una Reunión del Clan, si no aparece.

—¡Ahora nos va a privar a la Reunión del Clan! —resopló Broud con ira—. Y para empezar, ¿por qué fuera aceptada en el Clan? Ni siquiera procede del Clan. Si yo fuera jefe, no la habría admitido. Si fuera jefe, no habría dejado que Iza se quedara con ella, ni siquiera le habría permitido recogerla. ¿Por qué nadie puede verla como lo que es? No es la primera vez que desobedece; siempre ha mostrado falta de respeto por las costumbres del Clan y se ha salido con la suya. ¿Alguien ha impedido que traiga animales a la cueva? ¿Ha impedido alguien que vaya por ahí sola, cosa que ninguna mujer buena del Clan pensaría siquiera hacer? No es extraño que nos espiara mientras practicábamos. ¿Y qué sucedió cuando la sorprendieron usando una honda? Una maldición de muerte *temporal*, y cuando regresó ¡se le permitió cazar! Imagina: una mujer del Clan... cazando. ¿Saben lo que pensarían de eso los demás clanes? No es sorprendente que no vayamos a la Reunión del Clan. ¿Es raro que pretenda obligarnos a aceptar a su hijo?

—Broud, ya hemos oído todo esto antes— señaló cansadamente Brun—. Su desobediencia no quedará sin castigo, te lo prometo.

La constante insistencia de Broud en el mismo tema no sólo estaba atacándole los nervios a Brun, también estaba causando cierta impresión. El jefe empezaba a cuestionar su propio juicio, un juicio que debía basarse en el apego a tradiciones y costumbres muy antiguas que no daban mucho lugar a desviaciones. Y sin embargo, como Broud no paraba de recordarle, Ayla se había hecho culpable de una lista de infracciones que empeoraba progresivamente y parecía conducir a este acto imperdonable de rebelión. Había sido demasiado generoso con la intrusa que no había nacido con el sentido inherente de virtud del Clan, demasiado indulgente con ella; Ayla se había aprovechado de él. Tenía razón Broud, debería haber sido más severo, debería haberla obligado a someterse, tal vez nunca debería haber permitido que la curandera la recogiera. Pero, ¿tenía que estar machacándolo todo el tiempo el hijo de su compañera?

El constante sermoneo de Broud estaba impresionando también al resto del Clan. Casi todos empezaban a convencerse de que Ayla los había cegado en cierto modo con engaños, y que sólo Broud había sido lo suficientemente perspicaz para reconocerlo. Cuando no estaba cerca Brun, los jóvenes hablaban mal del jefe, insinuando que estaba demasiado viejo para seguir encabezándolos eficazmente. El desprestigio de Brun resultó un golpe muy fuerte contra su confianza; podía sentir cómo el respeto de los hombres se retiraba poco a poco, y no podía soportar la idea de enfrentarse a una Reunión de los clanes en tales circunstancias.

Ayla siguió en la cueva, de la que salía únicamente para buscar agua. Envuelta en pieles, tenía calor suficiente inclusive sin fuego. La comida que le llevó Uba y la reserva olvidada de carne de venado, tan seca como el cuero y dura de masticar pero altamente nutritiva, sazonada por el hambre, hacía que recoger o cazar fuera innecesario. Le daba la posibilidad de descansar todo lo que necesitaba. Como no la agotaba más la necesidad de alimentar a un feto no-del-todo-correcto, su cuerpo joven y saludable, fortalecido por años de un ejercicio físico agotador, comenzaba a restablecerse. No necesitaba dormir tanto, pero en cierto modo esto resultaba peor pues sus pensamientos perturbados la acosaban constantemente. Por lo menos, mientras dormía no experimentaba ansiedad.

Ayla estaba sentada junto a la entrada de la cueva, sosteniendo en sus brazos al niño dormido. De su boquita chorreaba un hilillo de líquido blanco y otro más del otro seno atestiguando así que la leche fluía ya. El sol del atardecer, oculto de vez en cuando por nubes rápidas, calentaba la tierra junto a la entrada con sus manchas de luz. Ayla miraba a su hijito, observando su respiración regular interrumpida por movimientos de los ojos y leves sobresaltos que lo ponían a mamar en sueños antes de volver a calmarse. Lo miró más de cerca, volviéndole la cabeza para verlo de perfil.

"Uba ha dicho que no te ves tan mal —pensaba Ayla—; eso me parece. Un poco diferente; también eso dijo Uba. Pareces diferente pero no tanto como yo. —Ayla recordó súbitamente el reflejo de su rostro en la poza tranquila—. ¡No tan diferente como yo!"

Ayla volvió a examinar a su hijo, tratando de recordar su propio reflejo. "Mi frente se abomba así —pensó, tocándose con la mano—. Y ese hueso bajo su boca, también yo lo tengo. Pero tiene arcos ciliares fuertes, y yo no. La gente del Clan los tiene. Si yo soy diferente, ¿por qué no iba a ser diferente mi bebé? Debería parecerse a mí, ¿no es cierto? Se me parece un poco, sí, pero también se parece a los bebés del Clan. Se parece a los dos. Yo no nací del Clan, pero mi bebé sí, sólo que se parece a mí y a ellos, como si estuviéramos mezclados.

"No creo yo que seas deforme, hijito mío. Si has nacido de mí y del Clan, tienes que parecerte a ambos. Si los espíritus se mezclaron ¿No tendrías que parecer una mezcla tú también? Ese es tu aspecto, así debes verte. Pero, ¿qué tótem te inició? No importa el que fuera, sin duda ha tenido ayuda. Ninguno de los hombres tiene un tótem más fuerte que el mío, sólo Creb. ¿Inició tu vida el Oso Cavernario, bebé mío? Vivo en el hogar de Creb. No, no puede ser. Creb dice que Ursus no permite nunca que una mujer trague su espíritu, Ursus escoge siempre. Y si no fue Creb, ¿quién más ha estado cerca?''

Ayla vio súbitamente a Broud cerniéndose sobre ella. ¡No! Meneó la cabeza, rechazando ese pensamiento. Broud no. No inició *él* a mi bebé. Se estremeció de repugnancia pensando en el futuro jefe y en la manera en que la había obligado a someterse a sus deseos. "¡Lo odio! Lo he odiado cada vez que se ha acercado a mí. ¡Me alegro tanto de que no haya vuelto a molestarme! Espero que nunca, nunca quiera aliviar sus deseos conmigo de nuevo. ¿Cómo puede aguantarlo Oga? ¿Cómo pueden aguantar eso las mujeres? ¿Por qué tienen los hombres ese tipo de necesidades? ¿Por qué tiene que meter un hombre su órgano en el lugar de donde vienen los bebés? Ese sitio debería ser sólo para los bebés, no para que los órganos de los hombres lo pongan todo pegajoso. Los órganos de los hombres no tienen nada que ver con los bebés'' —pensó, llena de indignación.

La incongruencia del acto sin sentido permaneció en su mente, y después un pensamiento extraño se insinuó: "¿O tal vez sí? ¿Puede tener algo que ver con los bebés el órgano del hombre? Sólo las mujeres pueden tener bebés, pero tienen bebés niños y bebés niñas, —se dijo reflexivamente—. Me pregunto si cuando un hombre mete su órgano en el sitio de donde vienen los bebés lo inicia. ¿Y si no fuera el espíritu del tótem de un hombre lo que inicia un bebé... si fuera su órgano? ¿No significaría eso que también a él le pertenece el bebé? Quizá por eso tengan esa necesidad los hombres, porque quieren iniciar un bebé. Quizá por eso también les gusta a las mujeres. Nunca he visto que una mujer se tragara un espíritu, pero he visto a menudo que los hombres metían su órgano en las mujeres. Nadie había pensado nunca que podría tener yo un bebé, porque mi tótem es demasiado fuerte, pero lo he tenido, y comenzó más o menos cuando Broud estaba aliviando sus necesidades conmigo''.

"No, no es cierto. Eso significaría que mi bebé es también el bebé de Broud —pensó Ayla, horrorizada—. Tiene razón Creb, siempre tiene razón. Me tragué un espíritu que combatió contra mi tótem y lo venció, y tal vez más de uno, quizá todos ellos''. Abrazó fuertemente a su nenito como tratando de guardárselo para sí sola. "Tú eres mi bebé, no el de Broud. Ni siquiera fue el espíritu del tótem de Broud''.

El nenito se asustó por el movimiento brusco y empezó a llorar. Ayla lo meció amorosamente hasta que se calmó.

"Quizá mi tótem supo cuánto deseaba yo tener un bebé, y se dejó derrotar. Pero, ¿por qué iba a dejarme tener un bebé mi tótem, si sabía que tendría que morir? Un bebé que es en parte mío y en parte del Clan siempre parecerá diferente; y siempre dirán que mis bebés son deformes. Aun cuando tuviera un compañero, mi bebé no parecería normal. Nunca me dejarían quedarme con ellos; tendrían que morir todos. Qué importa, si de todos modos voy a morir. Ambos vamos a morir, hijo mío".

Ayla tenía su nenito pegado al cuerpo, lo mecía y le canturreaba mientras las lágrimas corrían por sus mejillas sin que se diera cuenta.

"¿Qué voy a hacer ahora, bebito mío? ¿Qué voy a hacer? Si regreso el día de tu nombre, Brun me maldecirá. Iza ha dicho que no vuelva, pero, ¿adónde podría ir? Todavía no tengo suficientes fuerzas para cazar, y si las tuviera ¿qué iba a hacer contigo? No te podría llevar conmigo: no se puede cazar con un bebé. Podrías llorar y espantar a los animales, pero no podría dejarte solo. Quizá no tendría que cazar, podría encontrar comida. Pero necesitamos también otras cosas ... mantos y capas y protectores para los pies.

"¿Y dónde encontraría una cueva para vivir? No puedo seguir aquí, hay demasiada nieve en invierno y está demasiado cerca; tarde o temprano, acabarían por encontrarme. Podría marcharme, pero tal vez no encontrara una cueva, y los hombres me seguirían la pista y me traerían otra vez. Aun cuando me alejara y encontrara una cueva y almacenara suficientes alimentos para todo el invierno venidero, y aun cuando cazara un poco, seguiríamos estando solos. Necesitas más gente, no sólo a mí. ¿Con quién jugarías? ¿Quién te enseñaría a cazar? ¿Y si algo me sucediera? ¿Quién te cuidaría? Estarías completamente solo, como yo cuando do Iza me encontró.

"No quiero que estés solo; no quiero estar sola, yo tampoco. Quiero volver a casa —y Ayla sollozaba, sumiendo el rostro en las ropas del nene—. Quiero ver de nuevo a Uba y a Creb, quiero a mi madre. Pero no puedo volver al hogar: Brun está furioso conmigo. Soy causa de su desprestigio y va a echarme la maldición. Yo no sabía que le haría perder su prestigio, pero no quería que murieras. Brun no es tan malo; me permitió cazar. ¿Y si no tratara de obligarlo a aceptarte? ¿Y si sólo le suplicara que te deje vivir? Si regresara ahora, no se desprestigiaría porque todavía queda tiempo; quedan dos dedos antes del día de nombrarte. Quizá entonces no estuviera tan furioso.

"¿Y si lo está? ¿Y si dice que no? ¿Y si te aparta de mí? Si te arrebatan ahora no quiero seguir viviendo. Si tienes que morir, también yo quiero morir. Si regreso y dice Brun que tienes que morir, le suplicaré que me maldiga. Moriré también. No dejaré que vayas solo al mundo de los espíritus, bebito mío; te prometo que si tienes que ir, iré yo contigo. Ahora mismo voy a ir y suplicar a Brun que me deje tenerte. ¿Qué más puedo hacer?

Ayla se puso a meter cosas en su canasto. Envolvió al nene en el manto que tenía para él, y a ambos en su manto de pieles, y apartó las ramas que tapaban la entrada de la cueva. Mientras gateaba para salir, su mirada cayó sobre algo que brillaba al sol. Una piedra gris brillante estaba a sus pies; la recogió. No era una piedra sino tres nódulos pequeños de pirita ferrosa pegados. La volvió entre sus dedos y vio cómo brillaba el "oro de los tontos". Tantas veces como había entrado y salido entre las ramas del avellano, en tantos años, y nunca anteriormente había visto aquella insólita piedra.

Ayla la apretó en su mano y cerró los ojos. "¿Puede ser una señal?, ¿una señal de mi tótem?

"Gran León Cavernario —expresó con ademanes— ¿He tomado la decisión correcta? ¿Me estás diciendo que debo regresar ahora? ¡Oh, León Cavernario! que sea una señal. Que sea la señal de que me has encontrado digna, de que ha sido una prueba más. Que sea una señal de que mi bebé vivirá".

Le temblaban los dedos al desatar los nudos de la bolsita de cuero que llevaba colgada del cuello. Agregó la piedra brillante de forma curiosa al óvalo pintado de rojo de la defensa del mamut, el molde fósil de un gasterópodo y el trocito de ccre rojo. Con el corazón palpitante de miedo y una esperanza desesperada, Ayla salió de la cuevita y se dirigió a la caverna del Clan.

Uba llegó corriendo a la cueva gesticulando desatinadamente:

—¡Madre! ¡Madre! ¡Ayla ha vuelto!

El rostro de Iza se quedó sin una gota de sangre.

—¡No! ¡No puede ser! ¿Tiene el bebé consigo? Uba, ¿fuiste a verla? ¿Le dijiste?

—Sí, madre, la vi. Le dije qué furioso estaba Brun. Le dije que no regresara— dijo la niña con gestos.

Iza corrió a la entrada y vio que Ayla avanzaba lentamente hacia Brun. Se dejó caer como un ovillo a sus pies, inclinada sobre su hijito para protegerlo con su cuerpo.

—Ha llegado antes, sin duda calculó mal el tiempo —señaló Brun al mago que salía de la cueva cojeando a toda prisa.

—No ha calculado mal, Brun. Sabe que no es el día, ha regresado ex profeso— señaló Mog-ur.

El jefe miró al viejo, preguntándose cómo podía ser tan positivo. Entonces echó una mirada a la joven y de nuevo hacia Mog-ur, con aprensión.

—¿Estás seguro de que los encantamientos que preparaste para protegernos servirán? Debería estar aislada, su maldición de hembra no puede haber transcurrido ya, siempre es mucho más prolongada después de haber dado a luz.

—Los encantamientos son fuertes, Brun, hechos con los huesos de Ursus. Estás protegido. Puedes "verla' —indicó en respuesta el mago.

Brun se volvió y miró a la joven mujer hecha un ovillo alrededor de su hijo y temblando convulsivamente de miedo. "Debería maldecirla ahora mismo —pensó furiosamente—. Pero no es el día de nombrar al niño. Si Mog-ur tiene razón ¿Por qué ha regresado antes? ¿Y con el nene? Sin duda está con vida, pues de lo contrario no lo traería. Su desobediencia es imperdonable, pero ¿Por qué ha regresado antes?" Su curiosidad era demasiado grande; tocó el hombro de la joven.

—Esta mujer indigna ha sido desobediente— comenzó a expresar Ayla mediante los movimientos silenciosos y formales, sin mirarlo directamente y sin saber siquiera si respondería. Sabía que no debía intentar hablarle a un hombre, debería estar aislada, pero él le había dado un golpecito en el hombro. —Esta mujer querría hablarle al jefe si se le permite.

—No mereces hablar, mujer, pero Mog-ur ha invocado protección en tu caso. Si yo quiero que hables, los espíritus lo permitirán. Tienes razón, has sido muy desobediente. ¿Qué puedes alegar en tu favor?

—Esta mujer está agradecida. Esta mujer conoce las costumbres del Clan, debería haberse deshecho del niño como le dijo la curandera; en cambio, huyó. Iba a regresar el día de ponerle nombre a su hijo para que el jefe tuviera que aceptarlo en el Clan.

—Has vuelto demasiado pronto —señaló Brun, triunfante—. No es todavía el día de nombrarlo. Puedo mandar a la curandera que te lo quite.

La tensión que había crispado las espaldas de Brun desde que se fue Ayla se aflojó mientras hacía los ademanes; y entonces lo comprendió plenamente: sólo si el niño viviera siete días la tradición lo obligaría a aceptarlo. El tiempo no había transcurrido aún, de modo que no tenía que aceptarlo; no se había desprestigiado, estaba nuevamente al mando.

Los brazos de Ayla aferraron involuntariamente al nene que tenía pegado al pecho bajo el manto. Entonces, la joven madre prosiguió:

—Esta mujer sabe que no es todavía el día de nombrarlo. Esta mujer comprendió que había hecho mal al intentar obligar al jefe a aceptar a su hijo. No le corresponde a una mujer decidir si su hijo debe vivir o morir; sólo el jefe puede tomar esa decisión. Por eso ha regresado esta mujer.

Brun miró el rostro serio de Ayla; por lo menos haba recobrado el sentido a tiempo, pensó.

—Puesto que conocías las costumbres del Clan ¿Por qué has regresado con un niño deforme? Iza dijo que fuiste incapaz de llevar a cabo tu deber de madre. ¿Estás dispuesta a hacerlo ahora? ¿Quieres que la curandera lo haga en tu lugar?

Ayla vaciló, cubriendo a su hijito con su propio cuerpo.

—Esta mujer lo entregará si el jefe lo ordena. —Hacía las señas lenta, dolorosamente, forzándose, sintiéndose como si le revolvieran un puñal en el corazón—. Pero esta mujer ha prometido a su hijo que no lo dejará ir solo al mundo de los espíritus. Si el jefe decide que el bebé no puede vivir, esta mujer te ruega que la maldigas. —Y dejó de expresarse en lenguaje formal para rogar—: Te lo suplico, Brun, te suplico que dejes vivir a mi hijo. Si ha de morir, no quiero seguir viviendo.

La ferviente súplica de Ayla sorprendió al jefe. Bien sabía que algunas mujeres deseaban conservar a sus bebés a pesar de deformidades y desfiguraciones, pero casi todas se sentían aliviadas al deshacerse de éllos cuanto antes y lo más discretamente posible. Un niño deforme estigmatizaba a la madre. Anunciaba cierta falta de adecuación, la incapacidad de producir un bebé perfecto. La hacía menos deseable. Aun cuando la deformidad no fuera suficiente para representar un impedimento grave, había que tomar en cuenta la posición y los compañeros posibles. Los últimos años de una madre podrían resultar difíciles si sus hijos o los compañeros de sus hijas no pudieran atenderla. Aun cuando nunca moriría de hambre, su vida podría ser muy desdichada. La solicitud de Ayla no tenía precedente. El amor maternal era fuerte, pero, ¿lo suficiente como para seguir al hijo al otro mundo?

—¿Quieres morir con un niño deforme? ¿Por qué —preguntó Brun.

—Mi hijo no es deforme —señaló Ayla con apenas un rastro de desafío—. Es diferente, nada más. Yo soy diferente. No me parezco a la gente del Clan; lo mismo mi hijo. Cualquier bebé, que yo tenga será igual que él, si mi tótem vuelve a ser derrotado. Nunca tendré un bebé que sea autorizado a vivir. Si todos mis bebés tienen que morir, tampoco yo quiero vivir.

Brun miró a Mog-ur.

—Si una mujer traga el espíritu del tótem de un hombre ¿No debería parecerse el bebé a ese hombre?

—Sí, debería. Pero no olvides que ella tiene un tótem varonil también. Quizá por eso luchó tanto. El León Cavernario ha querido tal vez ser parte de la nueva vida. Podría haber algo de razón en lo que ella dice. Tendré que meditar al respecto.

—Pero, ¿y si el niño sigue siendo deforme?

—Eso sucede a menudo cuando el tótem de una mujer se niega a someterse del todo. Eso hace que el embarazo sea difícil y deforma al bebé —replicó Mog-ur—. Me sorprende más que el niño sea varón. Si el tótem de una mujer libra una fuerte batalla, por lo general, el niño será hembra. Pero no lo hemos visto, Brun; quizá convenga que lo examinemos.

"¿Por qué tomarse la molestia? —se preguntaba Brun—. ¿Por qué no maldecirla ahora mismo y deshacerse del nene?" El regreso prematuro de Ayla y su humillación arrepentida habían calmado el orgullo herido de Brun, pero todavía no estaba calmado. Había estado muy cerca de desprestigiarse por culpa de ella, y no era el primer problema que le causaba. Había vuelto pero, ¿qué haría después? Y además estaba aproximándose la Reunión del Clan, como se lo había recordado tantas veces Broud.

Una cosa era permitir que Iza recogiera a una niña extraña y se la llevara al Clan. Pero Brun se había visto obligado a reflexionar a menudo, en los últimos tiempos, sobre la impresión que habría de causar en los demás clanes verlo llegar con una mujer nacida de los Otros. Se preguntaba, recordando, cómo había tomado tantas decisiones heterodoxas; cada una de ellas, en su oportunidad, no parecía irracional. Inclusive permitir que cazara la mujer fue lógico. Pero todo ello junto, y visto desde el punto de vista de un extraño, el efecto era un quebrantamiento abrumador de las costumbres. Ayla había desobedecido, merecía un castigo; al maldecirla eliminaría todas sus preocupaciones.

Pero una maldición de muerte era una grave amenaza contra el Clan, y ya lo había expuesto a los malos espíritus una vez, por causa de ella. Su retorno voluntario había impedido que se deshonrara; Iza tenía razón, sin duda: Ayla había perdido temporalmente la cabeza por la confusión y el dolor. ¿No le dijo a Iza que habría tomado en cuenta una solicitud en cuanto a dejar vivir al nene, si se lo hubieran pedido? Bueno, ella lo pidió; regresó sabiendo muy bien hasta qué grado había delinquido, sabiéndolo y dispuesta a hacer frente, rogando por la vida de su hijito. Por lo menos, podía examinarlo. A Brun no le agradaba tomar decisiones precipitadas. Hizo una señal brusca a Ayla señalando el hogar de Creb, y se alejó a grandes trancos.

Ayla corrió a los brazos de Iza que la esperaban. Por lo menos, había vuelto a ver, por última vez, a la mujer que era la única madre que conocía.

—Todos han tenido la oportunidad de examinarlo —dijo Brun—. En circunstancias normales, no los molestaría, sería una decisión sencilla. Pero quiero saber cómo opinan todos; una maldición de muerte es una posibilidad fuerte, y no me agrada exponer el Clan una vez más a los espíritus malignos. Si consideran que el niño es aceptable, me será difícil maldecir a la madre. Sin ella, otra mujer debería encargarse del niño, tendría que vivir con uno de ustedes cuya esposa esté amamantando. Si se permite vivir al niño, el castigo de Ayla tendrá que ser menos severo. Mañana es el día para ponerle nombre; tengo que tomar pronto la decisión, y Mog-ur necesitará tiempo para preparar una maldición, si tal va a ser su castigo. Tiene que hacerse antes de que salga el sol mañana.

—No es sólo su cabeza, Brun —comenzó a explicar Crug. Ika estaba todavía criando a su hijo más pequeño, y Crug no deseaba que el nene de Ayla se sumara a su hogar, por lejana que fuera la posibilidad—. Ya es bastante malo, pero ni siquiera puede levantarla. Hay que sostenérsela. ¿Cómo será cuando crezca? ¿Cómo cazará? Nunca podrá proveer para sí mismo; sólo será una carga para todo el Clan.

—¿No crees que haya una posibilidad de que se le fortalezca el cuello? —preguntó Droog. —Si muere Ayla, se llevará parte del espíritu de Ona consigo. Aga se encargaría de su hijo... cree que se lo debe... aunque no creo que desee realmente tener un bebé deforme. Si ella está dispuesta, supongo que yo también, pero no si va a ser una carga para todo el Clan.

—Tiene el cuello tan largo y flaco, y tan grande la cabeza que no creo que llegue a fortalecérsele nunca —comentó Crug.

—Yo no querría tenerlo en mi hogar por nada del mundo; ni siquiera me tomaría la molestia de preguntárselo a Oga. No es digno de ser hermano de los hijos de ella: se convertiría en hermano de Brac y Grev... y no voy a permitirlo. Brac sobrevivirá aunque ella se lleve una pequeña parte de su espíritu. No sé por qué lo estás considerando, Brun. Estabas dispuesto a maldecirla. Sólo porque ha vuelto corriendo antes de tiempo, ya piensas en aceptarla, y además hablas de aceptar también a su hijo deforme —y los ademanes con que Broud se expresaba revelaban su amargura.

—Te ha desafiado al huir; su regreso no disminuye en nada la desobediencia. ¿Qué hay que discutir? El niño es deforme y ella debe ser maldita. Y se acabó. ¿Por qué nos haces siempre perder el tiempo con estas reuniones para tratar de ella? Si yo fuera jefe, ya le habría echado la maldición. Es desobediente, es insolente y ejerce mala influencia en las demás mujeres. De lo contrario, ¿cómo puedes explicar el mal comportamiento de Iza? —Broud se estaba enfureciendo más y más, y sus gestos resultaban más excitados—. Merece la maldición, Brun. ¿Cómo se te puede ocurrir otra cosa? ¿Por qué no lo comprendes? ¿Estás ciego? Nunca ha hecho nada bien. Si yo fuera jefe, nunca habría sido aceptada, eso para empezar. Si yo fuera jefe...

—Pero todavía no eres jefe, Broud —replicó friamente Brun —y es poco probable que llegues a serlo si no eres capaz de controlarte mejor. Ella sólo es una mujer, Broud ¿Por qué te sientes tan amenazado por ella? ¿Qué te podría hacer? Te tiene que obedecer, no le queda más remedio. Si tú fueras jefe, si tú fueras jefe, ¿es lo único que sabes decir? ¿Qué clase de jefe es el que se muestra ansioso por matar a una mujer aun a riesgo de poner en peligro a todo el Clan.

Brun mismo estaba a punto de descontrolarse; había aguantado todo lo que podía del hijo de su compañera.

Los hombres estaban incómodos y escandalizados. Una batalla abierta entre el jefe presente y el futuro resultaba inquietante. Desde luego, Broud se había salido del límite, pero estaban acostumbrados a sus estallidos. Fue Brun el que causaba desazón; nunca habían visto al jefe tan a punto de perder el control. Y nunca anteriormente había cuestionado las calificaciones del hijo de su compañera para ser jefe después de él.

Durante un momento lleno de tensión, los dos hombres se miraron fijamente, voluntad contra voluntad; Broud bajó la mirada primero. Al no sentirse ya en peligro de perder su prestigio, Brun había recobrado firmemente el control. Era jefe, y no estaba todavía a punto de retirarse. Eso puso al joven en guardia: su terreno no era tan firme como creía. Broud trató de dominar la sensación de impotencia y frustración amarga que amenazaba avasallarlo. "Sigue favoreciéndola —se decía Broud—. ¿Cómo es posible? Yo soy hijo de su compañera y ella es sólo una mujer fea". Broud luchó por conservar la calma, tragándose la amargura que le emponzoñaba el alma.

—Este hombre lamenta ser causa de que el jefe lo malinterpretara —señaló formalmente Broud—. Este hombre se preocupa por los cazadores a los que habrá de encabezar algún día, si el jefe actual considera que este hombre es capaz de dirigir cazadores. ¿Cómo puede cazar un hombre si su cabeza oscila?

Brun se quedó mirando dura y airadamente al joven. Había una incongruencia en el significado de los gestos formales y las señales inconscientes de la expresión y la postura. La respuesta abiertamente cortés de Broud era sarcástica, y enojó más al jefe que un desacuerdo directo. Broud estaba tratando de disimular sus sentimientos, y Brun lo sabía. Pero Brun estaba avergonzado por su propio estallido; sabía que lo habían causado las observaciones de Broud, cada vez más despectivas, que ponían en tela de juicio su sentido común. Habían atacado un punto sensible de su orgullo; pero no era excusa suficiente para que él perdiera suficientemente el control de sí mismo y desacreditara tan abiertamente al hijo de su compañera.

—Has explicado tu punto de vista —indicó rígidamente Brun—. Me doy cuenta de que el niño, al crecer, será más carga para el jefe que venga después de mí y el otro, pero la decisión sigue siendo mía. Haré lo que considere mejor. No he dicho que el nene será aceptado, Broud, ni que la mujer no será maldita. Mi preocupación es por el Clan, no por ella ni el niño. Una maldición de muerte puede ponernos en peligro a todos; espíritus malignos que se rezaguen pueden causar mala suerte, especialmente porque ya han sido convocados antes. Creo que el niño es demasiado deforme para vivir, pero Ayla es ciega a la deformidad de su hijo; no la ve. Tal vez el deseo tan grande de tener un hijo le haya trastornado la mente. Cuando volvió, me suplicó que la maldijera si su hijo no era aceptable. He pedido las opiniones de todos porque quería saber si alguien más veía una cosa que yo no haya visto en el niño. Una maldición de muerte para castigarla o aceptar su solicitud, sigue siendo una decisión que no puede tomarse a la ligera.

La frustración de Broud se redujo algo. "Tal vez Brun no la favorezca" —pensó.

—Tienes razón, Brun —contestó con pesar—. Un jefe debe pensar en los peligros para su Clan. Este joven agradece tener un jefe tan juicioso para instruirlo.

Brun sintió que su tensión se aliviaba; no había considerado nunca seriamente sustituir a Broud. Seguía siendo el hijo de su compañera, el hijo de su corazón. "No siempre es fácil controlarse —pensó Brun, recordando su propia irritación—. Lo que pasa es que a Broud le cuesta más que a los demás, pero está mejorando".

—Me alegro de que lo hayas comprendido, Broud. Cuando seas jefe, serás responsable de la seguridad y el bienestar del Clan. —El comentario de Brun no sólo hacía saber a Broud que seguía siendo el heredero sino que alivió a los demás cazadores. Deseaban estar seguros de que la corrección en la jerarquía del Clan. y el lugar que cada uno ocupaba en ella, se conservaría. Nada los trastornaba tanto como la falta de seguridad respecto al porvenir.

—En el bienestar del Clan estaba pensando —señaló Broud—. No quiero tener en mi Clan un hombre que no pueda cazar. ¿Para qué servirá el hijo de Ayla? La desobediencia de ella merece un grave castigo, y si desea la maldición, también será satisfecha. Estaremos mejor sin ellos. Ayla ha desafiado deliberadamente a las tradiciones del Clan. No merece vivir. Su hijo es deforme: no merece vivir.

Hubo un asentimiento general; Brun reconoció cierto elemento poco sincero en el argumento razonado de Broud, pero lo dejó pasar. La animosidad entre ambos había desaparecido y no deseaba volver a despertarla. Una pelea abierta con el hijo de su compañera perturbaba tanto a Brun como a los demás.

El jefe sintió que debería agregar su acuerdo, pero algo lo hacía vacilar. "Es lo correcto —pensaba—: ha sido un problema desde el principio. Claro que Iza se sentirá perturbada, pero no he prometido perdonar a ninguno de ellos; sólo dije que lo consideraría. Ni siquiera dije que miraría al niño si regresaba; de todos modos ¿Quién esperaba que volviera? Ese es el problema: nunca sé lo que debo esperar de ella. Si la pena debilita a Iza, bueno, nos queda Uba. Al fin y al cabo, es la única que ha nacido de su estirpe, y puede adquirir más adiestramiento de las curanderas durante la Reunión del Clan".

"Si parte del espíritu de Brac que lleva consigo, muere con Ayla, ¿se perderá mucho de él? A Broud no le preocupa ¿Por qué habría yo de preocuparme? Tiene razón: ella merece el castigo más severo, ¿no es cierto? Un amor tan fuerte por un bebé ni siquiera es normal. ¿Qué demuestran los cuentos de viejas? Ni siquiera puede darse cuenta de que su hijo es deforme; sin duda, ha perdido la razón. ¿Puede causar tanto padecimiento dar a luz? Los hombres han sufrido mucho más, ¿verdad que sí? Algunos han vuelto a pie por todo el camino después de una dolorosa herida sufrida al cazar. Desde luego, como sólo es una mujer, no puede esperarse que soporte tanto dolor. Me pregunto hasta dónde habría llegado. La cueva que citó no podría estar muy lejos. Por poco se muere al dar a luz, estaba demasiado débil para viajar muy lejos, pero, ¿por qué no pudimos encontrarla?

"Por otra parte, si se le permite vivir, tendré que llevarla a la Reunión del Clan. ¿Qué pensarán los demás clanes. Sería peor si permitiera vivir a su hijo deforme. Es lo correcto, todos lo piensan así. Quizá no fuera tanto problema con Broud, tal vez se controlara mejor si ella no estuviera aquí. Es un cazador sin miedo; sería un buen jefe si tuviera un poco más el sentido de la responsabilidad, sólo un poco más de control de sí mismo. Tal vez debería hacerlo, por el bien de Broud. Para el hijo de mi compañera podría ser mejor que ella desapareciera. Es lo correcto, sí, realmente lo es; es lo correcto, ¿no es cierto?"

—He tomado una decisión —señaló Brun—. Mañana es el día de poner el nombre. Al alba, antes de que despunte el día...

—¡Brun! —interrumpió Mog-ur. Se había mantenido fuera de la discusión; nadie lo había visto mucho desde el nacimiento del hijo de Ayla. Se había pasado la mayor parte del tiempo en su pequeño recinto, examinando su alma para lograr explicarse las acciones de Ayla. Sabía cuán duramente había luchado por aceptar las costumbres del Clan, y creía que lo había logrado; estaba convencido de que había algo más, algo que él no sabía qué era y que la había impelido a llegar hasta aquel extremo.

—Antes de que te comprometas, Mog-ur desearía hablar.

Brun se quedó mirando al mago; su expresión era enigmática, como de costumbre. Brun nunca había podido leer en el rostro de Mog-ur. "¿Qué podrá decir que no haya tomado yo en cuenta? He decidido maldecirla y él lo sabe".

—Mog-ur puede hablar —señaló.

—Ayla no tiene compañero, pero siempre he atendido a sus necesidades, soy responsable de ella. Si lo permiten, hablaré como si fuera su compañero.

—Habla si quieres, Mog-ur, pero ¿Qué podrás agregar? Ya he considerado el gran amor que siente por el niño y el dolor y los sufrimientos que soportó por tenerlo. Comprendo lo difícil que puede ser para Iza; sé que puede debilitarla demasiado. He pensado en todas las razones posibles para excusar sus acciones, pero los hechos siguen en pie: ha desafiado las costumbres del Clan; su bebé no es aceptado por los hombres; Broud ha demostrado claramente que ninguno de los dos merece vivir.

Mog-ur se puso en pie, después se deshizo de su cayado. Envuelto en su pesado manto de piel de oso, el mago era una figura imponente. Sólo los viejos y Brun lo habían conocido cuando no era Mog-ur, El Mog-ur, el más santo de todos los hombres que intercedían ante el mundo de los espíritus, el mago más poderoso del Clan. Cuando se abandonaba a la elocuencia durante una ceremonia, era un protector carismático que imponía pasmo. El era quien desafiaba a las fuerzas invisibles mucho más temibles que cualquier animal lanzado a la carga, fuerzas que podían convertir al cazador más valeroso en un cobarde tembloroso. No había un solo hombre presente que no se sintiera más seguro por saber que él era el mago de su Clan, no había quien no se hubiera quedado temeroso ante su poder y su magia en algún momento de su vida, y sólo uno, Goov, se atrevía a pensar en ocupar su lugar.

Mog-ur, solo, estaba en pie entre los hombres del Clan y lo pavoroso desconocido, y se convertía en parte de esto por asociación. Ello lo impregnaba de un aura sutil que lo acompañaba en su vida seglar. Inclusive cuando estaba sentado dentro de los límites de su hogar, rodeado por sus mujeres, no se le consideraba realmente como un hombre. Era algo más, algo distinto: era Mog-ur.

Mientras el pavoroso hombre santo fijaba un ojo ominoso en cada uno de los hombres, ninguno de ellos, incluyendo a Broud, dejó de estremecerse en las profundidades de su alma al comprender súbitamente que la mujer que acababan de condenar a muerte vivía en su hogar. Pocas veces hacía pesar Mog-ur su presencia fuera de sus funciones, pero esta vez lo hizo. Se volvió finalmente hacia Brun.

—El compañero de una mujer tiene derecho a abogar por la vida de un niño deforme. Estoy pidiendo que se perdone la vida al hijo de Ayla y, por el bien de éste, también pido que se le perdone la vida a ella.

Todas las razones que Brun había considerado tan recientemente como justificativas para salvarle la vida, parecían cobrar ahora mayor peso, y los argumentos para su muerte, se volvían insignificantes. Casi se convenció sólo por la fuerza de la solicitud de Mog-ur, y prueba de su fuerte carácter es que no lo hizo. Pero era jefe; no podía capitular tan fácilmente delante de sus hombres, y a pesar del deseo de ceder a la fuerza del poderoso hombre de la magia, se mantuvo firme.

Al ver Mog-ur la expresión de firme resolución que remplazaba la indecisión anterior, el mago pareció cambiar a los ojos de Brun. El carácter ultraterrenal lo abandonó; se convirtió en un viejo tullido con manto de piel de oso, que se mantenía todo lo derecho que su pierna buena le permitía sin ayuda del cayado. Al hablar, lo hizo con los ademanes corrientes subrayados por palabras rudas del habla cotidiana. Su rostro tenía una expresión decidida aunque extrañamente vulnerable.

—Brun, desde que fue hallada Ayla, ha vivido en mi hogar. Creo que todos convendrán conmigo en que las mujeres y los niños miran al hombre del hogar como prototipo del hombre del Clan. Es su modelo, el ejemplo, para ellos, de lo que el hombre debe ser. Yo he sido el ejemplo de Ayla, yo soy el prototipo a los ojos de ella.

"Soy deforme, Brun. ¿Tiene algo de extraño que la mujer que ha crecido con un hombre deforme por modelo, encuentre difícil comprender una deformidad en su hijo? Carezco de un brazo y un ojo, la mitad de mi cuerpo está seca y consumida. Soy medio hombre, y sin embargo, desde el primer momento, Ayla me ha visto como si estuviera entero. El cuerpo de su hijo es firme; tiene dos ojos, dos buenos brazos y dos buenas piernas. ¿Cómo puede esperarse que reconozca en él alguna deformidad?

"Tuve la responsabilidad de su educación; a mí hay que achacarme sus defectos. Fui yo quien pasó por alto sus desviaciones menores de las costumbres del Clan. Inclusive te convencí de que las aceptaras, Brun. Soy Mog-ur. Tú confías en mí para interpretar los deseos de los espíritus, y has llegado a confiar en mí en otros aspectos. No creo que hayamos estado tan equivocados. A veces le resultó difícil a Ayla, pero creí que se había convertido en una buena mujer del Clan. Ahora creo que he sido demasiado tolerante con ella. No le mostré claramente sus responsabilidades. Pocas veces la regañaba y nunca la he abofeteado. A menudo la dejaba seguir sus impulsos. Ahora tiene ella que pagar por mis carencias. Pero Brun, no pude mostrarme más rudo con ella.

"Nunca he tenido compañera. Podía haber escogido una mujer y ella tendría que haber vivido conmigo, pero no lo hice. ¿Sabes por qué? Brun, ¿sabes cómo me miran las mujeres? ¿Sabes cómo me evitan las mujeres? He sentido la misma necesidad de aliviarme que cualquier otro hombre, siendo joven, pero aprendí a controlarla cuando veía que las mujeres me daban la espalda para no tener que ver la señal que yo hacía. No quise imponer mi cuerpo tullido y deforme a una mujer que me rehuyera, que se volviera con repugnancia al verme.

"Pero Ayla nunca se apartó de mí. Desde el principio, me tendió las manos para tocarme. No me tuvo miedo ni sintió asco. Me dio libremente su afecto, me abrazó. Brun, ¿cómo podía yo regañarla?

"He vivido con este clan desde que nací, pero nunca he aprendido a cazar. ¿Cómo puede cazar un manco tullido? Era una carga, se burlaban de mí y me llamaban mujer. Ahora soy Mog-ur y nadie me pone en ridículo, pero no se celebró ceremonia de la virilidad en mi honor. Brun, no soy medio hombre, ni siquiera soy hombre. Sólo Ayla me ha respetado, me ha querido... no como mago sino como hombre, como todo un hombre. Y la quiero como si fuera hija de esa compañera que nunca he tenido".

Creb se despojó del manto que llevaba para tapar su cuerpo torcido, deformado y marchito, y alzó el muñón de brazo que siempre escondía.

JEAN M. AUEL

—Brun, éste es el hombre a quien Ayla ha visto como completo. Este es el hombre según el cuàl ha establecido su norma. Este es el hombre que ama y compara con su hijo. ¡Mírame, hermano mío! ¿Merezco vivir? ¿Merece menos vivir el hijo de Ayla?

El Clan empezó a reunirse fuera de la cueva, en la penumbra que antecede al alba. Una llovizna tan fina como la niebla cubría de un brillo lustroso las rocas y los árboles y se condensaba en diminutas gotezuelas en la barba y los cabellos de la gente. Delgados zarcillos brumosos se desprendían de los montes envueltos en neblina y se pegaban a las depresiones, y masas más densas del vapor etéreo lo difuminaban todo menos los objetos más próximos. La sierra del este se alzaba indistintamente de un mar nebuloso de bruma en la oscuridad menguante, ondeando vagamente justo en los confines de la visibilidad.

Ayla estaba tendida en sus pieles dentro de la cueva oscura, observando cómo Iza y Uba se movían silenciosamente alrededor del fuego, echando carbones a la hoguera y vertiendo agua para ponerla a hervir y preparar el té de la mañana. Su bebé estaba junto a ella, fingiendo mamar en sueños. No había pegado el ojo en toda la noche; su primera alegría al ver a Iza había dejado rápidamente el paso a una ansiedad desolada. Tan pronto como iniciaban una conversación, volvían a callarse las tres mujeres del hogar de Creb, que pasaron todo el largo día después del retorno de Ayla dentro de las piedras que lo delimitaban, comunicándose su desesperanza por medio de miradas angustiadas.

Creb no había puesto el pie en sus dominios, pero Ayla cruzó con él la mirada mientras salía de la cámara para reunirse con los hombres a quienes Brun había convocado. Apartó rápidamente la mirada de su llamada silenciosa, pero no antes de que ella pudiera reconocer el amor y la lástima que llenaban su ojo, dulce y líquido. Iza y ella intercambiaron una mirada trémula y entendida al ver a Creb dirigirse apresuradamente a la cámara de los espíritus después de conversar con Brun en una parte remota de la cueva, con gestos disimulados.

Iza llevó a la joven madre el té dentro de la taza de hueso que había sido suya durante varios años, y después se sentó silenciosamente a su lado, esperando que bebiera. Uba se reunió con ellas, pero tampoco podía brindar mucho más consuelo que su presencia.

—Casi todos están fuera. Será mejor que salgamos —señaló Iza, tomando la taza de manos de la joven. Ayla asintió. Se puso en pie y envolvió a su hijo en sus mantillos, después tomó su manto de piel del lecho y se lo echó por los hombros. Con los ojos brillantes de lágrimas que amenazaban derramarse, Ayla miró a Iza, después a Uba, y con un grito de dolor las abrazó. Las tres se quedaron apretadas en un fuerte abrazo. Entonces, con el corazón destrozado y a pasos lentos, Ayla salió de la cueva.

Mirando al suelo, viendo de vez en cuando una señal de talón, la huella de dedos, el contorno borroso de un pie metido en un protector flojo, Ayla tuvo la sensación extraña de que era dos años antes y de que seguía a Creb fuera de la cueva para enfrentarse a un sino. "Debería haberme echado la maldición para siempre aquella vez —pensó—. Sin duda he nacido para que me maldigan; si no ¿Por qué habría de volver a pasar por todo esto? Esta vez iré al mundo de los espíritus. Conozco una planta que nos pondrá a dormir a ambos, y no volveremos a despertarnos, no en este mundo. Se acabará todo muy pronto y llegaremos juntos al otro mundo".

Llegó adonde estaba Brun, se dejó caer a sus pies y miró éstos, envueltos en protectores sucios. Aumentaba la claridad, el sol saldría pronto. "Brun tendría que apurarse" se dijo, justo antes de sentir un golpe en su hombro. Lentamente alzó la vista hacia el rostro barbudo de Brun; éste comenzó sin preliminares.

—Mujer, has desafiado tercamente las costumbres del Clan y debes ser castigada —señaló severamente. Ayla asintió; era cierto —Ayla, mujer del Clan, estás maldita. Nadie te verá ni te hablará. Sufrirás el aislamiento total de la maldición femenina. No podrás salir de los límites del hogar del que provee por ti hasta que la siguiente luna se encuentre en la misma fase que ésta.

Ayla se quedó mirando al jefe de rostro severo con una incredulidad hecha de asombro. ¡La maldición femenina! ¡No la maldición de muerte! No el ostracismo total y completo sino un aislamiento nominal, prisionera en el hogar de Creb. ¡Qué importaba que nadie del Clan reconociera su existencia durante todo una luna, le quedarían Iza, Uba y Creb. Y después, podría reunirse con el Clan como cualquier otra mujer. Pero Brun no había concluido.

—Y como castigo adicional, se te prohibe cazar ni hablar de cazar hasta que el Clan regrese de la Reunión del Clan. Mientras las hojas no hayan caído de los árboles, no tendrás libertad para salir adonde no sea esencial. Cuando busques plantas de magia curativa, me dirás adónde vas y regresarás rápidamente. Siempre

JEAN M. AUEL

me pedirás permiso antes de salir del área de la cueva. Y me mostrarás donde está la cueva que te ha servido de escondite.

—Sí, sí, claro, todo —asentía Ayla moviendo la cabeza de arriba a abajo. Se encontraba flotando en una cálida nube de euforia, pero las siguientes palabras del jefe cambiaron su humor como un carámbano helado de rayo frío, sumiendo su gozo en un diluvio de desesperación.

—Queda el problema de tu hijo deforme, que fue causa de tu desobediencia. Nunca más debes tratar de obligar a un hombre, menos a un jefe, contra su voluntad. Ninguna mujer debe intentar nunca obligar a un hombre —dijo Brun, y entonces hizo una seña. Ayla abrazó desesperadamente a su hijo y miró en la misma dirección que Brun. No podía permitir que se lo quitaran, no podía. Vio que Mog-ur salía cojeando de la cueva. Al verle despojarse de su piel de oso, revelando un tazón de mimbre manchado de rojo y sostenido firmemente entre el muñón de su brazo y su cintura, una felicidad incrédula le enrojeció la cara; se volvió, vacilante hacia Brun, no muy segura de que lo que estaba pensando pudiera ser verdad.

—Pero una mujer puede rogar —concluyó Brun—. Mog-ur está esperando, Ayla. Tu hijo necesita tener un nombre para ser miembro del Clan.

Ayla se puso en pie de un salto y corrió hacia el mago, sacando al bebé de su manto y dejándose caer a sus pies mientras le tendía el niño. El primer alarido al sentirse fuera del seno caliente de su madre y expuesto al frío húmedo fue saludado por el primer rayo del sol que apareció por encima de la sierra, perforando el velo de niebla.

¡Un nombre! Ni siquiera había pensado en un nombre, ni siquiera se había preguntado qué nombre escogería Creb para su hijo. Con gestos formales, Mog-ur llamó a los espíritus de los tótemes del Clan para que acudieran, y después metió el dedo en el tazón y sacó una pizca de pasta roja.

—Durc —dijo en voz alta, más fuerte que los gritos que pegaba el nenito, frío y enojado—. El nombre del niño es Durc—. Entonces trazó una línea roja desde el punto en que se unían los dos arcos ciliares del bebé hasta el extremo de su naricilla.

—Durc —repitió Ayla acercando al niño a su cuerpo para infundirle calor. "Durc —se decía—, como el Durc de la leyenda. Creb sabe que ha sido siempre mi predilecta". No era nombre común en el Clan, y muchos se mostraron sorprendidos. Pero tal vez el nombre, sacado de lo más profundo de la antigüedad

408

y cargado de connotaciones dudosas, era apropiado para un muchacho cuya vida había colgado en la balanza de comienzos tan inciertos.

—Durc —dijo Brun. Fue el primero en desfilar. Ayla creyó vislumbrar una mirada de ternura en el severo y orgulloso jefe, cuando ella lo miró con expresión de agradecimiento. La mayoría de los rostros eran una mancha vista a través de ojos llenos de lágrimas. Por mucho que se esforzara, no podía contenerlas y mantenía la cabeza baja para disimular que tenía los ojos llenos de agua. "No lo puedo creer, no lo puedo creer —se decía—. ¿Es realmente cierto? ¿Tienes un nombre, bebito mío? ¿Te ha aceptado Brun, hijo mío? ¿No estoy soñando?" Recordó los nódulos brillantes de pirita ferrosa que había hallado y metido en su amuleto. "Había sido una señal. Gran León Cavernario, fue realmente una señal." Entre todos los objetos que contenía su amuleto, éste fue al que más valor reconocía.

—Durc —oyó decir a Iza, y alzó la cabeza. La dicha en el rostro de la mujer no era menor que la de Ayla, aunque tenía los ojos secos.

—Durc —dijo Uba, y agregó con un gesto rápido—: Me alegro tanto.

—Durc —y la voz encerraba escarnio. Ayla alzó a tiempo la cabeza para ver que Broud se alejaba. Repentinamente recordó la idea peregrina en cuanto a la manera en que los hombres iniciaban a los bebés, que se le ocurrió mientras se escondía en la cueva, y se estremeció al pensar que Broud era en cierto modo responsable de la concepción de su hijo. Había estado demasiado ocupada para observar la batalla entre las voluntades de Brun y de Broud. El joven iba a negarse a reconocer al miembro más nuevo del Clan, y sólo una orden directa del jefe lo obligó a hacerlo. Ayla lo vio alejarse del grupo con los puños cerrados y la espalda tensa.

"¿Cómo ha podido? —Broud caminaba bosque adentro para alejarse de la odiosa escena—. ¿Cómo ha podido? —Dio una patada a un tronco con la esperanza de desahogar su frustración, y lo mandó rodando cuesta abajo—. ¿Cómo ha podido? —Tomó una rama fuerte y golpeó un árbol con ella—. ¿Cómo ha podido? ¿Cómo ha podido? —La mente de Broud seguía repitiendo la frase mientras golpeaba con el puño, una y otra vez, una orilla cubierta de musgo—. ¿Cómo ha podido dejarla vivir y aceptar a su hijo? ¿Cómo ha podido hacerlo?"

22

—¡Iza! ¡Iza! ¡Pronto! ¡Ven a ver a Durc! —y Ayla tomó el brazo de la curandera y la arrastró hacia la entrada de la cueva.

—¿Qué le ocurre? —señaló la mujer, preguntando, mientras se apresuraba para seguir el paso de la joven—. ¿Se está ahogando, otra vez? ¿Se ha lastimado?

—No, no está lastimado. ¡Míralo! —y Ayla lo mostró orgullosamente tan pronto como llegaron al hogar de Creb—. ¡Está sosteniendo la cabeza levantada!

El nenito estaba tendido boca abajo, y alzaba la cabeza mirando a las dos mujeres con ojos grandes y solemnes que comenzaban a perder el color oscuro e indistinto de los recién nacidos para adquirir el matiz moreno oscuro de los miembros del Clan. La cabeza le oscilaba por el esfuerzo, y de repente volvió a caer sobre la cobija de pieles. Metió el puño en la boca y comenzó a chupar ruidosamente, sin saber qué agitación habían causado sus esfuerzos.

—Si lo puede hacer siendo tan pequeño, podrá sostenerla cuando sea mayor ¿no crees? —rogó Ayla.

—No te hagas muchas ilusiones aún —replicó Iza—, pero es buena señal.

Creb llegó arrastrando los pies, mirando al vacío con la mirada desenfocada que lo caracterizaba cuando estaba sumido en sus reflexiones.

—¡Creb! —llamó Ayla, corriendo hacia él. Devuelto a la realidad, el mago alzó la vista—. Durc ha levantado la cabeza ¿verdad que sí, Iza? —Y la curandera asintió con la cabeza.

—Hhummmf —gruñó Mog-ur—. Si se está fortaleciendo tanto, creo que ya es hora.

—¿Hora de qué?

—He estado pensando que debería celebrar una ceremonia para asignarle un tótem. Es un poco joven, pero he recibido ciertas impresiones fuertes. Su tótem se me ha estado manifestando. No hay razón para esperar. Más adelante, todo el mundo estará ocupado con los preparativos para el viaje, y tengo que hacerlo antes de la Reunión del Clan. Podría traerle mala suerte viajar si su tótem no tiene hogar. Al ver a la curandera, recordó otra cosa. —Iza ¿tienes suficientes raíces para la ceremonia? No sé cuántos clanes estarán presentes. La última vez, uno de los clanes que se pasaron a una cueva más al este estaba pensando en ir a una Reunión del Clan al sur de las montañas. Sería un poco más lejos para ellos, pero el camino es mejor. El viejo Mog-ur estaba en contra, pero su acólito deseaba ir. Asegúrate de tener muchas.

—Creb, yo no iré a la Reunión del Clan—. Su expresión evidenciaba la frustración que eso le causaba—. No puedo viajar tan lejos; tendré que quedarme aquí.

"Claro está —pensó, mirando a la curandera delgada y casi totalmente canosa—, ¿en qué estaba pensando? Iza no puede ir. ¿Cómo no se me había ocurrido antes? Está demasiado enferma. Yo creía que nos abandonaba el otoño pasado; no sé cómo ha podido sostenerla tan bien Ayla. Pero, ¿y la ceremonia? Sólo las mujeres de la estirpe de Iza conocen el secreto de la bebida especial. Uba es demasiado joven; tiene que ser una mujer. ¡Ayla! ¿Ayla? Iza podría enseñarle antes de que partamos. De todos modos, ya es hora de que se convierta en curandera".

Creb observó a la joven mientras se inclinaba para tomar en brazos a su hijo, y de repente la vio con ojos más críticos que en muchos años. Pero, ¿la aceptarán? Trató de verla tal y como la verían los miembros de los otros clanes. Su cabello dorado colgaba suelto alrededor de su rostro plano, sujeto detrás de las orejas y partido por una raya más o menos en medio, mostrando su frente abombada. Tenía definitivamente cuerpo de mujer, pero delgada excepto por el estómago, ligeramente fláccido. Sus piernas eran largas y rectas, y cuando estaba de pie resultaba mucho más alta que él.

"No parece una mujer del Clan —pensó—. Va a llamar mucho la atención, y mucho me temo que no siempre favorablemente. Tal vez tengamos que olvidarnos de la ceremonia: es posible que los demás mog-ur no acepten la bebida si la hace Ayla. Pero se puede intentar. ¡Si Uba fuera un poco mayor! Tal vez Iza pueda adiestrar a ambas, aunque no creo que acepten una muchacha de preferencia a una mujer nacida de los Otros. Creo que hablaré con Brun. Si voy a llamar a los espíritus para la ceremonia del tótem de Durc, podríamos aprovechar el momento para convertir a Ayla en curandera".

—Tengo que ver a Brun —señaló bruscamente Creb, y echó a andar hacia el hogar del jefe. Se volvió hacia Iza—: Creo que tendrás que enseñar a preparar la bebida a Uba y Ayla, aunque no creo que sirva de mucho.

—Iza, no puedo encontrar el tazón que me diste para la curandera del clan anfitrión —señaló con gestos frenéticos Ayla, después de haber rebuscado entre montones de pieles, alimentos e implementos acumulados sobre el piso junto al lugar donde solía dormir. —He buscado por todas partes.

—Ya lo tienes guardado, Ayla. Cálmate, chiquilla. Todavía hay tiempo. Brun no estará preparado para salir antes de terminar de comer. Será mejor que te sientes y comas tú también, se te están enfriando las gachas. Uba, también tú. —Izá meneó la cabeza—. En mi vida he visto tanto alboroto. La noche pasada lo hemos revisado todo, ya está todo dispuesto.

Creb estaba sentado en una estera, con Durc en su regazo, y observaba, divertido, el nerviosismo de última hora.

—Son iguales que tú, Iza. ¿Por qué no te sientas y comes?

—Me quedará tiempo de sobra cuando se hayan marchado —replicó. Creb apoyó al nenito contra su hombro, y Durc miró a su alrededor desde aquella nueva atalaya. —Mira qué fuerte es el cuello del niño —expresó Iza—. Es increíble. Desde la ceremonia de su tótem, se ha estado fortaleciendo de día en día. Déjame tenerlo un poco; no lo voy a tener en todo el verano.

—Tal vez por eso el Lobo Gris me apremiaba para que lo hiciera tan pronto —señaló Creb—, quería ayudar al niño.

Creb volvió a sentarse y miró a la pollada de la que era patriarca. Aun cuando nunca lo había expresado, a menudo había anhelado tener familia, como los demás. Ahora, en su vejez, tenía dos mujeres chochas que hacían lo imposible para que gozara de comodidades, una niña que estaba siguiendo sus pasos, y un saludable nenito para mimarlo como había hecho con las dos niñas. Había hablado con Brun acerca del entrenamiento del niño. El jefe no podía permitir que un varón de su Clan se criara sin adquirir las habilidades necesarias. Brun había aceptado al niño, a sabiendas de que compartiría el hogar de Creb, y se sentía responsable por él. Ayla agradeció cuando Brun anunció, en la ceremonia del tótem de Durc, que él se encargaría personalmente de la educación del niño si se fortalecía lo suficiente para cazar. No podía pensar en un hombre mejor para educar a su hijo.

"El Lobo Gris es un buen tótem para el muchacho —cavilaba Creb— pero me da que pensar. Algunos lobos corren con la manada y otros son solitarios. ¿Cuál de ellos será el tótem de Durc?"

Una vez que todo estuvo recogido y amarrado en envoltorios, cargado a las espaldas de la mujer joven y la niña, todos salieron juntos en tropel. Iza abrazó por última vez al nene mientras él frotaba su naricilla contra su cuello, ayudó a envolverlo en el manto que servía para cargarlo, y entonces sacó algo de un doblez de su manto.

—Esto es para que lo lleves ahora, Ayla. Eres la curandera del Clan —dijo Iza, y le entregó la bolsita teñida de rojo que contenía las raíces especiales—. ¿Recuerdas cada uno de los pasos? No debe olvidarse nada. Quisiera haber podido enseñarte, pero la magia no se puede hacer sólo para practicar; es demasiado sagrada para tirarla y no se puede usar para cualquier ceremonia, sólo para las importantes. Recuerda: no son sólo las raíces las que constituyen la magia; ambas tienen que prepararse tan cuidadosamente como preparen la bebida.

Uba y Ayla asintieron mientras la joven tomaba la valiosa reliquia y la metía en su bolsa de medicinas. Iza le había dado la bolsa de piel de nutria el día que la hicieron curandera, y todavía le recordaba la que Creb había quemado. Ayla tocó su amuleto y sintió el quinto objeto que ahora contenía: un trozo de dióxido de manganeso metido en la bolsita junto con los tres nódulos de pirita ferrosa unidos, un óvalo pintado de rojo de marfil de mamut, el molde fósil de un gasterópodo y una pizca de ocre rojo.

El cuerpo de Ayla había sido ungido con el ungüento negro hecho pulverizando la piedra negra, calentándola y mezclándola con grasa, en cuanto se volvió repositorio de una parte de los espíritus de cada uno de los miembros del Clan y, a través de Ursus, de todo el Clan. Sólo para los ritos más elevados y santos se pintaba el cuerpo de una curandera con señales negras, y sólo las curanderas podían llevar en sus amuletos la piedra negra.

Ayla habría querido que Iza se fuera con ellas, y se preocupaba a la idea de dejarla atrás. Fuertes ataques de tos sacudían a menudo a la frágil mujer.

—Iza, ¿estás segura de que te sentirás bien? —preguntó Ayla por señas, después de haberla abrazado con fuerza—. Tu tos empeora.

—Siempre empeora en invierno. Ya sabes que en verano estoy mejor. Además, Uba y tú recogieron tantas raíces de helenio que no creo haya quedado una sola planta por los alrededores, y sin duda no tendremos muchas frambuesas negras esta temporada con todas las raíces que habéis arrancado para mezclar con flores en mi té. Estaré bien, no te preocupes por mí —aseguró Iza. Pero Ayla sabía que el alivio que las medicinas proporcionaban era pasajero, en el mejor de los casos. La anciana había estado medicándose sola con las plantas durante años; la tisis había avanzado demasiado para que le sirvieran ya de algo.

—No dejes de salir cuando haga sol, y descansa mucho —instó Ayla—. No habrá mucho trabajo que hacer por acá; hay muchísima leña y abundante comida. Zoug y Dorv podrán tener prendido el fuego para alejar a los animales y los espíritus malignos, y Aba puede cocinar.

—Sí, sí —asintió Iza—. Ahora, a correr, que Brun está a punto de ponerse en marcha.

Ayla tomó su lugar habitual detrás, mientras todos la miraban y se quedaban esperando.

—Ayla —señaló Iza—. Nadie puede ponerse en marcha mientras no ocupes el lugar que te corresponde.

Avergonzada, Ayla pasó delante del grupo de mujeres; había olvidado su nueva posición. Se ruborizó de confusión al ponerse en la fila delante de Ebra. Se sentía incómoda; no le parecía correcto ser la primera. Hizo una señal de excusa a la compañera del jefe, pero Ebra estaba acostumbrada a ser la segunda; pero le parecía extraño ver a Ayla delante y no a Iza; eso le hizo preguntarse si acudiría ella a la siguiente Reunión del Clan.

Iza y las tres personas demasiado viejas para hacer el viaje acompañaron al Clan hasta la sierra y se quedaron mirando hasta que lo vieron reducido a una serie de puntitos en la llanura. Después regresaron a la cueva vacía. Aba y Dorv no habían asistido tampoco a la anterior Reunión del Clan, y casi estaban sorprendidos al ver que todavía faltaban a otra, pero para Iza y Zoug era la primera vez. A pesar de que de vez en cuando salía Zoug con su honda, era más frecuente que regresara con las manos vacías, y Dorv no veía ya lo suficiente para salir.

Los cuatro se reunieron alrededor de la hoguera de la entrada de la cueva, aunque era un día cálido, pero no se esforzaron por conversar. De repente, Iza fue presa de un ataque de tos que expulsó una gran masa sanguinolenta de flemas. Se fue a su hogar para descansar, y pronto los demás también entraron y se sentaron sin hacer nada en sus respectivos hogares. No se habían sentido contagiados por la excitación del largo viaje ni el ansia de ver amigos o parientes de los otros clanes. Sabían que su verano sería de una soledad insoportable.

El frescor del principio de verano en la zona templada cerca de la cueva se modificaba en las planicies abiertas de las estepas continentales del este. El follaje verde abundante que cubría la maleza y árboles deciduos, y que delataba todavía el renacer de las coníferas con agujas algo más claras en la punta de ramas y espiras, había desaparecido. En cambio, herbajes y pastos que arraigaban pronto y brotaban rápidamente, alcanzando ya la altura del pecho, y cuyo verdor juvenil se perdía en un matiz pardusco, indeterminado, entre verde y oro, se extendían hasta el horizonte. Vegetación densa, enmarañada de la estación pasada, amortiguaba los pasos mientras el Clan seguía su camino a través de la pradera sin límites, dejando una onda pasajera que delataba el lugar por donde había pasado. Pocas veces sombreaban las nubes la extensión inmensa del cielo, como no fuera por una tormenta eventual que casi siempre se desataba a lo lejos. Escaseaba el agua; se detenían para llenar las bolsas de agua en todos los ríos, pues no estaban seguros de encontrar otro suficientemente cerca, cuando acamparan de noche.

Brun marcó el paso a seguir, considerando a los miembros más lentos de la partida de viajeros, pero sin dejar de avanzar rápidamente. Tenían que recorrer un gran trecho para llegar a la cueva del Clan anfitrión en los altos montes del territorio continental al este. Era un paso difícil de seguir en particular para Creb, pero al pensar en la gran Reunión y las ceremonias solemnes que habría de presidir, se le levantaban los ánimos. Aunque su cuerpo estaba atrofido y tullido, además de artrítico, no disminuía el poder mental del gran mago. El sol caliente y las plantas de Ayla adormecían el dolor de sus articulaciones enfermas, y al cabo de algún tiempo el ejercicio fortaleció sus músculos, inclusive los de la pierna que tan poco servicio le prestaba.

Los viajeros establecieron una rutina monótona, y un día era igual que el siguiente, con una regularidad pesada. La estación que avanzaba cambiaba tan levemente que apenas se dieron cuenta de cuándo el sol se había convertido en una bola de fuego, abrasadora, que tostaba la estepa y convertía la planicie en un amarillento mar de tierra parda, hierba azafranada y rocas áureas contra un cielo cubierto de polvo, de un amarillo pardo. Durante tres días les ardieron los ojos por el polvo y las cenizas que los vientos dominantes transportaban desde un inmenso incendio de la pradera. Pasaron junto a enormes manadas de bisontes y gigantescos ciervos con enormes cornamentas palmeadas, caballos, onagros y asnos; con menos frecuencia, saigas con cuernos que crecían muy rectos de la parte superior de la cabeza y ligeramente encorvados en la punta; decenas y decenas de miles de animales que pacían, bien alimentados por la inmensa tierra de pastoreo.

Mucho antes de aproximarse al istmo pantanoso que unía la península al continente y servía de desagüe al mar salado y poco profundo del noreste, apareció ante sus ojos el macizo montañoso cuya altura sólo era superada por otro en la tierra. Inclusive los picos más bajos estaban cubiertos de hielos perennes hasta la mitad de sus pendientes, fríamente impasibles a pesar del calor abrasador de la planicie. En cuanto la llana pradera comenzó a ascender por los contrafuertes moteados de cañuela y espolín, rojos por la riqueza del mineral de hierro que encerraban —el ocre rojo los convertía en terreno santo—, Brun comprendió que la marisma no estaba lejos; era un nexo secundario y de poca importancia, pues la conexión principal con el territorio continental estaba más al norte y formaba parte del límite occidental del mar interior, más pequeño.

Durante dos días bregaron cruzando pantanos putrefactos, infestados de mosquitos y compuestos de agua estancada a veces atravesada por canales, hasta llegar al territorio continental. Robles y ojaranzos achaparrados conducían rápidamente a la sombra fresca y bienvenida de las robledales en zonas arboladas. Atravesaron un bosquecillo compuesto casi exclusivamente de hayas, animadas por unos cuantos nogales, y un bosque variado en que el roble era la especie predominante, aunque también había boj y tejo, y tenía el tronco envuelto en hiedra y clemátides. Las lianas desaparecían progresivamente, aun cuando trepaban aún por los árboles cuando el Clan llegó a una franja de abetos y piceas mezclados con ojaranzos, arces y hayas. La parte occidental de la sierra era la más húmeda, y estaba densamente cubierta de selva además de tener la línea más baja de nieves.

Se podía vislumbrar en los paisajes boscosos la presencia de bisontes forestales, ciervos, corzos y alces; también vieron jabalíes, zorros. hurones, linces, lobos, leopardos, gatos monteses y muchos animales más pequeños, pero ni una sola ardilla. Ayla sentía que algo le faltaba a la fauna de aquellos montes, hasta que se percató de la ausencia del animalito familiar, la cual fue ampliamente compensada por la oportunidad de contemplar un oso cavernario.

Brun alzó la mano para interrumpir la marcha, y después señaló hacia delante al monstruoso y velludo úrsido que se estaba frotando la espalda contra un árbol. Inclusive los niños se dieron cuenta del pavor con que el Clan contemplaba al enorme vegetariano. Su presencia física era harto impresionante; los osos morenos de las montañas del Clan, y también de éstas, pesaban como promedio unas trescientas cincuenta libras; el peso de un oso cavernario macho, durante el verano, cuando estaba relativamente esbelto, se aproximaba a las mil libras. A fines del otoño, cuando había engordado en previsión del invierno, su volumen era mucho mayor. Su estatura era más o menos tres veces la de los hombres del Clan, y con su enorme cabeza y manto velludo, parecía más grande aún. Rascando perezosamente su espalda contra la áspera corteza del viejo tronco, parecía no fijarse en la gente paralizada que tenía tan cerca. Pero no tenía gran cosa que temer de cualquier criatura, y se limitaba a ignorarla. Los osos pardos más pequeños que habitaban la zona de la cueva eran capaces de romper el cuello de un ciervo de un zarpazo; ¿qué no podría hacer este enorme animal? Sólo otro macho durante la época de la brama o la hembra de la especie protegiendo a sus cachorros se atrevería a hacerle frente, y esta última casi siempre salía vencedora.

Pero era algo más que las enormes dimensiones del animal lo que tenía fascinado al Clan. Era Ursus, la personificación del Clan mismo. Era su linaje y algo más, pues encarnaba su esencia misma. Sus huesos eran tan sagrados que podían alejar cualquier peligro. El parentesco que sentían era un nexo espiritual, mucho más significativo que uno físico. A través de su Espíritu todos los clanes estaban unidos en uno solo, y la Reunión del Clan al que iban a asistir después de un viaje tan largo tenía significación gracias a Él. Su esencia era lo que los hacía ser un Clan, el Clan del Oso Cavernario.

El oso se cansó de lo que estaba haciendo —o ya no le picaba más la espalda— y se estiró cuan alto era, anduvo unos cuantos pasos sobre sus patas traseras y finalmente se dejó caer sobre las cuatro. Con el hocico cerca del suelo, se alejó pesadamente a galope lento. A pesar de su enorme tamaño, el oso cavernario era fundamentalmente una criatura pacífica que pocas veces atacaba a menos que lo molestaran.

—¿Era Ursus? —señaló Uba, ansiosa y maravillada.

—Era Ursus —afirmó Creb—. Y verás otro oso cavernario cuando lleguemos allá.

—¿Es verdad que el Clan tiene un oso cavernario vivo en su cueva? —preguntó Ayla—. ¡Es tan grande!

Sabía que era costumbre que el clan anfitrión de la Reunión del Clan capturara un cachorro de oso y lo criara en la cueva.

—Probablemente se encuentre ahora en una jaula fuera de la cueva, pero cuando era pequeño vivía en la cueva con ellos y se crió como un niño, y cada hogar lo alimentaba siempre que deseaba comer. La mayoría de los clanes afirman que sus osos cavernarios llegan a hablar un poco, pero yo era joven cuando albergamos la Reunión del Clan y no lo recuerdo muy bien, de modo que no puedo decir si es cierto o no. Cuando el oso ha crecido, lo meten en una jaula para que no lastime a nadie, pero todos siguen dándole cositas para comer y lo acarician para que sepa que lo aman. Será honrado en la Ceremonia del Oso y llevará nuestros mensajes al mundo de los espíritus —explicó Creb.

Ya lo habían oído contar, pero después de ver un oso cavernario, la historia adquiría un nuevo significado para aquellos que eran demasiado jóvenes para recordar o que nunca habían asistido a una Reunión del Clan.

—¿Cuándo podremos ser anfitriones en una Reunión del Clan y tener un oso cavernario viviendo con nosotros? —preguntó Uba.

—Cuando nos toque el turno, a menos que el clan cuyo turno haya llegado no pueda hacerlo; entonces, podemos proponernos. Pero los clanes no dejan pasar la oportunidad de ser anfitriones, aun cuando los cazadores suelen tener que viajar mucho para encontrar un cachorro de oso cavernario, y el peligro que representa la madre osa es muy grande. El clan que nos recibe esta vez ha tenido suerte; todavía hay osos cavernarios viviendo cerca de su cueva. Han ayudado a otros clanes a obtener osos cavernarios, pero ahora es el turno de ellos. No queda ninguno alrededor de nuestra cueva, pero en otros tiempos los hubo sin duda, puesto que los huesos de Ursus estaban dentro cuando la descubrimos —respondió Creb.

—¿Y si algo le sucede al clan que es anfitrión de la Reunión? Nuestro Clan no vive ya en la misma cueva que antes —preguntó Ayla—. Si fuera nuestro turno, ¿cómo iban a saber todos dónde encontrarnos?

—Enviaríamos mensajeros al clan más próximo para difundir la noticia, ya fuera para indicar a los clanes dónde está la nueva caverna o para darle la oportunidad a otro clan.

Brun hizo una seña y todos se pusieron nuevamente en marcha. Cuando pasaron junto al árbol que el oso cavernario había usado para rascarse, Creb lo examinó detenidamente y recuperó unos cuantos pelos atrapados entre la áspera corteza; los envolvió cuidadosamente en una hoja sujeta entre sus dientes antes de guardarlos en un pliegue de su manto. El pelo de un oso cavernario salvaje y vivo haría encantamientos poderosísimos.

Las gigantescas coníferas de los bajos contrafuertes fueron sustituidas por variedades más bajas y robustas de las tierras altas, a medida que ascendían, abriendo panoramas que quitaban el resuello, de las cimas deslumbrantes de los montes que habían visto de lejos al atravesar las planicies. Aparecieron bosquecillos de abedul y enebros colgantes y azaleas rosadas cuyas muchas flores comenzaban a abrirse salpicando por el verde primario de la naturaleza brillantes colores. Una multitud de flores silvestres agregaban muchos matices más a la paleta de tonos vibrantes: azucenas atigradas manchadas de naranja, aguileñas malvas y rosadas, algarrobas azules y púrpura, iris de color lavanda claro, gencianas azules, violetas amarillas, prímulas y tonos blancos en toda la gama de formas. La sierra montañosa meridional, como la del extremo más bajo de la península que se plegó durante el mismo movimiento telúrico, era un refugio para la fauna y la flora del continente durante la Era Glaciar.

A veces aparecía un gamo o algún muflón de pesados cuernos. Ya estaban casi en los árboles enanos y rodeados de matorrales de la taiga montañosa, a orillas de las altas praderas de hierbas y juncias bajas, antes de llegar a una senda muy frecuentada que atravesaba una pendiente empinada. Los hombres del clan anfitrión tenían que ir muy lejos antes de llegar a las planicies abiertas al norte de los montes, para cazar, pero la proximidad de los osos cavernarios hacía tan propiciatorio el lugar, que aceptaban de buen grado el inconveniente. Eso los hacía también más propensos a cazar a los huidizos animales selváticos.

La gente que corrió al encuentro del nuevo clan que se aproximaba, tan pronto como vio a Brun y Grod aparecer por un recodo del camino, se quedó inmóvil al divisar a Ayla. El adiestramiento de toda la vida no pudo impedir las miradas escandalizadas; la posición de Ayla al frente de las mujeres, mientras el cansado clan desfilaba silenciosamente hacia el espacio abierto delante de la cueva, provocó una agitación llena de curiosidad. Creb ya la había advertido, pero Ayla no estaba preparada para causar tan grande sensación, como tampoco para semejante multitud. Más de doscientos individuos asombrados se agolparon alrededor de la extraña mujer. Ayla nunca había visto tanta gente en su vida, y menos aún, en un mismo lugar.

Se detuvieron frente a una enorme jaula hecha de postes fuertes profundamente sumidos en la tierra y firmemente amarrados entre ellos por correas. En el interior había otro ejemplar de los enormes osos que habían visto por el camino, siendo éste mayor aún. Alimentado de la mano a la boca durante tres años con una superabundancia que lo había vuelto plácido y manso, el gigantesco oso cavernario estaba tumbado perezosamente dentro del recinto cerrado, casi demasiado gordo para ponerse en pie. Había sido un trabajo de devoción y veneración para el pequeño clan, mantener por tanto tiempo al enorme oso, e inclusive los muchos obsequios de alimentos, implementos y pieles que los clanes visitantes traían, no compensaban el esfuerzo que habían desplegado. Pero no había una sola persona que no envidiara a los miembros del clan anfitrión, y cada uno de los clanes esperaba con anhelo que fuera su turno llevar a cabo el mismo deber y cosechar los beneficios espirituales y la posición de tan grande honor.

El oso cavernario se movió para mirar lo que causaba tanta conmoción, esperando que le dieran más de comer, y Uba se pegó más de cerca a Ayla, tan abrumada por el tropel de gente como por el oso. El jefe y el mago del clan anfitrión se acercaron a ellos y procedieron a saludar por gestos antes de dirigir una pregunta airada:

—¿Por qué habéis traído a una de los Otros a nuestra Reunión del Clan? —indicó el jefe del Clan anfitrión.

—Es mujer del Clan, Norg, una curandera de la estirpe de Iza —replicó Brun, más sereno exteriormente de lo que se sentía en realidad. Un murmullo surgió de la gente que miraba y las señales con las manos comenzaron a agitar el aire.

—¡Eso es imposible! —indicó el mog-ur—. ¿Cómo puede ser mujer del Clan? Ha nacido de los Otros.

—Es mujer del Clan —repitió el Mog-ur, tan inflexiblemente como Brun. Miró al jefe del clan anfitrión con un ojo ominoso—. ¿Dudas de *mí*, Norg?

Norg miró, incómodo, a su mog-ur, pero no recibió alientos de la expresión confusa del mago.

—Norg, hemos viajado mucho y estamos cansados —dijo Brun—. No es el momento de hablar de esto. ¿Nos niegas la hospitalidad de tu cueva?

Fue un momento lleno de tensión; si Norg se negaba, no les quedaría más remedio que recorrer la larga distancia para volver a su cueva. Sería un grave quebrantamiento de las convenciones sociales, pero permitir la entrada de Ayla equivaldría a aceptarla como mujer del Clan; por lo menos, así sabría Brun a qué atenerse. Norg volvió a mirar a su mog-ur y otra vez al hombre que era jefe del Clan que era el primero de todos los clanes. Si el Mog-ur lo decía, ¿qué podía hacer él?

Norg indicó a su compañera que mostrara al Clan de Brun el lugar que le había sido destinado, pero él caminó junto a Brun y el Mog-ur. Tan pronto como estuvieran instalados, estaba decidido a enterarse de cómo una mujer, obviamente nacida de los Otros, se había convertido en mujer del Clan.

La entrada a la cueva del clan anfitrión era más pequeña que la de la cueva del Clan de Brun, y la cueva misma parecía más pequeña cuando entraron por vez primera. Pero en vez de una amplia sala con una cámara anexa para las ceremonias, esta cueva estaba constituida por una serie de alojamientos y túneles que estaban perforados muy adentro en la montaña, en su mayor parte inexplorados. Había más espacio del necesario para dar cabida a todos los clanes visitantes, aun cuando no iban a tener la ventaja de recibir luz por la entrada. El Clan de Brun fue conducido a la segunda sala de la fachada, y llenó todo un lado de aquélla. Era una ubicación favorable que correspondía a su elevada posición. Aun cuando ya había varios clanes instalados más atrás, el lugar les había sido reservado hasta que comenzara el Festival del Oso. Sólo entonces, cuando fuera seguro que no llegarían, se lo habrían otorgado al segundo clan por orden de importancia.

JEAN M. AUEL

El Clan, en su totalidad, no tenía jefe, pero existía una jerarquía de clanes así como había una jerarquía de miembros de un mismo clan, y el jefe del clan de más elevada posición se convertía, en efecto, en el jefe del Clan, simplemente porque era el miembro de más alta categoría. Pero no se trataba de una posición de autoridad absoluta; los clanes eran demasiado autónomos para eso. Todos estaban encabezados por hombres independientes y dictatoriales, que acostumbraban a ser la ley de por sí y que sólo se reunían una vez cada siete años. No se doblegaban fácilmente a una autoridad mayor, como no fuera por tradición y en el mundo de los espíritus. La manera en que cada clan se ajustaba dentro de la jerarquía, y por lo tanto el hombre reconocido como jefe del Clan, era cosa que se decidía en la Reunión del Clan.

Muchos elementos contribuían a la posición de un clan; las ceremonias no eran la única actividad; las competiciones eran de importancia similar o tal vez mayor. La necesidad de cooperación entre los clanes para sobrevivir, que imponía el control de sí mismo, encontraba un desahogo aceptable en las competiciones con otros clanes. Y era necesario para sobrevivir, en otro aspecto. La competición controlada les evitaba pelear entre sí. Casi cualquier cosa se convertía en competición tan pronto como los clanes estaban reunidos. Los hombres rivalizaban en lucha, tiro con honda, lanzamiento de boleadoras, fuerza del brazo con uso de un garrote, carreras, carreras más complicadas con lanzamiento de venablos, talla de herramientas, danza, narraciones y la combinación de estas últimas en representaciones teatrales de la cacería.

Aun cuando las mujeres no tenían tanta importancia, también ellas competían a su modo. El mayor banquete era la oportunidad de desplegar sus habilidades culinarias. Los regalos que se llevaban al clan anfitrion eran expuestos al principio para que cada uno los contemplara, se examinaban críticamente y eran juzgados por el consenso de las demás mujeres. Las artesanías comprendían pieles suaves y flexibles, esteras de diseño y textura sutiles, recipientes de corteza o cuero rígido, fuertes cuerdas de tripa o plantas fibrosas o pelos de animal, largas correas de ancho regular sin puntos débiles, tazones de madera acabados con una fina suavidad, platones de servicio hechos con hueso o con las partes más finas de troncos, tazas, tazones y cucharones, capuchas, sombreros, protectores para pies y para manos y demás bolsas; inclusive se comparaba a los bebés. Los honores no se impartían tan obviamente entre las

EL CLAN DEL OSO CAVERNARIO

mujeres. Su gama de diferencias era más sutil: expresión o gestos o postura que discriminaban con finura, pero no por eso era menos ecuánime al distinguir con discernimiento el trabajo mediocre del bueno, y al otorgar su aprobación a lo que era realmente bello.

La posición relativa de la curandera de cada clan y de cada mog-ur era una consideración para determinar la posición. Iza y Creb habían contribuido, ambos, a que el Clan de Brun ocupara el primer lugar, así como el hecho de que el Clan había sido el primero durante varias generaciones antes que él, lo cual sin embargo, sólo daba una ligera ventaja a Brun cuando se convirtió en jefe. Por importante que fueran todos los factores concurrentes, la capacidad que el jefe del clan tenía para dirigir era lo decisivo. Y si la competición entre las mujeres era sutil, la determinación del jefe más capaz lo era muchísimo más.

En parte, esa determinación dependía de lo bien que los hombres de cada clan se desempeñaran en las competiciones, mostrando lo bien que un jefe los entrenaba y motivaba; en parte, en cuánto trabajaban las mujeres y lo bien que se portaban mostrando así que el jefe tenía una mano firme para dirigir. En parte se basaba en el fiel apego a la tradición del Clan, pero la parte más importante de la posición de un jefe, y por consiguiente de su clan, se basaba en la fuerza de su propio carácter. Brun sabía que esta vez lo iban a acorralar hasta el límite; ya había perdido terreno al llevar consigo a Ayla.

Las Reuniones del Clan también eran oportunidades para reanudar viejas relaciones, ver a parientes de otros clanes e intercambiar chismes y cuentos que animarían más de una velada fría de invierno durante los años siguientes. Los jóvenes que no podían encontrar compañeras con quien aparearse en su propio clan, rivalizaban para llamar la atención, aun cuando los apareamientos sólo podían verificarse cuando la mujer fuera aceptable para el jefe del clan del joven. Se consideraba un honor para una joven ser escogida, especialmente por un clan de posición más elevada, aun cuantro trasladarse lejos sería traumático para ella y los seres queridos que dejara atrás. A pesar de la recomendación de Zoug y del prestigio de la estirpe de Iza, ésta dudaba mucho de que Ayla consiguiera un compañero. Tener un hijo habría servido si éste fuera normal, pero su bebé deforme excluía cualquier esperanza.

Los pensamientos de Ayla estaban muy lejos de la busca de un compañero. Tenía bastantes dificultades para hacer acopio de valor para enfrentarse a la congregación de gente curiosa y

suspicaz que estaba fuera de la cueva. Uba y ella habían des-
empacado y establecido el hogar que sería suyo mientras durara
su visita. La compañera de Norg había cuidado de que estuvieran amontonadas muy a mano las piedras para el fuego y los
límites, y había pellejos de agua a la disposición de los clanes
invitados. Ayla se había apresurado a exponer sus regalos para
el clan anfitrión de la manera que Iza le explicara, y la calidad
de su trabajo ya había llamado la atención. Se lavó para quitarse
la suciedad del camino, se puso un manto limpio y después
dio de mamar a su hijito mientras Uba esperaba con impaciencia. La muchacha ansiaba explorar el área que rodeaba a la
cueva y ver a toda la gente, pero se mostraba renuente a hacerlo sola.

—¡Apúrate, Ayla! —señaló—. Todos están ya fuera. ¿No puedes dar de mamar a Durc más tarde? Preferiría estar sentada al
sol que en esta vieja cueva oscura. ¿Tú no?

—No quiero que se ponga a chillar desde el principio. Ya
sabes lo fuerte que grita. La gente creería que no soy buena
madre —explicó Ayla—, y no quiero hacer nada que les haga
pensar de mí peor que ahora. Creb me dijo que la gente se
sorprendería al verme, pero no creí que pudieran impedirnos
permanecer aquí. Y tampoco creí que mirarían tan fijamente.

—Bueno, nos han dejado entrar, y después de que Creb y
Brun terminen de hablar con ellos, sabrán que eres mujer del
Clan. Vamos, Ayla. No te puedes quedar siempre metida en
la cueva, tendrás que dar la cara más tarde o más temprano.
Dentro de poco se habrán acostumbrado a verte, lo mismo que
nosotros. Yo no veo que seas tan diferente; realmente tengo
que pensarlo.

—Yo estaba con ellos antes de que tú nacieras, Uba, pero
éstos no me habían visto nunca. Oh, está bien, salgamos de
esto. Vamos. No olvides llevar algo para darle de comer al
oso cavernario.

Ayla se levantó, recostó a Durc contra su hombro y le dio
golpecitos en la espalda mientras salían. Hicieron un ademán de
respeto hacia la compañera de Norg, al pasar por delante de su
hogar. La mujer devolvió el saludo y regresó rápidamente a
su tarea, cobrando súbitamente conciencia de que había estado
mirándolas. Ayla respiró muy hondo al aproximarse a la entrada
y alzó un poco más la cabeza. Estaba decidida a ignorar la
curiosidad que la rodeaba; era mujer del Clan y tenía tanto
derecho a estar allí como cualquier otra.

EL CLAN DEL OSO CAVERNARIO

Su decisión fue sometida a prueba en grande mientras salía a la brillante luz del sol. Cada uno de los miembros de cada uno de los clanes había encontrado un pretexto para hallarse cerca de la cueva esperando a que saliera la extraña mujer del Clan. Muchos de ellos trataban de mostrarse discretos, pero muchos olvidaban o pasaban por alto la cortesía más elemental y se quedaban mirándola con la boca abierta de asombro. Ayla podía sentir cómo se ruborizaba. Cambió la postura de Durc como excusa para mirarlo a él y no a la multitud de rostros vueltos hacia ella.

Fue una suerte que mirara a su hijo; su acción enfocó la atención en Durc, que había sido pasado por alto ante el primer impacto de la presencia de la joven madre. Expresiones y gestos —no todos ellos muy discretos— evidenciaban lo que pensaban de su hijo. No tenía que haberse parecido a uno de sus propios bebés; si se hubiera parecido a ella, podrían haberlo aceptado mejor. Sin tomar en cuenta lo que dijeran Brun y el Mog-ur, Ayla era de los Otros; su bebé podía haberse ajustado al mismo molde. Pero Durc tenía suficientes características del Clan para que sus modificaciones parecieran deformaciones. Era un bebé toscamente deformado no que debería haber sido autorizado a sobrevivir. No sólo se rebajó el valor de Ayla sino que también Brun perdió más terreno.

Ayla volvió la espalda a las miradas suspicaces y las bocas abiertas, y se fue con Uba a mirar al oso cavernario en su jaula. Cuando las vio aproximarse, el enorme úrsido se tambaleó, se sentó y tendió a través de los barrotes su enorme zarpa en espera de algo qué comer. Las dos retrocedieron al ver la monstruosa zarpa con sus garras fuertes, más adaptadas para arrancar las raíces y tubérculos que constituían gran parte de su dieta normal, que para trepar por los árboles sosteniendo su enorme volumen. A diferencia de los osos pardos, sólo los cachorros de los osos cavernarios eran suficientemente ágiles y pequeños para trepar. Uba y Ayla dejaron las manzanas en el suelo justo más allá de los fuertes postes de madera que otrora fueron árboles de buen tamaño.

La criatura, criada como un niño amado que nunca había sufrido hambre, era totalmente mansa y se sentía a gusto entre la gente. El inteligente animal había aprendido que ciertas acciones le proporcionaban suplementos sabrosos de comida; se sentó y pidió. Ayla habría sonreído ante sus payasadas de no haber recordado a tiempo que debía controlarse.

—Ahora ya sé por qué dicen los clanes que sus osos cavernarios hablan —indicó Ayla por gestos a Uba—. Está pidiendo más. ¿Tienes otra manzana?

Uba le entregó una de las pequeñas frutas, duras, redondas y duras, y esta vez Ayla avanzó hasta la jaula y se la dio. El se la metió en la boca, después se acercó a los barrotes y frotó su enorme cabeza melenuda contra uno de los salientes de un tronco de árbol.

—Creo que lo que quieres es que te rasquen, viejo aficionado a la miel ¿eh? —señaló Ayla. La habían advertido que nunca señalara la expresión de oso ni de oso cavernario ni de Ursus en presencia de él; si lo llamaban por sus verdaderos nombres, iba a recordar quién era y saber que no era sólo un miembro del clan que lo crió; eso lo convertiría de nuevo en oso salvaje, anularía la Ceremonia del Oso y echaría a perder la verdadera razón del festival. Ayla lo rascó detrás de las orejas.

—Eso te gusta, ¿verdad, dormilón de invierno —señaló Ayla, y se puso a rascarle detrás de la otra oreja que había vuelto hacia ella. —Podrías rascarte las orejas si quisieras, pero eres perezoso. ¿O quieres que te hagan caso? Eres un bebé grandote y peludo.

Ayla frotó y rascó la enorme cabezota, pero cuando Durc tendió la mano para agarrar los pelos del animal, retrocedió. Había acariciado y rascado a los animalitos heridos que llevaba a la cueva, y comprendía que éste era un ejemplar más grandote y manso de la misma especie. Protegida por la pesada jaula, no tardó en perderle el miedo al oso, pero su bebé era otra cosa. Cuando Durc tendió sus diminutas manos para agarrar los pelos, de repente la enorme boca y las largas garras se volvieron peligrosas.

—¿Cómo has podido acercarte tanto? —indicó Uba, empavorecida—. Me daría miedo acercarme tanto a su jaula.

—Es solamente un bebé muy grandote, pero me olvidé de Durc. Ese animal podría lastimarlo si le hiciera una caricia. Puede parecer un bebé cuando pide comida o quiere que lo atiendan, pero no quisiera pensar siquiera en lo que haría si se enfureciera —dijo Ayla mientras se alejaban de la jaula.

No era Uba la única que se sorprendiera de la osadía de Ayla: todo el Clan había estado observando. La mayoría de los visitantes se apartaban, especialmente al principio. Los muchachitos jugaban acercándose a la carrera, llegando a la jaula y tocando al oso para presumir de valentía, y los hombres eran demasiado orgullosos para mostrar miedo, ya lo sintieran o no. Pero pocas mujeres, fuera del clan anfitrión, se acercaban mucho, y meter las manos entre los barrotes para rascarlo a primera vista era cosa que no se esperaba de una mujer. No les hizo cambiar la opinión que tenían de Ayla, pero sí los asombró.

Ahora que todos habían mirado bien a Ayla empezaban a alejarse, pero ella seguía sintiendo que la miraban subrepticiamente. Las miradas de los niños no la molestaban; en ellos era la curiosidad normal de los pequeños para todo lo que fuera insólito, e incluía connotaciones de suspicacia ni reprobación.

Ayla y Uba se dirigieron a un lugar sombreado bajo una roca saliente en las orillas exteriores del área amplia y en cuesta, que había frente a la entrada de la cueva. Desde aquella distancia discreta, podían observar las actividades sin faltar a la cortesía.

Siempre había existido una intimidad de calidad especial entre Ayla y Uba. Ayla había sido hermana, madre y compañera de juegos para la niña, pero desde que Uba había comenzado seriamente su educación, y especialmente después de haber seguido a Ayla hasta la cueva pequeña, su amistad había adquirido un carácter de relación mutua más similar. Eran amigas íntimas. Uba tenía casi seis años, y había llegado a la edad en que comenzaba a mostrar interés por el sexo opuesto.

Estaban sentadas bajo la sombra fresca. Durc tendido boca abajo sobre el manto tendido entre ambas, pateando y agitando los brazos y alzando la cabeza para mirar a su alrededor. Durante el viaje había empezado a hacer burbujas y ruidos con la boca, cosa que ningún niño del Clan hacía nunca. Eso preocupó a Ayla pero, en cierto modo inexplicable, también le agradó. Uba comentaba a los muchachos y jóvenes y Ayla la embromaba con cariño. Un acuerdo tácito imponía que no se hablara de posibles compañeros para Ayla, aunque tenía una edad mucho más adecuada para aparearse. Las dos estaban contentas de haber terminado el largo viaje, y se preguntaban acerca de la Ceremonia del Oso, puesto que ninguna de las dos había asistido nunca a una Reunión del Clan. Mientras hablaban, una joven se acercó y, con el lenguaje silencioso, oficial y universalmente conocido, preguntó tímidamente si podría hacerles compañía.

Le dieron la bienvenida; era el primer gesto amigable que habían recibido. Podían ver que llevaba un bebé en el manto, pero estaba dormido, y la mujer no mostró intenciones de perturbarlo.

—Esta mujer se llama Oda— señaló con gestos formales después de haberse sentado, e hizo un gesto para indicar que quería saber los nombres de ellas.

Uba respondió:

—Esta muchacha se llama Uba, y la mujer es Ayla.

—Aay... ¿Aayghha? Palabra nombre no conozco. —El dialecto común de Oda y sus gestos eran algo diferentes, pero comprendieron la esencia de su comentario.

—El nombre no es del Clan —dijo la mujer rubia. Comprendía la dificultad que todos tenían con su nombre; inclusive en su propio Clan, algunos no podían decirlo bien del todo.

Oda asintió, alzó las manos como si fuera a hablar, y cambió de idea. Parecía nerviosa e incómoda; finalmente señaló a Durc.

—Esta mujer puede ver que tienes un bebé —dijo, vacilando mucho—. ¿Es niño o niña?

—El bebé es varón. El bebé se llama Durc, como el Durc de la leyenda. ¿Conoce la leyenda esta mujer?

Los ojos de Oda mostraron una curiosa expresión de alivio.

—Esta mujer conoce la leyenda. El nombre no es común en el clan de esta mujer.

—Tampoco es un nombre común en el Clan de esta mujer. Pero el bebé no es común. Durc es especial; el nombre le conviene —señaló Ayla con una huella de orgulloso desafío.

—Esta mujer tiene un bebé; es una niña. El nombre es Ura —dijo Oda; todavía parecía nerviosa y vacilante.

Tras un incómodo silencio, Ayla preguntó, sin saber qué más decirle a aquella mujer cuya cordialidad se matizaba de tanta vacilación:

—¿Está dormida la niña? Esta mujer querría ver a Ura si la madre lo permite.

Oda pareció considerar la solicitud durante un rato y finalmente, como si tomara una decisión, sacó al bebé de su manto y lo puso en brazos de Ayla.

Los ojos de Ayla se abrieron con una sorpresa que la dejó pasmada: Ura era joven —no podía haber nacido mucho antes de una luna —pero no era el aspecto de recién nacida lo que asombraba a la mujer alta: ¡Ura tenía el mismo aspecto que Durc! Se parecía tanto a Durc como si fuera su hermana. ¡La hijita de Oda podría haber sido suya!

La mente de Ayla sufrió un fuerte impacto. ¿Cómo era posible que una mujer del Clan tuviera un bebé parecido al suyo? Ella creía que Durc era diferente porque era parte del Clan y parte de ella, pero Creb y Brun tuvieron sin duda razón todo el tiempo: Durc no era diferente, era deforme, lo mismo que era deforme la nenita de Oda. Ayla no sabía qué pensar; estaba tan descompuesta que no sabía qué decir. Finalmente, Uba rompió el prolongado silencio.

—Tu bebé se parece a Durc, Oda. —A Uba se le había olvidado emplear el lenguaje formal, pero Oda comprendió.

—Sí —asintió la mujer—. Esta mujer se sorprendió al ver al bebé de Aayghha. Por eso yo . . . quería hablar contigo. No sabía si era niño o niña, pero esperaba que fuera varón.

—¿Por qué? —quiso saber Ayla.

Oda miró a la niña que Ayla tenía en el regazo.

—Mi hijita es deforme —señaló sin mirar directamente a Ayla—; tenía miedo de que nunca encontrara compañero, al crecer. ¿Qué hombre iba a querer a una mujer tan deforme? —Los ojos de Oda suplicaban al mirar a Ayla. —Cuando esta mujer vio a tu bebé, yo esperaba que fuera varón porque . . . tampoco será fácil para tu hijo encontrar compañera ¿sabes?

A Ayla no se le había ocurrido aún pensar en una compañera para Durc. Oda tenía razón: podría costarle trabajo encontrar una mujer para aparearse. Comprendía ahora por qué se les había acercado Oda.

—¿Es saludable tu hija? —preguntó— ¿fuerte?

Oda se miró las manos antes de responder:

—La niña es delgada pero tiene buena salud. La bebita tiene débil el cuello, pero se está fortaleciendo —expresó con fervor.

Ayla miró más de cerca a la nenita, pidiendo permiso con la mirada antes de quitarle las mantillas. La nenita era más rechoncha que Durc, su estructura se parecía más a la de los bebés del Clan, pero tenía más delgados los huesos. Tenía la misma frente alta y la misma forma general de la cabeza, sólo que los arcos ciliares eran mucho más pequeños y su nariz casi diminuta, pero se veía a las claras que tendría la quijada prognata, sin barbilla, de la gente del Clan. El cuello de la nenita era más corto que el de Durc, pero decididamente mucho más largo que lo normal para los bebés del Clan. Ayla levantó a la niña, sosteniéndole automáticamente la cabeza, y comprobó los esfuerzos primeros, que tan bien conocía, de la niña por sostener su cabeza.

—Su cuello se fortalecerá, Oda. El de Durc era todavía más débil cuando nació, y ahora, míralo.

—¿Lo crees? —preguntó anhelantemente Oda—. Esta mujer quiere preguntar a la curandera del primer clan, que tome en cuenta a esta bebita como compañera para su hijito —preguntó oficialmente Oda.

—Creo que Ura sería una buena compañera para Durc, Oda.

—Entonces ¿preguntarás a tu compañero si lo permitirá?

—Yo no tengo compañero —respondió Ayla.

—¡Oh! Entonces tu hijo tiene mala suerte —señaló Oda con desilusión—. ¿Quién lo entrenará si no estás apareada?

—Durc no tiene mala suerte —insistió Ayla—. No todos los bebés nacidos de mujeres sin aparear tienen mala suerte. Vivo en el hogar de el Mog-ur; él no caza pero el propio Brun ha prometido entrenar a mi hijo. Será un buen cazador y un buen proveedor. También tiene un tótem de caza. El Mog-ur ha dicho que es el Lobo Gris.

—No importa —expresó resignadamente Oda—; un compañero con mala suerte es mejor que ninguno. Ojalá tengas razón. Nuestro mog-ur no nos ha comunicado aún cuál es el tótem de Ura, pero un Lobo Gris es lo suficientemente fuerte para el tótem de cualquier mujer.

—Excepto el de Ayla —interpuso Uba—. Su tótem es el León Cavernario; ella fue elegida.

—¿Cómo has podido tener un bebé? —preguntó Oda, atónita. —El mío es la marmota, pero esta vez sí que combatió denodadamente. Mi primera hija no me costó tanto.

—También mi embarazo fue difícil. ¿Tienes otra hija? ¿Es normal?

—Lo era. Ahora está en el otro mundo —señaló Oda tristemente.

—¿Por eso han permitido que viva Ura? Me sorprende que te hayan permitido conservarla —observó Ayla.

—Yo no quería quedarme con ella, pero mi compañero me obligó. Es mi castigo —confesó Oda.

—¿Tu castigo?

—Sí —expresó Oda con un gesto—. Yo deseaba una niña y mi compañero, un niño. Es sólo porque quise tanto a mi primer bebé. Cuando fue muerta, quise otra nenita como ella. Mi compañero dice que Ura es deforme porque tuve los pensamientos equivocados durante mi embarazo. El dice que si hubiese querido un niño, habría nacido normal. Me ha obligado a conservarla para que todos sepan que no soy una buena mujer. Pero no se ha deshecho de mí, tal vez porque nadie más me ha querido.

—Yo no creo que seas tan mala mujer, Oda —señaló compasivamente Ayla. —Iza quería una niña cuando esperaba tener a Uba. Me dijo que todos los días le pedía a su tótem que fuera niña. ¿Cómo murió tu primera niña?

—Fue muerta por un hombre parecido a ti —y Oda enrojeció de confusión—. Aayggha, un hombre de los otros.

"¿Un hombre de los Otros? —se dijo Ayla. —Un hombre parecido a mí". Sintió que un escalofrío le recorría la espalda y que las raíces de sus cabellos se estremecían; se dio cuenta del desconcierto de Oda.

—Iza dice que nací de los Otros, Oda, pero no recuerdo nada de ellos. Ahora soy del Clan —dijo, alentadoramente—. ¿Cómo sucedió todo?

—Íbamos de cacería, otras dos mujeres y yo además de los hombres. Nuestro clan vive al norte de aquí, pero esa vez llegamos más al norte que nunca. Los hombres abandonaron temprano el campamento, y nosotras nos quedamos para recoger leña y hierba seca. Había muchísimas moscas azules y sabíamos que deberíamos tener una hoguera prendida para secar la carne. De repente esos hombres irrumpieron en nuestro campamento. Querían aliviar sus necesidades con nosotras, pero no hicieron la señal; de haberla hecho, yo habría adoptado la posición, pero no me dieron oportunidad: se apoderaron de nosotras y nos arrojaron al suelo. Fueron tan bruscos. Ni siquiera me dejaron poner de lado a mi bebé. El que se apoderó de mí rompió mi manto y mi capa; mi bebé cayó, pero él no se dio cuenta.

"Cuando hubo terminado —prosiguió Oda— otro hombre iba a tomarme, pero uno de los demás vio a mi bebé; levantó a la nenita y me la dio, pero estaba muerta, se había golpeado la cabeza con una piedra al caer. Entonces el hombre que la había levantado empleó palabras en voz muy fuerte y todos se alejaron. Cuando estuvieron de regreso los cazadores, se lo contamos, y nos llevaron de regreso a la cueva inmediatamente. Mi compañero fue muy bueno conmigo entonces; se entristeció por lo de mi nenita. ¡Me alegré tanto al descubrir que mi tótem había sido nuevamente derrotado tan pronto después de haberla perdido! Ni siquiera una sola vez volví a tener la maldición femenina; pensé que mi tótem había tenido lástima de mí y me dejaba tener otro bebé para consolarme. Por eso creí que podría tener otra niña, pero no debería haber deseado que fuera niña".

—Lo siento —dijo Ayla—. No sé lo que sería de mí si perdiera a Durc. Estuve a punto de perderlo. Hablaré a el Mog-ur acerca de Ura; estoy segura de que hablará con Brun; quiere mucho a mi hijo. Y pienso que Brun también puede estar de acuerdo. Resultaría más fácil así que buscar a una mujer de nuestro Clan para aparearla con un hombre deforme.

—Esta mujer le agradecerá mucho a la curandera, y prometo educarla bien, Aayggha. Será una buena mujer, no como su madre. El Clan de Brun tiene la posición más alta; creo que mi compañero estará conforme. Si sabe que hay un lugar para Ura en el Clan de Brun, tal vez no esté tan enojado conmigo. Siempre me dice que mi hija no será más que una carga y nunca tendrá posición. Y cuando Ura sea mayor, le podré decir que no se preocupe por encontrar un compañero. Puede resultarle difícil a una mujer que ningún hombre la quiera —dijo Oda.

Cuando Oda se fue, Ayla quedó pensativa y preocupada. Uba se dio cuenta de que necesitaba pensar y no la distrajo. "Pobre Oda, era feliz, tenía un buen compañero y una hijita normal. Entonces aquellos hombres tuvieron que presentarse y echarlo todo a perder. ¿Por qué no hicieron la señal? ¿No podían ver que Oda tenía un bebé? Esos hombres de los Otros son tan malos como Broud. Peores. Por lo menos Broud le hubiera permitido apartar primero a su hijita. ¡Los hombres y sus necesidades! Los hombres del Clan, los hombres de los Otros: son todos iguales".

Mientras pensaba, su mente volvía a pensar en los Otros. "Los hombres de los Otros, hombres que se parecen a mí ¿quiénes son los Otros? Iza dijo que yo había nacido de ellos ¿Por qué no recuerdo nada de los Otros? Ni siquiera recuerdo el aspecto que tienen. ¿Dónde viven? Me pregunto qué aspecto tendrá un hombre de los Otros". Ayla recordó su reflejo en la poza quieta junto a la cueva y trató de imaginar a un hombre con su rostro. Pero cuando pensaba en un hombre, lo que le venía a la mente era la imagen de Broud, y con un destello de discernimiento, el torbellino de ideas confusas que se arremolinaban en su mente empezó a ordenarse.

"¡Los hombres de los Otros! ¡Naturalmente! Oda dijo que uno de ellos alivió sus necesidades con ella, y desde entonces no tuvo la maldición ni una sola vez. Entonces dio a luz a Ura, igual que Durc nació después de que Broud alivió conmigo sus necesidades. Ese hombre era de los Otros, y yo nací de ellos, pero Oda y Broud, los dos son del Clan. Ura no es más deforme que mi Durc. Este es en parte como yo y en parte como el Clan, y lo mismo sucede con Ura. O mejor dicho, es parte de Oda y parte de aquel hombre que mató a su bebita. De modo que Broud inició a Durc... con su órgano, no con el espíritu de su tótem.

"Pero las demás mujeres, las que estaban con Oda no tuvieron bebés deformes. Y si siempre que lo hacen un hombre y una mujer, se inicia un bebé, pues sólo habría bebés. Tal vez también Creb tenga razón. El tótem de una mujer tiene que ser derrotado; pero ella no se traga la esencia del tótem sino que un hombre lo mete dentro de ella con su órgano. Y entonces se mezcla con la esencia del tótem de la mujer. No es sólo los hombres... también las mujeres.

"¿Por qué tuvo que ser Broud? Yo quería un bebé, mi León Cavernario sabía cuánto deseaba tener un bebé, pero Broud me odia. También odia a Durc. Pero, ¿quién más lo habría hecho? Ninguno de los demás hombres se han interesado en mí, soy demasiado fea. Broud sólo lo hizo porque sabía que no me gustaba. ¿Sabría mi León Cavernario que el tótem de Broud ganaría finalmente? Su esencia debe de ser poderosa; Oga tiene ya dos hijos; Brac y Grev tienen que haber sido iniciados por el órgano de Broud, también ellos, lo mismo que Durc.

"¿Significa eso que sean hermanos? ¿Como Brun y Creb? También Brun tiene que haber iniciado a Broud dentro de Ebra. A menos que haya sido otro hombre. Pero no es probable; por lo general, los hombres no le hacen la señal a la mujer del jefe; es falta de cortesía. Y a Broud no le gusta compartir a Oga. Durante la cacería del mamut, Crug siempre usó a Ovra; todos podían ver su necesidad, y Goov era más considerado. Inclusive Droog lo hizo una o dos veces.

"Si Brun inició a Broud, y Broud a Durc, ¿significa eso que también Durc es parte de Brun? ¿Y Brac y Grev? Brun y Creb son hermanos; nacieron de la misma madre y probablemente fueron iniciados por el mismo hombre; también éste era jefe. ¿Significa eso que Durc es parte de Creb también? ¿Y de Iza? Ella es hermana". Ayla meneó la cabeza. "Todo esto es demasiado desconcertante" —se dijo.

"Pero Broud inició a Durc. Me pregunto si mi tótem incitó a Broud a hacerme la señal la primera vez. Fue horrible, pero tal vez haya sido otra prueba, y quizá no hubiera otro medio. Mi tótem tenía que saberlo, tuvo que haberlo planeado. Sabía cuánto deseaba tener un bebé, y me dio una señal para indicarme que Durc viviría. ¿No se pondría furioso Broud si supiera? Me aborrecía tanto que me dio lo que yo más había deseado".

—Ayla —dijo Uba interrumpiendo sus reflexiones—, acabo de ver a Creb y Brun entrar en la cueva. Se está haciendo tarde, deberíamos empezar a preparar algo de comer; Creb tendrá hambre.

Durc se había quedado dormido. Despertó al tomarlo Ayla en brazos, pero pronto volvió a quedarse dormido, bien envuelto en el manto junto al seno de su madre. "Estoy segura de que Brun permitirá que venga Ura y sea la compañera de Durc —pensaba mientras regresaban ambas a la cueva del clan anfitrión—. Están más hechos el uno para el otro de lo que Oda cree. Pero ¿Y yo? ¿Qué será de mí? ¿Encontraré algún día un compañero que me convenga?

23

Cuando llegaron los dos últimos clanes, Ayla pasó por el mismo penoso examen, en menor escala, que a su llegada. La mujer alta y rubia era algo extraño entre los casi doscientos cincuenta miembros del Clan que se habían reunido allí. Llamaba la atención por donde pasara, y todas sus acciones eran observadas con atención. Por anormal que pareciera, nadie podía descubrir en su comportamiento la menor desviación; Ayla mostraba un cuidado extremo en que nadie la descubriera.

No revelaba ni una de las características peculiares que de vez en cuando todavía se le escapaban en la atmósfera menos tensa de su propia cueva. Ni reía ni sonreía siquiera; no había lágrimas en sus ojos; no daba largos trancos ni movía airosamente los brazos de modo que se pudieran reconocer sus tendencias poco femeninas. Era un parangón de virtud según los cánones del Clan, una joven matrona ejemplar... y eso no chocaba a nadie. Nadie, fuera de su Clan, había conocido a mujer alguna que obrara de otra manera. Pero ese proceder hizo que su conducta fuera aceptable y, como lo había vaticinado Uba, todos se fueron acostumbrando a ella. Había demasiadas actividades en una reunión de los clanes, para que la novedad que representaba una mujer extraña retuviera por mucho tiempo su atención.

No era fácil retener a un conjunto tan numeroso dentro de los estrechos límites del entorno de la cueva durante un prolongado periodo. Hacía falta cooperación, coordinación y una dosis masiva de cortesía. Los jefes de los diez clanes estaban mucho más ocupados que nunca, cuando sólo tenían que preocuparse por sus miembros; el número de personas reunidas multiplicaba los problemas.

Alimentar a la horda representaba la organización de partidas de caza. Aun cuando las normas y rangos establecidos dentro de un solo clan facilitaban la disposición de los cazadores, tan pronto como cazaban juntos dos o más clanes, surgían problemas. La posición del clan determinaba quién sería el jefe del grupo combinado, pero ¿cuál de los hombres que ocupaban el tercer lugar era el más competente? Al principio probaron distintos arreglos, ordenando las posiciones con cierta diversidad para que nadie se ofendiera. Una vez iniciadas las competiciones resultaría más fácil, pero ninguna partida de caza se ponía en marcha antes de haber decidido cuál sería la posición de cada uno de los hombres.

Las expediciones de las mujeres para recolectar plantas también tenían sus problemas. Aquí, el caso era que demasiadas mujeres trataban de escoger los vegetales de mejor calidad. Un área podía verse agotada rápidamente sin que nadie hubiera obtenido todo lo necesario. Los alimentos conservados que habían llevado consigo completaban la dieta de cada clan, pero los alimentos frescos siempre resultaban más deseables. El clan anfitrión solía recolectar muy lejos de su cueva, antes de una reunión, pero inclusive esa cortesía resultaba insuficiente para satisfacer las necesidades de todos. Aun cuando su tiempo no estuviera limitado por un largo viaje para el almacenamiento de alimentos en previsión al invierno, el clan que recibía tenía que conservar algo más de la acostumbrado. Para cuando hubiera terminado la reunión, las plantas comestibles de los alrededores habrían desaparecido.

El abastecimiento de agua procedente del río alimentado por un glaciar, que corría allí cerca, era adecuado, pero la leña escaseaba. Se cocinaba fuera de la cueva a menos que lloviera, y los clanes preparaban sus comidas colectiva, no individualmente, en hogares separados. Aun así, la mayor parte de la leña seca caída y muchos árboles vivos, que tardarían varias estaciones en reponerse, se habían agotado.

El entorno de la cueva, después de la Reunión del Clan, nunca volvería a ser el de antes.

El abastecimiento no era el único problema; los desechos eran una cuestión igualmente importante. Los desechos humanos y demás basura tenían que ser eliminados. Y había que tener espacio, no sólo espacio para vivir dentro de la cueva, sino espacio para cocinar, espacio para reunirse, espacio para las competiciones y las danzas y los banquetes, y espacio para circular. Organizar las actividades no era un trabajo insignificante de por sí. Todo ello implicaba discusiones y compromisos interminables dentro de una atmósfera cargada de una competición intensa. La costumbre y la tradición desempeñaban un gran papel para suavizar muchos tropiezos, pero en esta área precisamente era donde el talento administrativo de Brun se destacaba mejor.

Creb no era el único que se deleitaba con la Reunión del Clan porque le permitía reunirse con sus pares. Brun disfrutaba del reto que representaba rivalizar con hombres cuya autoridad era igual a la suya. Esta era su contienda: competir para lograr dominar a los demás jefes. La interpretación de los procedimientos antiguos exigía a veces que se hilara muy delgado, además de la capacidad para tomar una decisión y la fuerza de carácter para atenerse a ésta, aun sabiendo muy bien cuándo convenía ceder. Por algo era Brun el primer jefe. Sabía cuándo tenía que mostrarse enérgico, cuándo conciliador, cuándo solicitar el consenso y cuándo defender solo su posición.

Siempre que se reunían los clanes, solía surgir un hombre fuerte que pudiera fundir a los jefes autoritarios en una entidad coherente que funcionara, al menos mientras durara la reunión. Ese hombre era Brun. Lo había sido desde que se convirtió en jefe de su propio Clan.

De haber perdido prestigio, por el mero hecho de dudar de sí mismo habría perdido esa ventaja. Sin la base que representaba la seguridad de su propio juicio, su desconfianza habría arrojado la sombra de la duda sobre sus decisiones. No podría enfrentarse a una Reunión ni a los demás jefes en tales circunstancias. Pero precisamente ese telón de fondo hecho de fuerza y compromiso, dentro de la estructura inflexible de la tradición del Clan, era lo que le había permitido hacer las concesiones en el caso de Ayla. Y una vez pasada la amenaza contra él, comenzó a considerarla de manera distinta.

Ayla había tratado de forzar una decisión, pero fue dentro de la estructura de las costumbres del Clan, tal como ella las interpretaba, y no era por una causa frívola. Ciertamente era una mujer, y como tal debía comprender cuál era su lugar, pero había recobrado el sentido viendo a tiempo lo equivocada que estaba. Cuando le mostró la ubicación de su cuevita, se sintió pasmado a la idea de que pudiera haber llegado hasta allá en un estado de debilidad tan grande. Se preguntó si un hombre lo hubiera logrado, y eso que la virilidad se medía de acuerdo con la resistencia estoica. Brun admiraba el valor, la determinación y la resistencia; mostraban fuerza de carácter. A pesar del hecho de que Ayla era una mujer. Brun admiraba su valor.

—Si estuviera Zoug aquí, habríamos ganado la competición de tiro con honda —señaló Crug—. Nadie podría haberlo derrotado.

—Sólo Ayla —comentó Goov con gestos discretos—. Lástima que no pudièra competir.

—No necesitamos de una mujer para ganar —accionó Broud—. El concurso de tiro con honda no cuenta tanto, al fin y al cabo. Brun ganará con el lanzamiento de boleadoras, como siempre. Y todavía queda la carrera con lanzamiento de venablo.

—Pero Voord ha ganado la carrera a pie; también tiene una buena oportunidad de ganar corriendo y lanzando —dijo Droog—, y Gorn se portó muy bien con el garrote.

—Espera hasta que les mostremos nuestra cacería del mamut. Nuestro Clan está destinado a ganar —replicó Broad. La dramatización de cacerías formaba parte de muchas ceremonias; en ocasiones, se producían espontáneamente después de una cacería especialmente excitante. A Broud le encantaba representarla. Sabía que era excelente cuando se trataba de evocar la sensación de excitación y drama de la cacería, y se deleitaba siendo el centro de la atención.

Pero la escenificación de la cacería cumplía un fin mucho más importante que una mera jactancia. Con la pantomima expresiva y unos cuantos elementos de utilería, demostraban técnicas y tácticas de caza ante los jóvenes o los demás clanes. Era una manera de desarrollar y compartir la experiencia. Si les hubieran preguntado, todos habrían convenido en que el premio otorgado al clan que se portara mejor en la complicada competencia era la posición: el hecho de ser reconocido el mejor entre sus pares. Pero había otro premio que también era otorgado aun cuando no reconocido: las competiciones agudizaban las pericias necesarias para sobrevivir.

—Ganaremos si tú diriges la danza de la cacería, Broud —dijo Vorn. El muchacho, de diez años de edad, que veía acercarse el momento de su virilidad, seguía idolatrando al futuro jefe. Broud se aseguraba su adoración permitiendo que tomara parte en las discusiones de los hombres siempre que era posible.

—Lástima que tu carrera no cuente, Vorn. Estuve mirando; ni siquiera te seguían de cerca; ibas muy por delante. Pero es buena práctica para la próxima vez —dijo Broud, y Vorn resplandeció con el halago.

—Pero tenemos una buena oportunidad aún —señaló Droog—. Aunque podría fallar. Gorn es fuerte, ha peleado muy bien contra ti en el encuentro de lucha, Broud. No me sentí muy seguro de que pudieras vencerlo. El segundo de Norg debe de estar orgulloso del hijo de su compañera; ha crecido desde la última Reunión. Creo que es el hombre más grandote que hay aquí.

—Tiene la fuerza, es cierto —dijo Goov—. Se vio cuando ganó con el garrote, pero Broud es más rápido y casi igual de fuerte. Gorn llegó segundo pero muy cerca.

—Y Nouz lanza bien con honda. Creo que habrá visto a Zoug la última vez, y decidió trabajar en ello; no quiso que un viejo volviera a derrotarlo —agregó Crug—. Si ha practicado tanto con las boleadoras, puede ser un fuerte rival para Brun. Voord corre muy aprisa, pero creí que le darías alcance, Broud. También fue muy reñida la carrera: sólo estabas un paso detrás de él.

—Droog hace las mejores herramientas —señaló Grod—. Pocas veces comentaba algo voluntariamente, era muy lacónico.

—Seleccionar las mejores y traerlas aquí es una cosa, Grod, pero hace falta suerte para hacerlas bien cuando todos están mirándolo a uno. Ese joven del clan de Norg tiene pericia —replicó Droog.

—Es un concurso en que tú tienes la ventaja precisamente porque él es más joven, Droog. Estará más nervioso, y tú tienes más experiencia en cuanto a competir. Podrás concentrarte mejor —fueron las alentadoras palabras de Goov.

—Pero aun así, hace falta suerte.

—Para todo hace falta suerte —dijo Crug—. Sigo creyendo que el viejo Dorv cuenta una historia mejor que nadie.

—Porque estás acostumbrado a él Crug —indicó Goov—. Es una competición muy difícil de juzgar. Inclusive algunas de las mujeres cuentan bien las historias.

—Pero no son tan palpitantes como las danzas de caza. Creo que los del clan de Norg estaban hablando de cómo cazaron un rinoceronte, pero se callaron al verme —dijo Crug—. Quizá representen esa cacería.

Oga se acercó a los hombres con timidez, y los informó por señas que la cena estaba servida. Le hicieron seña de que se retirara. Ella esperaba que no tardaran demasiado en decidirse a cenar; cuando más esperaran, más tiempo perderían las mujeres antes de reunirse con las demás que se estaban reuniendo para contar cuentos, y Oga no quería perderse ninguno. Por lo general eran las viejas quienes representaban las leyendas e historias del Clan con pantomimas teatrales. A menudo esas historias pretendían edificar a los jóvenes, pero todas eran entretenidas: historias tristes que partían del corazón, cuentos felices que proporcionaban inspiración y dicha, y relatos humorísticos que ayudaban a que los momentos de confusión resultaran menos ridículos.

Oga regresó al fuego cerca de la cueva.

—Creo que todavía no tienen hambre —dijo.

—Pues parece que han decidido venir —señaló Ovra—. Ojalá no cenen demasiado despacio.

—También Brun viene; sin duda ha concluido la reunión de los jefes, pero no sé dónde está Mogur —agregó Ebra.

—Entró más temprano en la cueva con los mog-ures. Sin duda están en la cámara de los espíritus. Imposible saber cuándo saldrán. ¿Tendremos que esperarlo? —preguntó Uka.

—Dejaré algo preparado para él —dijo Ayla—. Siempre se olvida de comer cuando se prepara para alguna ceremonia. Está tan acostumbrado a comer frío que a veces me parece que lo prefiere así. No creo que le importe que no lo esperemos.

—Mira, ya empiezan. Vamos a perdernos los primeros cuentos —indicó Oga, decepcionada.

—No queda más remedio, Ona —dijo Aga—. No podemos ir mientras no hayan terminado los hombres.

—No vamos a perdernos muchos, Ona —fue el consuelo que Ika le brindó—. Las historias durarán toda la noche. Y mañana los hombres mostrarán sus mejores cacerías y podremos presenciarlas. ¿No será excitante?

—Yo preferiría ver las historias de las mujeres— dijo Ona.

—Broud dice que nuestro Clan va a representar la caza del mamut. Cree que es seguro que ganemos; Brun le dará permiso para encabezarla —señaló Oga, con los ojos brillantes de orgullo.

—Será palpitante, Ona. Recuerdo cuando Broud se hizo hombre y dirigió la danza de la caza. Todavía no sabía yo hablar, ni comprendía a nadie, pero era palpitante —señaló Ayla.

Una vez servida la cena, las mujeres se quedaron esperando, anhelantes, lanzando miradas ansiosas hacia la congregación de mujeres reunidas en el extremo más alejado del claro.

—Ebra, váyanse todas a escuchar sus historias; tenemos que tratar algunas cosas —expresó Brun.

Las mujeres recogieron a sus bebés y empujaron a los niños hacia el grupo que estaba sentado en círculo alrededor de una vieja que acababa de comenzar una nueva historia.

"...y la madre del Gran monte de Hielo..."

—Apúrate —indicó Ayla—. Está contando la leyenda de Durc. No quiero perderme nada: es mi predilecta.

—Todo el mundo lo sabe, Ayla —dijo Ebra.

Las mujeres del Clan de Brun hallaron dónde sentarse y muy pronto se sintieron cautivadas por el cuento.

—Lo cuenta algo distinto —dijo Ayla al cabo de un rato.

—La versión de cada clan es algo distinta, y cada cuentista tiene su estilo, pero es la misma historia. Lo que pasa es que estamos acostumbradas a Dorg. Es hombre y comprende mejor cómo piensan los hombres. Una mujer cuenta más de las madres, no sólo de la madre del Gran Monte de Hielo, sino de lo triste que se sentían las madres de Durc y los otros jóvenes cuando éstos abandonaron el clan —respondió Uka.

Ayla recordó que Uka había perdido a su hijo en el terremoto. La mujer podía comprender la tristeza de una madre al perder a su hijo. La versión modificada daba a Ayla también un nuevo significado. Durante un rato, su frente estuvo arrugada revelando su preocupación". Mi hijo se llama Durc; espero que eso no signifique que habré de perderlo algún día. —Ayla abrazó a su bebé—. No, no puede ser. Estuve a punto de perderlo una vez, el peligro ha pasado ya, ¿no es cierto?"

Una brisa vagabunda agitó unos cuantos mechones sueltos de su cabello, refrescando un instante su frente cubierta de sudor, mientras Brun calculaba cuidadosamente la distancia hasta el tocón de un árbol junto a la orilla del espacio que se había abierto frente a la cueva. El resto del árbol, despojado de sus ramas, formaba parte de la empalizada que rodeaba al oso cavernario. El soplo de aire sólo acariciaba; no aliviaba en nada el calor abrasante del sol de la tarde que caía pesadamente sobre el campo polvoriento. Pero el céfiro etéreo tenía más movimiento que la multitud que formando círculo observaba bajo una tremenda tensión.

Brun estaba igualmente inmóvil, en pie, con los pies separados, el brazo derecho colgando y sosteniendo con la mano el mango de sus boleadoras. Las tres pesadas bolas de piedra, envueltas en cuero moldeado y sujetas a correas trenzadas de longitud desigual, estaban en el suelo. Brun deseaba ganar ese concurso, no sólo por el placer de competir —aunque eso también tenía su importancia— sino porque necesitaba mostrar a los demás jefes que no había perdido sus facultades competitivas.

Llevar a Ayla a la Reunión del Clan le había salido caro; comprendía ahora que él y su Clan se habían acostumbrado demasiado a ella. Era una anomalía demasiado grande para que los demás la aceptaran en tan corto tiempo. Inclusive el Mog-ur estaba luchando por conservar su lugar, y no había conseguido convencer a los demás mog-ures de que era una curandera de la estirpe de Iza. Estaban dispuestos a prescindir de la bebida especial sacada de las raíces antes que permitir que ella lo elaborara. La pérdida de la posición de Iza era un respaldo más que se derrumbaba bajo la posición bamboleante de Brun.

Si su Clan no quedaba primero en las competiciones, estaba seguro de que perdería importancia, y aunque todavía estaban compitiendo, el resultado distaba mucho de ser satisfactorio. Pero aunque ganar en la competición no garantizaría que su Clan ocupara el primer lugar, por lo menos le daría una ventaja igual; había demasiadas variables. El clan que recibía a los demás siempre tenía ventaja, y el clan de Norg era precisamente el que le estaba brindando más oposición. Si éstos quedaran segundos con poca diferencia, podra obtener Norg suficiente apoyo para lograr el primer lugar. Norg lo sabía, y por eso era su rival más implacable. Brun estaba defendiendo su posición merced a su fuerza de voluntad.

Brun entrecerró los ojos mirando el tocón. El movimiento, apenas perceptible, fue suficiente para que la mitad de los espectadores contuvieran la respiración. Al instante siguiente, la figura inmóvil se convirtió en un movimiento fulminante, y las tres bolas de piedra, girando alrededor de su centro, volaron hacia el tronco. Brun supo, en el momento en que las boleadoras abandonaban su mano, que había errado el tiro: las piedras dieron en el blanco y después rebotaron; sin lograr envolverlo. Brun avanzó para recoger su arma mientras Nouz ocupaba su lugar. Si Nouz fallara por completo, Brun ganaría. Si golpeara el tocón, ambos tendrían derecho a probar de nuevo. Pero si Nouz envolviera el tocón con sus boleadoras, habría ganado el partido.

Brun se quedó a un lado con el rostro impasible, conteniendo el ansia de agarrar su amuleto, y limitándose a enviar una súplica mental a su tótem. Nouz no puso tantos reparos: tentó la bolsita de cuero que llevaba colgada al cuello, cerró los ojos y miró el tocón. Con un impulso súbito de movimiento rápido, dejó volar sus boleadoras. Sólo largos años de control de sus emociones permitieron que Brun disimulara su frustración al ver que las correas se enredaban alrededor del tocón y se quedaban allí; Nouz había ganado, y Brun sintió que su posición se le escapaba más aún.

Brun se quedó en su sitio mientras llevaba tres pieles curtidas al campo. Una fue atada al tocón podrido de un viejo tronco, enorme, cuya cima desigual era un poco más alta que los hombres. Otra fue tendida sobre un tronco caído y cubierto de musgo, de respetables proporciones junto a la orilla del bosque, y sujeta con piedras al suelo. La tercera se extendió sobre el suelo y también se fijó con piedras. Las tres formaban un triángulo de lados más o menos iguales. Cada uno de los clanes escogió a un hombre para competir en este concurso, y los elegidos se pusieron en fila, por orden de importancia del clan, junto a la piel tendida sobre el suelo. Otros hombres, portadores de agudas lanzas hechas casi todas con madera de tejo, algunas también con madera de abedul, álamo y sauce, se dirigieron a los otros blancos.

Dos jóvenes de los clanes de menor categoría formaron la primera pareja. Cada uno de ellos, lanza en mano, esperaba tensamente, uno junto al otro, con los ojos pegados a Norg. Tan pronto como éste dio la señal, ambos se abalanzaron hacia el tronco erguido y arrojaron sus lanzas contra él a través del cuero, apuntando al lugar donde habría estado el corazón del animal si la piel lo cubriera aún, y después agarraron otra lanza que sus compañeros les tendían, esperando junto al blanco. Corrieron hacia el tronco caído y le asestaron la segunda lanza. Para cuando se apoderaron de la tercera lanza, uno de los hombres llevaba claramente la ventaja. Corrió hacia la piel del suelo, sumió la lanza lo más profundamente y lo más cerca del centro que pudo, y alzó los brazos con gesto de triunfo.

Después del primer ardor, quedaron cinco hombres. Tres de ellos se alinearon para la segunda carrera, esta vez de los clanes de más alta categoría. El que quedaba de último obtenía otra posibilidad contra los dos restantes. Finalmente, los dos hombres que quedaran segundos se juntaban, dejando a tres seleccionados para la carrera final: los dos ganadores del primer lugar y el ganador de la carrera anterior. Los finalistas fueron Broud, Voord y el representante del clan de Norg, Gorn.

De los tres, Gorn era el que había participado en cuatro carreras para llegar a las finales, mientras que los otros dos estaban bastante descansados después de dos carreras. Gorn había ganado la primera por parejas, pero llegó tercero cuando corrieron los tres clanes de primera categoría. Volvió a correr con los dos últimos hombres y quedó segundo, después formó pareja con el hombre que había llegado segundo en la carrera cuando él fue tercero, y esta vez lo derrotó. Gorn había quedado finalista por agallas y aguante, y se había hecho acreedor a la admiración de todos.

Cuando los tres hombres estuvieron en línea para la última carrera, Brun avanzó hacia el campo.

—Norg —dijo—, creo que sería más equitativa la última carrera si la pospusiéramos para darle a Gorn la posibilidad de descansar. Creo que el hijo de la compañera de tu segundo al mando se lo merece.

Hubo asentimiento general, y la posición de Brun subió un poco aunque Broud puso mala cara. La sugerencia ponía a su Clan en una posición menos ventajosa: se perdía la ventaja que pudiera haber tenido Broud al correr contra un hombre cansado, pero demostraba la rectitud de Brun, y Norg no podía negarse. Brun había ponderado rápidamente las alternativas: si perdía Broud, su Clan también podría perder su posición, pero si Broud ganaba, la equidad evidente de Brun incrementaría su prestigio, y daría la impresión de una confianza y que estaba lejos de experimentar. Sería un triunfo limpio —no podrían pensar que Gorn habría ganado de haber estado menos cansado— si ganaba Broud. Y era más justo.

Ya era tarde cuando todos se reunieron de nuevo alrededor del campo. Las tensiones dominadas habían vuelto, más fuertes. Los tres jóvenes, descansados, brincaban calentando los músculos y blandiendo las lanzas para encontrar el equilibrio deseado. Goov se acercó al tronco con dos hombres de los otros clanes, y Crub se fue al tronco tendido con otros dos. Broud, Gorn y Voord se alinearon, los tres de frente, fijaron la mirada en Norg y esperaron su señal. El jefe del clan anfitrión alzó el brazo, lo dejó caer bruscamente y los hombres partieron.

Voord saltó el primero con Broud sobre sus talones y Gorn corriendo esforzadamente detrás. Voord estaba agarrando ya su segunda lanza cuando Broud lanzó la suya al tronco podrido. Gorn incrementó su velocidad, lo cual incitó a Broud a correr adelante mientras se dirigían al tronco tendido, pero Voord seguía a la cabeza. Sumió su lanza en el tronco cubierto de cuero justo mientras Broud alzaba su lanza, pero dio en un nudo oculto y la lanza cayó al suelo. Para cuando la recogió y volvió a lanzarla, tanto Broud como Gorn lo habían dejado atrás. Agarró su tercera lanza y los siguió, pero Voord había perdido la carrera.

Broud y Gorn se dirigían a todo correr hacia el último blanco, con las piernas golpeando rítmica y fuertemente el suelo, el corazón palpitando con fuerza. Gorn empezó a adelantarse a

Broud, pero al ver que el gigante de anchos hombros iba a hacerle morder el polvo, Broud se enfureció: creyó que sus pulmones iban a estallar al lanzarse hacia delante, forzando cada uno de sus músculos y tendones. Gorn llegó a la piel tendida en el suelo un instante antes que Broud, pero mientras alzaba el brazo, Broud se abalanzó y plantó su lanza en el suelo a través del rudo cuero y corriendo por encima. La lanza de Gorn se enterró una fracción de segundo después, pero ya era demasiado tarde.

Al dejar Broud de correr, los cazadores del Clan de Brun lo rodearon; Brun los miraba con los ojos brillantes de orgullo. Su corazón latía casi tan aprisa como el de Broud; había sufrido una agonía a cada paso del camino recorrido por el hijo de su compañera. Estuvo en muy poco, y durante unos cuantos momentos de tensión, Brun creó que perdería pero se la había jugado y había ganado. Era una carrera decisiva, pero al ganarla, tenía una mayor probabilidad. "Debo de estar envejeciendo —se dijo—. He perdido el partido de boleadoras, pero Broud no, Broud ha ganado. Tal vez sea hora de entregarle el Clan. Podría hacerlo jefe y anunciarlo aquí mismo. Lucharé por el primer puesto y dejaré que vuelva a casa con el honor. Después de esta carrera, se lo merece. ¡Lo haré! ¡Se lo voy a decir ahora mismo!"

Brun esperó hasta que los hombres terminaron de felicitarlo, y se acercó entonces al joven, esperando ver la dicha que revelarían los ojos de Broud al enterarse del gran honor que estaba a punto de recibir. Sería una buena recompensa por la magnífica carrera que había ganado. Era el obsequio más grande que podía hacerle al hijo de su compañera.

—¡Brun! —Broud vio al jefe y habló primero—. ¿Por qué tuviste que aplazar esta carrera? Estuve a punto de perderla. Podría haberlo derrotado fácilmente si no le hubieras dado tiempo para descansar. ¿No te importa que tu Clan sea el primero? —señaló con petulancia—. ¿O sabes que serás demasiado viejo para encabezar la siguiente Reunión? Si voy a ser jefe, lo menos que podías hacer es dejarme empezar como el primero, como empezaste tú.

Brun se quedó de una pieza, asombrado ante el ataque virulento de Broud. Luchó por dominar sus emociones en conflicto. "No entiendes —se decía Brun—, me pregunto si llegarás a entender algún día. Este Clan es el primero y, si puedo, seguirá siéndolo. Pero ¿Qué pasará cuando tú seas el jefe, Broud? ¿Por cuánto tiempo será este Clan el primero?" El orgullo abandonó sus ojos y un gran pesar se apoderó de él, pero también supo controlarlo. "Quizá sea demasiado joven —reflexionó—, quizá sólo necesite un poco más de tiempo, un poco más de experiencia. ¿Se lo he explicado realmente alguna vez?" Brun trataba de olvidar que a él nadie había tenido que explicárselo.

—Broud, si hubiera estado cansado Gorn ¿habría sido tan brillante tu victoria? ¿Y si los demás clanes hubieran dudado de que fueras capaz de derrotarlo cuando estuviera descansado? Ahora saben de cierto que has ganado, y tú también lo sabes. Te has portado bien, hijo de mi compañera —señaló amablemente Brun—. Has logrado una excelente carrera.

A pesar de su amargura, Broud seguía respetando a aquel hombre más que a ninguno, y no pudo dejar de responder. En aquel momento sintió Broud, como lo había sentido el día de la cacería de su virilidad, que daría cualquier cosa por recibir un halago de Brun.

—No se me había ocurrido, Brun. Tienes razón, así todos saben que gané, saben que soy mejor que Gorn.

—Con esta carrera, y si Droog gana la competición de talla de herramientas, si nuestra cacería del mamut gana esta noche, estamos seguros de ser los primeros —dijo Crug, lleno de entusiasmo—. Y tú serás uno de los elegidos para la Ceremonia del Oso, Broud.

Otros hombres se agolparon alrededor de Broud para felicitarlo mientras regresaba a la cueva. Brun lo vio alejarse y también vio que Gorn regresaba rodeado por el clan de Norg. Un viejo le dio golpecitos en la espalda como para infundirle ánimos.

"El segundo de Norg tiene razones para enorgullecerse por el hijo de su compañera —pensaba Brun—. Broud puede haber ganado la carrera, pero no estoy seguro de que sea el mejor". Brun había logrado controlar su pesar, pero no lo había eliminado, y aun cuando luchaba por enterrarlo más profundamente, el dolor no desaparecía. Broud seguía siendo el hijo de su compañera, el preferido de su corazón.

—Los hombres del clan de Norg son cazadores valientes —admitió Droog—. Ha sido un buen plan ese de cavar un hoyo por el camino que sigue el rinoceronte para ir a beber, y cubrirlo con hojarasca para ocultarlo. Tal vez convendrá que lo empleemos alguna vez. Hacía falta mucho valor para llevarlo de vuelta cuando se disparó; el rinoceronte puede ser más feroz que el mamut, y mucho más caprichoso. Además, los cazadores de Norg lo han relatado bien.

—Pero de todos modos, no ha sido tan buena como nuestra cacería del mamut. Todos lo han reconocido —dijo Crug—. Pero Gorn ha merecido ser uno de los escogidos. Casi todos los torneos han sido entre Broud y Gorn. Durante un buen rato he temido que este año no ganáramos las competiciones. El Clan de Norg es segundo, pero nos sigue de cerca. ¿Qué te parece el tercero seleccionado, Grod?

—Voord se ha portado bien, pero yo habría escogido a Nouz —respondió Grod—. Creo que también Brun prefería a Nouz.

—Ha sido una difícil decisión, pero creo que Voord se la merecía —comentó Droog.

—No vamos a ver mucho a Goov hasta después del festival —dijo Crug—. Ahora que las competiciones han concluido, los acólitos se van a pasar todo el tiempo con los mog-ures. Espero que las mujeres no crean que porque Broud y Goov no cenen esta noche con nosotros tendrán que preparar menos comida. Yo voy a comer mucho; no probaremos bocado hasta el festín de mañana.

—Si yo fuera Broud no tendría hambre —dijo Droog—. Es un gran honor ser escogido para la Ceremonia del Oso, pero si alguna vez le ha hecho falta hacer acopio de todo su valor a Broud, será mañana.

Los primeros albores del día encontraron vacía la cueva. Las mujeres estaban ya levantadas trabajando a la luz del fuego, y los demás no podían dormir. Los preparativos preliminares para el festín habían llevado días, pero el trabajo no era nada comparado con lo que tenían por delante. Ya era pleno día mucho antes de que el disco deslumbrante surgiera tras las cimas de los montes, bañando el lugar de la cueva con los rayos ardientes de un sol alto ya.

La excitación se podía palpar, la tensión era insoportable. Una vez terminadas las competiciones, los hombres no tenían nada que hacer hasta las ceremonias, y estaban agitados. Su agitación nerviosa se contagiaba a los muchachos mayores, quienes a su vez excitaban a los demás niños y distraían a las mujeres: los hombres vagando a su alrededor y los niños corriendo por todos lados tropezaban constantemente con ellas.

La turbulencia se calmó un rato cuando las mujeres repartieron pastelillos de mijo molido, mezclado con agua y asado sobre piedras calientes. El desayuno de galletas blandas se consumió en un silencio solemne; este alimento estaba reservado para esa sola ocasión cada siete años, y salvo los niños de pecho, iba a ser la única comida que ingirieran antes del banquete. Los pastelillos de mijo eran un símbolo y sólo servían para abrir el apetito. A media mañana el hambre, estimulada por deliciosos aromas procedentes de diversos fuegos, intensificó el bullicio, elevando la intensidad de la agitación al nivel de fiebre a medida que se aproximaba la hora de la Ceremonia del Oso.

Creb no había comunicado a Uba ni Ayla que se prepararan para el rito que habría de celebrarse más tarde, y ambas estaban seguras de que los mog-ures no habían considerado aceptable a ninguna de las dos. No eran las únicas que habrían deseado que Iza se hubiera sentido suficientemente bien para hacer el viaje. Creb había hecho uso de todo su poder de persuasión para convencer a los demás magos de que permitieran preparar la bebida a una de las dos, pero por mucho que anhelaran celebrar el rito y la experiencia poco frecuente de la bebida hecha con raíces, Ayla era demasiado extraña y Uba demasiado joven. Los mog-ures se habían negado a aceptar a Ayla como mujer del Clan, y menos aún como curandera de la estirpe de Iza. La celebración de Ursus afectaba a algo más que los clanes asistentes; las consecuencias, buenas o malas, de cualesquiera ritos que se celebraran en una Reunión del Clan, recaían sobre el Clan entero. Los mog-ures no querían arriesgarse a la posibilidad de invocar una mala suerte que causara desdicha a todos los miembros del Clan en todas partes. Había demasiado en juego.

Eliminar ese rito tradicional de la ceremonia contribuía a devaluar a Brun y su Clan. A pesar de todos los esfuerzos de sus hombres en las competiciones, el hecho de que Brun hubiera aceptado a Ayla representaba una mayor amenaza para la posición del Clan que cualquier otra cosa que hubiera ocurrido anteriormente. Estaba muy en contra de los convencionalismos. Sólo la posición inflexible de Brun frente a la oposición creciente mantenía la cuestión sin zanjar, y no estaba seguro de que al final habría de salir triunfante.

Poco después de que fueron servidos los pastelillos de mijo, los jefes se situaron cerca de la entrada de la cueva. Esperaron en silencio que los clanes reunidos les dedicaran su atención. El silencio se extendió como los rizos que una piedra provoca al caer en una poza, tan pronto como se reconoció la presencia de los jefes. Los hombres ocuparon prontamente los lugares que definía su clan y su situación en él. Las mujeres abandonaron su trabajo, hicieron señas a los niños de que se portaran bien y siguieron el movimiento. La Ceremonia del Oso estaba a punto de iniciarse.

El primer redoble del palo duro y liso sobre el tambor de madera ahuecada en forma de tazón, resonó como un súbito trueno en el silencio de expectativa que reinaba. El ritmo lento y majestuoso fue seguido por el golpeteo de lanzas de madera contra el suelo, lo cual agregaba una profundidad de sordina. Un ritmo de palos que redoblaban en contrapunto golpeando un tubo largo y hueco de madera, se entrelazaba alrededor del redoble majestuoso y fuerte, como un tema sonoro aparentemente independiente del primero; y sin embargo, los ritmos entrecortados que tocaban según distintos compases tenían un redoble destacado que coincidía con cada quinto golpe del ritmo básico, como por casualidad. Se combinaban todos para producir una sensación creciente de expectativa, casi de ansiedad, hasta que tocaban al mismo tiempo. Cada alivio iniciaba otro aumento de la tensión, en una ola hipnótica tras otra de sonido y sensación.

Todo sonido se interrumpió de repente sobre un redoble final, satisfactorio. Como si hubieran surgido de la nada, los mog-ures revestidos de piel de oso se encontraban —una hilera de nueve— frente a la jaula del oso cavernario con el Mog-ur solo delante de todos. La sensación del ritmo se repercutía aún en la cabeza de los presentes en un silencio opresivo. El Mog-ur sostenía un óvalo plano y largo de madera con un extremo sujeto por una cuerda. Mientras lo hacía girar, un zumbido apenas audible aumentó hasta convertirse en un mugido alto que llenó el silencio. La resonancia profunda y obsesionante del mugido ponía la carne de gallina, tanto por su significado como por la sonoridad de su timbre; era la voz del Espíritu del Oso Cavernario, advirtiendo a los demás espíritus que se apartaran de aquella ceremonia dedicada únicamente a Ursus. Ningún espíritu totémico acudiría en su ayuda; se habían puesto totalmente bajo la protección del Gran Espíritu del Clan.

Un gorgorito agudo penetró en el bajo profundo; su tenue ulular dio escalofríos al espinazo de los más audaces mientras el mugido se iba apagando. El trino fantasmagórico, sobrenatural, como un espíritu incorpóreo, perforaba el brillante aire matutino. Ayla, de pie en la primera fila, podía ver que el sonido procedía de algo que sostenía en la boca uno de los mog-ures.

La flauta, hecha del hueso hueco de la pata de un ave grande, no tenía orificios para los dedos. Su tono era controlado mediante un gesto, tapando y destapando el extremo abierto. En manos de un músico hábil, se podía sacar toda una escala de cinco notas de aquel instrumento sencillo. Para la joven, como para los demás, era magia lo que creaba la música extraña; no parecía un sonido escuchado en la tierra. Había venido del mundo de los espíritus al llamado del hombre santo y para esta ceremonia única. Así como el instrumento anterior simbolizaba, imitándolo, el bramido del oso cavernario en forma física, la flauta era el sonido de la voz espiritual de Ursus.

Inclusive el mago que tocaba el instrumento experimentaba la santidad del sonido que brotaba del primitivo caramillo, aunque él mismo lo producía. Hacer y tocar la flauta mágica era el secreto esotérico de los magos de su clan, un secreto que por lo general les valía el primer lugar a esos magos. Sólo la capacidad única, exclusiva de Creb, había desplazado al mog-ur que tocaba la flauta, poniéndolo en segundo lugar, pero era un segundo poderoso. Y él era quien más se oponía a que Ayla fuera aceptada.

El enorme oso cavernario iba y venía en su jaula. No le habían dado de comer, y no estaba acostumbrado a prescindir de la comida; en toda su vida, nunca había pasado hambre. También le habían quitado el agua, y tenía sed. La multitud, exudando excitación y tensión, los sonidos insólitos de tambores de madera, flauta y mugidor, todo ello se combinaba para excitar al animal.

Al ver que el Mog-ur se acercaba cojeando a su jaula, elevó su enorme volumen sobre sus patas traseras y rugió su queja. Creb se sobresaltó pero disimuló el susto con un paso oblicuo aparentemente normal. Su rostro, cubierto como el de los demás magos con una pasta de dióxido de manganeso, no mostraba la menor señal de lo rápidamente que palpitaba su corazón, cuando inclinó la cabeza hacia atrás para mirar al infeliz gigante. Llevaba en sus manos un tazón pequeño lleno de agua, cuya forma y color grisáceo evidenciaban que había sido una calavera humana. Puso el recipiente macabro con agua en la jaula y dio un paso atrás mientras el peludo úrsido se dejaba caer sobre sus dos manos para beber.

Mientras el animal lamía el líquido, veintiún jóvenes cazadores rodearon su jaula llevando cada uno una lanza nueva. Los jefes de los siete clanes que no habían tenido la suerte de que uno de sus hombres fuera seleccionado para los honores especiales, habían escogido a tres de sus mejores cazadores para la ceremonia. Entonces Broud, Gorn y Voord salieron corriendo de la cueva y se alinearon delante de la puerta de la jaula, firmemente sujeta con correas. Estaban desnudos, excepto de las caderas para abajo, que llevaban cubiertas con un taparrabo, y sus cuerpos ostentaban marcas rojas y negras.

449

La pequeña cantidad de agua no había aplacado la sed del gran oso, pero los hombres que estaban cerca de su jaula le daban esperanzas de que iban a traerle más. Se sentó y pidió en un gesto que pocas veces había sido desatendido en el pasado. Cuando vio que sus esfuerzos no servían de nada, avanzó lentamente hacia el hombre más próximo y metió el hocico entre los fuertes barrotes.

La música de la flauta terminó en una nota sin terminar, que molestaba, incrementando la espera en el silencio ansioso. Creb recuperó la calavera y cojeó para volver a su lugar al frente de los magos alineados a través de la entrada de la cueva. A una señal invisible, los mog-ures comenzaron los movimientos del lenguaje formal, a coro.

—Acepta tu agua como prueba de nuestro agradecimiento, Oh Poderoso Protector. Tu Clan no ha olvidado las lecciones aprendidas de ti. La cueva es nuestro hogar y nos protege de la nieve y el frío del invierno. También nosotros reposamos tranquilamente, alimentados por los nutrientes del verano y calentados por las pieles. Has sido uno de nosotros, has vivido con nosotros y sabes que seguimos tus preceptos.

Con los rostros ennegrecidos, vestidos con capas idénticas de peluda piel de oso, los magos parecían una compañía de danza bien ensayada, moviéndose como uno solo con gestos majestuosos y fluidos. Los símbolos elocuentes que con una mano trazaba el Mog-ur, y que se unían a los de los otros magos aunque modificándolos, realzaban los movimientos elegantes y añadían énfasis.

—Te veneramos a ti, el primero entre todos los Espíritus. Te rogamos que hables en nuestro favor en el mundo de los Espíritus, que cuentes la valentía de nuestros hombres, la obediencia de nuestras mujeres, que hagas sitio para nosotros cuando retornemos al otro mundo. Imploramos tu protección contra los malignos. Somos tu Pueblo, Gran Ursus, somos el Clan del Oso Cavernario. Ve con honor, tú, el más Grande de todos los Espíritus.

Cuando los mog-ures hicieron los símbolos que representaban los nombres del gran animal en su presencia por vez primera, los veintiún jóvenes alzaron el brazo en que sostenían la lanza y arrojaron ésta entre los robustos árboles de la jaula, perforando el tremendo y peludo cuerpo de la venerada criatura. No todas sacaron sangre, pues la jaula era demasido grande para que todas las lanzas penetraran profundamente, pero el dolor enfureció al oso cavernario que era ya casi un animal adulto. Su rugido quebrantó el silencio, y la gente se echó hacia atrás, espantada.

Al mismo tiempo, Broud, Gorn y Voord comenzaron a cortar las correas que cerraban la puerta de la jaula, subiéndose por los árboles hasta que llegaron a la parte superior de la empalizada. Broud llegó arriba primero, pero Gorn se las arregló para agarrar el fuerte palo corto que se había depositado allí más temprano. El oso cavernario, medio loco de dolor, retrocedió sobre sus patas traseras, emitió un rugido furioso y avanzó hacia los tres jóvenes. Su maciza cabeza abombada alcanzaba casi los troncos más altos del recinto. Alcanzó la abertura, empujó la puerta y la lanzó al suelo hecha pedazos. ¡La jaula estaba abierta! ¡El oso, iracundo y monstruoso, estaba suelto!

Los cazadores, con sus lanzas, acudieron para formar una falange protectora entre el animal enfurecido y el público angustiado. Las mujeres, dominando el deseo de echar a correr, apretaban más fuerte a sus bebés mientras los niños mayores se aferraban a ellas presas de un terror mudo que les hacía abrir los ojos desorbitadamente. Los hombres aferraban sus lanzas preparados para acudir en defensa de las mujeres vulnerables y de los niños aterrorizados. Pero la gente del Clan no abandonó su lugar.

Mientras el oso cavernario herido salía despacio del orificio abierto en la empalizada de troncos, Broud, Gorn y Voord, trepados arriba de todo, brincaron sobre el sorprendido úrsido. Broud se puso sobre sus hombros, tendió la mano y agarró la piel de su cara de la que tiró hacia atrás. Mientras tanto, Voord había caído sobre sus espaldas; agarró la melena y tiró hacia abajo con todas sus fuerzas, poniendo tirante la piel floja que le rodeaba el cuello. Sus esfuerzos combinados obligaron al enorme animal que luchaba a abrir la cavernosa boca, y Gorn, a caballo sobre uno de sus hombros, metió muy pronto la parte mas ancha del tronco en su boca. El oso mordió en cuanto Broud le soltó, apretando fuertemente el tronco entre sus mandíbulas, lo cual le impidió respirar y anuló una de las armas de que disponía el oso cavernario.

Pero la táctica no desarmó del todo al oso; el enfurecido úrsido trató de barrer a las criaturas que se colgaban de él; agudas garras se clavaron en el muslo del hombre que llevaba sobre el hombro y llevaron al joven cazador que gritaba, entre sus poderosas patas delanteras. El grito de agonía de Gorn fue interrrumpido bruscamente cuando el poderoso abrazo del oso le quebró la espina dorsal. Un largo gemido surgió de la boca de una de las mujeres espectadoras cuando el oso cavernario dejó caer el cuerpo sin vida del valeroso joven.

El oso vadeó hacia el escuadrón de hombres que blandían sus lanzas y se acercaban a él. Un gesto de la potente pata delantera del animal abrió una brecha, derribando a tres hombres y agarrando al cuarto con una zarpa que le desgarró los músculos de la pierna hasta el hueso. El hombre se encogió de dolor, demasiado destrozado para gritar. Los demás pasaron alrededor y por encima de él mientras forcejeaban para acercarse lo suficiente y poder acribillar con sus lanzas a la bestia belicosa.

Ayla se abrazó a Durc con un pavor horrorizado, petrificada a la idea de que el oso llegara hasta ellos. Pero cuando el hombre cayó, con la sangre salpicando el suelo, no pensó: se limitó a actuar. Poniendo su bebé en los brazos de Uba, se abalanzó hacia el combate. Abriéndose paso entre los hombres que luchaban hombro con hombro, medio arrastró medio llevó cargado al hombre herido, apartándolo de los pies que pateaban y pisoteaban. Apretando fuerte un punto de la ingle con una mano, metió el extremo de la correa de su manto entre los dientes y arrancó un trozo con la otra.

El torniquete estuvo colocado y estaba restañando la herida con el manto de su bebé antes de que otras dos curanderas la siguieran. Evitando llenas de susto la peligrosa contienda, corrieron a ayudarla. Entre las tres llevaron al herido a la cueva, y en sus esfuerzos frenéticos por salvarle la vida, ni siquiera se enteraron de cuándo el enorme oso acabó por sucumbir bajo las lanzas de los cazadores del Clan.

En el momento en que el oso cavernario estuvo derribado, la compañera de Gorn se desprendió de los brazos de quienes trataban de consolarla y corrió hacia el cuerpo que yacía, tendido en posición antinatural sobre el suelo. Se arrojó sobre él, sumiendo su cabeza en el pecho peludo; después, arrodillada, le rogó con ademanes frenéticos que se pusiera en pie. Su madre y la compañera de Norg trataron de apartarla de allí mientras los mog-ures se les acercaban. El mago más santo de todos se inclinó sobre ella y le alzó suavemente la cabeza para poder mirarla.

—No sientas tristeza por él —indicó por señas el Mog-ur con una tierna mirada de compasión en su ojo moreno y profundo—. Gorn ha obtenido el honor más grande. Ha sido escogido por Ursus para acompañarlo al mundo de los espíritus. Ayudará al

EL CLAN DEL OSO CAVERNARIO

Gran Espíritu a interceder en nuestro favor. El Espíritu del Gran Oso Cavernario sólo escoge al mejor al más valiente, para hacer el viaje con él. El Festín de Ursus será también el de Gorn. Su valor, su voluntad de ganar serán recordados en la leyenda y relatados en todas las Reuniones del Clan. Así como retorna Ursus, así retornará el espíritu de Gorn. Te esperará para que ambos puedan regresar juntos y aparearse de nuevo, pero debes ser tan valerosa como él. Aleja tu dolor y comparte el gozo de tu compañero en su viaje al otro mundo. Esta noche los mog-ures le otorgarán un honor especial, para que su valentía sea compartida por todos, para que se transmita al Clan.

La joven se esforzaba visiblemente para dominar su angustia, para ser todo lo valiente que decía el pavoroso hombre santo que debía ser. No quería deshonrar al espíritu de su compañero. El mago ladeado, desfigurado y tuerto al que todos temían, no le parecía ya tan pavoroso ahora. Con una mirada de agradecimiento, se puso en pie y regresó, muy tiesa, a su lugar. Tenía que ser valiente: ¿no había dicho el Mog-ur que su Gorn la esperaría? ¿Que algún día regresarían juntos y volverían a aparearse? Su mente se asía a esa promesa, y trató de olvidar el vacío desolado del resto de su vida sin él.

Cuando la compañera de Gorn volvió a su lugar, las compañeras de los jefes y sus segundos comenzaron a desollar hábilmente al oso cavernario. La sangre se recogió en tazones, y después de que los mog-ures hicieron gestos simbólicos por encima de éstos, los acólitos pasaron entre la multitud sosteniendo los recipientes junto a la boca de cada uno de los miembros de su clan. Hombres, mujeres y niños, todos probaron la sangre caliente, el fluido vital de Ursus. Inclusive las bocas de los bebés fueron abiertas por sus madres, y un dedito de sangre fresca se colocó en su boca. Ayla y las dos curanderas fueron llamadas, y salieron de la cueva para beber su parte; el hombre herido, que había perdido tanta, bebió un trago de sangre del oso. Todos compartieron, comulgando con el gran oso que los unía en un solo pueblo.

Las mujeres trabajaban rápidamente mientras el Clan miraba. La gruesa capa subcutánea de grasa, acumulada en el animal de engorde, fue cuidadosamente rascada de la piel. La grasa fundida tenía propiedades mágicas, y sería repartida entre los mog-ures de los clanes. La cabeza quedó sujeta al pellejo, y mientras la carne se guardaba en pozos forrados con piedras y calentados por hogueras, donde se asaría durante un día entero, los acólitos colgaron el enorme pellejo de unos postes delante de la cueva, donde sus ojos ciegos podían contemplar las festividades. El Oso Cavernario sería un huésped de honor en su propio festín. Cuando se armó la piel de oso, los mog-ures levantaron el cadáver de Gorn y con dignidad solemne se lo llevaron a la profundidad de la cueva. Una vez que desaparecieron, Brun hizo una seña y la multitud se dispersó. El Espíritu de Ursus había sido puesto en camino con la ceremonia completa y correcta.

24

—Entonces, ¿cómo lo hizo? Ninguna de las demás se atrevió a
ir por él, pero ella no tuvo miedo. —El mog-ur del clan al que
pertenecía el hombre herido estaba hablando—. Era casi como
si supiera que Ursus no le haría daño, igual que el primer día.
Yo creo que el Mog-ur tiene razón, Ursus la ha aceptado. Es una
mujer del Clan. Nuestra curandera ha dicho que le salvó la vida,
que no sólo está bien adiestrada sino que tiene una aptitud
natural, como si hubiera nacido para ello. Yo creo que debe de
ser de la estirpe de Iza.

Los mog-ures estaban en una cámara pequeña, muy adentro
en la montaña. Lámparas de piedra, platitos poco hondos llenos
de grasa de oso absorbida por una mecha de musgo seco, formaban círculos de luz que rechazaban la negrura absoluta que
los rodeaba. Las débiles llamas hacían chispear facetas ocultas
de la matriz cristalina de las rocas, y se reflejaban en la superficie lustrosa de las estalactitas húmedas que colgaban como
eternos carámbanos del techo, anhelando alcanzar a sus com-
plementos invertidos que ascendían desde el suelo. Algunas
habían logrado unirse. Filtradas a través de la piedra de los
tiempos, las gotas calcáreas habían logrado culminar en majestuosas columnas que partían desde el suelo hasta el techo abovedado, más delgadas en el centro. Una estalactita estaba separada del beso satisfactorio de su estalagmita por el grosor de
un cabello: tendrían que transcurir unas cuantas eras más para
que la alcanzara.

—Sorprendió a todos al no mostrar temor de Ursus aquel primer día —dijo otro mago—. Pero, si se llega a un acuerdo ¿Quedará tiempo para que lo prepare?

—Queda tiempo —respondió el Mog-ur—, si no tardamos mucho.

—Nació de los Otros, ¿cómo puede ser mujer del Clan? —preguntó el mog-ur de la flauta—. Los Otros no son Clan ni lo serán nunca. Dices que llegó marcada ya con cicatrices de un tótem del Clan, pero no son las marcas de un tótem femenino. ¿Cómo puedes estar seguro de que son marcas del Clan? Las mujeres del Clan no tienen por tótem al León Cavernario.

—Nunca he dicho que naciera con ellas —dijo en tono razonable el Mog-ur. —¿Estás diciendo que un León Cavernario no puede escoger a una mujer? Un León Cavernario puede escoger a quienquiera. Estaba casi muerta cuando la encontramos; Iza le devolvió la vida. ¿Crees que una niña puede salvarse de un León Cavernario a menos de estar bajo la protección de su Espíritu? El la marcó con su señal para que no cupiera la menor duda. Nadie puede negar que lleva en su pierna las marcas de un tótem del Clan. ¿Por qué iba a estar marcada con cicatrices de un tótem del Clan sino para que se convirtiera en mujer del Clan? Yo no sé por qué, no pretendo comprender por qué hacen las cosas los espíritus. Con ayuda de Ursus a veces puedo interpretar lo que hacen. ¿Puede hacer algo más uno de ustedes? Yo sólo diré que conoce el rito; Iza le ha dicho el secreto de las raíces que hay en la bolsa roja, y no se lo habría dicho Iza de no ser hija suya. No tenemos que renunciar al ritual. Ya he presentado mis argumentos anteriormente. La decisión es vuestra, pero que sea pronto.

—Has dicho que tu Clan cree que tiene suerte —indicó el mog-ur de Norg.

—No tanto que tenga suerte como que parece traer suerte. Hemos tenido mucha suerte desde que la encontramos. Droog piensa en ella como en la señal de un tótem, algo único e insólito. Tal vez, a su manera, también ella tenga suerte.

—Bueno, desde luego es bastante insólito que una mujer de los Otros sea mujer del Clan —comentó uno de ellos.

—Hoy nos ha traído suerte, nuestro joven cazador vivirá —dijo el mog-ur del herido—. Yo opino que sí; sería una vergüenza que nos priváramos de la bebida de Iza sin necesidad.
—unos cuantos asintieron con la cabeza.

—¿Y tú? —dijo el Mog-ur señalando al mago que era segundo—. ¿Sigues creyendo que Ursus se disgustará si Ayla elabora la bebida ritual?

Todas las cabezas se volvieron hacia él. Si el poderoso mago seguía oponiéndose, podía hacer cambiar de opinión a un número suficiente de los demás mog-ures para impedirlo. Si se limitaba inflexiblemente a negarse a participar, aun cuando los demás accedieran, sería suficiente; el acuerdo debía ser unánime; no podía haber cisma en sus filas. Miró hacia el suelo, ponderando la pregunta, y luego a cada uno de los demás, uno por uno.

—Puede disgustar a Ursus o tal vez no. No estoy convencido. Hay algo en ella que me molesta. Pero es obvio que nadie más quiere eliminar el ritual, y parece que es la única que está disponible. Yo casi preferiría a la verdadera hija de Iza, a pesar de sus cortos años. Si todos los demás están de acuerdo, retiraré mi objeción. No me gusta, pero no lo impediré.

El Mog-ur miró a cada uno de ellos y obtuvo una inclinación de cabeza como mudo asentimiento. Con un suspiro de alivio, disimulado por sus esfuerzos para incorporarse, el hombre tullido salió rápidamente. Cojeó a través de varios corredores que se abrían en salas que volvían a estrecharse formando pasillos, orientado por las lámparas de piedra. Estas desaparecieron, sustituidas por antorchas colocadas a intervalos más cortos, mientras se acercaba al lugar donde se alojaban los clanes.

Ayla estaba sentada junto al herido en la cueva de la fachada. Tenía a Durc en sus brazos, y Uba estaba del otro lado. También la compañera del hombre estaba allí, cuidando su sueño y alzando de vez en cuando la vista hacia Ayla con agradecimiento.

—Pronto, Ayla, tienes que prepararte. No queda mucho tiempo —señaló Mog-ur—. Tendrás que apresurarte pero no pases por alto ni un solo paso. Ven a mí cuando estés preparada. Uba, llévale Durc a Oga para que lo alimente; Ayla no tendrá tiempo.

Las dos se quedaron mirando al mago, asombradas ante el súbito cambio de planes. Tardaron un momento en entender, y entonces Ayla asintió. Corrió rápidamente hasta el hogar de la segunda cueva para recoger un manto limpio. Mog-ur se volvió hacia la joven que vigilaba ansiosamente el sueño de su compañero.

—El Mog-ur quisiera saber cómo está el joven.

—Arrghha dice que vivirá y podrá volver a andar. Pero su pierna nunca volverá a ser la misma. —La mujer hablaba en un dialecto diferente y los gestos cotidianos estaban tan cambiados que a Uba y Ayla les costaba comunicarse con ella como no fuera en lenguaje oficial. Sin embargo, el mago tenía más práctica en el habla común de los demás clanes, pero usaba el lenguaje formal para que su significado fuera más preciso.

—El Mog-ur quiere saber cuál es el tótem de este hombre.

—El íbice.

—¿Y tiene este hombre el pie tan firme como la cabra montés? —preguntó el mago.

—Se ha dicho que lo tiene —comenzó a decir la mujer—. Este hombre no ha sido tan ágil en este día, y ahora no sé lo que hará. ¿Y si nunca más vuelve a caminar? ¿Cómo cazará? ¿Cómo proveerá para mí? ¿Qué puede hacer el hombre si no caza? —La joven pasó al lenguaje común de su clan, mientras sus nervios tensos la ponían al borde de la histeria.

—El hombre vive. ¿No es eso lo más importante? —preguntó el Mog-ur para calmarla.

—Pero es orgulloso. Si no puede cazar, tal vez prefiera estar muerto. Era un buen cazador, podría haber llegado a ser segundo del jefe. Ahora nunca podrá alcanzar una posición, perderá la que tenía. ¿Y qué hará si pierde posición? —preguntó la mujer suplicante.

—¡Mujer! —señaló el Mog-ur con severidad fingida—. Ningún hombre pierde posición si ha sido elegido por Ursus. Ya ha mostrado su virilidad; casi ha sido escogido para acompañar a Ursus al otro mundo. El Espíritu de Ursus no escoge con ligereza. El Gran Oso Cavernario ha decidido dejar que permanezca aquí, pero lo ha dejado marcado. Este hombre tiene el honor de proclamar a Ursus como su tótem; sus cicatrices serán las marcas de su nuevo tótem y puede mostrarlas con orgullo. Siempre podrá proveer para ti. El Mog-ur hablará con tu jefe; tu compañero tiene el derecho de reclamar parte de cada cacería. Y puede caminar de nuevo, inclusive quizá cace otra vez. Es probable que no sea tan ágil como el íbice, pero eso no significa que no volverá a cazar. Enorgullécete de él, mujer, muéstrate orgullosa de tu compañero que ha sido elegido por Ursus.

—¿Ha sido elegido por Ursus? —preguntó la mujer con expresión de pavor—. ¿El Oso Cavernario es su tótem?

—Y también el íbice. Puede reclamarse de ambos —dijo el Mog-ur. Observó que el manto de la mujer revelaba un abultamiento. "Con razón está asustada", pensó. —¿Tiene hijos esta mujer?

—No, pero la vida se ha iniciado. Pongo mis esperanzas en un hijo.

—Eres una buena mujer, una buena compañera. Quédate con él, y cuando despierte, cuéntale lo que ha dicho el Mog-ur.

La joven asintió y después alzó la mirada al ver que Ayla pasaba por allí a toda prisa.

El pequeño río que había cerca de la cueva del clan anfitrión se convertía en un torrente de aguas furiosas en primavera, algo menos violento en otoño, arrancando los árboles de raíz, desprendiendo enormes rocas de la pared pétrea y arrojándolas cuesta abajo desde lo alto de la montaña. Inclusive cuando se mostraba tranquila, la corriente impetuosa, formando espuma desde el medio de un gran río de la planicie sembrado de rocas y mucho más ancho que ella, tenía el matiz verdoso, nebuloso, del vertedero glacial. Ayla y Uba habían explorado la región aledaña a la cueva poco después de llegar, en busca de las plantas purificadoras que habrían de necesitar en el caso de que una de ellas hubiera de participar en la ceremonia.

Ayla estaba nerviosa mientras se apresuraba en busca de la raíz de planta jabonera y quenopodio de raíz roja, y tenía el estómago hecho un ovillo mientras esperaba que hirviera el agua de una de las hogueras donde se cocinaba para sacar el elemento insecticida del helecho. La noticia de que se le permitiría llevar a cabo el ritual se difundió rápidamente por el Clan. Que los mog-ures aceptaran a la joven, servía para que cada uno volviera sobre la opinión que tenían de la mujer del Clan procedente de los Otros, y el valor de ella se incrementó proporcionalmente. Confirmaba que era en verdad la hija de Iza, y la elevaba a la categoría de curandera de más alto rango. El jefe del clan que tenía parientes de Zoug entre sus miembros, volvió sobre su negativa contundente a recibirla; al fin y al cabo, la recomendación de Zoug bien podría tener algún mérito; quizá alguno de los hombres estuviera dispuesto a tomarla, aunque fuera como segunda mujer. Quizá fuera un aporte valioso.

Pero Ayla estaba demasiado preocupada para observar los comentarios que se hacían por medio de gestos y ademanes a su alrededor. Estaba más que preocupada: estaba aterrada. "No lo puedo hacer —le gritaba su mente mientras se dirigía corriendo hacia el pequeño río—. No hay tiempo suficiente para prepararse. ¿Y si se me olvidara algo? ¿Y si cometo un error? Deshonraría a Creb; deshonraría a Brun y deshonraría a todo el Clan."

JEAN M. AUEL

El río, alimentado por glaciares, estaba helado, pero el agua fría le calmó los nervios en tensión; se sintió más calmada al sentarse en una roca, desenredando sus largos cabellos rubios que se secaban con la brisa ligera, y observando la cima de la montaña, brillante y rosada que reflejaba al sol poniente, cambiar a un espléndido púrpura azulado. Todavía tenía el cabello húmedo cuando se pasó nuevamente por la cabeza el cordel que sostenía su amuleto y se cubrió con el manto limpio. Metiendo sus instrumentos en los pliegues, recogió el otro manto y regresó corriendo a la cueva. Pasó junto a Uba, que tenía a Durc en brazos, y le hizo una señal rápida.

Las mujeres estaban trabajando frenéticamente, sin conseguir la menor ayuda de los niños, totalmente desenfrenados. El sangriento rito de la matanza del oso cavernario los había vuelto excitables; no estaban acostumbrados a pasar hambre, y los aromas de la cocina estimulaban apetitos ya muy despiertos y los volvían irritables; y la preocupación de sus respectivas madres les proporcionaba una oportunidad, muy poco frecuente entre los niños del Clan, de portarse mal. Algunos de los muchachos habían recogido las ataduras cortadas de la jaula del oso y se las habían puesto alrededor del brazo como insignias de honor. Otros muchachos, menos rápidos, trataban de quitárselas, y todos ellos corrían alrededor de los fuegos donde se estaba cocinando. Cuando se cansaban del juego molestaban a las niñas, las cuales deberían estar atendiendo a sus hermanos pequeños, y ellas empezaban a correr tras ellos o se acercaban a sus madres para quejarse. Era una verdadera casa de locos, escandalosa y desorganizada. Inclusive las órdenes que el compañero de alguna de las mujeres expresaba severamente, servían muy poco para calmar a los muchachitos, inusitadamente turbulentos.

Los niños no eran los únicos que tenían hambre. Los alimentos, preparados en cantidades enormes, irritaban las papilas gustativas de todos, y la perspectiva del gran festín y de la ceremonia nocturna incrementaba la excitación frenética. Montones de ñames silvestres, de blancas y feculentas raíces de psoralea, y de nueces subterráneas semejantes a los tubérculos de papa, hervían suavemente en ollas de cuero colgadas por encima de las hogueras. Espárragos silvestres, raíces de lirio, cebollas silvestres, verduras, calabacitas y setas se cocinaban en diversas combinaciones con diferentes aliños. Una montaña de hojas de lechuga silvestre, bardana, cenizo y amargón, recién lavadas, esperaban para servirse crudas con una salsa de grasa de oso caliente, especias y sal, añadida a última hora.

EL CLAN DEL OSO CAVERNARIO

La especialidad de un clan consistía en una combinación de cebollas, setas y las legumbres verdes y redondas del astrágalo, aderezadas con una combinación secreta y espesadas con líquen de los renos. La de otro, una variedad especial de piñones procedentes de un árbol exclusivo de la zona de su cueva, gruesos y sabrosos, que se desprendían al calor de un fuego.

El clan de Norg presumía de nueces tostadas recogidas en las pendientes bajas, convertidas en una salsa de gachas con sabor a nuez, hechas con hayucos, granos secos y rebanadas de manzanas pequeñas, duras y amargas, cocidas a fuego lento y por mucho rato. El área circundante a proximidad de la cueva había sido devastada en cuanto a vaccinios, arándanos y, en las elevaciones menos abruptas, moras silvestres y frambuesas.

Las mujeres del Clan de Brun habían pasado días enteros rompiendo y moliendo las bellotas secas que trajeron consigo. La harina lograda se metía en huecos poco profundos de la arena junto al río, y se vertían cantidades de agua sobre la mezcla pulposa para quitarle el amargor. La masa resultante se asaba para formar pastelillos planos, empapados en jarabe de arce hasta que quedaban saturados por completo, y entonces se dejaban secar al sol. El clan anfitrión, que también solía hacer sangrar sus arces a principios de la primavera y hervir la savia acuosa durante largos días, se mostró interesado al ver los recipientes usuales de corteza de abedul que se empleaban para guardar azúcar y jarabe de arce. Los pastelillos pegajosos y dulces de bellota con dulce de arce eran una golosina inusitada que las mujeres del clan de Norg decidieron confeccionar más adelante.

Uba, sin quitarle la vista a Durc mientras ayudaba a las mujeres, miraba la cantidad y variedad, aparentemente infinita, de alimentos y se preguntaba cómo conseguirían comérsela toda.

El humo que ascendía lentamente desaparecía en la noche tranquila y oscura llena de estrellas tan enormes que parecía que un velo de gasa velara la bóveda de los cielos. La luna era nueva y no insinuaba para nada su presencia, volviéndole la espalda al planeta a cuyo alrededor giraba y reflejando su luz hacia las frías profundidades del espacio. El brillo de los fuegos encendidos para cocinar iluminaba el área junto a la cueva, contrastando con la oscuridad de los bosques circundantes. Los alimentos habían sido apartados de la fuerza directa del calor, pero seguían suficientemente cerca para mantenerse calientes, y la mayoría de las mujeres se habían retirado a la cueva. Estaban poniéndose mantos nuevos y descansando unos momentos antes de que se iniciaran los festejos.

Pero inclusive las mujeres cansadas estaban demasiado excitadas para permanecer mucho rato dentro de la cueva. El espacio que había frente a la entrada empezó à llenarse de una multitud en movimiento, que esperaba el festín y el principio de la ceremonia. Un silencio palpable se instaló en cuanto los diez magos y sus diez acólitos desfilaron por la abertura, seguido de una agitación para ocupar los lugares. Parecía una reunión desordenada la que hacía frente a los magos; los sitios ocupados por los componentes del auditorio no estaban definidos tanto por la ubicación como por la relación con los demás. Hileras muy rectas no tenían importancia, sólo que cada individuo se encontrara delante o detrás o del lado correcto de ciertos individuos. Siempre había movimientos de último minuto cuando la gente intentaba ocupar un lugar más ventajoso dentro de su círculo de relaciones.

Con un ceremonial lleno de nobleza, se encendió una gran hoguera delante del oscuro orificio de la montaña. Entonces se retiraron las piedras que cubrían las zanjas donde se había estado cociendo la carne del oso; las compañeras de los jefes del principal Clan y del Clan anfitrión tuvieron el insigne honor de levantar los enormes cuartos traseros de carne tierna, y el pecho de Brun se ensanchó de satisfacción al ver que Ebra daba un paso adelante.

La aceptación de Ayla por los mog-ures había zanjado finalmente el problema. Brun y su Clan eran los primeros y más fuertes que nunca. Por poco probable que pareciera al principio, la hembra alta y rubia era una mujer del Clan, y una curandera de la prestigiosa estirpe de Iza. La insistencia empecinada de Brun de que así era había sido demostrada como correcta, tal era la voluntad de Ursus. Si hubiera vacilado aun cuando fuera sólo un instante, su prestigio no habría sido tan grande ni su triunfo tan dulce.

Nubes de vapor suculento causaron gruñidos en los estómagos famélicos mientras la carne de oso era sacada con palos bifurcados. Era la señal para las demás mujeres de que comenzaran a amontonar en fuentes de madera y hueso los alimentos que se habían pasado tanto tiempo preparando y a llenar amplios tazones con ellos. Broud y Voord avanzaron llevando amplias bandejas planas y se detuvieron delante de el Mog-ur.

—Esta fiesta de Ursus honra también a Gorn, escogido por el Gran Oso Cavernario para acompañarlo. Mientras vivió con el clan de Norg, Ursus se enteró de que su Pueblo no había olvidado sus lecciones. Llegó a conocer bien a Gorn y lo juzgó como un digno compañero. Broud y Voord, por vuestro valor, vuestra fuerza y vuestra resistencia, habéis sido escogidos para mostrar al Gran Espíritu la valentía de los hombres de su Clan. Os puso a prueba con su gran fortaleza, y está complacido. Os habéis portado bien, y tenéis el privilegio de llevarle la última comida que compartirá con su Clan hasta que regrese del Mundo de los Espíritus. Que el Espíritu de Ursus os acompañe siempre.

Los dos jóvenes pasaron junto a cada una de las mujeres que se encontraban de pie junto a fuentes llenas de comida, y seleccionaron de cada una de éstas los mejores bocados, exceptuando la carne. El oso cavernario cautivo nunca había comido carne aunque cuando vivía en los bosques sabía hacerlo si estaba a su alcance. Las fuentes fueron colocadas delante de la piel del oso montada sobre postes.

Entonces prosiguió el Mog-ur:

—Habéis bebido su sangre; ahora comed de su cuerpo y sed uno con el Espíritu de Ursus.

La bendición señalaba el comienzo del festín. Broud y Voord obtuvieron los primeros trozos de carne de oso, y entonces se dedicaron a llenar fuentes para ellos mismos, seguidos por el resto del Clan. Suspiros y gruñidos de deleite surgieron en cuanto se sentaron para disfrutar de su comida. La carne del oso vegetariano alimentado de la mano a la boca estaba tierna y veteada de grasa. Verduras, frutas y granos, preparados con una atención meticulosa, fueron saboreados plenamente, y ese aperitivo que es el hambre contribuía a que todo tuviera mejor sabor aún. Era un festín que bien merecía la espera.

—Ayla, no estás comiendo. Ya sabes que toda la carne debe ser comida esta noche.

—Ya lo sé, Ebra, pero no tengo apetito.

—Ayla está nerviosa —señaló Uba entre bocado y bocado—. Me alegro de que no me hayan escogido. Está tan rico todo, que no querría sentirme demasiado nerviosa para comer.

—De todos modos, come algo de carne; tienes que hacerlo. ¿Tienes un poco de caldo para Durc? Habría que darle un poco, eso lo unificaría con el Clan.

—Le he dado un poco pero no ha querido más. Oga acaba de darle de mamar. Oga, ¿tiene todavía hambre Grev? Tengo los pechos tan llenos que empiezan a doler.

—Habría esperado, pero los dos tenían hambre, Ayla. Podrás alimentarlo mañana.

JEAN M. AUEL

—Tendré leche suficiente para ellos dos y otros dos más, entonces. No querrán esta noche, estarán dormidos. El sedante de datura está preparado. Cuando tengan hambre, dales esto primero para que duerman. Uba te dirá cuánto; tengo que ver a Creb justo después de cenar, y no estaré de vuelta sino después de la ceremonia.

—No tardes demasiado; nuestra danza comenzará después de que los hombres entren en la cueva. Algunas de las curanderas son buenas de verdad, tocando los ritmos. La danza de las mujeres en las Reuniones del Clan siempre es algo especial —señaló Ebra.

—Todavía no he aprendido a tocar muy bien, Ebra. Iza me ha enseñado un poco, y la curandera del clan de Norg me ha estado mostrando, pero no he tenido mucha práctica —explicó Ayla—.

—No llevas mucho tiempo de curandera, y también Iza ha dedicado más tiempo a mostrarte la magia curativa que los ritmos, aunque éstos también son mágicos —señaló Ovra—. Las curanderas ¡tienen que saber tantas cosas!

—Ojalá estuviera Iza aquí —señaló Ebra—. Me alegro de que te hayan aceptado finalmente Ayla, pero echo de menos a Iza. Parece tan extraño que no esté con nosotros.

—Yo también desearía que estuviera aquí —dijo Ayla—. Odio haber tenido que dejarla atrás. Está más enferma de lo que quiere reconocer. Ojalá esté descansando mucho al sol.

—Cuando sea el momento de que vaya al otro mundo, irá. Cuando los espíritus llamen, nadie podrá detenerla —dijo Ebra.

Ayla se estremeció aunque la noche era calurosa, y la sensación súbita de un presentimiento se apoderó de ella... una sensación vaga, incómoda, como esos vientos fríos que anuncian la terminación del calor del verano. El Mog-ur hizo señas, y ella se puso en pie rápidamente, aunque no pudo sacudirse aquella sensación mientras se dirigía a la cueva.

El tazón de Iza, forrado de blanco por la pátina de muchas generaciones de uso, estaba sobre las pieles de su lecho donde Ayla lo había dejado. Sacó la bolsa teñida de rojo de su bolsa de medicinas y la vació de su contenido; a la luz de la antorcha comenzó a examinar las raíces. Aun cuando Iza había explicado muchas veces cómo calcular la cantidad correcta, Ayla no estaba todavía muy segura de cuánta habría que usar para los diez mogures. La fuerza de la poción dependía, no sólo del número sino del tamaño de las raíces y del tiempo que tenían guardadas.

464

Nunca había visto hacerlo a Iza. La mujer había explicado muchas veces que la bebida era demasiado venerable, demasiado sagrada para elaborarla por practicar. Las hijas solían aprender observando a sus madres, por las repetidas explicaciones que les daban e inclusive más aún por el conocimiento innato que tenían; pero Ayla no había nacido del Clan. Tomó varias raíces y después añadió una más para estar segura de que la magia sería efectiva. Entonces se acercó a la entrada, a un lugar próximo donde había agua fresca, donde Creb le había dicho que esperara, y observó el comienzo de los ritos.

El sonido de los tambores de madera fue seguido por el golpeteo de los mangos de las lanzas y después por el staccato de tubo largo y hueco. Los acólitos pasaron entre los hombres con tazones de té de datura y pronto todos oscilaron al compás del redoble. Las mujeres estaban en último término; su momento llegaría después. Ayla esperaba ansiosamente, con su manto suelto cubriéndola. La danza de los hombres se volvió más frenética, y la joven se preguntó cuánto más habría de esperar.

Ayla brincó al sentir que le daban un golpecito en el hombro —no había oído acercarse a los mog-ures procedentes del fondo de la cueva— pero se calmó al reconocer a Creb. Los magos salieron silenciosamente de la cueva y se situaron alrededor de la piel de oso. El Mog-ur se puso al frente, y desde el punto ventajoso en que se encontraba, Ayla tuvo una impresión fugaz de que el oso cavernario, armado erguido y con la boca abierta, estaba a punto de atacar al hombre tullido. Pero el animal monstruoso que dominaba a el Mog-ur estaba en movimiento suspendido, era meramente una ilusión de fuerza y ferocidad.

Vio que el gran mago hacía señas a los acólitos que estaban tocando los instrumentos de madera. Los hombres se interrumpieron con el siguiente redoble fuerte y todos alzaron la mirada, algo asombrados al ver a los mog-ures ahí donde un momento antes no había ninguno o eso parecía. Pero la aparición súbita de los magos era también una ilusión, y ahora la joven sabía cómo se llevaba a cabo.

El Mog-ur esperó, permitiendo que el suspenso fuera imponiéndose, hasta que estuvo seguro de que la atención de todos se encontraba fija en la gigantesca figura del oso cavernario iluminada por el fuego ceremonial y flanqueada por los hombres santos. Su señal fue prácticamente invisible y él mismo se esforzó por mirar hacia otro lado, pero era la señal que esperaba

Ayla. Se deshizo de su manto, llenó de agua su tazón y, sujetando las raíces con las manos, respiró hondo y echó a andar hacia el mago tuerto.

Hubo un jadeo de sorpresa cuando Ayla avanzó por el círculo iluminado. Mientras estuvo envuelta en su manto atado con una larga correa que disimulaba sus formas por sus pliegues sueltos y sus bolsas, actuando como cualquier otra hembra, había comenzado a parecerse a una de ellas. Pero sin los bultos que la disfrazaban, su verdadera forma se destacaba en contraste con las mujeres del Clan. En vez del cuerpo redondo, casi en forma de barril, cuya estructura caracterizaba a hombres y mujeres, Ayla era esbelta. Vista de perfil parecía delgada, excepto sus senos hinchados de leche. Su cintura se sumía y se ensanchaba después formando caderas redondas, y sus brazos y piernas eran largos y rectos. Ni siquiera los círculos rojos y negros y las líneas pintadas en su cuerpo desnudo podían disimularlo.

Su rostro carecía de la quijada saliente, y con su nariz pequeña y su frente alta, parecía más plano de lo que recordaban. Su espesa cabellera rubia, que enmarcaba su rostro en ondas sueltas y llegaba hasta la mitad de su espalda, reflejaba luces del fuego y brillaba como el oro; una corona extrañamente bella para la fea joven, evidentemente extraña.

Pero lo más sorprendente era su estatura. De cierto modo, cuando avanzaba arrastrando los pies rápidamente, inclinada, o cuando se sentaba al pie de un hombre, no se habían dado tanta cuenta; pero en pie frente a los magos, se evidenciaba. Al inclinar la cabeza, miraba lo alto de la de Mog-ur. Ayla era mucho más alta que el hombre más alto del Clan.

El Mog-ur hizo una serie de gestos formalizados, invocando la protección del Espíritu que todavía se cernía sobre ellos. Entonces Ayla metió las raíces duras y secas en su boca; le resultaba difícil masticarlas: no tenía los dientes grandes y fuertes ni las pesadas mandíbulas de los miembros del Clan. Por mucho que la hubiera advertido Iza en contra de tragarse algo del jugo que se formaba en su boca, no podía evitarlo. No sabía realmente cuánto tardaría en ablandar las raíces, pero le parecía estar mascando y mascando y mascando. Para cuando escupió lo que quedaba de pulpa masticada, se sentía mareada. La revolvió hasta que el antiguo tazón sagrado se volvió de un blanco acuoso, y entonces se lo entregó a Goov.

Los acólitos habían esperado mientras ella trabajaba con las raíces, y cada uno de ellos sostenía un tazón de té de datura largamente macerado. Goov tendió el tazón del líquido blanco que recibió de Ayla, a Mog-ur, y entonces tomó su tazón y se lo entregó a Ayla mientras los demás aprendices de mago entregaban los suyos a las curanderas de sus clanes. Era un intercambio del mismo género y valor. El Mog-ur tomó un sorbo del líquido.

—Es fuerte —señaló el hombre santo a Goov, con gestos discretos—. Sírveles menos.

—Es fuerte —señaló el hombre santo a Goov, con gestos discretos—. Sírveles menos.

Goov asintió y tomó el tazón, y después se acercó al segundo mog-ur.

Ayla y las curanderas llevaron sus tazones a las mujeres que esperaban, y les entregaron cantidades controladas del líquido, a ellas y a las muchachas mayores. Ayla bebió las últimas gotas de su tazón, pero ya comenzaba a experimentar una extraña sensación de distancia, como si una parte de ella misma se hubiera desprendido y estuviera observando desde un lugar apartado. Varias de las más viejas curanderas se apoderaron de los tambores de madera y comenzaron a tocar los ritmos de la danza de las mujeres. Ayla miraba los palillos en movimiento con una extraña fascinación, y cada redoble resonaba preciso y claro. La curandera del clan de Norg le ofreció un tambor de madera; Ayla escuchó el ritmo, golpeando ligeramente, y se encontró tocando con las demás.

El tiempo perdió todo significado. Al alzar la mirada comprobó que los hombres habían desaparecido y que las mujeres giraban con un frenesí salvajemente libre y erótico. Sintió el anhelo de unirse a ellas; dejo el tambor y vio cómo caía y giraba un poco antes de detenerse. Su atención fue distraída por la forma del instrumento: era como un tazón, y eso le recordó el tazón de Iza, la valiosa reliquia antigua que le había sido confiada. Recordó haber mirado el líquido blancuzco y acuoso, haberlo revuelto con el dedo. "¿Dónde está el tazón de Iza? —se preguntó—. ¿Qué ha sido de él?" Pensó en el tazón, se preocupó por él y se sintió obsesionada.

Se representó a Iza y los ojos se le llenaron de lágrimas. "El tazón de Iza. He perdido el tazón de Iza. Su bello y antiguo tazón. Su madre se lo había transmitido y la madre de su madre y la madre de la madre de su madre". Con los ojos de la mente vio a Iza y a otra Iza tras ella y otra y otra; curandera tras curandera alineadas detrás de Iza en un pasado antiguo y nebuloso, cada una de ellas con un tazón venerable y manchado de blanco. Las mujeres desaparecieron y los ojos de su mente se fijaron en el tazón. Entonces, de repente, el tazón se rompió, cayó en dos pedazos, roto por el medio. ¡No! ¡No!" El grito estaba en su mente; estaba presa de frenesí. "El tazón de Iza, tengo que encontrar el tazón de Iza".

A trompicones se apartó de las mujeres y llegó vacilando a la boca de la cueva. Tardó una eternidad. Se puso a rebuscar entre las fuentes de hueso y los tazones de madera en que habían quedado cuajados los restos del festín, en busca del valiosísimo recipiente. La entrada de la cueva la atrajo, apenas delineada por las antorchas de dentro, y llegó dando tumbos. De repente se le cerró el paso. Estaba atrapada, encerrada en la malla de alguna criatura peluda y áspera. Alzó la mirada y abrió mucho la boca: un rostro monstruoso con una boca enorme, abierta, la miraba. Ayla retrocedió y después echó a correr hacia el asilo de la cueva.

Al cruzar la entrada, vio algo blanco junto al lugar donde había estado esperando la señal de Mog-ur. Cayó de rodillas y recogió cuidadosamente el tazón de Iza, estrechándolo entre sus brazos. Todavía quedaba un líquido lechoso bañando la pulpa de raíces del fondo. "No se lo bebieron todo —se dijo—. Hice demasiado, sin duda. ¿Qué voy a hacer con esto? No puedo tirarlo, Iza dijo que no se podía tirar. Por eso no me pudo enseñar, por eso hice demasiado, porque no me pudo enseñar. Lo hice mal. ¿Y si alguien se da cuenta? Podrían pensar que no soy una verdadera curandera... no mujer del Clan. Podrían obligarnos a marchar. ¿Qué voy a hacer? ¿Qué voy a hacer?"

"Me lo beberé, eso es lo que voy a hacer. Si me lo bebo, nadie lo sabrá." Ayla alzó el tazón hasta sus labios y lo vació. La misteriosa bebida era fuerte, pero las raíces que maceraban en el poco de líquido que había en el fondo, le añadían más fuerza aún. Pasó a la segunda cueva con la vaga idea de guardar el tazón en lugar seguro, pero antes de llegar a su hogar comenzó a sentir los efectos.

Ayla estaba tan desorientada que no se dio cuenta de que había dejado caer el tazón dentro de los límites de su hogar. En la boca tenía un sabor a selva antigua, primitiva; arcilla rica y húmeda, madera mohosa y podrida, árboles enormes de hojas grandes empapados en lluvia, hongos carnosos de grandes dimensiones. Los muros de la cueva se ensancharon, retrocediendo más y más. Se sentía como un insecto que trepara por el suelo. Detalles minuciosos que surgían claramente, sus ojos trazaban el contorno de una huella de pie, veían todos los pequeños guijarros, no pasaban por alto ni un gramo de polvo. Percibió un movimiento con el rabillo del ojo y vio que una araña trepaba por un cable de seda brillante que relucía bajo la luz de una antorcha.

La llama la hipnotizaba; se quedó mirando la luz parpadeante, danzante, y observó cómo el humo oscuro se elevaba en volutas hacia el oscuro techo. Se acercó a la antorcha y entonces vio otra; siguió su luz que la llamaba, pero al llegar hasta ella, otra antorcha la atrajo y después otra, haciéndola penetrar más profundamente en la cueva. No se percató del momento en que el fuego de las antorchas fue sustituido por los fuegos de lamparillas de piedra más espaciadas, y nadie la vio pasar por una amplia cámara interior llena de hombres perdidos en un éxtasis profundo ni por la cámara más pequeña que contenía muchachos adolescentes encabezados por acólitos de más edad en una ceremonia que les hacía probar la experiencia del varón adulto.

Con un solo propósito, avanzaba hacia cada una de las diminutas llamas únicamente para ser atraída hacia la siguiente. Las luces la condujeron por corredores angostos que se abrían en salas más amplias y volvían a estrecharse. Tropezaba sobre el suelo desigual y se sostenía apoyando las manos en la muralla rocosa y húmeda que giraba a su alrededor. Dobló una esquina y penetró en un pasillo, y al fondo percibió un resplandor grande y rosado. Era de una longitud increíble; seguía adelante, interminablemente. A menudo le parecía verse a sí misma desde una gran distancia tambaleándose a lo largo del túnel tenuemente iluminado. Sentía que su mente se alejaba de más en más, dentro de un gran vacío negro, pero la inmensidad de la nada la amedrentó, y quiso luchar para apartarse de ella.

Finalmente se aproximó a la luz que había al final del túnel y vio varias figuras sentadas en círculo. Gracias a alguna reserva de cautela profundamente sumida en su mente narcotizada, se detuvo antes de llegar a las últimas llamas hipnóticas y se ocultó detrás de una columna de piedra. En su cámara iluminada, los diez mog-ures estaban profundamente dedicados a un ritual; habían comenzado la ceremonia que incluía a todos los hombres del Clan, pero dejando que sus acólitos la terminaran, y entonces se retiraron a su sanctasanctórum solos, para llevar a cabo ritos que resultaban demasiado secretos inclusive para los acólitos.

Cada uno de ellos, envuelto en su piel de oso, estaba sentado detrás de la calavera de un oso cavernario. Otras calaveras adornaban los nichos del muro. En medio de su círculo se encontraba un objeto peludo que al principio Ayla no pudo identificar; pero al hacerlo, sólo su estupor letárgico inducido por la droga impidió que gritara: era la cabeza cortada de Gorn.

Observó, presa de un horror fascinado, cómo el mog-ur del Clan de Norg agarraba la cabeza, le daba vuelta y con una piedra ensanchaba el foramen magnum, la gran abertura de la espina dorsal: la masa cerebral de Gorn, una gelatina de un gris rosado, quedó al descubierto. El mago efectuó ademanes silenciosos por encima de la cabeza, después metió la mano en la abertura y arrancó un trozo del tejido blando; sostuvo la masa temblorosa en su mano mientras el siguiente mog-ur hacía lo propio con la cabeza. Aún sumida en su estupor, Ayla sintió una profunda repugnancia, pero se quedó como hechizada viendo cómo cada uno de los magos metía la mano en la cabeza espeluznante y sacaba una porción de la sesera del hombre que había sido muerto por el oso cavernario.

Un mareo vertiginoso, arrollador, puso a Ayla al borde del profundo vacío; tragó para contener el vómito. Desesperadamente se aferró al borde del vacío, pero cuando vio que los grandes hombres santos del Clan llevaban la mano a la boca y comían el cerebro de Gorn, no pudo dominarse; el acto de canibalismo la sumió en un abismo de espacio negro.

Gritó silenciosamente, incapaz de oírse. No podía ver ni sentir: estaba privada de sensaciones, pero lo sabía. No se había refugiado en un sueño que alivia la mente, el vacío tenía otra calidad, una calidad aterradora, vacua. El temor, un temor dominante la atenazó. Luchó por regresar, pidió ayuda a gritos silenciosos, pero sólo para sentirse arrastrada más profundamente. Sintió un movimiento que dejó de sentir a medida que, cada vez más rápidamente, fue cayendo por la profunda infinidad negra, en el vacío negro infinito.

De repente su movimiento inmóvil se fue lentificando; experimentaba una sensación como de cosquilleo dentro de su cerebro, dentro de su mente, y un tirón en reversa que le fue sacando poco a poco hacia el borde del orificio infinito. Experimentó sensaciones que le eran ajenas, emociones que no eran suyas. La más fuerte era el amor, pero se mezclaba con una ira profunda y un gran temor, y entonces, una chispa de curiosidad. Con un sobresalto se percató de que Mog-ur estaba dentro de su cabeza. En su mente, sintió los pensamientos de él junto con las emociones de ella y los sentimientos de él. Había una calidad claramente física en ello, una sensación de estar abarrotada pero no de manera desagradable, más bien como un contacto más próximo que el contacto físico.

EL CLAN DEL OSO CAVERNARIO

Las raíces de Iza que alteraban la mente, procedentes de la bolsa roja, acentuaban una tendencia natural del Clan; el instinto había evolucionado, en la gente del Clan, para convertirse en memoria. Pero la memoria, si se retrocedía lo suficiente, se volvía idéntica, se volvía memoria racial. Los recuerdos raciales del Clan eran los mismos; y una vez exacerbadas las percepciones, todos podían compartir sus recuerdos idénticos. Los mog-ures, adiestrados, habían desarrollado su tendencia natural mediante esfuerzo consciente. Todos eran capaces de controlar de cierto modo los recuerdos compartidos, pero el Mog-ur había nacido con una capacidad única.

No sólo podía compartir los recuerdos y controlarlos sino que podía también mantener el vínculo intacto mientras los pensamientos de ellos avanzaban a través del tiempo desde el pasado hasta el presente. Los hombres de su Clan disfrutaban de una interrelación ceremonial más rica y plena que los de los otros clanes. Pero con las mentes adiestradas de los mog-ures, él podía establecer el vínculo telepático desde el principio. A través de él, todos los mog-ures compartían una unión mucho más estrecha y satisfactoria que cualquier unión física: era un contacto entre espíritus. El líquido blanco del tazón de Iza que había exaltado las percepciones y abierto las mentes de los magos a el Mog-ur, había permitido que la habilidad especial de éste creara también una simbiosis con la mente de Ayla.

El nacimiento traumático que dañó el cerebro del hombre desfigurado sólo había menoscabado una parte de sus facultades físicas, no el superdesarrollo psíquico sensible que le impartía su gran poder. Pero el hombre tullido era el último producto final de su especie; sólo en él había tomado la naturaleza el rumbo establecido para el Clan, hasta su extremo más completo. No podría haber más desarrollo sin cambio radical, y las características de aquellos hombres habían dejado de ser adaptables. Como la enorme criatura que veneraban, y como otras muchas que compartían su entorno, eran incapaces de sobrevivir a un cambio radical.

La raza de hombres con suficiente conciencia social para cuidar de sus débiles y sus heridos, con suficiente conciencia espiritual para enterrar a sus muertos y venerar a su gran tótem, la raza de hombres con cerebro grande pero sin lóbulos frontales, que no daba grandes pasos hacia adelante, que casi no progresó en unos cien mil años, estaba condenada a seguir el camino del mamut lanudo y el gran oso cavernario. No lo sabían, pero sus días en la tierra estaban contados: estaban destinados a extinguirse. En Creb habían llegado al final de su linaje.

Ayla experimentó una sensación parecida al profundo latido de una corriente sanguínea ajena sobreimpuesta a la suya propia. La poderosa mente del gran mago estaba explorando sus circunvoluciones ajenas, tratando de encontrar una manera de armonizarlas. El ajuste era imperfecto, pero encontró canales de similitud, y allí donde no existía ninguno, buscó alternativas y estableció conexiones donde sólo había tendencias. Con una claridad pasmosa, Ayla captó súbitamente que era él quien la había sacado del vacío; pero más aún, estaba impidiendo que los demás mog-ures, vinculados también con él, supieran que ella estaba allí. Apenas podía sentir la conexión de ellos con él, pero no los podía sentir a ellos. También ellos sentían que el Mog-ur había establecido una conexión con alguien —o con *algo*— pero nunca se les habría ocurrido que fuera Ayla.

Y justo al comprender que Mog-ur la había salvado y seguía protegiéndola, experimentó el profundo sentimiento de veneración con que los magos habían procedido al acto de canibalismo que tanto le había repugnado. No había comprendido, no disponía de medios para comprender que se trataba de una comunión. La razón que inspiraba la Reunión de los Clanes era unirlos a todos ellos, hacerlos un Clan. Pero el Clan era algo más que todos los clanes allí reunidos; todos ellos sabían de clanes que vivían demasiado lejos para poder acudir a esta reunión; iban a Reuniones del Clan que estaban más cerca de sus propias cuevas. Y seguían siendo parte del Clan. Todos los miembros del Clan compartían una herencia común, y la recordaban, y cualquier rito celebrado en cualquiera de las Reuniones tenía el mismo significado para todos. Los magos creían estar contribuyendo benéficamente al Clan; estaban absorbiendo el valor del joven que viajaba con el Espíritu de Ursus. Y puesto que eran mog-ures y puesto que sus cerebros tenían capacidades especiales, eran ellos quienes tenían la capacidad de dispersar el valor entre todos los demás.

Tal era la razón de la ira de Mog-ur, y su temor. Era una tradición muy antigua que sólo los hombres pudieran tomar parte en las ceremonias del Clan. Las consecuencias de que una mujer presenciara una ceremonia, por ordinaria que ésta fuera dentro de cualquier clan, serían que ese clan estaba condenado. Y ésta no era una ceremonia ordinaria. Era una ceremonia de gran significado para todo el Clan. Ayla era una mujer; su presencia sólo podía significar una cosa: una .desdicha y un infortunio irreversible, inevitables para todos ellos.

Y ni siquiera era mujer del Clan. Mog-ur se percataba ahora de ello con una seguridad que no le era posible seguir negando. Desde el momento en que se percató de su presencia, supo que no era del Clan. Comprendió con la misma rapidez las consecuencias de su presencia, pero ya era demasiado tarde. Eran implacables, y él también lo sabía. Pero el crimen de Ayla era tan grande que no estaba muy seguro de lo que debería hacer con ella; ni siquiera una maldición de muerte bastaría. Antes de llegar a una decisión, quiso saber más de ella y, a través de ella, más de los Otros.

Se sorprendió al oírla pedir ayuda. Los Otros eran diferentes, pero también tenía que haber similitudes. Sintió que necesitaba saber, por el bien del Clan, y sentía una curiosidad superior a lo normal en su especie. Ayla lo había intrigado siempre, y quería saber en qué residía su diferencia. Decidió intentar un experimento.

Abriéndose paso en cavidades más recónditas, el poderoso hombre santo —controlando las nueve mentes que se ajustaban a la suya y asentían voluntariamente, además de otra, por separado, que era similar aunque distinta— les hizo volver a todos hasta sus comienzos.

Ayla volvió a sentir el sabor de la selva primitiva, y sintió que se convertía en sal caliente. Sus impresiones no eran tan claras como lo demás: todo era nuevo para ella, esa sensación de ser y recordar el amanecer de la vida, y sus recuerdos de todo ello eran subconscientes y vagos. Pero sus niveles más interiores, más primitivos, eran los mismos. "Los principios fueron los mismos", pensó Mog-ur. Ella sintió la individualidad de sus propias células y supo cuándo se dividían y diferenciaban en las aguas cálidas y nutricias que todavía llevaba dentro de sí. Crecieron y se dividieron y se apartaron, y el movimiento tuvo un propósito. Nuevamente una divergencia, y las suaves pulsaciones de la vida se endurecieron y dieron forma y configuración.

Otra divergencia, y conoció el dolor de la primera explosión del aire respirado por las criaturas en un elemento nuevo. Divergencia, y la rica tierra margosa y el verde de un joven verdor, y a esconderse para huir de monstruos aplastantes. Divergencia, y la seguridad al cruzar un abismo sobre un árbol, y de repente calor y sequía y una sequía tan grande que la llevó de nuevo a la orilla del mar. Divergencia, y huellas de un nexo perdido en el mar, que ensanchó su forma y le quitó el pelo de la piel y cambió sus contornos... dejando a los primos regresar hacia una forma anterior, más aerodinámica, pero respirando aire y criando a los hijos con leche de su pecho.

Y ahora caminaba erguida sobre dos piernas traseras, dejando las delanteras libres de manipular, y ojos para ver un horizonte más lejano, y el principio de un prosencéfalo. Estaba alejándose de Mog-ur, siguiendo una senda diferente, pero no tan alejada que él no pudiera seguirla desde la suya, casi paralela. Cortó el contacto con los demás, pero ellos estaban suficientemente lejos para seguir su camino. De todos modos, casi había llegado el momento de separarse.

Sólo ellos dos seguían unidos, el viejo del Clan y la joven de los`Otros. El había dejado de guiar, y no sólo seguía el rumbo de ella sino que ella seguía también el suyo. Ayla vio que la tierra cambiaba del calor al hielo, más profundo y más congelante que el hielo de sus tiempos actuales. Era una tierra muy alejada en el espacio así como en el tiempo, muy al oeste, percibía ella, no lejos de un gran mar muchísimo más amplio que el mar que rodeaba su península.

Vio una caverna, hogar de algún antepasado del gran mago, un antepasado muy parecido a él. Era un cuadro nebuloso, visto a través del abismo que separaba sus razas. La cueva se encontraba en una muralla abrupta que se abría sobre un río y una planicie. En la parte superior del risco una enorme roca se destacaba; era una columna larga y ligeramente aplanada de piedra que se inclinaba sobre el borde, como detenida al caer y congelada en aquel lugar. La piedra provenía de un lugar distinto, era de material diferente, bloque errático transportado por aguas turbulentas y tierra movediza hasta alojarse en el borde del risco en que se abría la cueva. El cuadro osciló pero su recuerdo quedó en ella.

Por un instante sintió un pesar abrumador. Y de repente se encontró sola. Mog-ur no podía seguirla. Ella encontró su propio camino hasta sí misma y un poco más allá. Tuvo una visión fugaz de la cueva, una vez más, seguida de un calidoscopio confuso de paisajes que no estaban hechos al azar por la naturaleza, sino formando diseños regulares. Estructuras como cajas surgían de la tierra y largas cintas de piedra se extendían, junto con grandes animales que corrían a grandes velocidades; enormes aves surcaban el aire sin agitar las alas. Entonces más escenas, tan extrañas que ella no las captaba. Todo sucedió en un instante. En su prisa por volver al presente traspasó el momento, adelantó un poco sobre su tiempo hasta donde podría haber una nueva divergencia. Entonces su mente se aclaró y miró desde detrás de la columna a los diez hombres sentados en círculo.

El Mog-ur la estaba mirando, y vio en el ojo profundo y moreno el pesar que ella había sentido. El había forjado nuevas sendas indelebles en la mente de ella, sendas que le permitían ver hacia delante, pero en su propia mente, no podía forjar sendas nuevas. Mientras ella miraba hacia adelante, él vislumbró no el futuro sino cierto sentido del futuro. Un futuro que era de ella pero no de él. Captó imperfectamente el concepto, pero comprendió el potencial que encerraba y se amedrentó al comprenderlo.

Creb era casi incapaz de abstracciones; podía contar, sólo con mucho esfuerzo, hasta poco más de veinte. No podía sumar grandes cantidades ni tener golpes geniales. Su mente, bien lo sabía él, era mucho más potente que la de ella; más inteligente tal vez. Pero su genio era de una índole distinta; él podía identificarse con los comienzos de ambos; podía recordar más y mejor que cualquiera de su antiguo Clan. Inclusive podía obligar a Ayla a recordar; pero en ella, sentía que había la juventud y la vitalidad de una nueva forma. Ella había vuelto a desviarse, y él no.

—¡Márchate!

Ayla dio un brinco al oír la orden severa, sorprendida de que el Mog-ur hubiera hablado tan fuerte, pero se percató de que no había hablado: ella lo había sentido, no lo había oído.

—¡Sal de la cueva! ¡Pronto! ¡Márchate ahora!

Salió corriendo de su escondite y corrió por el pasillo. Algunas de las lamparillas de piedra se habían consumido, otras estaban chisporroteando y a punto de apagarse. Pero había suficiente luz para guiarla hacia fuera. Ningún sonido salía de las cámaras interiores en que todos los hombres y muchachos dormían ahora sin soñar. Llegó a las antorchas, algunas de las cuales también empezaban a extinguirse, y finalmente salió de la cueva.

Todavía era de noche, pero los leves destellos de un nuevo día comenzaban a insinuarse. La mente de Ayla estaba clara, no quedaba ni huella de la poderosa droga, pero se sentía exhausta. Vio a las mujeres tendidas sobre el suelo, purgadas y vacías, y se tendió junto a Uba. Seguía desnuda, pero no sintió más el frío del amanecer que las demás mujeres, que también dormían desnudas.

Para cuando Mog-ur llegó a la salida de la cueva, después de haber seguido a la joven a pasos más lentos, ella estaba profundamente dormida sin soñar. Cojeó por encima de ella y contempló sus cabellos rubios enredados, tan claramente diferentes de los cabellos de las demás mujeres como la propia Ayla, y una gran pesadumbre se apoderó de su alma. No debería haberla dejado marchar. Debería haberla llevado ante los hombres para matarla allí mismo por su delito. Pero, ¿de qué habría servido? Eso no impediría la catástrofe que su presencia había provocado, no suprimiría la calamidad que el Clan habría de sufrir, ¿De qué serviría matarla? Ayla era sólo una de su especie, y era precisamente a la que él amaba.

25

Goov salió de la cueva, cegado por la luz del sol mañanero, se frotó los ojos y se estiró. Vio que Mog-ur estaba sentado, encorvado, sobre un tronco, mirando al suelo. "Se han apagado tantas lámparas y antorchas —pensó— que cualquiera podría perderse ahí dentro. Preguntaré a Mog-ur si tengo que llenar las lámparas y colocar otras antorchas". El acólito se dirigió hacia el mago, pero se detuvo al ver la cara demacrada del viejo y la curva desalentada de sus hombros. "Será mejor que no lo moleste. Voy a hacerlo y nada más".

"Mog-ur está envejeciendo —pensaba Goov, al entrar de nuevo en la cueva con una vejiga llena de grasa de oso, nuevas mechas y antorchas suplementarias—. Siempre se me olvida lo viejo que es. El viaje hasta aquí lo ha cansado mucho, y las ceremonias acaban con sus fuerzas. Además, todavía nos queda el viaje de regreso. Es curioso —se decía el joven acólito— que nunca anteriormente había pensado en él como en un viejo".

Unos cuantos hombres más salieron de la cueva frotándose los adormilados ojos y se quedaron mirando a las mujeres desnudas tendidas en el suelo, preguntándose, como siempre, qué las agotaría de ese modo. Las primeras mujeres que despertaron corrieron en busca de sus mantos, y empezaron a despertar a las demás antes de que muchos hombres salieran de la cueva.

—Ayla— llamó Uba, sacudiéndola—. Ayla, despierta.

—Mmmmmmmmm —murmuró Ayla, y se volvió del otro lado.

—¡Ayla! ¡Ayla! —dijo nuevamente Uba, y la sacudió más fuerte. —Ebra, no consigo despertarla.

—Ayla —dijo la mujer en voz más alta y sacudiéndola fuertemente. Ayla abrió los ojos y trató de señalar una respuesta, pero volvió a cerrarlos y se hizo un ovillo.

—¡Ayla! ¡Ayla! —repitió Ebra. La joven volvió a abrir los ojos.

—Vete a la cueva y duerme un rato más, Ayla. No puedes quedarte aquí, los hombres están levantándose —ordenó Ebra.

La joven se fue dando tumbos cueva adentro. Un momento después estaba de vuelta, totalmente despierta pero pálida como una muerta.

—¿Qué ocurre? —preguntó Uba—. Estás blanca. Parece que hubieras visto un espíritu.

—Uba, oh, Uba. El tazón—. Ayla cayó al suelo cubriéndose la cara con las manos.

—¿El tazón? ¿Qué tazón, Ayla? No te entiendo.

—Está roto —consiguió expresar Ayla.

—¿Roto? ¿Por qué te preocupa tanto un tazón roto? Puedes hacer otro.

—No, no puedo, no uno como ése. Es el tazón de Iza, el que le dejó su madre.

—¿El tazón de madre? ¿El tazón ceremonial de madre? —preguntó Uba, desencajada.

La madera seca y quebradiza de la antigua reliquia había perdido su resistencia al cabo de tantas generaciones de ser usado. Una grieta finísima se había formado pero pasando inadvertida bajo la capa de tinte blanco. El golpe, al caer de la mano de Ayla sobre el duro piso de piedra de la cueva, fue más de lo que podía resistir: se había partido en dos.

Ayla no vio que Creb alzara la cabeza cuando salió de la cueva. Saber que el venerable tazón se había quebrado puso un matiz más sombrío de finalidad en sus pensamientos. "Es normal. Nunca más se usará la magia de esas raíces. Nunca más celebraré ceremonia alguna con ellas, y no le enseñaré a Goov cómo fueron usadas antes. El Clan las olvidará". El hombre baldado se apoyó pesadamente en su cayado y se incorporó, sintiendo punzadas dolorosas en sus articulaciones reumáticas. "He permanecido lo suficiente dentro de cuevas frías; es hora de que Goov se encargue de todo. Es demasiado joven aún, pero yo soy demasiado viejo. Si lo apremio, puede estar preparado en uno o dos años. Quizá tenga que estarlo. ¿Quién sabe cuánto más he de durar?"

Brun observó un cambio notorio en el viejo mago. Atribuyó la depresión de Mog-ur al cansancio natural después de tanta excitación, especialmente porque ésta sería su última Reunión del Clan. Aun así, Brun se preocupaba pensando en cómo había de resistir al viaje de regreso, y estaba seguro de que los retrasaría en el camino. Brun decidió llevarse a sus cazadores para una última cacería, intercambiar después la carne fresca por algunas de las provisiones almacenadas por el clan anfitrión, y de esa manera completar su abastecimiento para el viaje de regreso.

Después de una cacería bien lograda, Brun tenía prisa por salir. Algunos clanes se habían despedido ya. Una vez terminados los festejos, sus pensamientos regresaron a la cueva y a la gente que había quedado en ella, pero estaba animado. El desafío contra su posición nunca había sido tan grande, y la victoria le resultó tanto más satisfactoria. Estaba contento de sí mismo, contento de su Clan y contento con Ayla. Era una buena curandera; ya lo había visto anteriormente. Cuando la vida de alguno estaba amenazada, se le olvidaba todo lo demás; era igual que Iza. Brun sabía que Mog-ur había contribuido a convencer a los demás magos, pero fue la propia Ayla quien lo demostró al salvar la vida del joven cazador. Este y su compañera permanecerían con el clan anfitrión hasta que se sintiera suficientemente bien para viajar, y era probable que pasara el invierno con sus huéspedes.

Mog-ur nunca habló de la visita clandestina que había hecho Ayla a la pequeña cámara en la profundidad de la montaña, salvo una vez. Ella estaba empacando, preparándose para marchar a la mañana siguiente, cuando Creb llegó cojeando a la segunda cueva. La había evitado, y a la joven que lo quería le dolía mucho. Al verla se detuvo y dio media vuelta para alejarse, pero ella interrumpió su paso al correr y sentarse a sus pies. El miró la cabeza inclinada, soltó un suspiró y le golpeó el hombro.

Ayla alzó la mirada y se sorprendió al ver cuánto había envejecido en tan pocos días. La cicatriz que lo desfiguraba y el pellejo que cubría su cavidad ocular vacía se habían encogido, sumiéndose más profundamente bajo la sombra de su arcada ciliar. Su barba gris colgaba sin vida desde su mandíbula saliente, y su frente baja y huidiza estaba señalada por una cabellera que retrocedía; pero la pesadumbre que oscurecía su único ojo moreno y líquido fue lo que la abrumó: ¿qué le había hecho? Deseaba con fervor poder suprimir su viaje a la cueva, aquella noche. El dolor que sentía por Creb cuando lo veía sufrir físicamente no era nada junto a la angustia que experimentaba al pensar en cuánto sufría el alma de Mog-ur.

—¿Qué pasa, Ayla? —preguntó.

—Mog-ur, yo... yo... —tartamudeó, y de repente lo dijo todo de corrido—: ¡Oh, Creb! No puedo soportar verte así. ¿Qué puedo hacer? Si quieres iré adonde Brun, haré lo que digas. Pero dime qué debo hacer.

—"¿Qué puedes hacer, Ayla? —pensó—. ¿Puedes cambiar lo que eres? ¿Puedes deshacer el daño que hiciste? El Clan morirá, sólo quedarás tú, tú y tu especie. Somos un pueblo antiguo. Hemos conservado nuestras tradiciones, honrado a los espíritus y al Gran Ursus, pero eso ha terminado para nosotros: se acabó. Tal vez tenía que ser así. Tal vez no seas tú, Ayla, sino tu especie. ¿Será por eso que te enviaron a nosotros? ¿Para decírmelo? La tierra que dejamos es bella y rica; nos ha dado todo lo que necesitábamos durante todas las generaciones que hemos vivido. ¿Cómo la dejaréis cuando os llegue la hora? ¿Qué puedes hacer tú?"

—Puedes hacer una cosa, Ayla —señaló lentamente el Mog-ur, destacando cada movimiento. Su ojo se volvió frío—. Puedes no volver a mencionarlo nunca más.

Siguió en pie, todo lo alto que su pierna buena le permitía y tratando de no apoyarse mucho en el cayado. Entonces, con todo el orgullo de sí mismo y de su Pueblo que pudo reunir, se volvió con rígida dignidad y salió de la cueva.

—¡Broud!

El joven se dirigió dando grandes trancos al hombre que lo había llamado. Las mujeres del Clan de Brun se apresuraban en terminar la comida de la mañana, pues proyectaban marcharse en cuanto acabaran de comer, y los hombres estaban aprovechando la última oportunidad de hablar con gente a la que no volverían a ver en siete años; a algunos no volverían a verlos. Estaban recordando los detalles de la palpitante reunión tratando de hacerla durar un poco más.

—Te portaste bien esta vez, Broud, y a la próxima Reunión serás jefe.

—La próxima vez puedes hacerlo igual de bien —señaló Broud, henchido de orgullo—. Hemos tenido suerte.

—Tenéis suerte. Tu Clan es primero, tu mog-ur es primero e inclusive vuestra curandera es primera. Sabes, Broud, tenéis suerte con Ayla. No muchas curanderas serían capaces de desafiar a un oso cavernario para salvar a un cazador.

Broud arrugó el ceño, pero entonces vio a Voord y se acercó a él.

—¡Voord! —llamó, señalando un saludo—. Te has portado bien esta vez. Me alegré de que te escogieran a ti y no a Nouz. El es excelente, pero decididamente tú has sido mejor.

—Pero tú merecías ser primero, Broud. Hiciste una buena carrera también. Todo tu Clan merece su lugar; inclusive vuestra curandera es la mejor. Al principio tenía mis dudas. Será una buena curandera cuando ocupes tú la jefatura del Clan. Solo espero que no siga creciendo. Entre tú y yo, me siento raro cuando levanto la mirada hacia una mujer.

—Sí, la mujer es demasiado alta —respondió Broud con gestos rígidos.

—Pero, ¡qué importa! si es una buena curandera, ¿verdad?

Broud asintió apenas, descartando seguir con el tema, y se alejó. "Ayla, Ayla, me estoy hartando de Ayla" —pensó, mientras caminaba por el espacio abierto.

—Broud, quería verte antes de que te marcharas —dijo un hombre yendo a su encuentro—. Sabes que en mi clan hay una mujer que tiene una hija deforme como el hijo de tu curandera. He hablado con Brun y ha dado su anuencia a aceptarla, pero quiso que te consultara a ti. Para entonces es probable que seas jefe. La madre ha prometido criar a su hija para que sea una buena mujer, digna del primer Clan y del hijo de la primera curandera. ¿No te opones, verdad, Broud? Es un apareamiento lógico.

—No —señaló secamente Broud y giró sobre sus talones. De no haber estado tan furioso, tal vez hubiera objetado, pero no tenía ganas de entrar en discusión acerca de Ayla.

—A todo esto, fue una buena carrera, Broud.

El joven no vio el comentario pues ya había vuelto las espaldas. Mientras caminaba hacia la cueva vio que dos mujeres estaban conversando animadamente. Sabía que debería volver el rostro para evitar ver lo que decían, pero se limitó a mirar hacia delante afectando no fijarse en ellas.

—...No podía creer que fuera mujer del Clan, y entonces, cuando vi a su bebé...Pero por la manera en que fue directamente a Ursus, lo mismo que si fuera del clan anfitrión, sin temerlo ni nada. Yo no me habría atrevido.

—Hablé un poco con ella. Es realmente agradable. y actúa de manera perfectamente normal. Pero no puedo dejar de preguntarme ¿Crees que conseguirá compañero? Es tan alta . . . ¿Qué hombre va a querer a una mujer más alta que él? Aun siendo curandera de primera.

—Alguien me ha dicho que un clan la está tomando en cuenta, pero no ha habido tiempo para entrar en detalles, y creo que desean hablar del asunto. Dicen que enviarán un mensajero si deciden aceptarla.

—Pero ¿No tienen ahora una caverna nueva? Dicen que ella la encontró, y que es muy grande y afortunada también.

—Se supone que está cerca del mar, y los caminos están muy pisoteados. Creo que un buen mensajero podría encontrarlos.

Broud pasó junto a las dos mujeres y tuvo que dominar las ganas de dar un par de bofetadas a las dos entrometidas chismosas. Pero no eran de su clan, y aun cuando era prerrogativa suya imponer la disciplina a cualquier mujer, no era buena política abofetear a una de otro clan sin permiso del compañero o el jefe, a menos que la infracción fuera evidente. Para él era suficientemente evidente, pero pudiera no serlo para otro.

—Nuestra curandera dice que es hábil —estaba diciendo Norg cuando Broud entró en la cueva.

—Es hija de Iza —señaló Brun—, y ha sido bien adiestrada.

—Es una pena que Iza no haya podido venir. Tengo entendido que está enferma.

—Sí, y es una razón para apresurarnos. Tenemos un largo camino por delante. Vuestra hospitalidad ha sido excelente, Norg, pero la propia cueva es el hogar. Esta ha sido una de las mejores Reuniones del Clan; será recordada por mucho tiempo —dijo Brun.

Broud volvió la espalda, apretando los puños, lo cual le impidió ver el cumplido que Norg dirigía al hijo de la compañera de Broud. "Ayla, Ayla, Ayla. Todos hablan de Ayla. Cualquiera diría que nadie más que ella ha hecho algo en esta Reunión del Clan. ¿Fue escogida primera? ¿Quién estaba en la cabeza del oso mientras ella se encontraba en el suelo, a salvo? De modo que aunque haya salvado la vida de ese cazador, es probable que éste no pueda volver a caminar. Es fea y demasiado alta y su hijo es deforme, y deberían saber lo insolente que es cuando está en casa".

En ese preciso instante, Ayla pasó corriendo, llevando varios bultos. La mirada de odio que le dirigió Broud estaba tan lleno de malignidad, que la joven vaciló. "Y ahora ¿Qué he hecho? —pensó—. Apenas si he visto a Broud desde que estamos aquí".

Broud era un hombre adulto y fuertemente constituido del Clan, pero la amenaza que representaba era mucho mayor que el simple daño físico. Era el hijo de la compañera del jefe, y su destino era ser jefe algún día. En eso estaba pensando mientras observaba cómo Ayla colocaba sus bultos en el suelo, fuera de la cueva.

Una vez que terminaron de comer, las mujeres empacaron rápidamente los pocos utensilios que habían empleado para preparar la primera comida del día. Brun estaba impaciente por marchar, y ellas también. Ayla intercambió unos cuantos ademanes con algunas de las curanderas, la compañera de Norg y algunas más, después envolvió a su hijito en el manto de viaje y se situó al frente de las mujeres del Clan de Brun. Este hizo una seña y todos echaron a andar a través del área despojada delante de la cueva. Antes de doblar un recodo de la pista, Brun se detuvo, y todos se volvieron para mirar hacia atrás por última vez. Norg y todo su clan estaban en pie frente a la entrada de la cueva.

—Que Ursus te acompañe —señaló Norg.

Brun asintió y echó nuevamente a andar. Transcurrirían siete años antes de que volvieran a ver a Norg... o tal vez nunca. Sólo el Espíritu del Gran Oso Cavernario lo sabía.

Como lo había previsto Brun, el viaje de regreso fue penoso para Creb. Como no anticipaba la alegría de la reunión, y como estaba además deprimido por los conocimientos que mantenía en secreto, el cuerpo del viejo lo traicionaba una y otra vez. La preocupación de Brun aumentó; nunca había visto tan desalentado al gran mago. Se rezagaba, muchas veces tuvo Brun que enviar a un cazador en su busca mientras todos esperaban. El jefe acortó el paso esperando que así sería más fácil para él, pero a Creb no parecía importarle. Las pocas ceremonias vespertinas celebradas ante la insistencia de Brun, carecían de fuerza. Mog-ur parecía reacio, sus gestos, tiesos, como si no pusiera el alma en ello. Brun observó que Ayla y Creb se mantenían alejados uno de otro, y aun cuando a ella no le costaba seguir la marcha, el paso de Ayla había perdido su elasticidad. "Está pasando algo entre esos dos", se dijo.

Habían estado atravesando las altas hierbas marchitas desde media mañana, y Brun se volvió: no se veía a Creb por ninguna parte; estuvo a punto de enviar en su busca a uno de los hombres cuando lo pensó mejor y volvió sobre sus pasos hasta donde se encontraba Ayla.

—Anda, vete a buscar a Mog-ur le dijo.

La joven pareció sorprendida pero asintió con la cabeza. Entregó Durc a Uba y se apresuró por la pista de hierba inclinada y pisoteada. Lo encontró muy atrás, caminando lentamente y apoyado en su cayado. Parecía sufrir. Ayla se había asombrado tanto ante su respuesta a su amoroso remordimiento, que no había sabido qué decirle después. Estaba segura de que sufría en sus articulaciones artríticas y dolorosas, pero se había negado a aceptar que le diera nada para mitigar el dolor. Después de varios desaires, no volvió a proponérselo aunque le dolía el corazón por él. Al ver a la joven, Creb se detuvo.

—¿Qué estás haciendo aquí? —preguntó por señas.

—Me ha enviado Brun a buscarte.

Creb gruñó y se puso nuevamente en marcha. Ayla echó a andar tras él, observando sus movimientos lentos y dolorosos hasta que no pudo soportarlo más. Avanzó hasta ponerse frente a él y se dejó caer sobre el suelo a sus pies, obligándolo a detenerse. Creb miró a la joven largo rato antes de tocarle el hombro.

—Esta mujer quisiera saber por qué está enojado el Mog-ur.

—No estoy enojado, Ayla.

—Entonces ¿Por qué no me dejas ayudarte? —rogó—. Antes no te habías negado nunca. —Ayla luchaba por recobrar la compostura—. Esta mujer es curandera; está adiestrada para aliviar a los que sufren. Es su puesto, su función. A esta mujer le duele ver sufrir a el Mog-ur, no lo puede remediar—. Ayla no pudo mantener la posición formal. —¡Oh, Creb, déjame ayudarte! ¿No sabes que te quiero? Para mí, eres como el compañero de mi madre. Has provisto para mí, has hablado en mi favor y te debo la vida. No sé por qué has dejado de amarme, pero yo no he dejado de quererte a ti.

"¿Por qué se le llenan los ojos de agua cuando cree que no la quiero? ¿Y por qué sus débiles ojos siempre me hacen desear hacer algo por ella? ¿Tendrán ese mismo problema todos los Otros? Tiene razón, nunca anteriormente había rechazado su ayuda ¿Por qué ahora? No es mujer del Clan. No importa lo que piensen los demás: nació de los Otros y siempre será uno de ellos. Ni siquiera lo sabe. Cree ser una mujer del Clan, cree ser curandera. Es curandera. Puede no ser de la estirpe de Iza, pero es curandera y se ha esforzado por ser mujer del Clan, por mucho que le haya costado a veces. Me pregunto si le será muy

duro. No es la primera vez que se llenan los ojos de agua, pero
¿Cuántas veces habrá luchado para evitarlo? Cuando no puede
evitarlo es cuando piensa que yo no la quiero. ¿Puede dolerle tanto? ¿Cuánto me dolería si creyera qué no me quiere? Más
de lo que quiero reconocer. Si ama de la misma manera ¿Puede
ser tan diferente?" Creb trataba de verla como una extraña,
como una mujer de los Otros. Pero seguía siendo Ayla, la hija
de la compañera que él nunca tuvo.

—Será mejor que nos apresuremos, Ayla. Brun está espe-
rándonos. Sécate los ojos y cuando nos detengamos, podrás hacerme algo de té de sauce, curandera.

Una sonrisa brilló entre las lágrimas. Se puso en pie y volvió a caminar detrás de él. Al cabo de unos cuantos pasos, avanzó hasta el lado débil del hombre. El se detuvo un momento,
después asintió con un gesto y se apoyó en ella.

Brun observó una mejoría al instante, y pronto impuso el
mismo paso que antes, aunque de todos modos no viajaban todo
lo rápidamente que él habría querido. Había un aire melancólico
alrededor del viejo, pero ya parecía esforzarse algo más. "Sé
que ha habido algún problema entre esos dos —se dijo Brun—,
pero parece que lo han resuelto ya." Se alegraba por haber tenido la idea de mandarla en busca de él.

Creb permitió que Ayla le ayudara, pero seguía habiendo
cierta distancia entre ambos, una brecha demasiado grande para
que él la cerrara. No podía olvidar la diferencia entre sus destinos, y eso creaba una tensión que enfriaba el calor sincero de
otros tiempos.

Aun cuando hacía calor cuando el Clan de Brun se abría paso hacia su cueva, las noches se estaban volviendo frías. La primera
visión de los montes cubiertos de nieve hacia el oeste, a lo lejos, animó al Clan, pero como la distancia apenas se reducía con
el paso de los días, la sierra del extremo inferior de la península
se convirtió en parte del paisaje y nada más. Sin embargo, la
distancia disminuía por imperceptiblemente que fuera. Mientras
proseguían día tras día hacia el oeste, las azules profundidades
de las grietas empezaban a caracterizar a los glaciares, y la púrpura indistinta al pie de la corona helada fue matizándose de
salientes y crestas.

Antes de acampar la última noche en la estepa, caminaron
hasta que oscureció, y todos despertaron al primer albor de la
mañana siguiente. Las planicies se fundían en un valle compuesto de pradera abierta y árboles altos, y la vista de un rinoceron-

te de zona templada que pacía proporcionó una sensación de familiaridad una vez que se alejó sin tomarlos en cuenta. Apretaron el paso al llegar a un camino que rodeaba los contrafuertes montañosos; entonces doblaron una cresta conocida y vieron su cueva, y todos los corazones palpitaron más fuerte: habían vuelto a su hogar.

Aba y Zoug corrían a su encuentro. Aba recibió a su hija y a Droog con gozo, abrazó a los niños mayores y tomó en sus brazos a Groob. Zoug saludó a Ayla con un movimiento de la cabeza mientras corría hacia Grod y Uka, después Ovra y Goov.

—¿Dónde está Dorv? —preguntó Ebra con un ademán.

—Ahora camina por el mundo de los espíritus —respondió Zoug—. Su vista estaba tan mala, no podía ver lo que decíamos. Creo que renunció y no quiso esperar vuestro regreso. Cuando los espíritus llamaron, se fue con ellos. Lo enterramos y señalamos el lugar para que Mog-ur pueda encontrarlo y celebrar los ritos mortuorios.

Ayla miró a su alrededor, súbitamente ansiosa:

—¿Dónde está Iza?

—Está muy enferma —dijo Aba—. No ha abandonado el lecho desde la última luna nueva.

—¡Iza! ¡Iza no! ¡No! ¡No! —gritó Ayla echando a correr hacia la cueva. Arrojó sus bultos al suelo tan pronto como estuvo en el hogar de Creb, y se abalanzó hacia la mujer que estaba tendida entre sus pieles.

—¡Iza! ¡Iza! —gritó la joven. La vieja curandera abrió los ojos.

—¡Ayla! —exclamó, y su voz ronca se oía apenas. —Los espíritus han cumplido mi deseo —señaló débilmente. Estás de regreso—. Iza tendió los brazos. Ayla la abrazó y sintió su cuerpo delgado y frágil, apenas algo más que huesos cubiertos de una piel arrugada. Su cabello era de un blanco de nieve, su rostro, un pergamino seco tendido sobre los huesos con mejillas hundidas y ojos profundamente sumidos. Parecía tener mil años... y acababa de cumplir los veintiséis.

Ayla casi no podía distinguir nada por las lágrimas que le bañaban el rostro.

—¿Por qué tuve que ir a la Reunión del Clan? Debería haberme quedado aquí cuidándote. Sabía que estabas enferma. ¿Por qué me fui y te dejé?

—No, no, Ayla —señaló Iza—, no te eches la culpa. No puedes cambiar lo que tiene que ser. Ya sabía yo que estaba muriéndome cuando te fuiste. No podrías haberme ayudado, nadie podría. Lo único que deseaba era verte una vez más antes de reunirme con los espíritus.

—¡No puedes morir! ¡No dejaré que te mueras! Te voy a cuidar. Te voy a poner bien —gesticuló Ayla enloquecidamente.

—Ayla, Ayla. Hay cosas que ni la mejor curandera puede llevar a cabo.

La excitación provocó otro acceso de tos. Ayla la sostuvo hasta que terminó de toser. Puso sus pieles detrás de la mujer para alzarla un poco y facilitarle la respiración, y empezó a revolver entre las medicinas depositadas junto al lecho de Iza.

—¿Dónde está el helenio? No puedo encontrar helenio.

—Creo que ya no queda nada —señaló débilmente Iza. El acceso de tos la había agotado—. He tomado muchísimo y no pude salir a buscar más. Aba trató de encontrar, pero me trajo girasol.

—No debería haberme marchado —decía Ayla, y de repente salió corriendo de la cueva. Se encontró con Uba que llevaba a Durc y con Creb en la entrada.

—Iza está enferma —expresó agitadamente Ayla—, y no tiene siquiera helenio. Voy a buscar un poco. No hay fuego en el hogar, Uba. Pero ¿Por qué tuve que ir a la Reunión del Clan? Debí haberme quedado con ella. ¿Por qué me fui? —El rostro desolado de Ayla, sucio del viaje, estaba surcado de lágrimas, pero ni se daba cuenta ni le importaba. Corrió cuesta abajo mientras Uba y Creb entraban a toda prisa en la cueva.

Ayla chapoteó por el río, corrió hacia la pradera donde crecían las plantas y arrancó las raíces con las manos, sacándolas de la tierra. Deteniéndose en el río lo justo para lavarlas, volvió corriendo a la cueva.

Uba había encendido un fuego pero el agua que había empezado a calentar apenas estaba tibia. Creb se encontraba en pie junto a Iza realizando los movimientos oficiales con un fervor mayor que en muchos días, apelando a todos los espíritus que conocía para que fortalecieran la esencia de la vida de su hermana y no se la llevaran aún. Uba dejó a Durc en una estera. Empezaba a gatear y se puso a avanzar con pies y manos, dirigiéndose hacia su madre que estaba atareada cortando la raíz en trocitos, pero ella lo apartó cuando quiso mamar. Ayla no tenía tiempo para su hijo. El niño se puso a chillar mientras ella echaba la raíz al agua y agregaba más piedras calientes, para hacerla hervir más aprisa.

—Déjame ver a Durc —señaló Iza—. Cuánto ha crecido.

Uba lo tomó en brazos y se lo llevó a su madre, dejando al niño en el regazo de Iza, pero éste no estaba de humor para que lo mimara una vieja a la que no recordaba, y se agitó para que lo dejaran irse.

—Está fuerte y sano —dijo Iza— y no tiene problemas para mantener la cabeza erguida.

—Y ya tiene compañera —agregó Uba— o por lo menos una nenita que le han prometido.

—¿Una compañera? ¿Qué clan iba a prometerle una niña? Tan joven y con su deformidad...

—Había una mujer en la Reunión del Clan, con una hija deforme. Se nos acercó para hablarnos el primer día —explicó Uba—. La nenita se parece un poco a Durc, por lo menos su cabeza. Sus rasgos son algo distintos. La madre preguntó si podrían aparearlos. Oda estaba tan preocupada a la idea de que su hija nunca encontrara compañero. Brun y el jefe de su clan se han puesto de acuerdo. Creo que ella vendrá aquí a vivir después de la próxima Reunión, aunque no sea mujer aún. Ebra ha dicho que podría vivir con ellos hasta que ambos estén en edad de aparearse. Oda estaba muy contenta, sobre todo después de que Ayla preparó la bebida para la ceremonia.

—De modo que aceptaron a Ayla como curandera de mi estirpe. Me preguntaba si la aceptarían —señaló Iza y después se detuvo. Hablar la cansaba, pero de ver a sus seres amados nuevamente a su alrededor, se sentía rejuvenecida en su mente ya que no en su cuerpo—. ¿Cómo se llama la niña?

—Ura —contestó la hija de Iza.

—Me gusta el nombre, tiene un buen sonido. —Iza volvió a descansar y entonces hizo otra pregunta—. ¿Y Ayla? ¿Ha encontrado compañero en la Reunión del Clan?

—El clan de los parientes de Zoug la está considerando. Al principio se negaron, pero una vez que fue aceptada como curandera, decidieron pensarlo. No hubo tiempo para arreglar nada antes de nuestra partida. Pueden tomar a Ayla pero no creo que quieran a Durc.

Iza asintió simplemente y después cerró los ojos.

Ayla estaba moliendo carne para hacerle un caldo a Iza, y cuidaba con impaciencia el agua hirviendo con las raíces para asegurarse del color y el sabor. Durc gateó hasta ella gimoteando, pero lo volvió a rechazar.

—Dámelo a mí, Uba —señaló Creb. Eso calmó un ratito al niño, sentado en el regazo de Creb, intrigado con la barba del hombre. Pero también de eso se cansó pronto. Se frotó los ojos y luchó para liberarse del brazo que lo retenía, y una vez libre gateó de nuevo hasta donde su madre. Estaba cansado y tenía hambre. Ayla, en pie junto al fuego, no pareció darse cuenta de que el malhumorado nenito trataba de tirarle de la pierna. Creb se enderezó, dejó caer su cayado y por señas pidió a Uba que le pusiera al niño en el brazo; cojeando pesadamente sin su apoyo, llegó al hogar de Broud y puso a Durc sobre el regazo de Oga.

—Durc tiene hambre y Ayla está atareada preparando medicinas para Iza. ¿Quieres alimentarlo, Oga?

Oga asintió, tomó el bebé en sus brazos y le dio el pecho. Broud arrugó el ceño, pero una sombría mirada de Mog-ur le hizo disimular rápidamente su ira. Su odio hacia Ayla no se extendía hasta el hombre que la protegía y proveía para ella. Broud temía demasiado a Mog-ur para odiarlo. Sin embargo, desde temprana edad había descubierto que el gran hombre santo no solía interferir en la vida seglar del Clan, limitando sus actividades al mundo de los espíritus. Mog-ur nunca había tratado de impedir que Broud ejerciera su control sobre la joven que compartía su hogar, pero Broud no deseaba enfrentarse directamente al mago.

El hombre regresó a su hogar y empezó a buscar entre los bultos que habían quedado tirados, la vejiga de grasa de oso que fue lo que le correspondía de la grasa derretida del animal ceremonial. Uba lo vio y acudió en su ayuda; Creb se lo llevó a su cámara de los espíritus. Aun cuando estaba seguro de que no quedaba esperanza, iba a utilizar toda la magia de que era capaz para ayudar a Ayla a mantener a Iza con vida.

Las raíces habían hervido lo suficiente, por fin, y Ayla sacó una taza de líquido, impaciente ahora por que se enfriara. El caldo caliente que le había dado antes, en sorbitos, sosteniéndole la cabeza lo mismo que había hecho Iza por ella cuando era una niña de cinco años medio muerta, había revivido algo a la vieja curandera. Había estado comiendo poco una vez que se quedó en cama, y no mucho más cuando todavía se levantaba; los alimentos que le daban permanecían intactos. Había sido un verano desolado y solitario para Iza. Sin nadie que la cuidara y se asegurara de que comiera, a menudo se le olvidaba o simplemente no le importaba. Los otros tres habían intentado ayudar al ver que se debilitaba, pero en realidad no sabían qué hacer.

Iza se había incorporado al acercarse el fin de Dorv, pero el miembro más viejo del Clan pasó rápidamente, y no había podido hacer mucho por él como no fuera tratar de que se sintiera cómodo. Su muerte había deprimido a los demás. La cueva parecía mucho más vacía sin él, y les demostraba lo cerca que estaban del otro mundo. Su deceso había sido el primero desde el terremoto.

Ayla estaba sentada junto a Iza, soplando sobre el líquido de la taza de hueso y probándolo de vez en cuando para ver si se había enfriado lo suficiente. Su concentración en Iza era tan absoluta que no se dio cuenta de que Creb se había llevado a Durc ni de que se había alejado después hacia la cámara de los espíritus, y tampoco se percató de que Brun la estaba observando. Oyó los débiles ruidos de la respiración de Iza y comprendió que estaba muriéndose, pero no quiso permitirse creerlo. Buscó más tratamientos en su memoria.

"Una compresa con la corteza interna de la balsamina —pensó—, sí, y una infusión de milenrama; respirar el vapor también sirve. Moras y cilandrillo... no, eso sólo sirve para un catarro. ¿Raíces de bardana? Tal vez. ¿Hierba de almidón? Naturalmente, y la raíz fresca es mejor en otoño". Ayla estaba decidida a atascar a Iza con infusiones, cubrirla de cataplasmas y ahogarla en vapor, si fuera necesario. Cualquier cosa, lo que fuera, con tal de prolongar la vida de su madre, de la única madre que conoció. No podía soportar la idea de que muriera Iza.

Aun cuando Uba tenía perfectamente conciencia de la gravedad de la enfermedad de su madre, no dejó de percatarse de la presencia de Brun. No era habitual que los hombres visitaran el hogar de otro hombre en ausencia de éste, y Brun ponía nerviosa a Uba. Se puso a recoger los bultos dispersos alrededor del hogar para poner éste en orden, mirando alternativamente a Brun, Ayla y su madre. Sin nadie para guiarla ni darle órdenes, no sabía cómo manejar la visita de Brun. Nadie lo saludaba ni le daba la bienvenida, ¿que debería hacer ella?

Brun observaba al trío de mujeres: la vieja curandera, la joven curandera intensa que no se parecía en nada al resto del Clan y era sin embargo, la que se consideraba como de más alta jerarquía en el arte de curar, y Uba, destinada también a ser curandera. Siempre había querido a su hermana; fue la bebita que se acariciaba y mimaba, bienvenida después de que un niño saludable había nacido para hacerse cargo de la jefatura. Siempre se había sentido protector con ella; nunca habría escogido para ella al hombre que fue su compañero; nunca le había gustado a Brun, un fanfarrón que ridiculizaba a su hermano tullido. Iza no tuvo más remedio que someterse, pero manejó bien la situación. Y sin embargo, había sido más feliz después de la muerte de su compañero que anteriormente. Era una buena mujer y una buena curandera. El Clan la echaría de menos.

"La hija de Iza está creciendo —pensaba, observándola—. Uba será pronto una mujer. Debería empezar a pensar en un compañero para ella. Deberá ser un buen compañero ... uno que sea compatible. También es mejor para un cazador que su compañera le sea adicta. Pero no hay más que Vorn. Hay que tomar en cuenta también a Ona, y no puede aparearse con Vorn puesto que son hermanos. Tendrá que esperar a que Borg se haga hombre. Si se convierte pronto en mujer, puede tener un hijo antes de que Borg esté preparado para aparearse. Tal vez debería yo empujarlo un poco; es mayor que Ona. Una vez que sea suficientemente grande para aliviar sus necesidades, será suficientemente grande para hacerse hombre. ¿Será Vorn un buen compañero para Uba? Droog ha tenido buena influencia sobre él, y le gusta presumir cuando está Uba delante. Tal vez haya alguna atracción entre ellos". Brun se reservó los pensamientos para otra oportunidad.

La infusión de raíz de helenio se había enfriado, y Ayla despertó a la anciana, que se había quedado adormilada, levantándole la cabeza mientras le hacía ingerir la medicina. "No creo que puedas salvarla esta vez, Ayla —se decía Brun observando a la frágil mujer—. ¿Cómo ha envejecido tan pronto? Era la más joven, y ahora parece más vieja que Creb. Recuerdo cuando redujo la fractura de mi brazo. No era mucho mayor que Ayla cuando ésta redujo la fractura de Brac, pero era mujer y estaba apareada. Y lo hizo bien: nunca me ha molestado lo más mínimo, salvo algunas punzadas últimamente. También yo estoy envejeciendo. Mis días de caza pronto habrán terminado, y tendré que encargar a Broud de la jefatura".

"¿Estará ya preparado? Se portó tan bien en la Reunión del Clan que estuve a punto de entregársela entonces. Es valiente; todos me han dicho la suerte que tengo. Tengo suerte; temí que fuera elegido para acompañar a Ursus. Habría sido un honor, pero es un honor al que renuncio de buena gana. Gorn era un buen hombre; ha sido duro para el clan de Norg. Siempre lo es cuando Ursus escoge. A veces es una suerte no recibir ese honor; el hijo de mi compañera sigue caminando en este mundo. Y no le teme a nada ... tal vez sea demasiado temerario. Un poco de osadía y temeridad está bien en un joven, pero un jefe debe ser más juicioso. Debe tomar en cuenta a sus hombres. Debe pensar y proyectar de manera que la cacería sea fructuosa, pero sin arriesgar inútilmente a sus hombres. Quizá debería permitirle que dirija unas cuantas cacerías, para que gane expe-

riencia. Debe aprender que en la jefatura hay algo más que osadía. Hay responsabilidad y control de sí mismo".

"¿Qué habrá en Ayla que saca a relucir lo peor que hay en
él? ¿Por qué se rebaja compitiendo con ella? Puede parecer diferente, pero no deja de ser una mujer. Aunque valerosa, para
ser mujer, decidida. Me pregunto si los parientes de Zoug la re-
cibirán. Parecería extraño no tenerla, ahora que me he acostumbrado a ella. Y es una buena curandera, una gran ventaja para
cualquier clan. Haré lo que pueda para asegurarme de que apre-
cian su valor. Mírala, ni siquiera su hijo, el hijo al que estaba
dispuesta a seguir al otro mundo, puede apartar su mente de
Iza. No, muchas desafiarían a un oso cavernario para salvar la
vida de un hombre. También es temeraria, y ha aprendido a
controlarse. Se ha portado bien en la Reunión, en todo punto ha
sido una mujer como es debido, no como cuando era más joven. Nadie ha tenido más que alabanzas para ella, al final".

—Brun —llamó Iza con voz débil—. Uba, sírvele un poco de
té al jefe —indicó, tratando de enderezarse. Seguía siendo la
dueña del hogar de Creb—. Ayla, trae unas pieles para que se
siente Brun. Esta mujer lamenta no poder servir personalmente
al jefe.

—Iza, no te preocupes. No he venido a tomar té, he venido
a verte —indicó Brun, sentándose junto a ella.

—¿Cuánto tiempo llevas ahí de pie? —preguntó Iza.

—No mucho. Ayla estaba atareada; no he querido molestarla
a ella y tampoco a ti, esperando que terminara. Te han echado
de menos en la Reunión del Clan.

—¿Fué un éxito?

—Este Clan sigue siendo el primero. Los cazadores se porta-
ron bien; Broud fue escogido primero para la Ceremonia del
Oso. También Ayla se portó bien. Recibió muchas felicitaciones.

—¡Felicitaciones! ¿Quién necesita felicitaciones? Demasiadas sirven para provocar envidia entre los espíritus. Si se portó
bien, si trajo honor al Clan, debe ser suficiente.

—Se portó bien. Fue aceptada; se portó como una mujer correcta. Es tu hija, Iza. ¿Quién iba esperar menos?

—Sí, es mi hija tanto como lo es Uba. He sido afortunada, los
espíritus decidieron favorecerme con dos hijas, y las dos serán
buenas curanderas. Ayla puede terminar de adiestrar a Uba.

—¡No! —interrumpió Ayla—. Tú terminarás el adiestramiento de Uba. Te vas a poner bien. Ahora estamos de regreso y
vamos a cuidarte. Te pondrás bien, espera y verás —señaló con
una desesperación profunda—. Tienes que ponerte bien, madre.

—Ayla. Niña. Los espíritus están esparándome y pronto tendré que irme con ellos. Me han concedido mi último deseo: ver a mis seres queridos antes de marchar, pero no puedo dejarlos esperando mucho tiempo más.

El caldo y la medicina habían estimulado las últimas reservas de la enferma. Su temperatura subía dentro del esfuerzo valeroso de su cuerpo para luchar contra la enfermedad que la había derribado. La chispa de sus ojos vidriosos de fiebre y el color que prestaba a sus mejillas le daban un falso aspecto de salud. Pero había un brillo traslúcido en el rostro de Iza, como si estuviera iluminado por dentro: no era el ardor de la vida; esa calidad fantasmal se llamaba brillantez espiritual, y Brun la había visto anteriormente: era el surgir de la fuerza vital que se preparaba para marchar.

Oga se quedó con Durc en el hogar de Broud hasta muy tarde, y devolvió al niño mucho después de que se pusiera el sol. Uba lo acostó en las pieles de Ayla que ella misma había tendido. La muchacha estaba asustada y perdida; no tenía hacia quién volverse. Temía interrumpir a Ayla en sus esfuerzos por salvar a Iza, y temía perturbar a su madre. Creb sólo había vuelto el tiempo suficiente para pintar símbolos en el cuerpo de Iza con una pasta de ocre rojo y grasa de oso, mientras hacía gestos por encima de ella. Regresó inmediatamente después a la cámara y no volvió.

Uba había sacado todo de los bultos y puesto en orden el hogar, preparado una cena que nadie comió, y recogido todo. Entonces se sentó calladamente junto al bebé dormido, deseando pensar en algo que hacer, algo que la tuviera ocupada. Aun cuando no aquietaba el terror que le atenazaba el corazón, por lo menos la actividad le daba algo en que ocuparse. Era mejor que estar allí sentada viendo cómo se moría su madre. Finalmente se tendió en el lecho de Ayla, rodeando al bebé con su cuerpo, apretándolo en un vano intento por sacar de alguien calor y seguridad.

Ayla trabajaba constantemente con Iza, probando todas las medicinas y los tratamientos que se le ocurrían. Se inclinaba sobre ella, temerosa de apartarse de su lado, temerosa de que la mujer se fuera mientras ella estuviera ausente. No fue la única en velar aquella noche; sólo durmieron los niños pequeños. En cada hogar de la cueva oscura, hombres y mujeres contemplaban las brasas de los fuegos casi apagados o estaban tendidos con los ojos abiertos.

El cielo allá afuera estaba encapotado, no se veía una estrella. La oscuridad dentro de la cueva se volvía de un negro más profundo en la abertura, disimulando cualquier indicio de vida más allá de las brasas mortecinas del fuego de la cueva. En la tranquilidad del naciente día, cuando la noche estaba más profundamente sumida en la oscuridad, Ayla se sobresaltó despertando de un sueño ligero.

—Ayla —dijo Iza en un ronco susurro.

—¿Qué ocurre, Iza? —señaló la joven.

Los ojos de la curandera reflejaban la oscura luz del carbón del hogar.

—Quiero decir algo antes de irme —indicó Iza, y entonces dejó caer las manos; era un esfuerzo demasiado grande levantarlas.

—No trates de hablar, madre. Descansa. Te sentirás más fuerte por la mañana.

—No, niña, tengo que decirlo ahora. No duraré hasta la mañana.

—Sí, sí madre. Tienes que durar. No puedes irte —indicó Ayla.

—Ayla, me marcho y debes aceptarlo. Déjame terminar, no me queda ya mucho—. Iza descansó nuevamente mientras Ayla esperaba sumida en muda desesperanza.

—Ayla, siempre te he querido más. No sé por qué, pero es cierto. Quise quedarme contigo, quise que te quedaras con el Clan. Pero pronto me habré ido. Creb encontrará su camino hacia el mundo de los espíritus dentro de poco, y también Brun está envejeciendo. Entonces el jefe será Broud. Ayla, no puedes quedarte aquí cuando Broud sea jefe. Encontrará la manera de lastimarte. — Iza descansó nuevamente, cerrando los ojos y luchando por respirar y tener fuerzas para seguir.

—Ayla, hija mía, mi extraña y obstinada niña que siempre se ha esforzado tanto. Te he adiestrado para hacer de ti una curandera, de manera que tuvieras posición suficiente para quedarte con el Clan aunque nunca encontraras compañero. Pero eres mujer y necesitas compañero, un hombre que sea tuyo. Tú no eres del Clan, Ayla. Naciste de los Otros, debes estar con ellos. Tendrás que irte, niña, encontrar a los tuyos.

—¿Irme? —señaló confusa—. ¿Adónde iría, Iza? No conozco a los Otros, no sabría siquiera dónde buscarlos.

—Hay muchos al norte de aquí, Ayla, en la tierra continental más allá de la península. Mi madre me dijo que el hombre a quien su madre curó venía del norte. — Iza se interrumpió de nuevo, y después sacó fuerzas de flaqueza para proseguir—. No puedes seguir aquí, Ayla. Vete y encuéntralos, hija mía. Encuentra a tu propia gente, encuentra a tu propio compañero.

Las manos de Iza recayeron súbitamente y se le cerraron los ojos. Respiraba poco profundo; se esforzó por respirar hondo y abrió nuevamente los ojos.

—Díle a Uba que la amo, Ayla. Pero tú fuiste mi primera hija, la hija de mi corazón. Siempre te he amado... te he amado más...

La respiración de Iza se cortó con un suspiro burbujeante. No hubo más.

—¡Iza! ¡Iza! —gritó Ayla—. ¡Madre, no te vayas! ¡No me dejes! ¡Oh, madre, no te vayas!

Uba despertó al grito de Ayla y corrió hacia ellas.

—¡Madre! ¡Oh, no! mi madre se ha ido. ¡Mi madre se ha ido!

La muchacha y la mujer se miraron.

—Me ha dicho que te diga que te amaba, Uba —dijo Ayla—. Tenía secos los ojos, el impacto no había llegado aún a su cerebro. Creb se acercó arrastrando los pies. Ya estaba fuera de su cámara cuando Ayla gritó. Con un sollozo profundo, Ayla se agarró a los dos y los tres se encontraron unidos en un abrazo doloroso de desesperación mutua. Las lágrimas de Ayla los mojaron a todos; Uba y Creb no tenían lágrimas, pero su dolor no era menos grande.

26

—Oga, ¿quieres amamantar otra vez a Durc?

El gesto del hombre manco era claro para la joven a pesar del bebé pataleante que llevaba. "Ayla debería alimentarlo —pensó—. No es bueno para ella pasar tanto tiempo sin darle el pecho". La tragedia de la muerte de Iza y su confusión ante la reacción de Ayla estaban evidenciadas en la expresión de Mogur. No podía negarse al mago suplicante.

—Claro que sí— dijo Oga, y tomó a Durc en sus brazos.

Creb cojeó de regreso a su hogar. Vio que Ayla seguía sin cambiar de postura, aunque Ebra y Uka se habían llevado el cádaver de Iza para prepararlo con vistas al entierro. La joven tenía el cabello desordenado y el rostro todavía embarrado con la suciedad del camino y las lágrimas. Llevaba el mismo manto manchado y sucio que había tenido puesto durante su largo trayecto al volver de la Reunión del Clan. Creb le había puesto al hijo sobre el regazo cuando lloró para mamar, pero se mostró ciega y sorda a sus necesidades. Otra mujer habría comprendido que inclusive un dolor profundo podría, finalmente, dejar penetrar los gritos de un niño. Pero Creb no tenía experiencia con madres y bebés. Sabía que las mujeres solían amamantar a los hijos de otras, y no podía dejar que el niño pasara hambre mientras hubiera otras mujeres que lo alimentaran. Había llevado Durc a Ika y Aga, pero los más pequeños estaban destetándose y las mujeres tenían ya muy poca leche. Grev sólo tenía poco más de un año, y parecía que Oga siempre disponía de mucha leche, de modo que Creb había llevado a Durc con ella varias veces. Ayla no sentía el dolor de sus pechos duros en los que la leche se cuajaba; el dolor de su corazón era mucho más grande.

Mog-ur tomó su cayado y se fue hacia el fondo de la cueva. Habían llevado piedras que ahora estaban amontonadas en un rincón libre de la amplia caverna, y se había excavado una zanja poco profunda en la tierra del piso. Iza había sido una curandera de primera categoría. No sólo su posición en la jerarquía del Clan sino su intimidad con los espíritus imponía que fuera enterrada en la cueva. Eso garantizaba que los espíritus protectores que la cuidaban se quedarían cerca de su Clan, y ella misma podría vigilarlo desde su hogar en el otro mundo. Además, con eso se aseguraban de que ningún animal habría de dispersar sus huesos.

El mago espolvoreó con ocre rojo el óvalo de la zanja, y después hizo gestos con su único brazo. Una vez que hubo consagrado la tierra en que sería sepultada Iza, cojeó hasta una forma tosca más o menos envuelta en una piel de cuero suave; retiró ésta y reveló el cuerpo desnudo y gris de la curandera. Sus brazos y piernas habían sido flexionados en posición fetal con tendones teñidos de rojo. El mago hizo un gesto protector y se agachó entonces, comenzando a frotar la carne fría con un ungüento compuesto de ocre rojo y grasa de oso cavernario. Doblada en posición fetal y cubierta con el color rojo que recordaba la sangre natal, Iza sería entregada al otro mundo de la misma manera que había llegado a éste.

Nunca le había resultado tan difícil llevar a cabo su tarea; Iza había sido más que hermana para Creb. Lo conocía mejor que nadie; sabía el padecimiento que había sufrido sin quejarse, la vergüenza que le había causado su achaque; comprendía su bondad, su sensibilidad, y se alegraba por su grandeza, su poder y su voluntad de superarse. Había guisado para él, lo había atendido y había aliviado sus dolores. Con ella había conocido la dicha de la vida familiar casi como un hombre ordinario. Aun cuando nunca la había tocado tan íntimamente como lo estaba haciendo ahora, al embadurnar su cuerpo frío con ungüento, había sido más "compañera" para él de lo que muchos hombres habían tenido. Su fallecimiento lo destrozaba.

Cuando regresó a su hogar, el rostro de Creb estaba tan gris como lo había estado el cadáver. Ayla seguía sentada junto al lecho de Iza, mirando al vacío sin ver, pero se movió cuando Creb comenzó a revolver las pertenencias de Iza.

—¿Qué estás haciendo? — preguntó, defendiendo todo lo que había sido de Iza.

—Estoy buscando los tazones y las cosas de Iza. Los instrumentos que ha empleado en su vida deben ser sepultados con ella, de modo que tenga el espíritu de ellos en el otro mundo —explicó Creb.

—Voy a buscarlos — dijo Ayla, apartando a Creb. Juntó los tazones de madera y las tazas de hueso que había empleado Iza para preparar sus medicinas y medir las dosis, la piedra redonda de mano y la piedra plana que servía de base y que utilizaba para aplastar y moler, sus platos personales para comer, unos cuantos implementos y su bolsa de medicina, y lo puso todo sobre el lecho de Iza. Entonces se quedó mirando el humilde montón que representaba la vida y el trabajo de Iza.

—¡Esos no son los instrumentos de Iza! — señaló con ira, y de un brinco se puso en pie para echar a correr fuera de la cueva. Creb la vio marcharse, meneó la cabeza y recogió los instrumentos de Iza.

Ayla atravesó el río y corrió hacia una pradera donde Iza y ella habían estado anteriormente. Se detuvo ante una mata de malva de vivos colores sobre graciosos tallos, y arrancó una brazada de distintos matices. Entonces recogió una milenrama parecida a la margarita que se empleaba para cataplasmas y contra dolores. Corrió por bosques y prados recogiendo más plantas de las que Iza había utilizado en su magia curativa: cardos de hojas blancas con flores amarillas redondas y pálidas y pinchos amarillos; amplia hierbacana amarilla y brillante; campanillas tan azules que parecían negras.

Cada una de las plantas que iba recogiendo había encontrado en algún el camino de la farmacopea de Iza, pero sólo escogía Ayla las que eran además bellas, de flores vistosas y olorosas. Ayla había vuelto a llorar al detenerse a la orilla de una pradera, con las flores en los brazos, recordando las veces que Iza y ella habían caminado juntas recogiendo plantas. Tenía los brazos tan llenos que le costaba trabajo llevarlas, pues no había llevado consigo su canasta de recolectora. Varias flores cayeron y se arrodilló para recogerlas, y entonces vio las ramas retorcidas y enredadas de centinodia con sus florecillas, y casi sonrió a la idea que acababa de ocurrírsele.

Metió la mano en su manto, sacó un cuchillo y cortó una rama de la planta. Bajo el cálido sol de principios del otoño, Ayla se sentó a la orilla de la pradera trenzando los tallos de las bellas plantas floridas entre la red de tallos que servía de base, hasta que la rama entera fue un derroche de color.

Todo el Clan se sorprendió al ver a Ayla avanzar en la cueva con su trenza de flores. Fue directamente al fondo de la cueva y la dejó junto al cadáver de la curandera que estaba tendido de costado en la poco profunda zanja dentro de un óvalo de piedras.

—¡Estos eran los instrumentos de Iza! —señaló Ayla retadoramente con gestos, como si desafiara a que le llevaran la contraria.

El viejo mago asintió. "Tiene razón —pensó—. Estos fueron los instrumentos de Iza, los que conocía, con los que trabajó toda su vida. Puede alegrarse al tenerlos en el mundo de los espíritus. Me pregunto si crecerán flores ahí".

Los instrumentos de Iza, los implementos y las flores fueron bajados a la tumba con la mujer, y el Clan comenzó a amontonar las piedras alrededor y por encima de su cuerpo mientras Mog-ur hacía señas rogando al Espíritu del Gran Ursus y al tótem de la mujer, la Saiga, que guiaran el espíritu de Iza a salvo por el otro mundo.

—¡Espera! —interrumpió repentinamente Ayla—, se me ha olvidado algo—. Regresó al hogar y buscó su bolsa de medicina, de donde sacó cuidadosamente las dos mitades del antiguo tazón de la curandera. Volvió aprisa y tendió las piezas en la tumba junto al cuerpo de Iza. —He pensado que puede querer llevárselo, ahora que ya no sirve.

Mog-ur aprobó con un gesto. Era lo correcto, mucho más correcto de lo que nadie pudiera saber; entonces reanudó sus gestos. Una vez que la última piedra estuvo colocada, las mujeres del Clan comenzaron a poner leña alrededor y encima del montón de piedras. Una brasa del fuego de la cueva fue empleado para iniciar el fuego para guisar el festín del funeral de Iza. Los alimentos se guisaron encima de su tumba, y el fuego seguiría ardiendo varios días. El calor apartaría toda humedad del cuerpo, disecándolo, momificándolo y quitándole el olor.

Cuando prendieron las llamas, Mog-ur inició un último y elocuente lamento mediante movimientos que conmovieron el alma de cada miembro del Clan. Habló al mundo de los espíritus del amor que sentían por la curandera que los había atendido, cuidado y ayudado en enfermedad y dolor tan misteriosos para ellos como la muerte. Eran gestos rituales, repetidos esencialmente de la misma manera en cada funeral, y algunos de los movimientos se empleaban fundamentalmente durante las ceremonias masculinas y eran desconocidos para las mujeres, pero el significado se transmitía claramente. Aun cuando la forma externa era convencional, el fervor, la convicción y la pena inefable del gran hombre santo impregnaban los gestos oficializados de un significado que iba mucho más allá de la forma pura y simple.

Con los ojos secos, Ayla miraba el fuego que danzaba siguiendo los graciosos movimientos del hombre manco y tullido, y sentía las emociones de él como si fueran las suyas propias. Mog-ur estaba expresando su pesar, y ella se identificaba totalmente con él como si el mago hubiera penetrado en ella y hablara con su cerebro, sintiera con su corazón. Ebra comenzó a lamentar su dolor y las demás mujeres también. Uba, con Durc en brazos, sintió un agudo gemido sin palabras formarse en su garganta, y con un estallido de alivio se unió al lamento compasivo. Ayla miraba sin ver, demasiado sumida en la profundidad de su pesadumbre para expresarlo, ni siquiera podía encontrar el alivio de las lágrimas.

No sabía cuánto tiempo llevaba contemplando el resplandor hipnótico de las llamas con ojos ciegos; Ebra tuvo que sacudirla antes de que respondiera, volviendo una mirada vacía hacia la compañera del jefe.

—Ayla, come algo. Es el último festín que hemos de compartir con Iza.

Ayla aceptó el plato de madera con alimentos, metió automáticamente un trozo de carne en la boca y estuvo a punto de ahogarse al intentar tragarlo. De repente, se puso en pie y salió corriendo de la cueva. Ciegamente tropezó con piedras y maleza. Al principio sus pies iban a llevarla por un camino conocido hasta una alta pradera montañosa y una pequeña cueva que le habían brindado refugio y seguridad en otros tiempos. Pero se apartó; desde que había mostrado el lugar a Brun, ya no le parecía suyo, y su última visita encerraba recuerdos demasiado tristes. En cambio, trepó por el risco que protegía su cueva contra los vientos del norte que aullaban montaña abajo en invierno y debilitaba los fuertes vientos del otoño.

Sacudida por ráfagas, Ayla cayó de rodillas al llegar arriba y allí, sola con su dolor insoportable, se abandonó a la angustia en forma de un gemido quejoso y modulado mientras se balanceaba al ritmo de su corazón dolorido. Creb salió cojeando de la cueva tras ella, la vio recortarse sobre las nubes que el crepúsculo matizaba, y oyó el gemido lejano y débil. Por muy grande que fuera su propio dolor, no podía comprender que la joven rechazara el alivio de la compañía en su pena, su retiro dentro de sí misma. Su discernimiento habitual estaba embotado por su propia pena; no comprendía que ella sufría de algo más que pena.

La culpabilidad embargaba su alma; se echaba la culpa del deceso de Iza. Había abandonado a una enferma para ir a una Reunión del Clan; era una curandera que había desertado de alguien que la necesitaba, de alguien a quien amaba. Se echaba la culpa de que Iza hubiera ido a la montaña para encontrar una raíz que le ayudara a ella a conservar el bebé que tan desesperadamente deseaba, y eso había causado la enfermedad casi mortal que debilitó a la mujer. Se sintió culpable por el dolor que había causado inconscientemente a Creb al seguir las luces hasta la pequeña cámara de la montaña allá en el este. Más que pesar y culpabilidad, se sentía débil por falta de alimentos y sufría la fiebre de la leche cuajada en sus pechos hinchados, dolorosos. Pero más aún, sufría una depresión en que Iza podría haberla ayudado, de haber estado allí, porque Ayla era una curandera dedicada a aliviar el dolor y salvar la vida, y se le había muerto su primera paciente.

Lo que más necesitaba Ayla era su bebé. No sólo necesitaba alimentarlo, necesitaba las exigencias de sus cuidados para devolverla a la realidad, para hacerle comprender que la vida sigue su curso. Pero cuando regresó a la cueva Durc estaba dormido junto a Uba. Creb se lo había llevado a Oga de nuevo, para que lo alimentara. Ayla se revolvía en su lecho, sin poder dormir, sin darse cuenta siquiera de que lo que la mantenía despierta era la fiebre y el dolor físico. Su mente estaba demasiado introvertida, concentrada en su pena y su sentimiento de culpa.

Cuando despertó Creb, Ayla se había marchado ya, había salido de la cueva y escalado de nuevo el risco; podía verla de lejos y la observaba ansiosamente, pero no podía ver su debilidad ni su fiebre.

—¿Voy a buscarla? —preguntó Brun, tan desconcertado como Creb por la reacción de Ayla.

—Parece que prefiere estar sola. Tal vez haya que dejarla —respondió Creb.

Se preocupó por ella cuando ya no la vio, y por la noche, como no regresaba, pidió a Brun que fuera a buscarla, lamentando no haber dejado que fuera por ella más pronto al verlo regresar con la joven en brazos: la pena y la depresión se habían ensañado en ella, la debilidad y la fiebre habían completado la obra. Ebra y Uba cuidaron a la curandera del Clan;

deliraba, tiritaba de frío y ardía de calentura, alternativamente. Gritaba si le rozaban apenas los senos.

—Va a quedarse sin leche —dijo Ebra a la muchacha—. Es demasiado tarde para que Durc sirva de algo ahora; la leche está cuajada y el bebé no podrá chuparla.

—Pero Durc es demasiado pequeño para destetarlo. ¿Qué va a ser de él? ¿Qué va a ser de ella?

Tal vez no hubiera sido demasiado tarde de haber vivido Iza o si Ayla hubiera estado coherente. Inclusive Uba conocía las compresas que habrían ayudado, medicinas que podían servir, pero era joven y no estaba segura de sí misma, y Ebra se mostraba tan positiva... Para cuando bajó la fiebre, la leche de Ayla se había secado; ya no podía alimentar a su hijo.

—No quiero tener ese mocoso deforme en mi hogar, Oga. ¡No lo quiero por hermano de tus hijos!

Broud estaba furioso, movía los puños y Oga estaba a sus pies, atemorizada.

—Pero Broud, si sólo es un bebé; necesita mamar. Ika y Aga no tienen suficiente leche, no sería bueno que se quedaran con él. Yo tengo suficiente, siempre he tenido leche abundante. Si no se alimenta morirá de hambre, Broud, morirá.

—Poco me importa que muera. Nunca se le debería haber permitido vivir, para empezar. No vivirá en este hogar.

Oga dejó de temblar y miró al hombre que era su compañero. No creía que se negaría a dejarle tener consigo al bebé de Ayla. Sabía que regañaría, disparataría y bramaría, pero estaba segura de que al final se lo permitiría. No podía ser tan cruel, no podía permitir que un bebé muriera de hambre por mucho que aborreciera a la madre de Durc.

—Broud, Ayla salvó la vida de Brac, ¿cómo puedes dejar morir a su hijo?

—¿No ha ganado bastante salvándole la vida a Brac? Le han permitido vivir, le han permitido inclusive cazar. Nada le debo.

—No le fue permitido vivir: la maldijeron de muerte. Volvió del mundo de los espíritus porque su tótem lo quiso, porque la protegió —protestó Oga.

—Si hubiera recibido la maldición debida no habría vuelto y nunca habría dado a luz a ese mocoso. Si su tótem es tan fuerte, ¿por qué ha perdido la leche? Todos decían que su bebé sería infortunado. ¿Qué puede ser más infortunado que perder la leche de su madre? Y ahora quieres traer su mala suerte a este hogar. No lo permitiré, Oga. ¡Es definitivo!

Oga se sentó y miró a Broud calmosa y deliberadamente.

—No, Broud —señaló—. No es definitivo. —Ya no estaba temerosa; la expresión de Broud cambió a una sorpresa escandalizada—. Puedes impedir que Durc viva en tu hogar; es tu derecho y nada puedo hacer contra eso. Pero no puedes impedir que yo lo amamante; es el derecho de toda mujer. Una mujer puede amamantar al bebé que quiera, y ningún hombre se lo puede impedir. Ayla salvó la vida de mi hijo y yo no dejaré que muera el suyo. Durc será hermano de mis hijos, ya te agrade o no.

Broud se quedó pasmado; la negativa de su compañera a someterse a sus deseos era totalmente inesperada. Oga nunca se había mostrado insolente, nunca irrespetuosa, nunca había dado muestras de desobediencia. Apenas podía creerlo; su asombro se convirtió en furor.

—¡Cómo te atreves a desafiar a tu compañero, mujer! ¡Haré que abandones este hogar! —atronó.

—Entonces me llevaré a mis hijos y me marcharé, Broud. Suplicaré a otro hombre que me acepte. Tal vez Mog-ur me permita vivir con él si ningún otro hombre me quiere. Pero *he de* amamantar al bebé de Ayla.

La única respuesta de Broud fue un fuerte puñetazo que la tumbó. Estaba demasiado lleno de ira para dar otra respuesta. Iba a seguir golpeándola pero giró sobre sus talones. "Voy a ocuparme de esta falta flagrante de respeto" pensó, dirigiéndose al hogar de Brun.

—Primero contamina a Iza, ahora su obstinación se ha transmitido a mi compañera —gesticuló Broud en el momento en que pasó las piedras limítrofes—. He dicho a Oga que no quiero tener con nosotros al hijo de Ayla, le he dicho que no deseo ese muchacho deforme como hermano de sus hijos. ¿Sabes lo que me ha dicho? ¡Qué de todos modos lo criará! Ha dicho que no puedo impedírselo. Ha dicho que será hermano de sus hijos, quiéralo yo o no. ¿Puedes creerlo?, ¿de Oga?, ¿de mi compañera?

—Tiene razón, Broud —dijo Brun con una calma controlada—. No le puedes impedir que lo alimente. El bebé que una mujer amamanta no es asunto del hombre, nunca lo ha sido. Tiene cosas más importantes en que pensar.

Brun no estaba muy satisfecho de la objeción de Broud. Era deshonroso para Broud preocuparse tan emocionalmente de cuestiones que atañían sólo a las mujeres. ¿Y quién más podría hacerlo? Durc era del Clan, especialmente después del Festival del Oso. Y los del Clan siempre atendían a los suyos. Inclusive la mujer que venía de otro clan y nunca tuvo un solo hijo, no tuvo que morirse de hambre cuando su compañero falleció. Podía carecer de valor, podía ser una carga, pero mientras hubo alimentos en el Clan, recibió su comida.

Broud podía negarse a aceptar a Durc en su hogar; eso imponía la necesidad de proveer para él y adiestrarlo junto con los hijos de Oga. Eso no le agradaba mucho a Brun, pero era de esperarse. Todos sabían cuáles eran sus sentimientos respecto a Ayla y su hijo. Pero, ¿por qué tenía que oponerse a que su compañera amamantara al niño, si todos eran de un mismo Clan?

—¿Quieres decir que Oga puede ser tercamente desobediente y salirse con la suya? —preguntó Broud, furioso.

—¿Y eso a ti qué te importa, Broud? ¿Quieres que muera el niño? —preguntó Brun. Broud se puso colorado ante la pregunta directa—. Es del Clan, Broud. A pesar de su cabeza deforme, no parece retrasado. Crecerá y será un cazador; éste es su Clan. Inclusive ya tiene prometida una compañera, y tú estuviste de acuerdo. ¿Por qué te muestras tan emocional a la idea de que tu compañera amamante al bebé de otra mujer? ¿Todavía te muestras emocional respecto a Ayla? Eres un hombre, Broud, y lo que le ordenes tiene que ejecutarlo. Y te obedece. ¿Por qué compites con una mujer? Te menosprecias a ti mismo. ¿O estoy equivocado? ¿Eres un hombre, Broud? ¿Eres lo suficientemente hombre para encabezar a este Clan?

—Es que no deseo que un niño deforme sea hermano de los hijos de mi compañera —señaló Broud con un gesto poco convincente. Era una excusa, pero no había dejado de percibir la amenaza.

—Broud, ¿qué cazador no ha salvado la vida de otro? ¿Qué hombre no lleva una parte del espíritu de todos los demás? ¿Qué hombre no es hermano de los demás? ¿Importa que Durc sea hermano de los hijos de tu compañera ahora o después de que crezcan? ¿Por qué te opones?

Broud no tenía respuesta, ninguna que fuera aceptable para el jefe. No podía admitir su odio devastador contra Ayla; sería admitir su incapacidad de dominar sus emociones, admitir que no era suficientemente hombre para ser jefe. Lamentaba haberse acercado a Brun: "Debería haber recordado —pensó—. Siempre se pone de su parte. Estaba tan orgulloso de mí en la Reunión del Clan. Y ahora, por culpa de ella, vuelve a dudar".

—Bueno, no me importa que Oga lo amamante —indicó Broud—, pero no lo quiero en mi hogar. —Sabía que sobre ese punto estaba en su derecho y no iba a ceder—. Puedes pensar que no es retrasado pero yo no estoy tan seguro. No quiero tener la responsabilidad de su educación. Dudo mucho de que llegue a ser cazador.

—Como tú quieras, Broud. Yo asumí la responsabilidad de su educación, y tomé esa decisión aun antes de aceptarlo. Pero lo acepté. Durc es miembro de este Clan y será cazador. Yo me encargo de eso.

Broud regresó a su hogar, pero vio que Creb llevaba nuevamente Durc a Oga, y entonces salió de la cueva. No desahogó su ira mientras no estuvo seguro de encontrarse suficientemente lejos de la cita de Brun. "Todo es culpa de ese viejo inútil" se dijo, y después trató de apartar el pensamiento de su mente, por miedo a que el mago dispusiera de algún medio para saber lo que estaba pensando.

Broud temía a los espíritus tal vez más que cualquiera de los hombres del Clan, y su temor se extendía a aquel que los trataba tan íntimamente. Al fin y al cabo ¿Qué podía hacer un cazador contra toda una formación de seres incorpóreos capaces de causar mala suerte o enfermedad o muerte, y qué podía hacer contra el hombre que tenía el poder de llamarlos a voluntad? Broud acababa de volver de una Reunión del Clan en que pasó muchas noches con jóvenes de otros clanes que trataban de asustarse unos a otros con cuentos de desdicha causada por mog-ures a quienes se había incomodado. Lanzas que se volvían en el último instante impidiendo matar, terribles enfermedades que causaban dolor y sufrimiento, puñaladas, palizas, todo tipo de calamidades aterradoras cuya culpabilidad se achacaba a magos iracundos. Los cuentos de horror no eran tan comunes en su propio Clan. pero de todos modos: el Mog-ur era el mago más poderoso de todos.

Aun cuando hubo veces en que el joven lo consideró más digno de burla que de respeto, el cuerpo deforme del Mog-ur y su rostro tuerto y horriblemente cubierto de cicatrices incrementaban su estatura. A quienes no lo conocían, se les antojaba inhumano, tal vez parcialmente demoniaco. Broud había aprovechado el temor de los demás jóvenes, disfrutando de su pavor incrédulo cuando les dijo que no temía a El Gran Mog-ur.

Pero a pesar de su jactancia, las historias lo habían impresionado. La veneración del Clan por el viejo tambaleante que no podía cazar incitaba a Broud a mostrarse más cauteloso respecto a su poder.

Siempre que soñaba con el momento en que sería jefe, pensaba en Goov como su mog-ur. Goov tenía casi su edad y era un compañero de cacería demasiado íntimo, para que Broud considerara al futuro mago de la misma manera. Estaba seguro de poder convencer o coaccionar al acólito para que aceptara sus decisiones, pero ni siquiera se le ocurría enfrentarse a el Mog-ur.

Mientras Broud caminaba por los bosques próximos a la cueva, tomó una decisión firme: nunca más permitiría que el jefe pudiera dudar de él; nunca más volvería a poner en peligro el destino que estaba a punto de ver realizarse. "Pero cuando sea jefe —pensó— yo tomaré las decisiones. Ella ha puesto a Brun en mi contra, inclusive a Oga, mi propia compañera. Cuando sea jefe poco importará que Brun se ponga de su parte, ya no podrá seguir protegiéndola". Broud recordaba cada daño que le había causado, cada vez que había opacado su gloria, cada desaire contra su ego. Se extendía sobre todo ello deleitándose anticipadamente a la idea de hacérselo pagar. Podía esperar. "Algún día —se dijo—, algún día y muy pronto, lamentará haber venido a vivir en este Clan".

Broud no era el único que echaba la culpa al viejo tullido; también Creb se echaba la culpa de que Ayla hubiera perdido la leche. No había mucha diferencia —ahora— que fuera su preocupación la que causara tan desastrosos resultados. Lo que pasaba era que él no había comprendido cómo funcionaba el cuerpo de la mujer; había tenido muy poca experiencia con mujeres. Sólo a edad avanzada había llegado a establecer un contacto estrecho con una madre y un bebé. No se había percatado de que cuando una madre amamantaba al bebé de otra, el favor era compensado más por el bien de ella que para aliviarla de una obligación. Nadie se lo había dicho; nadie tuvo que decírselo hasta que fue demasiado tarde.

Se preguntaba qué terrible calamidad le habría sucedido a Ayla. ¿Sería solamente porque su hijo tenía mala suerte? Creb buscaba razones, y en su introspección cargada de culpabilidad, comenzó a poner en duda sus propios motivos. ¿Sería preocupación sincera o deseaba hacerle daño como ella se lo había hecho inadvertidamente a él? ¿Era digno de su gran tótem? ¿Se habría rebajado el Mog-ur a una venganza tan mezquina? Si él era un ejemplo de su más elevado hombre santo, tal vez su pueblo mereciera perecer. El convencimiento de que su raza estaba condenada, la muerte de Iza, y su culpa por la pena que había causado a Ayla, lo sumían en un desaliento melancólico. La prueba más difícil en toda la vida de Mog-ur llegaba a su fin.

Ayla no le echaba la culpa a Creb, se echaba la culpa a sí misma, pero ver que otra mujer amamantara a su hijo era más de lo que podía soportar. Oga, Ika y Aga, por turno, habían ido a verla y decirle que alimentarían a Durc, y estaba agradecida, pero casi siempre era Uba quien se lo llevaba a una de ellas y se quedaba de visita hasta que el niño había quedado satisfecho. Al perder su leche, Ayla perdió una parte importante de la vida de su hijo. Seguía llorando la muerte de Iza y se echaba la culpa de que hubiera muerto, y Creb se había retirado tan dentro de sí mismo que no podía llegar a él y temía intentarlo. Pero todas las noches, cuando se llevaba a Durc a su lecho, se lo agradecía a Broud: su negativa a aceptarlo en su hogar significaba que ella no lo había perdido del todo.

Al comenzar a reducirse los días del otoño, Ayla volvió a tomar su honda como excusa para salir sola. Había cazado tan poco el año anterior que su habilidad estaba algo menguada, pero con la práctica le volvieron la precisión y la rapidez. La mayor parte del tiempo salía temprano por la mañana y volvía tarde, dejando que Uba se ocupara de Durc, y sólo lamentaba que el invierno se abatiera tan pronto sobre ellos. El ejercicio era bueno, pero tuvo que superar un problema: no había cazado mucho después de desarrollarse plenamente como mujer, y senos pesados que oscilaban a cada paso la fastidiaban cuando corría o brincaba. Observó que los hombres llevaban un taparrabos para proteger sus órganos delicados, y se hizo una banda para sostener su pecho en su sitio, atándola a la espalda. Era más cómodo para ella, y no tomó en cuenta las miradas curiosas que le echaban cuando la llevaba puesta.

Aunque la caza fortalecía su cuerpo y ocupaba su mente mientras estaba fuera, seguía llevando su carga de duelo y pena. Para Uba, era como si la dicha hubiera abandonado el hogar de Creb. Echaba de menos a su madre, y tanto Creb como Ayla llevaban un aura de tristeza perpetua. Sólo Durc, con sus modos infantiles e involuntarios, le recordaba algo de la felicidad que anteriormente había tenido como cosa natural. Inclusive había ocasiones en que sacaba a Creb de su letargo.

Ayla había salido temprano y Uba se encontraba apartada del hogar en busca de algo que había en el fondo de la cueva. Oga acababa de llevar a Durc, y Creb echaba un ojo al niño. Este se sentía lleno y satisfecho pero no tenía sueño; gateó hasta donde estaba el viejo y se puso en pie sobre piernas inseguras y tambaleantes, agarrándose a Creb para sostenerse.

—De modo que pronto echarás a andar —señaló Creb—. Antes de que termine el invierno estarás corriendo por toda la cueva, jovencito.

Creb le picó la barriguita para dar énfasis a sus gestos; las comisuras de la boca de Durc se elevaron y el niño produjo un sonido que Creb sólo había oído a otra persona del Clan: reía. Creb volvió a picarle y el niño se dobló en una risa entrecortada de bebé, perdió el equilibrio y cayó sentado en su firme traserito. Creb le ayudó a ponerse en pie de nuevo y miró al niño como nunca antes lo había mirado.

Las piernecitas de Durc estaban arqueadas, pero no tanto como las de los demás bebés del Clan; y aunque las tenía regordetas, Creb podía ver que sus huesos eran más largos y delgados. "Creo que las piernas de Durc van a ser rectas cuando crezca, como las de Ayla, y también será alto. Y su cuello, tan delgado y larguirucho al nacer que no podía sostener su cabeza... es igual que el cuello de Ayla. Pero su cabeza no es igual, ¿o sí? Esa frente alta es la de Ayla. —Creb hizo girar la cabeza de Durc para verla de perfil—. Sí, decididamente su frente, pero sus cejas y los ojos son del Clan, y también su nuca es más como la del Clan.

"Ayla tenía razón: no es deforme, es una mezcla, una mezcla de ella y el Clan. Me pregunto si siempre será así. ¿Se mezclan los espíritus? Tal vez sea eso lo que hace a las muchachas, no un débil tótem masculino. ¿Se iniciará la vida con una mezcla de espíritus totémicos masculino y femenino?" Creb sacudió la cabeza; no sabía, pero eso puso a pensar al viejo mago. Pensó a menudo en Durc durante aquel frío invierno. Tenía la sensación de que Durc era importante, pero el porqué se le escapaba.

27

—Pero Ayla, yo no soy como tú. Yo no sé cazar. ¿Adónde iré cuando oscurezca? —imploraba Uba—. Ayla, tengo miedo.

La cara asustada de la joven inspiraba a Ayla el deseo de ir con ella. Uba no tenía aún ocho años, y la idea de pasarse los días sola lejos de la seguridad de la cueva la aterraba, pero el espíritu de su tótem había librado batalla por vez primera y así debía ser; no quedaba más remedio.

—¿Recuerdas la pequeña cueva en que me escondí cuando nació Durc? Ve allí, Uba. Será más seguro que quedarte en descubierto. Iré a verte todas las tardes y te llevaré de comer; sólo son unos pocos días, Uba. Asegúrate de llevar contigo una piel para dormir y una brasa para prender fuego; hay agua cerca. Será solitario, especialmente de noche, pero estarás bien. Y piénsalo: ahora eres una mujer. Pronto te aparearás y quizás tengas un bebé propio antes de mucho —fue el consuelo que Ayla le proporcionó.

—¿A quién crees que escoja Brun para mí?

—¿A quién te gustaría que escogiera, Uba?

—Vorn es el único hombre sin aparear, aunque estoy segura de que Borg también lo será pronto. Naturalmente, puede decidir darme por segunda mujer a uno de los demás. Creo que me gustaría Borg; solíamos jugar juntos a que estábamos apareados hasta que una vez trató realmente de aliviar sus necesidades conmigo. No funcionó, ahora se muestra tímido y, como está a punto de convertirse en hombre, no quiere seguir jugando con las muchachas. Pero Ona es una mujer también y no se puede aparear con Vorn. Como Brun no decida dársela a un hombre que tenga ya compañera, no hay más que Borg para ella. Supongo que eso significa que mi compañero será Vorn.

—Vorn es hombre desde hace algún tiempo ya, y probablemente a estas alturas estará deseando aparearse —dijo Ayla. Ella también había llegado a esa conclusión. —¿Crees que te gustaría Vorn por compañero?

—Trata de fingir que no se fija en mí, pero a veces me mira. Tal vez no sea tan malo.

—A Broud le agrada; probablemente sea algún día segundo al mando. No necesitas preocuparte por la posición, pero sería bueno para tus hijos. Cuando era más joven no me agradaba Vorn, pero creo que tienes razón; inclusive es amable con Durc cuando Broud no anda cerca.

—Todo el mundo es amable con Durc, menos Broud —dijo Uba—. Todos lo quieren.

—Bueno, la verdad es que se encuentra como en su casa en todos los hogares. Está tan acostumbrado a que lo lleven a mamar de un lado a otro, que inclusive llama madre a todas las mujeres —indicó Ayla con una fugaz contracción de la frente. Una sonrisa rápida sustituyó su expresión de infelicidad—. Recuerda cuando fue al hogar de Grod, como si viviera allí.

—Lo recuerdo; traté de no mirar, pero no pude remediarlo —recordó Uba—. Pasó por delante de Uba saludándola y diciéndole "madre", se fue derecho a Grod y se subió a su regazo.

—Ya sé —dijo Ayla—. Nunca he visto a Grod tan sorprendido en mi vida. Entonces se bajó y fue por las lanzas de Grod. Estaba segura de que Grod se enfadaría, pero no pudo resistir a un chiquillo tan descarado cuando comenzó a tirar de la lanza más grande que tiene. Y cuando Grod se la quitó de las manos dijo: 'Durc caza como Grod'.

—Creo que Durc era muy capaz de llevarse a rastras esa pesada lanza hasta fuera de la cueva, si Grod le hubiera dejado.

—Se lleva a la cama la lanza pequeña que le ha hecho Grod —señaló Ayla, sin dejar de sonreír—. Ya sabes que Grod no habla mucho; pero me sorprendió al verlo llegar el otro día. Apenas me saludó, sólo se fue derecho hacia Durc y le puso la lanza en las manos, e inclusive le enseñó a sostenerla. Al marcharse lo único que dijo fue: "Si el niño desea tanto cazar, debe tener su propia lanza".

—Es una lástima que Ovra no haya tenido hijos. Creo que a Grod le gustaría que la hija de su compañera tuviera un bebé —dijo Uba—. Tal vez por eso Grod quiere a Durc, porque no depende de hombre alguno. También Brun lo quiere, estoy segura; y Zoug ya le está enseñando a usar la honda. No creo que vaya a tener problemas para aprender a cazar, aun cuando no hay hombre en su hogar que pueda educarlo. A la manera en que los hombres actúan, cualquiera diría que cada uno de ellos en el Clan es el compañero de su madre... menos Broud. —Se detuvo—. Tal vez así sea, Ayla. Dorv dijo siempre que se combinaron los tótemes de cada uno de los hombres para derrotar a tu León Cavernario.

—Creo que será mejor que te vayas, Uba —dijo Ayla, cambiando de tema—. Te acompañaré parte del camino. Ha dejado de llover y creo que las fresas están maduras. Hay una buena mancha de ellas en el camino. Iré a verte más tarde.

Goov pintó el símbolo del tótem de Vorn sobre el símbolo del tótem de Uba con pasta de ocre amarillo, emborronando la señal de ella y mostrando el predominio de él.

—¿Aceptas a esta mujer por compañera? —señaló Creb.

Vorn tocó el hombro de Uba y ésta lo siguió cueva adentro. Entonces Creb y Goov llevaron a cabo el mismo ritual para Ona y Borg, quienes se fueron a su nuevo hogar para comenzar el periodo de aislamiento. Los árboles vestidos de verano, un tono más claro aún de lo que serían más adelante, se agitaban bajo la suave brisa cuando se deshizo el grupo. Ayla alzó a Durc para llevárselo a la cueva, pero él se revolvió para que lo dejara en el suelo.

—Está bien, Durc —le indicó por señas—, puedes andar pero ven a tomar un poco de caldo y de papilla.

Mientras preparaba el desayuno, su hijo dejó el hogar y se dirigió al nuevo hogar ocupado ahora por Uba y Vorn, pero Ayla corrió tras él y lo trajo de vuelta.

—Durc quiere ver Uba —insistió el niño.

—No puedes, Durc. Nadie puede visitarla por algún tiempo. Pero si te portas bien y comes tu papilla, te llevaré de cacería.

—Durc se porta bien. ¿Por qué no puede ver Uba? —preguntó el niño, calmado ante la promesa de acompañar a su madre. —¿Por qué Uba no viene comer con nosotros?

—Ya no vive aquí, Durc. Está apareada con Vorn —explicó Ayla.

Durc no era el único que echaba de menos a Uba, los demás también. El hogar parecía vacío con sólo Creb, Ayla y el niño, y la tensión entre el viejo y la joven era más palpable. No habían encontrado la manera de superar sus remordimientos mutuos acerca del daño que se habían hecho uno a otro. Muchas veces, cuando veía Ayla al viejo mago sumido en su profunda melancolía, habría querido acercársele, rodear su cabeza blanca y melenuda con sus brazos, y abrazarlo como cuando era pequeña. Pero se contenía, renuente a obligarlo a aceptarla.

Creb echaba de menos el afecto, aunque no se percataba de su carencia contribuía a su depresión. Y muchas veces, cuando Creb veía la pena que Ayla sentía al observar cómo otra mujer amamantaba a su hijito, habría querido acercarse a ella. De haber vivido Iza, habría encontrado la manera de reunirlos de nuevo, pero sin aquel catalizador se iban apartando uno de otro, deseosos de mostrar el amor que sentían y sin saber cómo cerrar la brecha que los separaba. Los dos se sintieron incómodos durante el primer desayuno sin Uba.

—¿Quieres más, Creb? —preguntó Ayla.

—No. No. No te preocupes, he tenido suficiente —respondió.

El la vio recoger mientras Durc se servía de nuevo con ambas manecitas y una cuchara de concha. Aunque sólo tenía poco más de dos años, ya estaba prácticamente destetado. Todavía se acercaba a Oga —y a Ika ahora que ésta tenía otro bebé— para mamar un poco y sentir mimo y cariño, y porque se lo permitían. Por lo general, cuando nacía un nuevo bebé, los niños mayores que todavía mamaban eran apartados, pero Ika exceptuaba de esta regla a Durc. El niño parecía comprender que no debía abusar de su privilegio; nunca la agotaba, nunca privaba de leche a su nuevo bebé sino que se quedaba en brazos unos momentos como para demostrar que tenía derecho.

También Oga se mostraba indulgente con él, y aun cuando Grev estaba técnicamente más allá de su año de mamón, aprovechaba la tolerancia de su madre. A menudo estaban ambos en el regazo de ella, cada uno mamando de un pecho hasta que su interés mutuo superaba a su deseo de mimos, y entonces se ponían a jugar. Durc era tan alto como Grev aunque no tan corpulento; y aun cuando Grev solía ganarle a Durc en sus peleas amistosas. Durc dejaba atrás al muchacho mayor cuando se trataba de correr. Ambos eran inseparables; se juntaba tan pronto como se presentaba la oportunidad.

—¿Vas a llevarte al niño? —preguntó Creb después de un silencio incómodo.

—Sí —asintió la joven, limpiando la cara y las manos del niño—. He prometido llevármelo de cacería. No creo que podré cazar mucho con él, pero también necesito recoger hierbas y el día es hermoso.

Creb dio un gruñido.

—También deberías salir un poco, Creb —agregó—. El sol te vendría muy bien.

—Sí, sí, saldré, Ayla, más tarde.

Durante un instante pensó en obligarlo a salir de la cueva ofreciéndole dar un paseo junto al río como solían hacer antes, pero ya parecía que el viejo se hubiera vuelto hacia sí mismo. Lo dejó sentado donde estaba, recogió a Durc y salió rápidamente. Creb no alzó la vista hasta que estuvo seguro de que se había ido; tendió la mano hacia su bastón pero decidió que el esfuerzo de levantarse era demasiado grande, y lo dejó donde estaba.

Ayla estuvo preocupada por él mientras echaba a andar con Durc sentado en su cadera y su canasto de recolectora sujeto a la espalda. Se daba cuenta de que el poder mental del mog-ur estaba decreciendo; se mostraba más distraído que nunca, repetía preguntas a las que ya se había contestado. Apenas se movía para salir de la cueva, inclusive cuando hacía sol y calor. Y cuando permanecía sentado durante largas horas sumido en lo que él llamaba meditación, a veces se quedaba dormido.

Los pasos de Ayla se alargaron una vez que perdió de vista la cueva. La libertad de movimientos y la belleza del día estival alejaron sus preocupaciones a una parte más recóndita de su mente. Dejó que Durc caminara cuando llegaron a un calvero, y se agachó para recoger varias plantas. El niño la observó y después arrancó un puñado de hierba y alfalfa de flores púrpura desde la raíz, llevándoselo después en su puño apretado.

—Eres una gran ayuda, Durc —le indicó, tomándolo de su mano y depositándolo en el canasto que tenía al lado.

—Durc trae más —indicó, y volvió a alejarse.

Ayla se sentó sobre los talones para mirar cómo su hijo tiraba de un puñado más grande; de repente éste cedió y el niño cayó sentado; arrugó el rostro para llorar, más sorprendido que dolorido, pero Ayla corrió hacia él, lo alzó y lo lanzó por el aire, recibiéndolo de nuevo en sus brazos. Durc reía alborozado. Ayla lo dejó en el suelo y fingió correr tras él para atraparlo.

—A que te alcanzo —señaló.

Durc corrió con sus piernitas de bebé, riendo. Le dejó tomar la delantera y corrió tras él gateando, agarrándolo y poniéndolo encima de ella, mientras ambos reían. Le hizo cosquillas sólo por oírlo reír de nuevo.

Ayla nunca reía con su hijo a menos que ambos estuvieran solos, y Durc no tardó en comprender que nadie más apreciaba ni aprobaba sus sonrisas y risas. Aun cuando Durc hacía el gesto de "madre" a todas las mujeres del Clan, dentro de su corazoncito bien sabía que Ayla era especial. Siempre se sentía más feliz con ella que con nadie, y le gustaba que lo llevara cuando iba sola, sin las demás mujeres. Y también le gustaba el juego que sólo su madre y él sabían.

—Ba-ba-na-ni-ni —decía Durc.

—Ba-ba-na-ni-ni —repetía Ayla en voz alta las sílabas sin sentido.

—No-na-ni-ga-gu-la —expresaba Durc otra serie de sonidos.

Ayla volvía a imitarlo, y le hacía cosquillas. Le encantaba oírlo reír. Siempre reía ella también. Entonces ella expresaba una serie de sonidos, sonidos que le agradaba más oír que ningún otro; no sabía por qué, sólo que despertaba en ella una sensación de ternura tan grande que casi le llenaba los ojos de lágrimas.

—Ma-ma-ma-ma —decía Ayla.

—Ma-ma-ma-ma —repetía Durc. Ayla rodeó a su hijito con sus brazos y lo estrechó contra su cuerpo. —Ma-ma —repitió Durc.

Se agitó para liberarse; sólo le gustaba estar abrazado a ella a la hora de dormir. Ayla secó una lágrima; las lágrimas eran una peculiaridad que su hijo no compartía con ella. Los ojos grandes y morenos de Durc, profundamente hundidos bajo arcos ciliares pesados, eran como todos los del Clan.

—Ma-ma —dijo Durc. A menudo la llamaba con esas sílabas cuando estaban solos, especialmente si se las había recordado ella—. ¿Ahora cazas? —preguntó por señas.

Las últimas veces que salió con Durc había estado enseñándole a sostener la honda. Iba a hacerle una pero Zoug se le adelantó; el viejo había dejado de salir, pero el placer que mostraba al tratar de enseñarle al niño complacía también a Ayla. Aunque Durc era pequeño aún, Ayla podía ver que tendría la misma aptitud que ella con el arma, y él se enorgullecía tanto de su diminuta honda como de su pequeña lanza.

Le gustaba la atención que atraía al caminar con una honda colgada de la correa que le rodeaba la cintura —lo único que llevaba puesto en verano además de su amuleto— y la lanza en mano. También a Grev hubo que hacerle sus pequeñas armas. La pareja de niños despertaba expresiones divertidas en los ojos del Clan y comentarios acerca de qué hombrecitos tan hermosos eran. Su papel futuro empezaba a definirse ya. Cuando Durc descubrió que una actitud autoritaria hacia las nenitas era bien vista, e inclusive aceptada benévolamente cuando se ejercía con las mujeres de más edad, nunca vaciló en pasarse de los límites... menos con su madre.

Durc sabía que su madre era diferente. Era la única que reía con él, la única que jugaba con él a los sonidos, sólo ella tenía aquella suave cabellera que le gustaba tocar. No podía recordar que le hubiera dado de mamar, pero no quería dormir más que con ella. Sabía que era mujer porque respondía al mismo movimiento que las demás mujeres, pero era mucho más alta que los hombres, y cazaba. No estaba muy seguro de lo que era cazar, sólo que los hombres lo hacían... y su madre. No encajaba en ninguna categoría; era mujer y no lo era, hombre y no lo era. Era única. El nombre que había comenzado a darle, el nombre hecho de sonidos, parecía ser el más adecuado. Era Mamá; y Mamá, la diosa de cabellos de oro a la que adoraba, no asentía con aprobación si intentaba darle órdenes.

Ayla puso la pequeña honda de Durc en sus manecitas y, poniéndole las suyas encima, trató de mostrarle cómo usarlas. Zoug había hecho lo mismo, y el niño empezaba a entender la idea. Entonces Ayla tomó la honda de su cinturón, encontró unos guijarros y los lanzó contra objetos cercanos. Cuando colocó piedras pequeñas sobre las rocas y procedió a derribarlas una y otra vez, Durc empezó a divertirse; fue tambaleándose en busca de más piedras para que lo repitiera. Al cabo de un rato dejó de interesarse y Ayla volvió a recoger plantas mientras Durc la seguía. Encontraron algunas frambuesas y se detuvieron para comerlas.

—Estás todo sucio, hijo mío —señaló Ayla al verlo todo cubierto de jugo rojo: la cara, las manos y la barriguita redonda. Lo levantó, se lo puso bajo el brazo y lo llevó a un arroyo para lavarlo. Después encontró una hoja grande, le dio forma de cono y la llenó de agua para que bebieran ella y el niño. Durc bostezó y se frotó los ojos. La madre tendió su manto en el suelo, a la sombra de un gran roble, y se acostó junto a él hasta que se quedó dormido.

En la quietud de la tarde de verano, Ayla estaba sentada con la espalda pegada al árbol mirando cómo revoloteaban las mariposas y se detenían con las alas a la espalda y cómo zumbaban los insectos en perpetuo movimiento, y escuchando una sinfonía de gorjeos de muchos pajarillos. Su mente regresó a los sucesos de la mañana. "Espero que Uba sea dichosa con Vorn —pensó—. Espero que sea bueno con ella. Todo ha quedado tan vacío desde que se fue, aunque no está lejos... pero no es lo mismo. Ahora guisará para su compañero y dormirá con él después del aislamiento. Ojalá tenga pronto un bebé; eso la hará feliz".

"Pero, ¿y yo? Nadie ha venido nunca desde aquel clan para preguntar por mí. Tal vez no consigan encontrar nuestra cueva. Pero no creo que estuvieran muy interesados de todos modos. Me alegro. No tengo ganas de aparearme con un hombre desconocido. Ni siquiera deseo a los que conozco, y ninguno de ellos me quiere. Soy demasiado alta; inclusive Droog apenas me llega a la barbilla. Iza se preguntaba si dejaría de crecer algún día. Empiezo a preguntármelo yo también. Broud lo odia; no aguanta que una mujer sea más alta que él. Pero no me ha molestado para nada desde que volvimos de la Reunión del Clan. ¿Por qué me estremezco cada vez que me mira?

"Brun se está haciendo viejo; Ebra me ha estado pidiendo medicamentos para sus músculos doloridos y sus articulaciones tiesas; pronto transmitirá la jefatura a Broud, lo sé. Y Goov será mog-ur. Cada vez se encarga de más ceremonias. No creo que Creb desee seguir siendo mog-ur, no desde aquella vez que los vi. ¿Por qué iría yo a la cámara aquella noche? Ni siquiera recuerdo cómo llegué allá. Ojalá nunca hubiera ido a la Reunión del Clan. De no haber ido, habría mantenido con vida a Iza unos cuantos años más. La echo tanto de menos, y no encontré compañero; pero Durc sí.

"Es curioso que le fuera permitido vivir a Ura, casi como si estuviera destinada a ser la compañera de Durc. Hombres de los Otros, dijo Oda. ¿Quiénes serán? Iza dijo que nací de ellos, ¿por qué no recuerdo? ¿Qué le pasaría a mi verdadera madre? ¿A su compañero? ¿Tuve hermanos?" Ayla sentía cierta incomodidad en la boca del estómago ... no era exactamente una náusea sino una sensación de incomodidad. Entonces, de repente, sintió que le hormigueaba el cuero cabelludo al recordar algo que Iza le había dicho la noche en que murió. Ayla lo había apartado de su mente, era demasiado doloroso para ella recordar la muerte de Iza.

"¡Iza me dijo que me marchara! Dijo que yo no era del Clan, dijo que había nacido de los Otros ... que tenía que hallar a mi gente y encontrarme un compañero. Dijo que Broud encontraría la manera de lastimarme, si me quedo. Al norte, dijo que viven al norte, más allá de la península, en el territorio continental.

"¿Cómo podría marcharme? Este es mi hogar. No puedo abandonar a Creb, y Durc me necesita. ¿Y si no puedo encontrar a los Otros? Y si los encuentro tal vez no me acepten. Nadie quiere a una mujer fea. ¿Cómo sé que encontraré un compañero aun cuando halle a algunos de los Otros?

"Pero Creb se está haciendo viejo. ¿Qué será de mí cuando ya no esté? ¿Quién proveerá entonces para mí? No puedo vivir sólo con Dur, algún hombre tendrá que hacerse cargo de mí. ¿Pero quién? ¡Broud! Va a ser el jefe; si ninguno otro me quiere, tendrá que ser él. ¿Y si tuviera que vivir con Broud? Tampoco me querría, pero sabe que a mí no me gustaría... y lo haría precisamente porque no me gustaría. Yo no podría vivir con Broud, preferiría vivir con algún otro hombre que no conozco, de algún otro clan, pero ellos tampoco me quieren.

"Quizá debería marcharme. Podría llevarme a Durc y nos iríamos los dos. Pero ¿Y si no encuentro a ninguno de los Otros? ¿Y si algo llegara a sucederme?, ¿quién se ocuparía de él? Se quedaría solo, lo mismo que yo; tuve suerte de que Iza me encontrara; tal vez Durc no fuera tan afortunado. No puedo llevármelo, ha nacido aquí, es del Clan aun cuando también es una parte de mí. Tiene ya comprometida su compañera. ¿Qué sería de Ura si yo me llevara a Durc? Oda la está adiestrando para que sea la compañera de Durc; le está diciendo que hay un hombre para ella aunque es deforme y fea. Durc necesitará de Ura también. Necesitará una compañera cuando sea mayor, y Ura es la que le conviene.

"Pero no podría yo vivir sin Durc. Preferiría vivir con Broud que tener que dejar a Durc. Tendré que quedarme, no hay más remedio. Me quedaré y viviré con Broud si no hay otra solución". Ayla miró a su hijito dormido y trató de poner sus ideas en orden, de ser una buena mujer del Clan y aceptar su sino. Una mosca se paró en la naricilla de Durc que hizo muecas, se frotó la nariz en sueños y siguió durmiendo.

"De todos modos, no sabría adónde ir. ¿Al norte? ¿Qué significa eso? Todo está al norte de aquí, menos el mar, que está al sur. Podría pasarme el resto de la vida vagando sin encontrarme con nadie. Y ellos pueden ser tan malos como Broud. Oda dijo que aquellos hombres la obligaron, que ni siquiera le dejaron poner a su hijita a un lado. Sería mejor quedarme aquí con un Broud al que conozco que con otro hombre que pudiera ser peor.

"Se hace tarde; será mejor que regrese". Ayla despertó a su hijito y, mientras volvía sus pasos hacia la cueva, trató de apartar de su mente la idea de los Otros, pero interrogantes fugaces seguían insinuándosele. Una vez que los hubo recordado no pudo ya olvidarse totalmente de los Otros.

—¿Estás ocupada, Ayla? —preguntó Uba. Tenía una expresión a la vez complacida y tímida, y Ayla adivinó por qué, pero decidió dejar que Uba se lo contara.

—No, no estoy muy ocupada. Acabo de mezclar algo de menta con alfalfa y quería probar a qué sabe. Puedo poner a calentar agua para hacer té.

—¿Dónde está Durc? —preguntó Uba mientras Ayla atizaba el fuego y agregaba más leña y unas piedras más.

—Está fuera con Grev; Oga los cuida. Esos dos, siempre andan juntos —señaló Ayla.

—Será porque han mamado juntos. Son más íntimos que si fueran hermanos. Son casi como gemelos.

—Pero los gemelos suelen parecerse uno al otro, y éstos desde luego no. ¿Recuerdas aquella mujer, en la Reunión del Clan, que tenía dos gemelos? Yo no podía ver diferencia alguna entre ellos.

—A veces trae mala suerte tener dos gemelos, y cuando nacen tres a un tiempo no se les permite vivir. ¿Cómo podría amamantar una mujer a tres al mismo tiempo... sólo tiene dos senos? —preguntó Uba.

—Con ayuda de muchas. Ya es bastante cansancio para una mujer tener dos. Agradezco que Oga haya tenido siempre leche en abundancia, por el bien de Durc.

—Espero tener leche abundante —señaló Uba—. Ayla, creo que voy a tener un bebé.

—Eso pensé, Uba. No has tenido la maldición femenina desde que te apareaste, ¿no es cierto?

—No. Creo que el tótem de Vorn ha estado esperando mucho tiempo. Tiene que haber sido muy fuerte.

—¿Se lo has dicho ya?

—Iba a esperar a estar segura, pero él adivinó. Habrá observado que no estuve aislada. Está muy contento —señaló orgullosamente Uba.

—¿Es un buen compañero, Uba? ¿Eres feliz?

—¡Oh, sí, es un buen compañero, Ayla! Cuando descubrió que iba a tener un bebé, me dijo que me había esperado mucho y que estaba contento de que no hubiera perdido tiempo comenzando uno. Dijo que me había pedido inclusive antes de que fuera mujer.

—Es maravilloso, Uba —dijo Ayla.

No agregó que no había nadie más en el Clan con quien pudiera haberse apareado, excepto con ella, Ayla. "Pero ¿Por qué había de quererme? ¿Por qué iba a querer una mujer alta y fea cuando podía tener otra tan guapa como Uba, y además de la estirpe de Iza? ¿Qué me está pasando? Nunca he querido a Vorn por compañero. Supongo que debo de estar pensando en lo que será de mí cuando se haya ido Creb. Tendré que cuidarlo mucho para que viva largo tiempo. Pero más bien parece que no tiene ganas de vivir. Casi no sale de la cueva. Si no hace un pocó de ejercicio, no *podrá* salir de la cueva".

—Ayla ¿En qué estás pensando? ¡Has estado tan callada últimamente!

—Estaba pensando en Creb; me preocupa.

—Está envejeciendo. Es mucho mayor que madre, y ella se ha ido. Sigo echándola de menos, Ayla. No quiero pensar en cuando Creb se vaya al otro mundo.

—Lo mismo me pasa a mí, Uba —indicó Ayla con mucho sentimiento.

Ayla estaba agitada. Cazaba con frecuencia y, cuando no cazaba, trabajaba con una energía incansable. No podía quedarse sin hacer nada. Escogió y ordenó sus plantas medicinales, corrió por la campiña para sustituir medicinas viejas o faltantes, después reorganizó todo el hogar. Tejió nuevas esteras y canastas, hizo tazones y fuentes de madera, recipientes de cuero rígido y de corteza de abedul, confeccionó nuevos mantos, curó y curtió pieles nuevas, hizo polainas, sombreros, protectores para pies y manos en previsión del siguiente invierno. Impermeabilizó vejigas y estómagos para que sirvieran de recipientes de agua y demás líquidos, construyó una nueva armazón firmemente asegurada con tendones y correas para sostener las pieles en que se guisaba, por encima del fuego. Ahondó piedras planas para hacer lámparas de grasa con ellas, y secó nuevas mechas de musgo, talló una nueva serie de cuchillos, rascadores, sierras, punzones y hachas, recorrió la playa en busca de conchas para hacer cucharas, cucharones y platos pequeños. Cuando fue su turno viajó con los cazadores para secar la carne, recogió frutas, semillas, nueces y verduras con las mujeres, aventó, tostó y molió granos hasta lograr una textura ultrafina de manera que resultara más fácil de masticar para Creb y Durc. Y aún así, no conseguía aplacar sus ansias de actividad.

Creb se convirtió en el objeto de su intenso interés. Ayla lo mimaba, se ocupaba de él como nunca anteriormente. Guisaba platos especiales para abrirle el apetito, hacía brebajes y cataplasmas medicinales, le obligaba a descansar al sol y a dar largas caminatas como ejercicio. El parecía disfrutar de su atención y su compañía y recobrar algo de su fuerza y su ánimo. Pero algo faltaba. La intimidad estrecha, el calor amigable, las largas charlas de los años pasados, no se habían reanudado. Por lo general caminaban en silencio. La conversación que tenían era forzada, y no había demostraciones espontáneas de afecto.

Creb no era el único que envejecía. El día que Brun vio desde lo alto cómo se alejaban los cazadores por la estepa hasta convertirse en diminutos puntos negros, Ayla cobró súbitamente conciencia de cuánto había cambiado. Su barba no estaba entrecana, estaba gris lo mismo que su cabello. Profundas arrugas surcaban su rostro, agrietando las comisuras de sus ojos. Su cuerpo fuerte y musculoso había perdido tonicidad, su piel estaba más fláccida aunque el hombre seguía siendo potente. Volvió lentamente a la cueva y pasó el resto del día dentro de los límites de su hogar. A la vez siguiente acompañó a los cazadores, pero la segunda vez que Brun se quedó atrás, Grod también se quedó: era un segundo muy leal.

Un día, casi al terminar el verano, Durc llegó corriendo a la cueva.

—¡Mamá! ¡Mamá! ¡Un hombre! ¡Viene un hombre!

Ayla corrió a la entrada de la cueva, con todos los demás, para observar al extraño que subía el sendero de la costa.

—Ayla ¿Crees que venga a buscarte? —señaló Uba, muy excitada.

—Yo no sé... no sé nada más que tú, Uba.

Los nervios de Ayla estaban de punta, y sus emociones eran complejas. Esperaba que el visitante procediera del clan de los parientes de Zoug, y temía que así fuera. El hombre se detuvo para tablar con Brun y acompañó al jefe hasta el hogar de éste. Poco después Ayla vio que Ebra se retiraba dirigiéndose directamente a ella.

—Brun te llama, Ayla —indicó.

El corazón de Ayla palpitó locamente; sentía que las rodillas se le doblaban y creía que no iban a sostenerla hasta el hogar de Brun. Se dejó caer a los pies de Brun; éste le tocó el hombro.

—Es Vond, Ayla —dijo el jefe, indicando al visitante—. Ha viajado desde muy lejos para verte, desde el clan de Norg. Su madre está enferma, y su curandera no ha podido ayudarla. Ha pensado que tú podrías saber la magia que la alivie.

EL CLAN DEL OSO CAVERNARIO

Ayla se había hecho una reputación de curandera hábil y con muchos conocimientos en la Reunión del Clan. El hombre había venido en busca de su magia, no de ella. El alivio que Ayla sintió fue mayor que su pesar. Vond se quedó pocos días, pero traía noticias de su clan: el joven que había sido herido por el oso cavernario había pasado el invierno con ellos; marchó a principios de la primavera siguiente, caminando con sus dos piernas, y su cojera apenas se notaba. Su compañera había dado a luz un hijo saludable que fue llamado Creb. Ayla interrogó al hombre y preparó un paquete para que se lo llevara Vond, junto con explicaciones para su curandera. No sabía si sus remedios resultarían más eficaces, pero había venido desde tan lejos que había que intentarlo.

Brun pensó en Ayla después de que Vond se fue. Había pospuesto cualquier decisión en lo concerniente a la joven mientras hubiera esperanzas de que algún otro clan pudiera considerarla aceptable. Pero si un mensajero podía encontrar su cueva, también otros podrían hacerlo, si querían. Al cabo de tanto tiempo no era ya posible hacerse ilusiones; habría que arreglar algo para ella en su mismo Clan.

Pero Broud sería pronto jefe, y sería él quien debería encargarse de ella. Era preferible que la decisión partiera del propio Broud, y mientras viviera Mog-ur no había por qué apurarse. Brun decidió dejarle el problema al hijo de su compañera. "Parece haber superado sus violentas emociones contra ella —pensó Brun—. No ha vuelto a molestarla. Tal vez esté ya preparado, tal vez esté preparado finalmente". Pero aún abrigaba la semilla de una duda.

El verano llegó a su fin lleno de colores. y el Clan se estableció en el compás más lento de la estación fría. El embarazo de Uba progresó normalmente hasta pasado el segundo trimestre. Entonces se detuvieron los impulsos de la vida. La joven trató de ignorar el dolor creciente de su espalda y los tremendos calambres, pero cuando empezó a ver sangre, acudió a Ayla.

—¿Cuánto hace que no sientes movimientos, Uba? —preguntó Ayla, con el rostro hondamente preocupado.

—No hace muchos días, Ayla. ¿Qué voy a hacer? Vorn se puso tan contento de que la vida comenzara tan pronto después de nuestro apareamiento... No quiero perder a mi bebé. ¿Qué habrá pasado? Falta tan poco. Pronto estaremos en primavera.

—Yo no sé, Uba. ¿Recuerdas haberte caído? ¿Te has esforzado por alzar algo pesado?

JEAN M. AUEL

—No creo, Ayla.

—Vuelve a tu hogar, Ayla, y acuéstate. Coceré algo de corteza negra de abedul y te llevaré té. Ojalá estuviéramos en otoño... buscaría esa raíz de lechera que Iza encontró para mí. Pero la nieve está demasiado alta para poder llegar muy lejos ya. Trataré de pensar en otra cosa; tú también, piensa en eso, Uba. Sabes casi todo lo que Iza sabía.

—He estado pensando, Ayla, pero no puedo recordar nada que ponga a patear a un bebé una vez que se ha detenido.

Ayla no pudo contestar; dentro de su corazón sabía tan bien como Uba que no había esperanza, y compartía la angustia de la joven.

Durante los siguientes días Uba permaneció acostada esperando contra toda esperanza que algo ayudara, y sabiendo que no podía esperarlo. El dolor de su espalda se volvió casi insoportable, y las únicas medicinas que lo aliviaban eran las que la hacían dormir con un sueño de narcosis que no la descansaba. Pero los calambres no se convertían en contracciones ni comenzaba la labor del parto.

Ovra estaba casi viviendo en el hogar de Vorn, brindando su apoyo comprensivo. Había pasado ella misma tantas veces por la misma prueba que mejor que nadie podía comprender el dolor y el pesar de Uba. La compañera de Goov nunca había conseguido llevar un bebé a término, y se había vuelto más callada y retraída aún a medida que pasaban los años y ella seguía sin tener hijos. Ayla se alegraba de que Goov fuera bueno con ella. Muchos hombres la habrían repudiado o tomado una segunda mujer; pero Goov estaba muy encariñado con su compañera; no incrementaría su pesar tomando otra mujer que tuviera hijos para él. Ayla había comenzado a administrarle a Ovra la medicina secreta que Iza le había recomendado para que su tótem no fuera derrotado. Era demasiado duro para la pobre mujer seguir teniendo embarazos que no produjeran bebés. Ayla no le dijo para qué era la medicina, pero al cabo de algún tiempo, cuando Ovra dejó de concebir, lo adivinó; era mejor así.

En una fría y triste mañana de fines del invierno, Ayla examinó a la hija de Iza y tomó una decisión.

—Uba —dijo dulcemente. La joven abrió los ojos rodeados de ojeras oscuras que los hacían parecer más sumidos aún bajo sus arcos ciliares. Ha llegado el momento del cornezuelo. Tenemos que iniciar las contracciones. Ya nada puede salvar a tu bebé, Uba. Si no sale, también tú vas a morir. Eres joven y podrás tener otro bebé —señaló Ayla.

Uba miró a Ayla, después a Ovra y nuevamente a Ayla.

—Está bien —asintió—. Tienes razón: ya no hay esperanzas. Mi bebé ha muerto.

El parto de Uba fue difícil. Era difícil conseguir que comenzaran las contracciones, y Ayla se mostraba reacia a dar algo demasiado fuerte contra el dolor, por miedo a que se detuvieran del todo. Aunque las demás mujeres del Clan hacían breves visitas para brindar sus alientos y su apoyo, ninguna quiso quedarse mucho rato. Todas sabían que el dolor y el esfuerzo serían vanos. Sólo Ovra permaneció para ayudar a Ayla.

Cuando nació el niño muerto, Ayla lo envolvió rápidamente con el tejido placentario en la cobija de cuero del alumbramiento.

—Era niño —dijo a Uba.

—¿Puedo verlo? —preguntó la joven, agotada.

—Será mejor que no lo veas, Uba; sólo te hará sentirte peor. Tú, descansa. Yo me desharé de todo de tu parte; estás demasiado débil para levantarte.

Ayla dijo a Brun que Uba estaba demasiado débil, y que ella misma se desharía del bebé, pero no dijo nada más. No era un hijo lo que Uba había parido sino dos hijos que nunca habían logrado separarse debidamente. Sólo Ovra había visto la cosa lastimosa, lamentable, que apenas podía reconocerse como humana, con demasiados brazos y piernas y rasgos grotescos en una cabeza demasiado grande. Ovra tuvo que luchar para no devolver el contenido de su estómago, y la propia Ayla tragó con dificultad.

No se trataba de las modificaciones que ostentaba Durc en relación con las características del Clan, parecidas a las de ella; esto era una deformidad. Ayla se alegraba de que la cosa toscamente informe no hubiera sobrevivido lo suficiente para que Uba la pariera con vida. Sabía que Ovra nunca se lo diría a nadie. Era mejor que el Clan creyera que Uba había dado a luz un niño normal, muerto, por el bien de Uba.

Ayla se puso su ropa abrigada y echó a andar dificultosamente entre la nieve profunda hasta llegar muy lejos de la cueva. Abrió las envolturas y dejó todo expuesto. "Es mejor asegurarse de que toda evidencia quede destruida", pensó Ayla; y cuando volvia la espalda, pudo divisar un movimiento furtivo con el rabillo del ojo: el olor de la sangre había proporcionado ya los medios.

28

—¿Quieres dormir esta noche con Uba, Durc? —preguntó Ayla.

—¡No!— y el niño meneó la cabeza enfáticamente. —Durc duerme con Mamá.

—Está bien, Ayla, no creí que quisiera. Ha pasado todo el día conmigo —dijo Uba—. ¿De dónde ha sacado el nombre que te da, Ayla?

—Es un nombre que usa para mí —contestó Ayla, volviendo la cabeza. La censura del Clan contra palabras o sonidos innecesarios había arraigado tan profundamente en Ayla desde su llegada, que se sentía culpable por el juego de palabras que llevaba a cabo con su hijo. Uba no insistió aunque comprendía que Ayla estaba callando algo.

—A veces, cuando salgo sola con Durc, hacemos sonidos juntos —admitió Ayla—. Ha aprendido de mí esos sonidos. Puede emitir muchos sonidos.

—Tú también puedes emitir sonidos. Madre decía que solías hacer toda clase de sonidos y palabras cuando eras pequeña, sobre todo antes de que aprendieras a hablar —señaló—. Todavía recuerdo que cuando yo era muy pequeña me gustaba ese sonido que hacías al mecerme.

—Supongo que lo hacía de pequeña, en realidad no lo recuerdo muy bien —indicó Ayla—. Durc y yo jugamos a eso y nada más.

—No creo que tenga nada de malo —dijo Uba—. No es como si no supiera hablar. Ojalá estas raíces no estuvieran tan podridas —agregó arrojando una grande—. No va a ser un gran festín mañana, con sólo carne seca y pescado y verduras medio echadas a perder. Si sólo Brun esperara un poco más, habría por lo menos algunas verduras y brotes.

—No es sólo Brun —dijo Ayla—, Creb dice que el mejor momento es la primera luna llena después de comenzar la primavera.

—Lo que me pregunto es ¿Cómo sabe él que empieza la primavera? —observó Uba—. Un día lluvioso me parece igual que otro día lluvioso.

—Creo que tiene algo que ver con su observación de la puesta de sol. Ha estado observándolo día tras día. Inclusive cuando llueve, a menudo se puede ver dónde se pone el sol, y hemos tenido bastantes noches claras para ver la luna. Creb sabe.

—Y tampoco querría que Creb hiciera mog-ur a Goov —añadió Uba.

—Tampoco yo —señaló Ayla—. Se pasa demasiado tiempo sentado sin hacer nada todos estos días. ¿Qué va a hacer cuando ni siquiera tenga que celebrar ceremonias? Ya sabía yo que algún día llegaría, pero es una fiesta de la que no voy a disfrutar.

—Va a ser muy raro. Estoy acostumbrada a que Brun sea el jefe y Creb el Mog-ur, pero Vorn dice que ya es hora de que los jóvenes se hagan cargo. Dice que Broud ha esperado lo suficiente.

—Supongo que tiene razón —indicó Ayla—. Vorn ha admirado siempre a Broud.

—Es bueno conmigo, Ayla. Ni siquiera se enojó cuando perdí al bebé. Sólo dijo que le pediría a Mog-ur un encantamiento para que dé nuevamente fuerzas a su tótem y que pueda iniciar otro. Creo que también te quiere a ti, Ayla; inclusive me ha dicho que te pida que Durc duerma con nosotros. Creo que sabe cuánto me agrada tenerlo cerca —expresó confidencialmente Uba—. Inclusive Broud no ha sido tan malo para ti últimamente.

—No, no me ha fastidiado mucho —reconoció Ayla. No sabía cómo explicar el temor que experimentaba cada vez que el hombre la miraba. Inclusive podía sentir cómo se le ponían de punta los pelos del cuello si la miraba cuando ella no lo veía.

Creb se quedó tarde aquella noche con Goov en la cámara de los espíritus. Ayla preparó una cena ligera para Durc y ella y apartó algo para Creb, cuando volviera, aun cuando dudaba de que se tomara la molestia de cenar. Se había despertado aquella mañana con una sensación de ansiedad que fue empeorando a medida que avanzaba el día. La cueva parecía estrecharse sobre ella y tenía la boca tan seca como el polvo. Consiguió tragar unos bocaditos, y de repente dio un brinco y corrió hacia la entrada de la cueva, miró el cielo plomizo y la lluvia pesada, cerrada, que habría cráteres diminutos en el barro saturado. Durc se metió en su cama y estaba ya dormido cuando ella regresó al hogar. Tan pronto como la sintió acostada junto a él, se apretó más y produjo un gesto medio consciente terminado con la palabra "mamá".

Ayla rodeó con su brazo al niño, sintiendo latir su corazón mientras lo abrazaba, pero tardó mucho en dormirse. Se quedó tendida, despierta, mirando los contornos oscurecidos de la áspera muralla rocosa a la luz tenue del fuego mortecino. Estaba despierta cuando por fin volvió Creb, pero se quedó quieta, escuchando mientras él daba vueltas, y acabó por dormirse después de que el mago se acostara.

Despertó gritando.

—¡Ayla! ¡Ayla! —gritó Creb, sacudiéndola para despertarla del todo—. ¿Qué te pasa, niña? —señaló con mirada preocupada.

—¡Oh, Creb! —sollozó, y le echó los brazos al cuello—. He tenido ese sueño. Hacía años que no lo tenía—. Creb la rodeó con su brazo y sintió cómo temblaba.

—¿Qué le pasa a Mamá? —preguntó Durc, sentado con los ojos muy abiertos y llenos de miedo. Nunca había oído gritar a su madre. Ayla lo sujetó con un brazo.

—¿Qué sueño, Ayla? ¿El del león cavernario? —preguntó Creb.

—No, el otro, el que nunca puedo recordar bien—. Y volvió a temblar espasmódicamente. —Creb, ¿por qué he soñado eso ahora? Creí que ya había terminado con las pesadillas.

Creb la rodeó con el brazo para consolarla. Ayla lo abrazó también. Ambos se percataron súbitamente de cuánto tiempo hacía, y abrazaron entre los dos a Durc.

—Oh, Creb, no puedo decirte cuántas veces he ansiado abrazarte. Creí que no lo deseabas; temía que me apartaras como lo hiciste cuando era una niña insolente. Hay algo más que quería decirte: te amo, Creb.

—Ayla, tuve que forzarme a apartarte aquella vez... pero algo tenía que hacer pues de lo contrario lo habría hecho Brun. Nunca he podido enojarme contigo. Te quería demasiado. Te sigo queriendo demasiado. Creía que estabas perturbada porque habías perdido la leche por culpa mía.

—¡Pero no tenías la culpa, Creb! Era culpa mía. Nunca pensé que fuera tuya.

—Yo me lo eché en cara. Debería haber comprendido que un bebé tiene que seguir mamando para que la leche no se detenga, pero tú parecías querer estar a solas con tu pena.

—¿Cómo podías saber? Ninguno de los hombres sabe mucho acerca de los bebés. Les gusta tenerlos en brazos y jugar con ellos cuando están saciados y contentos, pero tan pronto como empiezan a molestar, todos los hombres se los devuelven a las madres. Además, no le hizo daño. Está iniciando su año del destete y es grande y saludable aunque ha sido destetado hace tiempo.

—Pero te hizo daño a ti, Ayla.

—Mamá, ¿tú daño? —interrumpió Durc, todavía preocupado por el grito.

—No, Durc, Mamá no tiene daño, ya no.

—¿Dónde aprendió a llamarte así, Ayla?

La joven se ruborizó.

—Durc y yo jugamos un juego emitiendo sonidos, a veces. El ha decidido llamarme con ese nombre.

Creb asintió.

—A todas las mujeres les dice "madre"; supongo que necesitaba encontrar una palabra para ti. Probablemente significa madre para él.

—Para mí también.

—Emitías muchos sonidos y palabras cuando llegaste. Creo que tu gente debe de hablar con sonidos.

—Mi gente es la del Clan. Soy mujer del Clan.

—No, Ayla —señaló Creb con lentos ademanes—, tú no eres del Clan, eres una mujer de los Otros.

—Eso es lo que me dijo Iza la noche que murió. Dijo que yo no era del Clan; dijo que era una mujer de los Otros.

Creb se mostró sorprendido.

—No creí que estuviera enterada. Iza era una mujer sabia, Ayla. Sólo me enteré yo la noche que nos seguiste dentro de la cueva.

—No quería entrar en la cueva, Creb. Ni siquiera sé cómo llegué hasta allí. No sabía lo que te lastimaba tanto, pero pensé que habías dejado de quererme porque entré en esa cueva.

—No, Ayla, no dejé de quererte, te quería demasiado.

—Durc tiene hambre —interrumpió el niño. Todavía estaba trastornado por el grito de su madre, y la intensa conversación entre Creb y ella lo aburría.

JEAN M. AUEL

—¿Tienes hambre? A ver si encuentro algo que darte.

Creb la observó mientras se levantaba y se acercaba al fuego. "Me pregunto por qué la trajeron a vivir con nosotros —pensaba Creb—. Nació de los Otros, y el León Cavernario siempre la ha protegido. ¿Por qué la traería aquí? ¿Por qué no la llevó con ellos? ¿Y por qué se dejó derrotar, permitió que tuviera un bebé y después que perdiera su leche? Todos creen que es porque el niño tiene mala suerte, pero míralo: es saludable, es feliz y todos lo quieren. Tal vez tuviera razón Dorv, tal vez el espíritu del tótem de cada uno de los hombres esté mezclado con su León Cavernario. Tenía razón en eso: no es deforme, es una mezcla. Inclusive puede emitir sonidos como ella. Es en parte Ayla, y en parte, Clan".

De repente Creb sintió que la sangre se retiraba de su rostro y que se le ponía la carne de gallina. "¡En parte Ayla y en parte Clan! ¿Por eso la trajeron con nosotros? ¿Para Durc? ¿Para su hijo? El Clan está condenado, desaparecerá, sólo la especie de ella seguira viviendo. Lo sé, lo sentí. Pero, ¿y Durc? Es parte de los Otros, y sobrevivirá pero también es en parte Clan. Y Ura se parece a Durc, y nació poco después del incidente con los hombres de los Otros. ¿Son tan potentes sus tótemes como para superar al tótem de una mujer en tan corto tiempo? Puede ser; si sus mujeres pueden tener por tótem un León Cavernario, así tiene que ser. ¿También Ura será una mezcla? Y si hay un Durc y una Ura, también puede haber otros más. Hijos de espíritus mezclados, hijos que seguirán adelante, hijos que llevarán adelante el Clan. No muchos, tal vez, pero los suficientes.

"Tal vez el Clan estuviera condenado antes de que Ayla viera la ceremonia sacra, y fue conducida hasta allí sólo para mostrarme. No existiremos ya, pero mientras haya Durcs y Uras, no habremos muerto. Me pregunto si Durc tiene los recuerdos. Si fuera mayor, lo suficientemente grande para una ceremonia... No importa; Durc tiene más que los recuerdos, tiene el Clan. Ayla, hija mía, hija de mi corazón, traes suerte y nos la has traído a nosotros. Ahora sé por qué viniste... no para traernos muerte sino para darnos una oportunidad de vivir. Nunca será lo mismo, pero algo será".

Ayla llevó a su hijo un trozo de carne fría. Creb parecía perdido en sus pensamientos, pero la miró mientras se sentaba.

—Sabes, Creb —dijo reflexivamente—. A veces me parece que Durc no es simplemente mi hijo. Desde que perdí la leche y se acostumbró a ir de un hogar a otro para mamar, come en

todos los hogares, todos le dan de comer. Me recuerda un cachorro de oso cavernario, es como si fuera hijo de todo el Clan.

Ayla experimentó una gran tristeza bajo el impacto de la
mirada del único ojo de Creb, oscuro y líquido.

—Durc es el hijo de todo el Clan, Ayla. Es el único hijo del
Clan.

La primera luz que anunciaba el alba brilló por la abertura de la
cueva llenando su espacio triangular. Ayla estaba acostada, despierta, mirando a su hijo que dormía a su lado bajo la luz creciente. Podía ver a Creb cubierto con sus pieles, y su respiración
le indicaba que también él dormía. "Me alegro de que hayamos
hablado por fin, Creb y yo —pensó—, sintiéndose como si le hubieran quitado un terrible peso de encima, pero la náusea que había experimentado su estómago el día anterior y toda la noche
había empeorado. Tenía la garganta seca y sentía como si se
fuera a ahogar dentro de la cueva; no pudo aguantar más y
se deslizó de entre sus pieles, se echó un manto encima y, poniéndose protectores en los pies se fue silenciosamente hacia
la salida.

Respiró profundamente en cuanto salió de la boca de la cueva.
Su alivio fue tan grande que no le importó que la lluvia helada la
empapara a través de su manto de cuero. Fue avanzando pesadamente en el lodazal que había delante de la cueva dirigiéndose
al río, estremeciéndose súbitamente de frío. Manchas de nieve,
ennegrecidas por el hollín procedente de muchas hogueras, hacía
correr agua lodosa a lo largo de la pendiente, contribuyendo al
aguacero que hacía crecer el canal encerrado entre hielos.

Los protectores que llevaba en los pies no le dieron mucho
agarre en el barro de un rojo moreno, y resbaló y cayó a la corriente. Sus cabellos colgantes, pegados a la cabeza, caían como
cuerdas terminadas en chorritos que recorrían el barro pegado
a su manto antes de que la lluvia lo lavara. Se quedó largo rato
en la orilla del río, luchando por liberarse de su abrazo helado,
y vio cómo el agua oscura rodeaba trozos de hielo, los desprendía finalmente y los lanzaba girando hacia un destino incógnito.

Castañeteaba de dientes cuando pudo trepar por la pendiente
resbaladiza, observando cómo el cielo encapotado se aclaraba
imperceptiblemente más allá de la sierra al este. Tuvo que penetrar a la fuerza a través de una barrera invisible que bloqueaba
la boca de la cueva, y volvió a sentirse incómoda tan pronto
como traspasó el umbral.

JEAN M. AUEL

—Ayla, estás empapada —le señaló Creb—. ¿Por qué has salido bajo esa lluvia? —Recogió un leño y lo echó al fuego—. Sal de ese manto y acércate al calor; te vas a resfriar.

Se cambió y fue a sentarse junto a Creb, cerca del fuego, contenta de que el silencio entre ambos hubiera dejado de ser tenso.

—Creb, ¡qué contenta estoy de que habláramos anoche! He ido al río; el hielo está desprendiéndose. Ya viene el verano y podremos volver a dar largos paseos.

—Sí, Ayla, ya viene el verano. Si quieres, daremos nuevamente largos paseos. En verano.

Ayla sintió un escalofrío. Tuvo el horrible presentimiento de que nunca volvería a dar un largo paseo con él, y le parecía que también Creb lo sabía. Se acercó a él y ambos se abrazaron como si fuera por última vez.

A media mañana la lluvia se convirtió en llovizna y por la tarde dejó de caer del todo. Un sol débil y cansado perforó la sólida capa de nubes, pero no hizo mucho por calentar ni secar la tierra empapada. A pesar del mal tiempo y la comida escasa, el Clan estaba excitado por tan notable ocasión de festejar. Un cambio de jefe era harto raro, pero un nuevo mog-ur al mismo tiempo resultaba una ocasión excepcional. Oga y Ebra tendrían que desempeñar un papel en la ceremonia, y también Brac. El niño de siete años sería el siguiente heredero.

Oga era un manojo de nervios; brincaba a cada momento para comprobar los fuegos donde había algo cocinándose. Ebra trataba de calmarla, pero tampoco estaba muy serena. Tratando de parecer mayor, Brac daba órdenes a los niños pequeños y las mujeres atareadas. Finalmente Brun se puso en pie y lo llamó para que ensayara una vez más su papel. Uba se llevó los niños al hogar de Vorn para quitarlos de en medio, y después de que la mayor parte de los preparativos estuvieron terminados, Ayla se reunió con ella. Además de ayudar a cocinar, el único papel de Ayla consistiría en preparar datura para los hombres puesto que Creb le había dicho que no hiciera la bebida de raíces.

Por la noche, sólo quedaban unos cuantos jirones de nubes para correr delante de la luna llena que iluminaba el paisaje yermo y sin vida. Dentro de la cueva, una gran hoguera ardía en un espacio detrás del último hogar, definido por un círculo de antorchas.

Ayla estaba sentada, sola, en sus pieles, contemplando el pequeño fuego del hogar, que chisporroteaba y crepitaba cerca de ella. Todavía no había podido deshacerse de su desasosiego; decidió ir hasta la entrada de la cueva para mirar a la luna hasta que comenzaran las festividades, pero precisamente cuando se ponía en pie vio la señal de Brun y volvió sus pasos en dirección contraria. Cuando todos estuvieron ocupando los lugares que les correspondían, Mog-ur salió de la cámara de los espíritus seguido por Goov, ambos envueltos en pieles de oso.

Mientras el gran hombre santo llamaba por última vez a los espíritus, los años parecieron quitársele de encima. Hizo los ademanes elocuentes y familiares con más fuerza y potencia de lo que el Clan había presenciado por años. Fue un desempeño magistral. Estimuló las emociones de su auditorio con la habilidad de un virtuoso, provocando su respuesta con una oportunidad perfecta después de una cima llena de suspenso, de emoción evocadora, hasta un clímax que apuró hasta la última gota y los dejó exhaustos. A su lado, Goov era una copia borrosa; el joven era un mog-ur adecuado, inclusive bueno, pero no de la talla del Mog-ur. El mago más poderoso que hubiera conocido nunca el Clan había celebrado su última y más bella ceremonia. Cuando hizo entrega a Goov, Ayla no era la única que lloraba; pero el Clan, con los ojos secos, lloraba con el corazón.

La mente de Ayla vagabundeó mientras Goov efectuaba los gestos que retiraban a Brun y elevaban a Broud al rango de jefe. Estaba observando a Creb y recordando la primera vez que, al ver aquel rostro tuerto y cubierto de cicatrices, había tendido la mano para tocarlo. Recordó la paciencia con que estaba tratando de enseñarle a comunicarse, y cómo comprendió de repente. Tocó su amuleto y sintió en su garganta una diminuta cicatriz, donde él la había pinchado con pericia para sacarle la sangre como sacrificio a los espíritus antiguos que le permitieron cazar. Y se encogió al recordar su visita clandestina a una cueva pequeña sumida en la profundidad de la montaña; y entonces recordó también su mirada de tristeza amorosa y su enigmática declaración de la noche anterior.

Apenas probó la comida en el festín que celebraba la sucesión de la nueva generación al imperio de la autoridad. Los hombres desfilaron hacia la pequeña cámara sagrada para completar en secreto su ceremonia, y Ayla repartió el datura que Goov había entregado, ahora que era mog-ur. Pero no tenía ánimos para la danza de las mujeres, sus ritmos carecían de ímpetu, y bebió tan poco té ceremonial que los efectos pasaron rápidamente. Regresó al hogar de Creb tan pronto como pudo hacerlo sin faltar a las reglas, y se quedó dormida antes del regreso de

Creb, pero durmió profundamente. El se quedó en pie junto a su cama, contemplándolos, a ella y su hijo, antes de cojear hasta su propio lecho.

—¿Mamá va cazar? ¿Durc va cazar con Mamá? —preguntó el niño saliendo de un brinco de las pieles en que dormía y echando a andar hacia la boca de la cueva. Pocas personas se movían aún, pero Durc estaba muy despierto.

—De todos modos, sólo será después del desayuno, Durc. Ven acá —señaló Ayla, y se puso en pie para traerlo—. Probablemente no en todo el día; ha llegado la primavera pero todavía no hace calor.

Después de comer, Durc estuvo vigilando a Grev y se olvidó de la caza mientras echaba a correr hacia el hogar de Broud. Ayla lo vio alejarse con un sentimiento de ternura que le levantaba las comisuras de los labios. La sonrisa se apagó al ver la manera en que Broud lo miraba: le hormigueó el cuero cabelludo. Los dos muchachitos echaron a correr juntos. De repente, una sensación de claustrofobia se apoderó de ella con tanta fuerza que creyó que vomitaría si no salía de la cueva. Se volvió rápidamente hacia la entrada, sintiendo que el corazón le latía fuertemente, y respiró varias veces profundamente.

—¡Ayla!

Brincó al sonido de su nombre dicho por Broud, y entonces se dio media vuelta, inclinó la cabeza y bajó la mirada para cruzarla con la del nuevo jefe.

—Esta mujer saluda al jefe —señaló con ademanes formales. Pocas veces estaba Broud de pie frente a ella; era mucho más alta que el más alto del Clan, y Broud no era de los más altos: apenas le llegaba al hombro. Ella sabía que no le agradaba levantar la vista hacia ella.

—No te vayas corriendo a ninguna parte. Voy a celebrar una reunión ahí fuera en seguida.

Ayla asintió sumisamente.

El Clan se reunió lentamente. El sol brillaba y todos estaban contentos de que Broud hubiera decidido reunirlos fuera a pesar del suelo lodoso. Esperaron un poco, y entonces Broud llegó pavoneándose al lugar que anteriormente ocupaba Brun, supremamente consciente de su nueva posición.

—Como bien sabéis, soy vuestro nuevo jefe— comenzó diciendo. Su nerviosismo al hablar a todo el Clan en su nueva calidad se revelaba en una declaración inicial tan patentemente obvia.

—Puesto que el Clan tiene un nuevo jefe y nuevo mog-ur, es el momento oportuno para anunciar algunos cambios más —prosiguió—. Quiero que todos sepan que ahora mi segundo al mando es Vorn.

Hubo señales de asentimiento; todos lo esperaban. Brun pensó que Broud debería haber esperado a que Vorn fuera mayor antes de elevar su posición por encima de cazadores más experimentados, pero todos sabían que así sería. "Probablemente es igual que lo haya hecho ahora", se dijo Brun.

—Hay otros cambios —señaló Broud—. En este Clan hay una mujer que no está apareada. —Ayla sintió que se ponía colorada—. Alguien debe proveer para ella y no quiero agobiar con ella a mis cazadores. Ahora soy jefe y debo responsabilizarme de ella. Tomaré a Ayla como segunda mujer en mi hogar.

Ayla se lo había esperado, pero no se sintió más feliz por ello. "Puede que a ella no le agrade —pensó Brun— pero Broud está haciendo lo correcto —y Brun miró con orgullo al hijo de su compañera—. Broud está preparado para ser jefe".

—Tiene un hijo deforme —prosiguió Broud—. Quiero que se sepa ahora: no se aceptarán en este Clan más niños deformes. No quiero que nadie piense que eso tiene algo que ver con mis sentimientos personales cuando sea rechazado el siguiente. Si ella tiene un hijo normal, lo aceptaré".

Creb estaba en pie a la entrada de la cueva y meneó la cabeza al ver que Ayla palidecía y bajaba más la cabeza para ocultar su rostro. "Pues bien, puedes estar seguro de que no tendré más hijos, Broud, no si la magia de Iza sirve para mí —se dijo Ayla—. No me importa que los bebés sean iniciados por los tótemes de los hombres o por sus órganos, no iniciarás ninguno más dentro de mí. No voy a dar a luz bebés que tengan que morir porque tú creas que son deformes".

—Lo he aclarado anteriormente —siguió diciendo Broud—, de modo que esto no sorprenda a nadie. No quiero ningún niño deforme en mi hogar.

Ayla alzó bruscamente la cabeza. "¿Qué quiere decir con eso? Si tengo que ir a su hogar, mi hijo viene conmigo".

—Vorn ha aceptado a Durc en su hogar; su compañera quiere al niño a pesar de su deformidad. Ellos lo atenderán.

Hubo un murmullo desconcertado y un revoloteo de manos haciendo señales en todo el Clan. Los niños pertenecían a sus madres hasta que eran adultos. ¿Por qué había Broud de tomar a Ayla pero rechazar a su hijo? Ayla se salió de su lugar y se arrojó a los pies de Broud; éste le tocó el hombro.

—Todavía no he terminado mujer; es una falta de respeto interrumpir al jefe, pero por esta vez, pasé. Puedes hablar.

—Broud, no puedes quitarme a Durc. Es mi hijo. Ahí donde vaya una mujer, sus hijos van con ella —señaló, olvidando emplear cualquier forma de saludo cortés o frasear su declaración en forma de ruego, de tan ansiosa como estaba. Brun miraba, ceñudo, habiendo perdido el orgullo que le inspiró antes el nuevo jefe.

—Mujer ¿Acaso estás diciéndole a este jefe lo que puede hacer o no? —señaló Broud con una expresión despectiva en el rostro. Estaba contento de sí mismo: lo había estado planeando por mucho tiempo y había conseguido precisamente la reacción que esperaba de ella.

—No eres madre. Oga es más madre de Durc que tú. ¿Quién lo amamantó? Tú no. Ni siquiera sabe quién es su madre: todas las mujeres del Clan son madre para él. ¿Qué diferencia hay en qué hogar esté? Es obvio que a él no le importa: come en todos los hogares —dijo Broud.

—Ya sé que no pude amamantarlo, pero sabes que es mi hijo, Broud. Duerme todas las noches conmigo.

—Bueno, pues conmigo no ha de dormir todas las noches. ¿Puedes negar que la compañera de Vorn es 'madre' para él? Ya se lo he dicho a Goov... digo, al mog-ur, que la ceremonia de apareamiento se celebrará después de esta reunión; de nada sirve esperar. Esta noche pasarás a mi hogar, y Durc al de Vorn. Ahora, regresa a tu lugar —ordenó. Broud miró a su alrededor, al Clan entero, y observó que Creb estaba apoyado en su cayado junto a la cueva; el viejo parecía furioso.

Pero no tan furioso como Brun. Su rostro era una máscara de furor negro mientras veía que Ayla regresaba a su lugar. Luchaba por controlarse, por no interferir. Había algo más que ira en sus ojos, también el dolor de su corazón se revelaba. "El hijo de mi compañera —pensaba—, al que crie y adiestré y acabo de hacer jefe de este Clan. Está aprovechando su posición para vengarse. Para vengarse de una mujer por daños imaginarios. ¿Por qué no me di cuenta antes? ¿Por qué he sido tan ciego con él? Ahora comprendo por qué elevó tan pronto la situación de Vorn; Broud lo arregló todo con él, proyectó desde siempre hacerle esto a Ayla. Broud, Broud ¿Acaso es esto lo primero que hace un nuevo jefe? ¿Poner en peligro a sus cazadores con un segundo joven e inexperto para vengarse de una mujer? ¿Qué placer puede causarte el separar a una madre de su hijo, cuando ella ha sufrido tanto ya? ¿No tienes corazón, hijo de mi compañera? Lo único que tiene de su hijo es que comparte con él su lecho por la noche".

—No he terminado, tengo más qué decir —señaló Broud tratando de llamar la atención del Clan escandalizado e incómodo. Finalmente todos se aquietaron.

—Este hombre no ha sido el único ascendido a una nueva posición. Tenemos un nuevo mog-ur. Hay ciertos privilegios que acompaña a una posición más elevada. He decidido que Gov... el mog-ur, pase al hogar que corresponde por derecho al mago del Clan. Creb pasará al fondo de la cueva.

Brun echó una mirada a Goov: ¿también estaría en la combinación? Pero Goov estaba meneando la cabeza con expresión intrigada.

—Yo no quiero pasar al hogar del Mog-ur —dijo—. Ha sido su hogar desde que nos pasamos a esta cueva.

El Clan estaba sintiéndose más que incómodo respecto al nuevo jefe.

—He decidido que te cambiarás. —Gesticuló imperiosamente Broud, enojado ante la negativa de Goov. Al ver al viejo tullido apoyado en su bastón y mirándolo con ira, se había percatado súbitamente de que el gran Mog-ur había dejado de ser mago. ¿Qué había de temer él de un viejo tullido y deforme? Había hecho el ofrecimiento obedeciendo a un impulso, esperando que Goov brincara de gusto al obtener un lugar de elección en la cueva, del mismo modo que Vorn había brincado ante la oportunidad de una posición más elevada. Pensaba que cementaría la lealtad del nuevo mog-ur, que le haría sentirse obligado hacia él; pero no había contado con la lealtad y el amor que Goov experimentaba hacia su maestro. Brun no pudo contenerse más y estaba a punto de tomar la palabra, pero Ayla se le adelantó.

—¡Broud! —gritó Ayla desde su lugar; el nuevo jefe alzó la cabeza bruscamente—. ¡No puedes hacer eso! No puedes obligar a Creb a marcharse de su hogar. —Y avanzaba a grandes trancos hacia él presa de una ira justiciera—. Necesita estar en un lugar abrigado; los vientos son demasiado fuertes atrás; tú sabes cuánto sufre en invierno. —Ayla se había olvidado a sí misma como mujer del Clan; ahora era la curandera que protegía a su paciente—. Lo estás haciendo por lastimarme a mí. Estás tratando de desquitarte con él porque me cuidó a mí. No me importa lo que me hagas a mí, Broud, pero deja en paz a Creb. —Estaba frente a él, dominándolo con su estatura, gesticulando furiosamente en su cara.

—¡Quién te ha dado permiso para hablar, mujer! —atronó Broud. Se volvió hacia ella con el puño cerrado, pero al verlo venir ella se agachó y Broud se quedó desconcertado al no dar más que con aire. La ira sustituyó al asombro cuando echó a correr tras ella.

—¡Broud! —El grito de Brun le hizo detenerse; estaba demasiado acostumbrado a obedecer a esa voz, especialmente cuando se alzaba furiosa.

—Es el hogar de Mog-ur, Broud, y será su hogar mientras viva; demasiado pronto lo abandonará sin que tú le obligues a mudarse. Ha servido a este Clan bien y por largo tiempo; es merecedor de ese lugar. ¿Qué clase de jefe eres? ¿Qué clase de hombres eres? ¿Aprovechas tu situación para vengarte de una mujer? Una mujer que nunca te ha hecho nada, Broud, que no podría hacértelo aunque quisiera. ¡No eres un jefe!

—No, eres tú el que no es jefe, Brun, ya se acabó. —Broud había recuperado la noción de su posición y la de Brun, después de su impulso inicial de obedecer—. ¡Ahora soy jefe! ¡Ahora yo tomo las decisiones Siempre te has puesto de su parte en contra mía, siempre la has protegido. Pues bien: ya no puedes seguir protegiéndola. —Broud estaba perdiendo el control, gesticulando alocadamente con el rostro púrpura de ira—. Hará lo que yo digo y si no ¡la maldeciré! ¡y no temporalmente! Acabas de presenciar su insolencia ¡y todavía la defiendes! ¡No lo toleraré! Ya nunca más. Merece ser maldita por eso. ¡Y lo haré! ¿Qué te parece eso, Brun? ¡Goov! ¡Echale la maldición! ¡la maldición! ¡ahora mismo! Quiero que sea maldita ahora mismo. Nadie va a decirle a este jefe lo que debe hacer, y menos que nadie esa mujer fea. ¿Me entiendes? Goov, échale la maldición.

Creb había estado tratando de llamar la atención de Ayla desde el momento en que se desató contra Broud, para advertirla. No le importaba vivir delante o detrás en la cueva, le era totalmente indiferente. Sus sospechas habían comenzado desde el momento en que dijo que tomaría a Ayla como segunda mujer; era una maniobra demasiado llena de responsabilidad para que Broud la tomara sin alguna razón. Pero sus sospechas no lo habían preparado para la fea escena que siguió. Al ver que Broud ordenaba a Goov la maldición, todo deseo de lucha desapareció para él; no quería ver ya nada más, y se volvió para entrar lentamente en la cueva. Ayla alzó la mirada justo en el momento en que Creb desaparecía por el orificio de la montaña.

No era Creb el único que se desconcertó al presenciar el altercado; todo el Clan estaba alborotado haciendo gestos, gritando, arremolinándose en plena confusión. Algunos no podían ni mirar, mientras otros contemplaban fijamente, sin creerlo, el espectáculo que ninguno de ellos había creído tener que presenciar en toda su vida. Sus vidas eran demasiado ordenadas, demasiado seguras, demasiado atenidas a las traiciones y las costumbres.

Les asombraron los anuncios irracionales e irregulares de Broud, en cuanto a separar a Ayla de su hijo; los escandalizó el enfrentamiento de Ayla con el nuevo jefe así como la decisión de Broud de desalojar a Creb; también los asombró la denuncia iracunda de Brun contra el hombre al que acababa de hacer jefe, al igual que el berrinche desaforado de Broud exigiendo la maldición contra Ayla. Y todavía les quedaba un trauma por experimentar.

Ayla temblaba con tanta fuerza que no sintió el temblor bajo sus pies hasta que vio que la gente caía al suelo, incapaz de mantener el equilibrio. Su propio rostro reflejó las expresiones pasmadas de los demás cuando se volvieron espantadas y después aterrorizadas. Entonces fue cuando oyó el profundo y aterrador retumbar de las entrañas de la tierra.

—¡Duurrrc! —gritó, y vio que Uba agarraba al niño y caía encima de él como tratando de proteger su cuerpecito con el de ella. Ayla se dirigía a ellos cuando de repente recordó algo que la horrorizó.

—¡Creb! ¡está dentro de la cueva!

Gateó por la pendiente movediza tratando de alcanzar la amplia entrada triangular. Una enorme roca rodó desde lo alto de la empinada muralla en que se abría la caverna y, desviada por un árbol que se astilló bajo el impacto, se estrelló junto a ella. Ayla no se enteró. Estaba entumecida, conmocionada. Los recuerdos encerrados en su vieja pesadilla estaban sueltos pero revueltos y confusos por el pánico. En el rugido del terremoto, ni siquiera ella oyó la palabra de un lenguaje olvidado desde hacía mucho, cuando salió de sus labios:

—¡Madrrre!

Bajo sus pies, el piso se sumió más de una yarda y después volvió a elevarse; cayó y luchó por ponerse en pie, y entonces vio que el techo abovedado de la cueva se derrumbaba. Trozos de piedra desmenuzados, arrancados del alto techo, se estrellaron deshaciéndose más aún por el impacto; otros más cayeron. A su alrededor, las rocas brincaban y rodaban por la fachada rocosa, bajaban la pendiente más suave y se sumían salpicando el agua helada del río. La sierra al este se partió y la mitad se desprendió.

Dentro de la cueva llovían piedras y guijarros y tierra, mezclados con el tronar intermitente de amplias secciones de la muralla y de la bóveda. Allá fuera, las coníferas bailaban como torpes gigantes, y los árboles deciduos deshojados sacudían sus ramas desnudas en una convulsión deslucida, moviéndose al ritmo agitado del ruidoso canto fúnebre. Una grieta de la muralla cerca del lado este de la abertura, opuesta a la poza llena de agua del arroyo, se ensanchó con un estallido que desprendió piedras y gravas. Abrió otro canal subterráneo que depositó su carga de desechos en el amplio porche de la cueva antes de seguir viaje hasta el río. El rugido de la tierra y el aniquilamiento de las rocas no dejaban oír los gritos de la gente atemorizada; el ruido era ensordecedor.

Finalmente el temblor se calmó. Unas cuantas piedras cayeron todavía desde la montaña, rebotaron y rodaron antes de detenerse. Atontados y asustados, los miembros del Clan comenzaron a ponerse en pie y a caminar sin rumbo tratando de recobrar el dominio de sí mismos. Empezaron a reunirse alrededor de Brun; siempre había sido para ellos una roca de firmeza, la estabilidad en persona, y gravitaban hacia la seguridad que siempre había representado.

Pero Brun no hizo nada; creía que en todos sus años de jefe, el peor juicio lo había mostrado al convertir a Broud en Jefe. Ahora se daba cuenta de lo ciego que había estado ante los defectos del hijo de su compañera. Inclusive sus virtudes —su osadía temeraria y su valor precipitado— las consideraba ahora Brun como manifestaciones del mismo ego desatento y temperamento impulsivo. Pero no era por eso que Brun se negaba a actuar: ahora Broud era jefe, para bien o para mal. Era demasiado tarde para que Brun volviera sobre lo hecho y adiestrara a otro hombre, aun cuando sabía que el Clan se lo habría permitido. La única manera en que Broud podía abrigar la esperanza de llegar a dirigir, la única esperanza para el Clan, era que ahora dirigiera. Broud dijo que él era jefe, y lo dijo desafiante, totalmente descontrolado. "Pues bien, Broud, sé jefe —pensó Brun—. Haz algo". Cualesquiera fueran las decisiones que tomara Broud de ahora en adelante, o que no tomara, Brun no habría de interferir.

Cuando el Clan se convenció de que Brun no iba a reasumir el mando, se volvió finalmente hacia Broud. Estaban todos acostumbrados a sus tradiciones, a su jerarquía, y Brun había sido un jefe demasiado bueno, demasiado fuerte y demasiado responsable; estaban acostumbrados a que tomara el mando en los momentos de crisis, acostumbrados a contar con su juicio sereno y razonado. No sabían cómo actuar librados a sí mismos, a tomar decisiones propias sin un jefe. Inclusive Broud esperó que Brun se hiciera cargo; también él necesitaba alguien en quien apoyarse. Al percatarse finalmente Broud de que la carga le correspondía ahora a él, intentó asumirla; lo intentó.

—¿Quién falta? ¿Quién está lastimado? —señaló Broud. Hubo un suspiro colectivo de alivio: finalmente, alguien estaba haciendo algo. Los grupos familiares comenzaron a reunirse, y a medida que el Clan se fue juntando en medio de jadeos de asombro al ver a un ser amado al que se creía perdido, milagrosamente parecía no faltar nadie. A pesar de todas las rocas caídas y de la tierra sacudida, ninguno estaba mal herido. Golpes, cortadas y arañazos, pero ningún hueso roto. Bueno, eso no era realmente cierto.

—¿Dónde está Ayla? —gritó Uba con un principio de pánico.

—Aquí —contestó Ayla, bajando la pendiente y olvidando un instante por qué se encontraba allí.

—¡Mamá! —gritó Durc, soltándose del abrazo protector de Uba y corriendo hacia ella. Ayla echó a correr, lo alzó en brazos, lo abrazó fuerte y lo llevó de vuelta.

—Uba, ¿te encuentras bien? —preguntó.

—Sí, nada grave.

—¿Dónde está Creb? —Y entonces Ayla recordó; puso a Durc en brazos de Uba y corrió cuesta arriba.

—¡Ayla! ¿A dónde vas? ¡No entres en la cueva! Puede haber más sacudidas.

Ayla no vio la advertencia gesticulada, ni le habría prestado atención: corrió cueva adentro y derecha hacia el hogar de Creb. Piedras y grava caían espasmódicamente, amontonándose en el suelo. Excepto unas cuantas rocas y una capa de tierra, su lugar en la cueva estaba intacto, pero allí no estaba Creb. Ayla visitó cada hogar; algunos estaban totalmente destrozados, pero la mayoría tenían aún cosas que se podían recuperar. Creb no estaba en ninguno de los hogares. Ayla vaciló ante la pequeña abertura que conducía a la cámara de los espíritus y finalmente entró, pero estaba demasiado oscuro; necesitaría una antorcha. Decidió registrar primero el resto de la cueva.

Un chorro de grava cayó sobre su cabeza, haciéndola brincar de costado. Una roca dentada se estrelló en el piso, rozando el brazo de la joven. Ayla examinó las paredes y después atravesó varias veces la sala, hurgando en profundas sombras detrás de los recipientes donde almacenaban comida y grandes rocas en la cueva sin luz. Estaba a punto de tomar una antorcha cuando pensó visitar un lugar más.

Encontró a Creb junto al montón de piedras bajo el que estaba enterrada Iza; se encontraba tendido sobre su lado deforme, con las piernas encogidas, casi como si lo hubieran atado en posición fetal. El cráneo grande, magnífico, que había protegido su potente cerebro, había dejado de protegerlo: la pesada roca que lo aplastó había rodado unos cuantos pies más allá. La muerte fue instantánea. Ayla se arrodilló junto al cadáver y empezaron a correr las lágrimas.

—Creb, oh, Creb. ¿Por qué entraste en la cueva? —indicó por gestos. Se mecía de atrás adelante sobre las rodillas, llamándolo por su nombre. Entonces, por alguna razón inexplicable, se puso en pie y comenzó a hacer los movimientos que le había visto a él hacer por encima del cadáver de Iza: el ritual funerario. Lágrimas silenciosas empañaban su visión mientras la mujer alta y rubia, sola en la cueva cubierta de piedras, efectuaba los movimientos antiguos, simbólicos, con una gracia y una sutileza tan consumadas como las del propio hombre santo. Muchos de los movimientos que hacía, no los comprendía siquiera; nunca los comprendería. Era su última ofrenda al único padre que conoció.

—Ha muerto —señaló Ayla a los rostros que la miraban mientras salía de la cueva.

Broud se quedó mirándola como los demás, y de repente un gran temor se apoderó de él; ella era quien había encontrado la cueva, ella a quien favorecían los espíritus. Y después de que él la maldijo, sacudieron la tierra y destruyeron la cueva que ella había encontrado. ¿Estarían furiosos contra él por la maldición? ¿Habrían destruido la cueva que ella encontrara porque estaban furiosos contra él? ¿Y si los del Clan creyeran que él les había causado esa calamidad? En lo más recóndito de su alma supersticiosa, se estremeció ante el funesto augurio y temió la ira de los espíritus a los que estaba seguro de haber desatado. Entonces, en un destello impulsivo de razonamiento torcido, pensó que si le echaba a ella la culpa antes de que alguien se la pudiera echar a él, nadie podría decir que él lo había causado, y los espíritus se volverían contra ella.

—¡Ella lo ha hecho! ¡Es culpa suya! —señaló repentinamente Broud—. Ella ha sido la que hizo enojar a los espíritus, la que desafió a las tradiciones. Todos la han visto. Ha sido insolente e irrespetuosa con el jefe. Debe ser maldita. Entonces los espí-

ritus estarán felices de nuevo; entonces sabrán cuánto los hon-
ramos. Entonces nos llevarán a otra cueva, mejor que ésta y
más afortunada. Lo harán. Sé que lo harán. ¡Maldícela, Goov!
¡Ahora, hazlo ahora! ¡Maldícela! ¡Maldícela!

Todas las cabezas se volvieron hacia Brun. El permanecía
mirando frente a sí, con las mandíbulas apretadas, los puños
cerrados, los músculos de su espalda temblando de tensión. Se
negaba a moverse, se negaba a interferir aunque tenía que apelar a todas sus reservas de fuerza de voluntad. Los miembros
del Clan, molestos. se miraron unos a otros, después a Goov,
después a Broud. Goov se quedó mirando a Broud sin lograr
creer lo que estaba viendo: "¡Cómo puede echarle la culpa a
Ayla! En todo caso, era culpa de Broud". De repente, Goov
comprendió.

—¡Yo soy el jefe, Goov, y tú eres el mog-ur! Te ordeno que
la maldigas ... ¡la maldición de muerte!

Goov se volvió de repente, tomó una rama encendida, resinosa, del fuego que habían prendido mientras Ayla estaba dentro de la cueva, subió la pendiente y desapareció dentro de la
oscura boca triangular. Buscó cuidadosamente su camino entre
los escombros que cubrían el piso, apartándose prudentemente
de la caída de piedras y gravas que se desprendían de vez en
cuando, seguro de que una sacudida posterior podría desprender sobre su cabeza toneladas de roca y deseando que así fuera
para no tener que hacer lo que le habían ordenado. Llegó a la
cámara de los espíritus y alineó los huesos sagrados del oso
cavernario en hileras paralelas, efectuando gestos rituales con
cada uno de ellos; el último hueso se colocó en la base saliendo de la cuenca del ojo de una calavera de oso cavernario.
Entonces dijo en voz alta las palabras que sólo los mog-ures
conocen, los terribles nombres de los espíritus malignos ... el
reconocimiento que les daba el poder.

Ayla seguía de pie delante de la cueva cuando caminó junto
a ella sin verla.

—Soy el mog-ur. Tú eres el jefe. Has ordenado que Ayla sea
maldita de muerte. Está hecho —señaló Goov, y entonces dio la
espalda al jefe del Clan.

Al principio nadie podía creerlo; había sido demasiado rápido; no debía hacerse de esa manera. Brun lo habría discutido, lo
habría razonado y habría preparado previamente al Clan. Pero,
para empezar, no la habría mandado maldecir. ¿Qué había hecho?
Fue insolente con el jefe y eso estaba mal, pero, ¿era causa suficiente de muerte? Sólo había estado defendiendo a Creb. ¿Y

qué le había hecho Broud? Le había quitado su hijo y había despachado al viejo mago de su hogar para vengarse de ella. Ahora ninguno tenía hogar. ¿Por qué lo hizo Broud? ¿Por qué la maldijo? Los espíritus la habían favorecido siempre, ella traía buena suerte hasta que dijo Broud que quería maldecirla, hasta que mandó al mog-ur que la maldijera. Broud les trajo la mala suerte a todos. Ahora, ¿qué sería de ellos? Broud había hecho enojar a los espíritus protectores y, después, había desatado a los espíritus malignos. Y el viejo mago había muerto. El Mog-ur no podría ayudarlos ya.

Ayla estaba tan sumida en su pesar que no se percataba de las rápidas corrientes que se agitaban a su alrededor. Vio que Broud mandaba que la maldijeran, y vio que Goov le decía que ya estaba, pero su mente apesadumbrada no entendió. Lentamente, el significado hizo impacto en su conciencia. Cuando penetró, con todas sus ramificaciones, el impacto fue devastador.

"¿Maldita? ¿Maldita de muerte? ¿Por qué? ¿Qué he hecho yo que sea tan malo? ¿Cómo ha sucedido todo tan aprisa?" El Clan tardaba tanto en entenderlo como ella; no se había repuesto aún del terremoto. Ayla los observaba a todos con un extraño desprendimiento mientras, uno tras otro, los ojos se volvían vidriosos y dejaban de verla. "Ahí va Crug... quién viene después: Uka. Ahora Droog, pero Aga todavía no. Ahí va, sin duda me ha visto mirarla".

Ayla no entró en acción hasta que los ojos de Uba dejaron de verla y comenzó a lamentarse por la madre del niño que tenía en brazos. "¡Durc! ¡Mi bebé, mi hijo! Estoy maldita, nunca volveré a verlo. ¿Qué va a ser de él? Solo le queda Uba. Ella lo cuidará, pero ¿Qué puede hacer contra Broud? Broud lo odia porque es mi hijo". Ayla miró alocadamente a su alrededor y vio a Brun. "¡Brun puede proteger a Durc; sólo Brun puede protegerlo".

Ayla corrió hacia el hombre estoico, fuerte y sensible que, hasta el día anterior, había dirigido al Clan. Se dejó caer al suelo a sus pies inclinando la cabeza. Tardó un poco en comprender que nunca le tocaría el hombro. Cuando alzó la mirada vio que él tenía los ojos fijos en el fuego que había detrás. Si quisiera, sus ojos podrían verla. "Me puede ver —pensó Ayla—. Yo sé que puede verme. Creb recordaba todo lo que le había dicho, Iza también".

—Brun, sé que me crees muerta, que soy un espíritu. No apartes la mirada. ¡Te suplico que no apartes la mirada! ¡Todo ha sucedido con demasiada rapidez! Me iré, prometo que me iré, pero temo por Durc. Broud lo odia, sabes que lo odia. ¿Qué será de él con Broud por jefe? Durc es del Clan, Brun. Tú lo aceptaste. Te suplico, Brun, que protejas a Durc. Sólo tú puedes hacerlo. ¡No permitas que Broud le haga daño!

Brun volvió lentamente la espalda a la mujer suplicante, apartando la mirada como si cambiara de postura, no como si intentara evitar mirarla. Pero ella vio una chispa de reconocimiento en sus ojos, un indicio de asentimiento. Fue suficiente. Protegería a Durc, se lo había prometido al espíritu de la madre del muchachito. Es cierto que había sido demasiado rápido, que no había tenido tiempo de pedírselo antes. El faltaría sólo en eso a su decisión de no interferir con Broud; no permitiría que el hijo de su compañera hiciera daño al hijo de Ayla.

Ayla se puso en pie y caminó deliberadamente hacia la cueva. No había decidido marcharse hasta que se lo dijo a Brun, pero una vez que lo dijo, se decidió. Su dolor por la muerte de Creb, lo apartó de su mente para volver sobre ello más adelante, cuando su supervivencia no estuviera en juego. Se iría, tal vez al mundo de los espíritus, tal vez no, pero no se iría desprovista.

No había tenido conciencia de la destrucción del interior de la cueva la primera vez que entró; se quedó mirando el lugar desconocido, contenta de que todo el Clan se hallara fuera durante el cataclismo. Respirando profundamente, corrió hacia el hogar de Creb sin tomar en cuenta el estado peligroso de la cueva. Si no se llevaba lo necesario para sobrevivir, de seguro moriría.

Apartó una roca de su lecho, sacudió su manto de piel y comenzó a amontonar cosas en él: su bolsa de medicinas, su honda, dos pares de protectores para pies, polainas, protectores para manos, un manto forrado de piel, una capucha. Su taza y su tazón, bolsas de agua, herramientas. Se dirigió al fondo de la cueva y encontró la provisión de pastelillos concentrados que proporcionaban gran energía durante los viajes, hechos con carne seca, fruta y grasa. Buscó entre la grava y encontró paquetes de corteza de abedul llenos de azúcar de arce, nueces, fruta seca, grano tostado y molido, tiras de carne y pescado secas, y unas cuantas legumbres. No era una variedad muy grande, pues la temporada ya estaba avanzada, pero sería adecuada. Quitó tierra y guijarros de su canasto y empezó a llenarlo.

Recogió el manto de Durc y lo puso junto a su rostro, sintiendo cómo se le llenaban los ojos de lágrimas. No lo necesitaría pues no se llevaba a Durc; lo empacó. Por lo menos, podía llevarse algo que había estado cerca de él. Se vistió con ropa caliente; la estación acababa de comenzar, y en la estepa haría frío. En el norte tal vez fuera todavía invierno. No había tomado una decisión consciente en cuanto a la dirección que tomaría; sabía que iba hacia el territorio continental que se extendía al norte de la península.

En el último momento decidió tomar el cuero protector que empleaba al ir de cacería con los hombres, aun cuando técnicamente no le pertenecía; podía llevarse lo que quisiera de sus pertenencias: lo que quedara atrás sería quemado. Y consideró que parte de los alimentos también le correspondían, pero el cuero protector era de Creb, para uso de los miembros de su hogar. Creb se había ido y nunca lo había usado; no creía que le importara.

Lo puso encima de todo de su canasto y lo cargó a sus espaldas, atando las correas que lo aseguraban. Nuevamente se llenaron sus ojos de lágrimas mientras estaba en pie en medio del espacio que había sido su hogar desde pocos días después de que Iza la recogiera. Nunca lo volvería a ver. Un calidoscopio de recuerdos desfiló por su mente, deteniéndose ésta por un instante en escenas importantes. Por último, pensó en Creb. "Quizá comprenda yo algún día, pero me alegro tanto de que habláramos la otra noche, antes de que te fueras al mundo de los espíritus. Nunca te olvidaré a ti ni a Iza ni al Clan". Entonces Ayla salió de la cueva.

Nadie la miró, pero todos supieron cuando apareció. Se detuvo ante la poza tranquila que había fuera de la cueva, para llenar de agua sus bolsas, y recordó una cosa más. Antes de sacar agua y turbar el espejo líquido, se inclinó para mirarse; estudió cuidadosamente sus rasgos; no le pareció ser tan fea esta vez, pero no estaba interesada en su rostro: quería ver el rostro de los Otros.

Cuando se levantó, Durc estaba luchando por liberarse de los brazos de Uba. Estaba pasando algo que concernía a su madre; no estaba seguro de lo que era, pero no le gustaba. De un fuerte impulso, se soltó y corrió hacia Ayla.

—Te marchas —le dijo con tono de acusación, empezando a comprender y enfadado porque no se lo habían dicho—. Estás vestida y te marchas.

Ayla vaciló sólo una fracción de segundo, entonces abrió los brazos y el niño se arrojó a ellos; lo alzó y lo abrazó muy fuerte, luchando contra las lágrimas. Lo dejó en el suelo y se agachó para estar a su nivel, mirando directamente a sus grandes ojos morenos.

—Sí, Durc, me marcho. Tengo que irme.

—Llévame contigo, Mamá. Llévame contigo. ¡No me dejes!

—No puedo llevarte conmigo, Durc. Tienes que quedarte aquí con Uba. Ella te cuidará. También Brun.

—¡No quiero quedarme aquí! —gesticuló ferozmente Durc—. Quiero ir contigo. ¡No te vayas y me dejes!

Uba se acercaba a ellos; tenía que hacerlo, tenía que sacar a Durc de los brazos del espíritu. Ayla abrazó nuevamente a su hijo.

—Te amo, Durc. Nunca lo olvides: te amo. —Lo alzó y lo puso en brazos de Uba— Cuida a mi hijo de mi parte, Uba —señaló, mirando a los tristes ojos que devolvieron su mirada y la vieron—. Cuídalo... hermana mía.

Broud las observaba, enfureciéndose más. La mujer estaba muerta, era un espíritu. ¿Por qué no actuaba como tal? Y algunos de su Clan no la estaban tratando como si lo fuera.

—Es un espíritu —gesticuló con ira—. Ha muerto. ¿No sabes que está muerta?

Ayla avanzó directamente hacia Broud y lo dominó con toda su estatura. También a él le costaba no verla. Trató de ignorarla, pero lo miraba desde arriba, no a sus pies como debían hacer las mujeres.

—No estoy muerta, Broud —señaló, desafiante—. No voy a morir. Tú no puedes obligarme a morir; puedes obligarme a que me vaya, puedes quitarme a mi hijo, pero no puedes hacerme morir.

Dos emociones lucharon en Broud: la ira y el temor. Alzó el puño con un ansia abrumadora de golpearla, y allí lo dejó, asustado a la idea de tocarla. "Es un truco —se dijo—. Es un truco de su espíritu. Ella está muerta, ha sido maldita".

—Pégame, Broud, anda, reconoce a este espíritu. Pégame y verás cómo no estoy muerta.

Broud se volvió hacia Brun para apartar la vista del espíritu. Bajó el brazo, incómodo al ver que no podía lograr que pareciera un movimiento natural. No la había tocado, pero temía que con sólo alzar el puño la hubiera reconocido, y trató de transmitir la mala suerte a Brun.

—No creas que no te he visto, Brun. Le has contestado cuando te hablaba, antes de entrar en la cueva. Es un espíritu y vas a traer mala suerte —expresó, delatándolo.

—Sólo para mí, Broud, ¿y qué peor suerte podría tener? Pero, dime, ¿cuándo la has visto hablarme? ¿Cuándo la has visto entrar en la cueva? ¿Por qué has estado a punto de golpear a un espíritu? Todavía no lo comprendes ¿No es cierto? La has reconocido, Broud, ella te ha derrotado. Le has hecho todo el mal que has podido, inclusive la has mandado maldecir. Está muerta y sin embargo, ha ganado. Era una mujer y mostró más valor que tú, Broud, más determinación, más control de sí misma. Ha sido más hombre que tú. Ayla debería haber sido el hijo de mi compañera.

Ayla se sorprendió ante el panegírico inesperado que le dedicaba Brun. Durc estaba luchando de nuevo por escapar, la llamaba. No pudo soportarlo y echó a correr. Al pasar delante de Brun, inclinó la cabeza con un gesto de agradecimiento. Cuando llegó al saliente del farallón, se volvió para mirar atrás una vez más. Vio que Brun alzaba la mano como para rascarse la nariz, pero parecía que hacía un gesto, el mismo gesto que había hecho Norg cuando se alejaron de la Reunión del Clan. Parecía que Brun hubiera dicho: "Que Ursus te acompañe".

Lo último que oyó Ayla al desaparecer detrás del saliente quebrado fue el gemido de Durc:

—¡Maamá, Maaamá, Maamaaá!